KB220764

대행스님 법어집

허공을 걷는 길

표지 題字 : 대행 스님

게송 서체 : 한마음체 (대행 스님 친필)

내가 죽은
이름없는 이름이여

나와 남이 두루 같이 죽은
이름없는 이름이여

나와 남이 두루 나투는
이름없는 이름이여

해산봉은 화산 터져
두루 불이 진동하여
이름없는 이름이 그대로 여여하더라

1987년 1월 18일 정기법회에서 윤으심

허공을 걷는 길

대행스님 법어집

허공을 걷는 길

정기법회 I

엮은이 / (재) 한마음선원 출판부
펴낸이 / (재) 한마음선원
펴낸데 / (재) 한마음선원 출판부

1판 1쇄 1999년 10월 30일
　　2쇄 2017년 11월 30일

출판등록 1998. 8. 17. 제 98-9호
13908 경기도 안양시 만안구 경수대로 1282
전화 (031)470-3100 팩스 (031)470-3116
http://www.hanmaum.org/

값 30,000원
ISBN 89-950859-1-6 04220
ISBN 89-950859-0-8 (셋트)

대행스님 법어집

허공을 걷는 길

정기법회 1

대한불교조계종
한마음선원

발간사

부처님의 가르침은 모든 중생을 열반의 저 언덕에 이르게 하는 지혜의 뗏목이며, 삼계에 비할 바 없는 보배이다. 여기에 실린 대행스님의 말씀 또한 보배이니, 마음을 열고 이 법어를 읽을 때, 걸림없는 지혜와 다함 없는 공덕을 얻게 될 것이다.

스님께서 늘 강조하시는 생활과 불법이 둘 아닌 도리는, 하루하루의 삶 그대로가 불법에 어긋나지 않는 한마음의 묘리 바로 그것이다. 그러나 현대 과학 문명은 이러한 마음의 도리를 도외시한 나머지, 생명의 경시는 물론 자연 환경의 파괴와 같은 재앙을 자초하고 있다. 바로 이러한 때 스님의 법어집이 전집으로 나온다고 하니, 반갑고 감사한 마음 말로 다 표현 하기가 힘들다.

스님의 가르침은 정신과 물질, 인간과 자연 그리고 종교와 과학이 조화를 이루며 발전하는 새 시대의 길을 일러 주신다. 이 전집 또한 그 길을 열어 보이고 있으니, 한마음으로 읽어 가다 보면 끝내 나와 너 또는 나와 대상이 하나를 이루어, 무엇을 하든 걸림이 없는 경지를 체득하게 될 것이다.

스님의 법어는 화려하지는 않지만 깊고 그윽하다. 물이나 공기가 그러한 것처럼, 누구에게든 차별을 두지 않으므로 마시고 호흡하는 데 조금의 어려움도 없다. 아무쪼록 이 법어집과 인연 닿는 모든 사람들이 고(苦)에서 벗어나 널리 세상을 이롭게 하는 자유인이 되기를 간절히 발원하는 바이다.

불기 2543년 10월
서혜원 합장

차 례

일러두기

1. 대행스님 법어집 발간 계획

한마음선원 출판부에서는 20여 년에 걸쳐 설하신 대행스님의 방대한 육성 법문을 문자화하여 보존하고, 앞으로 대행스님의 가르침을 여러 형태의 책으로 발간함에 있어 그 바탕으로 삼고자 본 법어집을 발간하게 되었다. 전집의 형태로 엮은 본 법어집은 법회별로 묶어 전 26권으로 발간할 예정이다. 완간 후의 법문이나 추후에 정리될 법문은 이어서 발행할 계획이다.

법어집의 발간 순서와 법회별 법문의 분량은 다음과 같다.

1)정기법회 4권 / 2)법형제법회 2권 / 3)국내지원법회 3권 / 4)국외지원법회 2권 / 5)일반법회 5권 / 6)특별법회 5권 / 7)담선법회 5권

97년 11월까지의 법문을 정리한 것이며, 권수나 발행 순서는 사정에 따라 바뀔 수 있다.

2. 편집 원칙

본 법어집은, 읽는 이로 하여금 마치 법회 현장에 있는 듯한 느낌이 들도록, 육성 법문 그대로를 문자화하는 것을 편집 원칙으로 삼았다. 이러한 원칙에 따라, 스님께서 말씀하신 단어가 사전적인 의미와 달리 사용되었거나, 비유와 예화가 법문에 따라 조금씩 다른 경우도 그대로 두었다. 이에 대해 독자들은, 사실에 대한 시비곡직보다는 큰스님께서 전하려 하신 참뜻을 마음으로 새기는 데 힘쓰기 바란다. 그러나 독자의 이해를 돕기 위해 법문의 본뜻에서 벗어나지 않는 최소한의 경우에 한하여 표준어법으로 바꾸는 작업을 하였다. 이는 문자가 지닌 표현의 한계에 따른 고육지책이었음을 미리 밝힌다.

또한 세간의 말로는 드러낼 수 없는 법의 세계를 표현하심에 있어 스님 특유의 조어(造語)를 사용하시는 경우도 있다. 이에 대해서는 차후에 만들어질 용어 해설이나 색인 작업을 통해 그 뜻을 보다 명확히 할 것이다.

3. 법문 분류

법회의 형식, 시기, 대상, 목적 등에 따라 크게 일곱 가지로 분류하였다.

1) 정기법회: 86년 8월 24일 이후부터 매월 셋째 주 일요일, 한마음선원 본원 법당에서 일반 신도들을 대상으로 한 정기적인 법회에서 설하신 법문.

2) 법형제법회: 90년 8월 5일 이후부터 매월 첫째 주 일요일, 한마음선원 본원 법당에서 법형제회의 거사들을 주대상으로 한 정기적인 법회에서 설하신 법문.

3) 국내지원법회: 87년 6월 9일 이후부터 국내 지원이 주최하여 열린 공식적인 법회에서 설하신 법문. (법당 준공 및 이운식과 관련된 법회 포함)

4) 국외지원법회: 89년 6월 17일 이후부터 국외 지원이 주최하여 열린 공식적인 법회에서 설하신 법문.

5) 일반법회: 82년 10월 17일 이후부터 정기법회나 법형제법회가 정례화되기 이전에 가졌던 법회로, 형식이 그에 준하는 법회에서 설하신 법문. (신행회 창립법회, 신행회 초청법회, 금요친견법회 포함)

6) 특별법회: 82년 10월 17일 이후부터 열린 행사법회, 초청법회, 특별법회 또는 대담 형식의 법회에서 설하신 법문.

7) 담선법회: 82년 10월 17일 이후부터 열린 소집단과의 비교적 자유로운 토론과 질문 형식으로 이루어진 법회에서 설하신 법문.

4. 법어집의 활용

본 법어집 26권은 대행스님 법문의 원전 역할을 하게 되며, 이후에 발간되는 스님 법문과 관련된 모든 서적과 외국어 번역본 그리고 법문의 데이터베이스화와 Internet상에서 대행스님 법문을 활용할 때 그 근거가 된다. 이러한 이유로 각각의 법문을 그 형식과 시기에 따라 구분하고, 내용에 따라 단락을 나누어 어떠한 형태로 활용하더라도 그 내용의 근거를 쉽게 확인할 수 있도록 하였다.

정기법회 1

방하착

84년 9월 16일

　　여러분은 혹시 덕산 스님이 떡 파는 노파에게서 '스님은 어느 심에 점을 찍으시려오?' 하는 말을 듣고 아무 대답을 못했다는 얘기를 들으셨는지요? 어떤 분이 내게 삼세심 불가득(三世心不可得)이 뭐냐고 묻더군요. 스님이라면 그때 어떻게 대답을 했겠느냐고 하면서 말입니다. 하지만 그런 건 말로 해서 대답을 듣는 게 아니죠. 내가 그 뜻이란 이런 것이라고 설명을 해준다 한들 그게 무슨 도움이 되겠습니까? 또 날 보고 어떻게 하겠느냐고 묻는데 이 도리는 내가 먹고 싶으면 먹고 먹기 싫으면 안 먹는 거기에 있습니다. 그러니 지금 먹고 싶으면 먹고 먹기 싫으면 안 먹는 게 그대로 점심이다 이 말입니다. 그때 덕산 스님의 수행이 좀더 익었더라면 '내가 어느 심(心)에 먹는가를 보고 싶거든 떡이나 가져 오시게.' 하고 말을 할 수 있었는지도 모르죠. '어느 심에 내가 먹는가 그것을 똑똑히 보여드릴 테니 떡이나 가져오시오.' 했더라면 차라리 좋았을 것을 그렇지 못했기 때문에 덕산 스님은 여여하게 대답을 못 했다는 얘깁니다.

　　또 과거심 미래심 현재심이라고 하지만 과거는 지나갔으니까 없고 미래는 오지 않았으니 없지 않습니까? 그러니까 우리가 아까니 방금

전이니 하는 것도 과거로 돌아갔다는 거, 찰나찰나 바뀌면서 돌아가기 때문에 지금이 금방 과거가 된다는 걸 여러분도 잘 알고 계실 겁니다.

그래서 말인데 찰나찰나 바뀌면서 돌아가는 것, 우리 몸뚱이에서 정맥 동맥이 쉬지 않고 돌아가는 것, 숨 쉬는 것, 한 발짝 떼어 놓았으면 또 한 발짝 떼어 놓는 것, 이런 걸 누가 하고 있는가? 그걸 실질적으로 알아야 한다는 얘기입니다. 말로는 다 잘 알고 있는데 말로만 알았지 실천을 통해서 감응이 되질 않는다면 소용이 없습니다.

그러니까 보이지 않는 데 잘 되는 것은 어느 틈에 잘 됐는지도 모르고, 잘못되면 또 내가 정확하게 알지도 못하니까 이거 조상이 잘못해서 이렇게 됐는가, 부모가 잘못됐나 남이 뭘 어떻게 해서 잘못됐나, 그놈이 그렇게 해서 잘못됐지, 이러곤 이것이 다 남의 원망이고 증오고 이렇게 됩니다. 그런데 그 증오나 원망을 왜 하게 되느냐, 그것을 각각 봤기 때문입니다. 그리고 그렇게 돌아가는 것을 옳게 못 보고, 나쁜 것도 옳게 못 보고, 좋은 것도 옳게 못 보고 진리를 제대로 못 봤기 때문에 그런 증오심이 나오는 것입니다. 그 한 생각 한 생각을 잘못하는 게 그만 자기한테로 돌아가는 거죠.

그러니까 여러분은 남이 그렇게 생각을 안 했는데도 불구하고 자기 생각대로 자기 멋대로 판단하고 자기 멋대로 증오하고 자기 멋대로 원망하고 자기 멋대로 괴롭다고 하고 자기 멋대로 아주 속상해서 애를 쓰고…. 그렇게 꼬부장해서 애를 쓰는 그 마음이 바로 누구한테 가느냐 하면 결국 자기한테로 돌아가는 것입니다. 자기가 만약에 공을 던지지 않았다면 공이 튀어오지 않듯 자기는 지금 한 발짝 한 발짝 걷는 대로 바로, 과거가 따로 없이 미래가 따로 없이 지금 이 자리에 함께 하는 것입니다.

우리 마음은 체가 없어서 영원한 대진리가 바로 소진리고 소진리가 대진리인 것입니다. 그거는 왜냐? 여러분한테 가끔 이런 말을 합니다마는 여러분 몸뚱이가 지수화풍으로 이뤄졌기 때문에 그 능력이 생기는 것이고, 그 능력이 생겨서 작용을 하게 되고 분기도 일어나고 잔잔하게 자비도 생기고 또는 여러분의 그 무한의 능력도 생기는 법이지 않습니까. 그렇지 않고 만약에 지수화풍이 합쳐서 그 능력을 발휘하지 못한다면, 그걸 개별적으로 생각한다면 바람, 물 또는 흙, 태양, 이거 개별적으로만 생각한다면 능력이 생길 수가 없죠. 불이 일어날 때 반드시 물이 없다면 끌 수가 없듯이 그러한 관계상 사대(四大)가 한데 합쳐서 이렇게 능력이 인다는 그 점을 아셔야 합니다.

그래서 우리 생명체, 모든 유정물이나 무정물 또는 동식물이 다 지수화풍으로 되어 있습니다. 사람만 지수화풍으로 돼 있는 것이 아닙니다. 여러분과 더불어 같이 움죽거리지 않는 것들도 다 생명이 있는 것입니다. 그리고 말들도 하고 있습니다. 그리고 사실은 움죽거리고 있습니다. 사람과 같이 움죽거리고 있지만 사람의 눈에만 보이지 않을 뿐입니다. 그리고 들리지 않을 뿐입니다.

우리가 일본말 모르고 일본 사람도 우리 한국말 모르듯이 이렇게 서로 모르고 돌아가고 모르는 것이 많기 때문에 여러분한테 '방하착을 하라.' 했습니다. 자기 멋대로 생각하고 자기 멋대로 판단을 할 것 같으면 자기한테 업보가 되고 유전이 되니까 절대로 자기가 걸리지 않게 하기 위해서 자기 주인공에다가 모든 것을 놔버려라, 이런 것입니다. 자기 주인공에다 모든 것을 일임하고 믿고 돌린다면 거기서 바로 자기가 걸리지 않는 법이 생기는 겁니다. 그리고 마음에 감응이 오고 말입니다.

생활의 어떠한 것도 그 오온(五蘊) 속에서 다 나오는 겁니다. 손을 보십시오. 손가락을 볼 때는 다섯 개가 이렇게 뚜렷하지만 주먹을 쥐었을 때는 한 주먹입니다. 이 세상도 그렇게 한 세상입니다. 이렇게 살든 저렇게 살든 바로 한 세상이죠.

여러분이 이렇게 살아도 한 세상, 저렇게 살아도 한 세상이라면 좀더 우리가 인간의 삶에 대해서 보람을 느낄 수 있는, 영원 불생불멸

할 수 있는 그런 각오를 하시고 불심을 좀더 돈독하게 가지시고, 진실하게 믿음을 가져야 한다고 봅니다.

내가 진실한 믿음을 가질 때, 부처님 앞에 와서 진심으로써 삼배를 올릴 때 부처님 마음이 내 마음이고 부처님 몸이 내 몸이요 바로 부처님의 그 무한의 능력이 내 능력이기도 할 터인즉, 내가 아프다면 바로 내 지극한 마음 속에서 바로 의사가 나올 것이고, 바로 지극한 마음에서 가난을 물리칠 것이고, 지극한 마음 속에서 유생 무생(有生無生)이 다 한마음으로 돌아갈 겁니다. 그러니까 병으로 말하자면 내 마음의 그 능력의 빛이 바로 세균의, 보이지 않는 세균의 모든 것을 뿌리칠 수 있는, 즉 말하자면 빛에 의해서 녹아버릴 수 있는 그런 문제가 생기고, 또 녹아버리는가 하면 피해서 그것은 다시 몸이 화(化)해서 다른 걸로 창조가 되기도 하니 죽이는 게 죽이는 게 아니고 살리는 게 살리는 게 아니라 바로 우리 마음에 달려 있다 이겁니다.

여러분은 어떠한 미물의 짐승이라 할지라도 업신여기지 마십시오. 왜냐하면은 억겁 전년서부터 우리는 이 몸뚱이를 사람의 몸뚱이로만 가져온 게 아닙니다. 뱀의 몸뚱이나 거북의 몸뚱이나 소의 몸뚱이, 어떤 벌레의 몸뚱이, 억겁을 거쳐오면서 이 몸뚱이 저 몸뚱이로 그 모습을 바꿔가면서 이렇게 또 인간으로서 성립이 된 것입니다. 그렇다면은 그 누구가 내가 아니겠습니까! 우리가 한데 합쳐서 수천년 전, 수만년 전으로 거슬러 올라가면서 거쳐온 거를 생각할 때에 내 아님이 어디 따로 있겠습니까. 모두가 나입니다.

그래서 석존께서 짐승의 뼈다귀나 사람의 뼈다귀나, 여자의 뼈다귀나 남자의 뼈다귀나 어린애의 뼈다귀나 어떠한 뼈다귀를 막론하고 예전에 그 뼈 무더기 있는 데 제자들을 데리고 가서 절을 하신 이유가 바로 거기에 있습니다. "부처님께서는 사생자부(四生慈父)이신데 거기에 절을 하나이까?" 하니까 "너희들은 어찌 그렇게 지혜가 없느냐. 억겁 전년서부터 그 몸뚱이가 사람의 몸뚱이로만 가져온 게 아니니라. 저 몸뚱이가 뱀의 몸뚱이다 할지라도 거북이의 몸뚱이 뼈다귀다 할지라도 그 거북이도 에미가 있었고 자식이 있었고 형제가 있었느니라. 우리도 억겁을 거쳐올 때 그 모습의 형제가 있었고 부모가 있었느니라. 부모도 고정되게 있지 않고 자식도 고정되게 있지 않고 형제도 고정되게 있지 않느니라."라고 말씀하신 겁니다.

우리가 짚단과 같이 한 덩어리로 이렇게 인연이 돼서 인연에 따라서, 자기 마음 쓰는 데에 따라서, 업보에 따라서, 차원에 따라서 한데 질서 있게, 업보를 많이 진 사람은 많이 진 사람들끼리 모이고 적게 진 사람은 적게 진 사람들끼리 모이게 되는 거와 마찬가집니다. 그거를 못 보시걸랑은 우리 세상을 잘 보십시오. 금방에 금이 있고 넝마전에 넝마가 있고…. 또 사람들 사는 걸 보십시오. 정치인들은 정치인들대로, 회사원은 회사원대로 지게꾼은 지게꾼대로 그 외에 한 마디 더 안 해도 여러분이 더 잘 아시리라고 믿습니다. 그렇다면은 누가 질서를 이렇게 만들어놔서 질서가 지켜졌는지 한번 생각해 보십시오. 질서를 이렇게 만들어 놓았다고만 볼 게 아닙니다. 자연의 법칙으로서 차원대로 질서를 이루어 가지고 걷고 있는 것입니다. 그런데 누가 잘못했다고 누가 누구를 원망하겠습니까.

그리고 우리가 억겁을 거슬러 올라가지 않더라도 현실을 볼 때, 현실의 '참나'를 깨달을 때 비로소 억겁 전년서부터 그 모습을, 여러 수많은 벌레의 모습, 짐승의 모습, 무정물의 모습을 내가 지니고 거쳐 왔다는 거를 여러분께서 잘 아실 겁니다. 그거를 아시게 된다면은 아마 자기 생명만 생명으로 알고 남의 생명이라서 우습게 생각을 하지는 않으실 겁니다, 어느 한 생명도. 그래야 부처님의 마음을 헤아릴 수가 있고, 다른 생명들의 마음을 헤아릴 수가 있고, 너 나 할 것 없이 겸손하게 대할 겁니다. 스님네들에게도 그렇고 말입니다.

그렇게 남의 마음을 헤아릴 줄도 알고 겸손해진다면 아무렇게나 '저 스님은 저렇고 저 스님은 저래.' 하고 말을 해서 싸움을 붙이거나,

또 신도들끼리도 서로 말들을 전달해서 서로 이간질을 시키거나 하지는 않을 겁니다. 예를 들자면 말입니다. 그런데 모두들 그렇질 못해요. 여러분 마음 속에 물이 있고 불이 있고 흙이 있고 바람이 있기 때문에 그 마음 쓰는 대로 바람이 일고 불이 일어나고 그러는 겁니다. 그러는 대로 우리가 업을 짓는 거죠. 그러기 때문에 '묵언하라!' 예전에 선조들께서 '묵언하라! 모든 잘못된 것은 안으로 돌려라!' 했던 거죠. 아주 괴로운 일이 있으면 '주인공, 당신이 일체 만법을 해나가는 거고 당신께서 나를 끌고다니는 거고 바로 당신이 운전수며, 나는 차일 수밖에 없으니 당신께서 기름도 넣고 이 몸뚱이도 잘 지도해서 이끌어가 달라.'고 그렇게 하셨던 거죠. 그렇게 하는 마음이 갸륵하고 진실하다면 여러분도 바로 체험하게 될 겁니다.

여러분이 이런 업보에 대해서나 유전성에 대해서 질문을 하셔도 좋습니다. 여러분의 마음이 나빠서가 아니라 여러분이 자기도 모르게 마음을 잘못 써가지고 유전이 되기도 하고 현실에도 바로 자꾸자꾸 다가옵니다. 그렇더라도 여러분은 걸리지 마세요. 주인공에 모든 걸 일임시키고 아는 건 알아서 감사하고 모르면 모르는 대로 일임해서 놔버리세요. 그런 법을 아신다면은 감사해도 놔버리고, 또 괴로워도 놔버리고, 외로워도 놔버리는 겁니다. '이거는 꼭 돼야 할 텐데, 왜 부처님 앞에 가서 절을 하고 정성을 들여 시주를 했는데 왜 안 되나?' 이렇게 생각하지 마시고 '안 되는 것이 나한테는 아주 좋은 일이기 때문에 부처님께서 아니, 자기 자부처가 이렇게 안 되게 했구나.' 하는 걸 믿으면 돌아서 다시 옵니다. 그러니 여러분은 그거를 납득을 잘 하셔서 인과응보를 겪지 마시고 유전에 말리지 마시고 윤회에 끄달리지 마십시오.

질문을 하실 게 있으면 질문하십시오. 생활 속에서 참, 어찌 해볼 수 없는 점도 있고 또 의심나는 점도 있고 그럴 겁니다. 그러니까 질문하신다면은 아는 데까지는 말씀해 드리겠습니다. 우리가 앞으로 참답게 생활 종교로서 살아나가는 방법에 대해서도 좋습니다.

물론 놔버리는 것도 참, 단계가 있어야 될 것입니다. 여러분의 차원이 다 다르시고 생김생김도 다르시고 또 생활해나가시는 방법도 다른 것입니다. 그 법은 똑같지만 생활 자체를 해나가시는 것은 다 다른 것입니다. 이렇게 해나가는 분이 있고 저렇게 해나가는 분이 있습니다. 이걸 잡숫고 싶어 하는 분이 있고 저걸 잡숫고 싶어 하는 분이 있습니다. 그러나 여러분이 이것이 좋다 저것이 좋다에 매달리지 마시고 아주 지극하게 일임해서 놓을 줄 아셔야 합니다. 그럴 때 내 마음이, 이런 것이 우리 마음의 참선입니다.

　　우리가 어떠한 괴로움이 생긴다고 해서 '이거 망상이니까 끊어버리겠다.' 이런 생각은 아예 하지 마십시오. 왜냐하면 망상이 생기고 어떠한 생각이 나는 것은 유생 무생이 다 쉬는 사이 없이 자꾸 돌아가기 때문에, 자기 머리에서 자기가 보고 들은 것이 다 잠재해서 들어 있기 때문에 그것이 발단이 돼서 자꾸 이렇게 생각이 나는 겁니다. 내가 먹어본 것은 언젠가 또 먹고 싶어서 생각이 나듯이, 본 것도 언젠가 또 생각나듯이…. 그러니까 항상 그 생각나는 것은 잠재의식의 작용이다, 바로 우리 의식 세계의 계발된 어떠한 유동성이라고 할까요?

　　그러니 그렇게 생각나걸랑은 거기다가 바로 놔버리세요. 자기가 색(色)이자 공(空)이고 공이자 색이거든. 그러니까 그것이 둘이 아니다는 얘깁니다. 바로 자기 실상이라고 볼 수 있겠죠. 자기 실상이 공이니까 공에다 모든 것을 놔. 믿고… 진실하게 믿고, 믿지 않으면 놔버릴 수가 없어요.

　　믿어야 열쇠를 맡기죠? 믿지 않으면 열쇠를 맡길 수가 없듯이 말입니다. 내가 '참나'인 주인공을 진실로 믿는다면 몸이 아프고 괴로워도 거기를 믿고 맡길 수가 있죠. 주인공이라는 그것 자체도 이름이고 실(實)은 아닙니다만…, 그래서 이름을 부르는 게 아니라 실상 그 자체를 믿는다는 것인데 바로 거기다가 놓아버린다면, 믿고 놓아버린다면 해결이 될 수가 있죠. 이게 무슨 소리냐 하면 차가 있고 기름이 있어도 차는 운전수가 끌고 다닌다는 소리입니다.

그러니까 차와 운전수와 기름이 삼합(三合)이 되어서 돌아가듯이 그렇게 공존하니까 색이 공이자 공이 색이다 하는 거고 그렇게 공존하는 것을 공이라고 할 때 거기다가 몰락 놔버리면 그대로 공존돼서 바로 일체 유생 무생이 한데 합친 그 능력의 의사가 되니 나는 손을 까딱 안 하고도 해결을 할 수도 있는 그런 문제가 생기는 겁니다.

여러분 가난도 자기가 만들어놓고 자기가 당하는 거지 누가 가난을 주고 뺏아가는 게 아닙니다. 옛날 말에 어느 부자가 복을 지은 거라고는 동네에서 누가 어린애 낳는 데 고작 짚 한 단 준 거밖에 없었답니다. 그랬는데 부자가 죽어서 가보니까 부자 복(福) 창고에 짚 한 단밖에 없더란 셈으로 그런 마음을 썼으니 짚 한 단만 있을 수밖에요. 자기가 준 대로, 한 대로밖엔 안 돼요.

그러니까 여러분도 생활을 해보시겠지만 수많은 사람한테 속기도 하고 사기도 당하고, 또 안 당한 사람도 있고 사기를 친 사람도 있겠죠. 그러나 주인공에 놓는, 방하착 할 수 있는 진실한 마음을 갖는 그런 분들은 나중에는 참자기의 감응이 와서 그걸 그렇게 하라 그래도 안 그럴 겁니다. 또는 안 그런다 하는 마음조차도 없고 한다 하는 마음조차도 없이 슬그머니, 보이지 않는 데서 다, 오온에 칠보(七寶)가 가득히 차 있듯이 그 모든 것이 다 저절로, 가난도 면할 것이고 병도 물러날 것이고, 자기의 뿌리로서 모든 것이 해결될 겁니다.

그 뿌리엔 자식의 뿌리도 있고 부모의 뿌리도 있는데 뿌리는 다 똑같이 공이다 이겁니다. 만강에 달이 비쳐도 그 달이 한 달에서 비쳤지 여러 달에서 비춘 게 아니듯이 말이죠. 만강에 달이, 수많은 달이 비쳤다 할지라도 그것은 한 달에 불과합니다. 하나의 달에 불과하다 이겁니다.

그러나 그 달이 만강에 비칠 수가 있기 때문에 어떤 게 달이다 할 수 있겠습니까? 한 달이 한 달일 뿐이냐? 아니다, 만강에 비칠 수 있는 달이다. 그런다면 때로는 달빛이 만강에, 즉 말하자면 만 달이 될 수가 있고 또 때에 따라서는 한 달이 될 수가 있고, 달이 하나가 될 수가 있고 달이 만 개가 될 수가 있고. 이렇듯이 인간의 마음도 한마음이 될 수가 있고 여러 사람들이 내 아님이 하나도 없을 때는 바로 여러분과 같이 한마음이 될 수가 있습니다. 자꾸자꾸 찰나찰나 나투기 때문에 그 마음 하나도 없느니라 하고 바로 '무(無)!' 했던 것입니다.

　여러분이 알아듣기 쉽게 하기 위해서 이렇게 말을 한 것입니다. 그러나 이해만 가서 되는 것이 아니니 될 수 있으면 모든 것을 공에다가 놓아버리세요. 모든 것을 공에다 놔버리라는 것은 왜냐? 예를 들어 만약에 장님이 있다고 한다면 장님은 지팡이 없이는 못 갑니다. 그러니 공에다 놓지 않는다면 장님의 눈을 밝게 할 수는 없고 겨우 지팡이 하나 쥐어 주는 것밖엔 안 되죠. 그래서 공에다가 이름을 붙여서, 주인공이라는 이름을 붙여서 거기다 다 놔버린다면 바로 여러분에게도 그 뜻이 풀려 공도리(空道理)도 알 수 있으며, 바로 인에 의해서 연도 생기고 그렇게 돌아가는 자체가 바로 연기법(緣起法)이라는 걸 알 수도 있구요. 그 마음을 쓰면서 돌아가는 그 자체가 바로 연이라고 할 때, 그 연에 따라서 인연의 결과가 나온다는 걸 아실 겁니다.

　여러분이 생각하고 행하고 듣고 보고 하는 그 결과가 바로 여러분한테서 나오는 것입니다. 그러니까 여러분은 절에 다니면서 건성 다니지 마시고 정진 열심히 하시고 진실하게 믿으셔야 합니다. 질문을 하러 아무 때나 오셔도 저는 아무 때나 있으니까 질문을 하러 오세요, 서슴지 마시고. 이렇게 서로 손바닥 둘이 마주치지 않으면 소리가 안 납니다. 진짜 불법이라는 것은 우리가 방귀 뀌면은 방귀 뀌는 소리는 반드시 났는데 방귀 뀐 사이가 없이, 어디로 온데간데가 없듯이 그런 거나 마찬가지인 게 '참진리'라고 봅니다.

　우리의 삶은 꿈이자 현실이고 현실이자 꿈입니다. 이것도 꿈이요, 꿈꾸는 것도 꿈이면서도 생시입니다. 그러니 모두가 꿈에 얽매이지도 말고, 현실 일도 꿈으로 보시고 얽매이지 마시고 공에다가 모든 것을 놔버리는 방하착을 하신다면은 아주 진짜 진짜 참자기의 감응이 오게 되는 것입니다. 질문이 없으시다면 오늘은 이만 끝내겠습니다.

생활에서 한생각을 잘 돌려라

85년 1월 20일

'말은 하면 뭘 하나!' 하는 생각이 듭니다. 말이 있기 이전에 모든 사람들이 천차만별로 아픔을 당하고 있는데, 말은 하면 뭘 하나 하는 생각이 하루에도 몇 번씩 듭니다. 그런 마음이 들면 하늘을 쳐다보고 어떤 때는 눈물을 지을 때가 있습니다. 자기가 지금 어떻게 살아가는지 또는 어떻게 걸어가는지 그것조차도 생각하지 못 하는 채 그냥 무심히 가는 걸 보면은 아예 말하기도 싫을 때가 많습니다.

아마도 여러분과 같이 나도 아픔을 겪나봅니다. 보면 보는 대로 딱하고 그렇게 안됐을 수가 없습니다. 아무리 좋은 말을 한들 무슨 소용이 있나 하는 생각이 들 때도 있죠. 그래서 좋은 말을 하기 이전에 생활 속에 여러분과 같이 뛰어들어 같이 아픔을 나누고 같이 행을 해서 조금이나마 아픔이 해소될 수 있는 길이 있다면 오죽이나 좋을까 하고 생각을 해봅니다.

때로는 크고 작은 일을 다양하게 이끌어나가면서 삶이 좀더 편리해지고, 화목하게 서로 사랑하면서 살 수 있는 그런 마음이 온 집안에 따뜻하게 돌아간다면 좋겠다는 생각을 합니다. 그런 생각에서 이렇게 이 말 저 말 하고 있는데 때에 따라서는 답답할 때가 있습니다. 내가 답답하기 이전에 여러분이 답답하기 때문에 그런지도 모르죠.

집안이 화목치 못해서, 또는 한 가정 속에서 누가 괴롭다면은 서로가 한마음이 돼서 이끌고갈 수 있어야 나도 쉽고 서로가 다 쉬울 것을, 그렇지 못한 채 그저 자기 하나만 알고 자기 아픔만 알고 마음으로 돌봐줄 사람이 없어서 서로 뭉치지도 못하는 경우가 있습니다. 때로는 '집안에서 조금만 누구가, 부부가 서로 한마음이 됐더라면 내가 더욱 쉬울 텐데, 나도 쉽고 그 집도 쉽고 서로가 쉬울 텐데 이렇게 답답하구나!' 하는 생각이 드는 때가 많습니다. 이거는 높은 부처님의 뜻과 말씀이 있기 이전에 우리들의 아픔 속에서, 그 조그마한 소용돌이 속에서 알아야만 하죠. 그걸 모른다면 부처님 말씀의 그 큰 뜻도 알 수가 없는 거죠.

여기 처음 오던 해입니다. 어머니가 혼자 딸을 하나 데리고 사는 집이 있었는데 그 어머니가 상당히 완고하셨습니다. 아버지 없는 대신으로 엄마 몫 아빠 몫을 다 하면서 딸을 귀중하게 사랑하고 있었습니다. 그런데 그 따님은 참 예쁘장하고 잘 생겼는데 대학을 다니던 도중에 어느 사람을 사랑했답니다. 그런데 어머니가 알고는 "왜 아무나 그렇게 엄마도 모르게 만나러 다니느냐? 사랑할 것 같으면 탁 털어놓고 그 집 부모와 서로 알게끔 하지 않느냐." 하니까 엄마가 알면은 거부할 거라고 하더랍니다. 그러니깐 따님을 늦게 다니지 못하게 했지요.

그러던 어느 날 저녁에 나가고는 싶은데 나갈 수는 없고 그러니깐 음료수에다가 잠드는 약을 좀 타서 어머니에게 드렸습니다. 조금, 그저 주무실 동안에 내가 갔다 오리라 생각했는데 그만 너무 약을 많이 탔던 모양입니다. 나갔다 들어오니까 아, 어머니는 돌아가셨잖습니까.

그 따님이 어머니가 돌아가시고 보니깐 이제 그 사랑하는 남자와 자기 마음대로 하게끔 됐습니다. 집으로 끌어들이고 어린애를 하나 낳았습니다, 결혼도 하기 이전에. 그쪽 남자의 부모네들도 어떻게 할 수 없어서 여자 쪽 부모도 없으니 거기서 그냥 살도록 했습니다. 결혼을 시켜서요.

　그랬는데 어느 날은 어머니가 꿈에 턱 나타나시더니 "네 사랑을 위해서, 네 남편을 위해서 나를 죽이고 살맛이 나느냐?" 하시더랍니다. "너 하나 잘못된 생각으로 그것이 어느만큼 화를 미치는지 너는 짐작도 못 할 거라."고 하면서 "나는 저 사람이 싫다." 그러더랍니다. 그러고는 깜짝 놀라 깼답니다. 그런데 사흘 되던 날 남편이 죽었습니다. 남편이 죽고 배고 있던 어린애를 낳았는데 어느 날 그 집의 시어머니가 또 꿈에 보이더랍니다. 시어머니가 하는 소리가 '네 남편을 잡아먹고 잘 살 것 같으냐?' 하더랍니다, 또. 그 시어머니는 살아 있는데도 꿈에 보이더니 어린애를 빼앗아서, 내 자식이니깐 내가 데리고 간다고 그러면서 빼앗아 안고선 물로 들어가더랍니다.

　그 꿈을 깨고서는 앞서에도 어머님이 그랬는데, 시어머니로 보이면서 이렇게 되니까 너무 놀라서 어린애를 하루 종일 부둥켜 안고선 놓지를 않았답니다. 그랬는데 갑자기 경기를 하면서 숨을 몰아쉬더랍니다. 그래서 병원으로 달려가니까 병원에서도 어떻게 할 수가 없다고 그냥 진찰하는 도중에 죽고 말았더랍니다. 그 후엔 혼자 살다가 어떻게 됐는지 모르겠습니다. 그 후에는 소식을 듣지 못했습니다. 내 생각으로는 그 한 생각이, 그 따님의 한 생각이 그런 불씨를 가져왔습니다. 그러고 그것이 그대로 끊어지느냐 하면 끊어지지 않습니다. 내내 연결되고 얽히고설키게 되죠.

　우리에게 현재 생기는 문제들이 우리들이 지어놓은 것이지 지금 새삼스럽게 다가온 게 아닙니다. 그것을 우리는 끊는 게 아니라 녹이면서, 앞으로 개척하고 계발해서 내 마음의 차원을 질적으로 높여가야 합니다. 그렇게 질적으로 높아졌을 때 미래에 다가올 것을 다 녹이고 윤회 속, 유전 속, 업보 속에서 벗어나게 되는 거죠. 그렇게 벗어나야 어디고 아니 닿는 데가 없는 손 없는 손, 눈 없는 눈이 돼서 방방곡곡 어디에고, 누구한테나 이익을 줄 수 있고 불쌍한 사람들을 다 거두어줄 수 있는 능력의 보살행을 할 수 있는 거죠. 남을 건질 수 있는 마음이 있다면 바로 보살행이거든요.

우리가 꼭 머리를 깎고 안 깎고 간에 생활 속에서 이익이 없다면 왜 종교를 가져야만 합니까? 종교라는 것은 내 마음으로부터 생기는 것이고 내 마음으로부터 이루는 것이고 내 마음으로부터 하는 것입니다. 지혜가 넓으면 넓은 대로 우리가 한데 합쳐진 공(空)한 세상을 공하게 보고, 공하게 돌아가는 이 살림살이를 공한 데다가 다시 맡겨놓을 수 있는 그런 마음을 가지고서 산다면 급급하지도 않을 겁니다. 가난해서 밥을 굶는다 하더라도 급급한 생각이 하나도 없을 것입니다. 아마도 옛사람 말처럼 '나물 먹고 물 마시니 이만하면은 만족할 것을 그렇게 그랬다.'고 말씀하실는지도 모르죠. 없으면 없는 대로 걱정도 되지 않고 말입니다. 없는 것은 본인들이 더 잘 압니다. 각자 없는 것도 더 잘 알고 아픈 것도 더 잘 알고 매사의 문제들을 본인 자신들이 더 잘 알 수 있는 것입니다. 그러기 때문에, 배가 고프면 배가 고픈 걸 알기 때문에 어딘가가 모르게 공심(共心)으로 돌아가는 능력으로서 우리는 먹게 되는 것입니다. 그래서 미리 여축해서 먹으려고 생각을 할 필요도 없다 이겁니다. 여축해서 먹으려고 발버둥 치다보면은 오히려 구덩이에 빠지는 수가 허다합니다.

이 부처님 법이라는 건 그렇게 묘한 법이고 광대무변한 법이며, 불가사의한 법입니다. 그리고 그 법이 우리들 생활에 있다는 걸 아셔야 합니다. 생활에 있다는 것은 여러분이 있기 때문에 생활이 있는 거 아니겠습니까? 여러분 각자의 그 마음의 능력은 누가 그것을 좇아갈 수도 없고 알 수도 없고 세상을 주고도 바꿀 수 없는 그런 보배인 것입니다. 그런데도 불구하고 자꾸 바깥으로 돌고 '내가 이렇게 해야지 살 수 있지 않은가.' 하는 생각에서 그만 거기에 눈이 어둡게 되고 귀가 밝지 못하게 되고 또는 '내가 이렇게 살아서 뭘 하나.' 하는 생각에서 회의감을 가질 수도 있습니다. 그러나 그것 역시 이 법을 소상히 알지 못한 탓입니다.

우리가 죽는다고 맘대로 죽습니까, 살았다고 맘대로 삽니까? 그렇지만 그런 틈바구니에서도 한생각은 저 강물 흐르듯이 여여할 수 있는 겁니다. 그러니까 물은 없어지라 해서 없어지고 생기라고 해서 생기는 게 아니죠? 물은 우주를 덮고도 남고 싸고 돌아도 남습니다. 그렇듯이 한생각의 법도 여여합니다.

또 물과 같이 인간의 마음이 지혜롭다면 내 몸의 피도 물 흐르듯 흐르고, 만약 지혜가 모자란다면 피도 줄어들게 되는 것입니다. 말하자면 피가 잘 소통되질 않는다, 어디가 잘못됐다, 눈이 어둡다 하는 게 다 어디서 오겠습니까? 내 한생각이 매사에 적합치 않게 자꾸 일을 만들고 그렇게 해서 속상해하니까 은근히 그것이 누적이 되는 것입니다. 누적되어서 찌꺼기가 되고…, 이렇게 마음이 지혜롭지 못하니까 위막이나 장막이나 간막에 음식을 먹어도 찌꺼기가 항상 누적이 되게 돼 있습니다. 마음이 누적이 되니까 역시 물질도 그렇게 되는 거죠. 그렇게 해서 병이 오는 것이 한두 건이 아닙니다. 우리가 한군데가 아프다 그래서 꼭 거기서 고장이 난 게 아닙니다. 딴 데서 고장이 나서 거기까지 오는 것이지.

이런 문제 등등이 하나서부터 열까지 우리 생활 속에 다양하게 주어져 있습니다. 이 마음이 천차만별로 찰나찰나 화(化)해서 돌아가는 이 만법의 진리를 우리는 생활 속에서 알아야 합니다. 한시도 쉬지 않고 숨을 들이쉬고 내쉬듯이 이렇게 돌아가는 진리를 말입니다. 그게 바로 참선이라고도 볼 수 있습니다. 어떤 때 한 번만 속 끓여보십시오. 숨이 차고 벌써 눈이 게슴츠레해지고 귀가 멍멍하고 보이는 게 없고 누구가 잘 하든 못 하든 벌써 보면 신경질이 납니다. 이런 지경에 이를 때는 자기 몸을 자기가 긁어서 피를 내는 거나 같죠. 그리고 아파서 애를 쓰는 거죠.

어저께 테레비에서 '추적 60분'을 보니까 맨손으로 수술하는 애기가 나오더군요. 여러분도 보셨으리라고 생각합니다. 세상이 너무 요지경 속 같아서…. 예전에도 그런 사람이 있었는데 그거는 요지경이다 이거예요. 부처님 법은 손이 가지 않고도 손이 갈 수 있는 마음의 법인 것이지 요술꾸러기처럼 하는 그것은 마술과 같은, 인간의 자비성이 아니라 그것은 사기성이에요. 그런 예가 있었다구요. 그랬는데 어저께 테레비에 그런 문제들이 나오더군요. 그러니 얼마나 요지경입니까? 인간의 마음들이 진실치 못하고 남들을 위해서 그렇게 한다고 하더라도, 그렇게 해서 낫는다고 하더라도 그렇지, 중한 것은 마음입니다.

또 그렇게 남을 속여서 무슨 이득이 있겠습니까? 그런데도 사람들은 속고 또 속고…, 자기한테도 속고 남한테도 속고. 그것은 허영심과 욕심 때문이 아닐까 봅니다. 또는 기독교인들이 안수 기도하는 것도 그렇습니다. 뼈가 부러지도록 안수 기도를 해서 죽이고 또는 안수 기도를 한다고 하는 것도 그냥 마음을 이리저리 돌려서 마취시킨 것처럼 해놓고선 하는 문제들….

또 한 가지는 온통 날뛰고 손을 들고 입으로 떠들고 그러는 것은 부처님이 말씀하셨듯이 "너희가 마구니 짓을 하기 때문에 죽어서 요다음에 다시 생산이 된다 하더라도 마구니로밖에는 될 수가 없다. 그래서 인간이 있음으로써 선신도 있고 마구니도 있지, 인간이 없다면 아무것도 없느니라. 너희가 마음, 행, 말 이 세 가지를 다 하기에 달린 것이다."라는 얘기죠. 그렇게 별나게 마음을 쓰고 별나게 남을 해롭게 하는 사람들이 많이 있으니까 '에이그 세상은 요지경 속이야. 저 사람네들 마음들이 왜 저럴까? 저렇게 짐승같이 사는 사람은 요다음에 짐승의 모습밖엔 또 쓰고 나올 게 뭐 있겠나!' 이러는 겁니다.

물론 부처님이 법을 가르쳐주시고 그 뜻을 행하시고 행하는 걸 가르쳐주시고, 여러분이 다 그렇게 해나왔으니 선종(善種)일 테지만 그 도리를 지키지 못하고 인간 도리도 지키지 못하고 생활 속에서 진실함이 없는 사람네들이 있기 때문에 선신이 있는가 하면 한편으로 마구니도 있게 되는 겁니다. 우리가 부처님 제자라고 한다면 바로 부처님은 자기 마음 가운데 깊숙이 있기 때문에 자기가 하는 일을 자기가 너무도 잘 압니다. 그것이 바로 부처님 법입니다.

이렇게 나도 약을 팔고 있습니다마는 이 약 파는 소리가 한데로 떨어지지 않도록, 여러분도 모든 것을 하나도 버릴 게 없다는 그 점을 아시고, 나한테 닿지 않는 말이라고 해서 비웃고 나한테 닿는 말이라고 해서 간직하고 이렇게 해서는 아니 됩니다. 스무스하게 그거는 그것대로 받아서 한 번 굴려놓고 좋은 말도 한 번 받아 굴려 새겨놓고 항상 그릇이 비어야 한다는 것을 아셔야 합니다.

그럼 질문하실 게 있으면 질문하십시오. 예전에 큰 조사 스님네들은 말씀도 안 하시고 법상에 앉으셔서 주장자를 한 번 쾅 치고선 '이 눈이 보이느냐.' 하시곤 낚싯밥을 던져서 건지게끔 하는 말들을 많이 하셨습니다. 지금은 너무들 말로는 훤히 알고 있기 때문에…, 예를 들어서 '부처님 법이 어떤 것이냐.' 하면은 손가락을 드는 사람도 있고 춤을 추는 사람도 있고 일어나서 걸음 걷는 사람도 있고 별의별 사람이 다 많습니다. 그리고 '참 맛이 좋습니다.' 하는 사람도 있고 물을 떠다놓는 사람도 있고 합장하는 사람도 있고 별의별 사람이 다 많아요. 그것은 생략하고, 그런 말을 아무리 한다 하더라도 여러분의 가슴에 닿는 것은 아닙니다.

그러니까 바로 여러분의 그 깊은 잠재의식 속에, 참나가 공(空) 안에 들었다는 것을 아셔야 합니다. 그리고 항상 자기에게 맡겨놓으라고 하는 그것도 내가 공했고 이 세상이 다 공했으니 포함해서 공한 주인공에 놓으라는 것입니다. 내게 보이는 게 있기 때문에 부처도 이루고 세상이 공한 줄 알았고 나도 공한 줄 안단 말입니다. 그래서 주인공(主人空)이라고 한 겁니다. 그러니까 거기에다가 모든 일체 생활을, 들이고 내는 것을 다 몰락 놓고 '다 당신이 하는 거, 들이고 내는 걸 바로 당신이 하는 거니까 당신이 다 알아서 길잡이가 돼주실 거다.' 하고,

또 길잡이가 될 거다 하는 믿음을 가지고도 안 되는 거는 나를 테스트 해보는구나 하고선 놓고, 또 되는 거는 감사하게 믿고 놓고, 모든 것을 맡겨놓을 때에 비로소 자기 자신의 은사 아닌 은사, 참은사를 만날 것입니다. 진짜 은사! 자기를 수시로 이끌고다닐 수 있는 참자기를 말입니다.

그래서 깨달음을 가졌을 때 그것을 한 소식이라고 말할 수 있습니다. 그전에도 얘기했죠? 땅에서 싹이 나오는 거와 마찬가지고 어른들이 어린애 낳는 거나 마찬가지라고 말입니다. 어린애를 출산했을 때 갓 나와가지고 어른이 된 것이 아닙니다. 한 소식 얻었다 할지라도 어린애 갓 낳은 거나 마찬가지기 때문에 내가 한 소식 했다는 말 할 것도 없다고 했습니다. 둘째는 내가 갓 나와서 사리를 알고 판단을 할 정도로 커졌을 때는 이 세상 돌아다니면서 크고 작은 걸 알기 때문에 자기가 체험하면서 놓고 다시 또 체험하면서 놓고 참자기가 그렇게 거침없이 여여하게 돌고 행한다는 걸 알았을 때 어른이 된 것입니다.

항상 겸손한 마음을 가지고 내가 한 소식 얻었다고 결론지어서 꽂아놓지 말라는 얘깁니다. '한 소식 얻었다고 해서 그대로 있는 게 아니다.'라는 얘깁니다. 점점 자라서 어른이 될 수도 있고 늙을 수도 있고 늙었다가 또 애가 될 수도 있는 문제입니다. 그건 왜냐하면은 우리는 어른이 하는 일만 하는 게 아닙니다. 심부름도 해주고 심부름 하는 걸 받기도 하죠. 우리가 지금 높은 일만 합니까? 어린애를 낳아가지고 똥 기저귀도 빨고 똥을 씻기도 하고 어린애를 기를 때에 별의별 일을 다 합니다, 궂은 일을. 어른이 돼서 애의 밑을 씻어줘야 하고 애는 애기 때문에 또 애 노릇을 해야 된다는 얘깁니다.

그러기 때문에 우리는 높아도 높은 게 없고 얕아도 얕은 게 없이 평등한 진리의 그 뜻을 항상 생활 속에서 파악하고 알아야 할 것입니다. 이렇게 얘기를 듣기만 하는 게 아니라 마음 속에서 스스로 샘물이 솟듯, 솟아나는 그 샘물의 맛을 알고 역력하게 나를 끌고다닐 수 있는 나의 참주인공이 진짜 생기는 것입니다, 홀연히. 그저 생산이 됐기만 하면은 그때 가서는 언젠가는 성불할 단계가 오고 언젠가는 열반할 단계가 오죠. 어린애만 낳아놓으면 저절로 어른 되고 늙어지듯이 말입니다.

우리가 이렇게 살면서 그 차원을 알고 차원이 높아져서 나중엔 백지로서 크고 작은 게 없고 내세울 게 없을 때는 또다시 요다음에 모습을 가지고 나오지 않아도, 여러분이 내 모습이기 때문에 따로이 모습을 가지고 나오지 않아도 되지 않겠습니까? 그러면서도 자유스럽게, 여기만 내 집이 아니라 우주 삼천대천세계가 다 내 집이니 그저 한 찰나에 이 집도 내 집이요, 저 집도 내 집인데 따로이 내가 내 몸을, 내 모습을 그려서 또 내놓을 게 뭐 있겠습니까?

알아듣기 쉽게 요렇게 말을 해드리는 건데 이 차이가 어느만큼 크고 귀중한 뜻인지 모릅니다. 그래서 내가 항상 하는 말이 있죠. "이 도리를 완벽하게 안다면 내가 당신이 될 수 있고 당신이 내가 될 수 있으니…" 이렇게 말을 합니다. 그것은 뭐냐 하면 모습은 다를지언정 마음이야 어찌 다를 수 있겠느냐? 이 말입니다. 마음이 둘이 아닐진대 당신 하나가 이 나라의 임금이라면 국민을 위해서, 어떠한 문제가 잘못돼 돌아갔을 땐 내가 그 대통령 속에 들어가서 내가 대통령이 됨으로써 그거를 잘 지켜나갈 수 있다는 얘깁니다. 카바해나갈 수 있고…. 대통령의 마음도 그렇겠지마는 그 마음과 이 마음이 둘이 아니어서 마음으로부터 오관을 통해서 정신이 번쩍 들면서 자기가 잘못 끌고간다는 걸 알게 됨으로써 그것을 확 고쳐서 잘 해나갈 수 있는 것입니다.

그러기 때문에 내 모습을 따로이 가지고 나오지 않아도, 창살 없는 감옥이나 매한가지인 이런 세상에 내가 그 모습을 해가지고 나오지 않아도 그 속에서 벗어났기 때문에 여기 저기 나 아님이 없다 이 겁니다.

그 뜻은 미생물에서부터 인간에 이르기까지, 선신에 이르기까지, 부처에 이르기까지 어디고 아니 닿는 데가 없이 내 몸 아닌 게 없다는 애깁니다. 내 자리 아님이 없기 때문에. 그러니 이런 것이 옳다, 저런 것이 옳다, 이런 것이 좀 낫다, 이것은 정법이 아니다, 사법이다, 무당이다, 이렇게 흉볼 것도 없고…. 만약에 그런 사람이 없었다면은 높이 보이는 사람도 없을 겁니다. 그러기 때문에 항상 그런 거를 흉보지 말고 '저런 거는 이렇게 해야 할 텐데….' 마음 속으로…, 겉으로 입 밖에 내어 구업을 짓지 말고 항상 이익하게 마음을 내주는 데 목적이 있다는 애깁니다.

어린애들을 기를 때에 사랑하는 자녀들이라면 그 자녀들이 잘못한 거를 드러내겠습니까? 도둑질을 했다 하더라도 어머니는 숨길 것입니다. 그와 같이, 내 자식을 사랑하듯이 숨기면서 거죽으로는 말없이 안으로 굴리면서 이익하게 마음을 내주는 그것이 바로 무주상 보시(無住相布施)며 부처님의 뜻이며 바로 보살의 행이라고 봅니다. 하나서부터 열까지 우리가 남을 해하게 하는 마음을 갖는다면 아마도 억겁을 걸쳐 가면서 요만한 거 하나라도 내가 한 것만치 내게 돌아올 것입니다.

세상에 만약에 조그마한 소나무가 없다면 중치 소나무가 없고 중치 소나무가 없다면 큰 소나무가 없고, 또 삐뚤어진 게 없다면 바로 선 게 없을 겁니다. 조화가 이렇게 이루어져서 진리라고 이름을 지었고 산천초목이라고 이름을 지었고 자연의 조화가 이렇게 보기 좋다고 이름을 지은 것입니다. 우리 인간들도 삐뚤어진 사람, 똑바로 곧게 올라간 사람, 옆으로 굴려진 사람, 땅 끝에 붙어서 자라지도 못하는 사람이 허다하게 많습니다.

사람의 모습은 그렇지 않지만 마음이 그래서 우리의 삶도 그렇게, 그런 행을 하면서 돌아가고 있는 거죠. 그 마음이 중하지 몸이 중한 게 아닙니다. 마음에서 비롯되어서 모든 것을, 몸은 행하게 되고 앉게 되고 서게 되고 말하게 되니깐요. 우린 부처를 이룬다기 이전에, 깨우치기 이전에 이 도리를 알아야 깨우쳐도 '아하, 다 이렇게 하나하나 나투어가면서 놓아가고 돌아가는 이 텅텅 빈 그릇을, 괜히 여기다가 내 마음으로 담아놓고 무겁게 애를 썼구나!' 하는 생각이 그때서야 들 것입니다.

하나하나 이렇게 우리가 자세히 서로 토론하지도 않고 담선법회를 안 한다면은, 주장자를 열 번을 들면 뭘 하고 백 번을 들면 뭘 하고, 또 저 해가 거꾸로 있어서 땅 속에 있다고 해도, 저건 해가 아니라 똥 덩이라고 해도 여러분이 그 뜻을 알아야 어떻게 해보죠. 그 말은 해서 뭘 합니까? 그것은 약 파는 데 쓰이는 방편이라고 봅니다. 뭐든지 그 방편에 속지 마시고 진실하게 내가, 조그만 거라도 진실하게 체험하면서 내가 한 번 굴려보고 지켜보고, 지켜보고 또 굴리고 하다 보면은 체험하게 됩니다.

이렇게 생활 속에서 해보십시오. '부처님 법에 하고 안 하는 게 어딨느냐.' 이러지마는 우리가 만약에 마음만 있고 육신이 없다면 그것은 혼백만 있는 거지 실상이 못 됩니다. 상이 없다면 부처를 어떻게 이룹니까? 움죽거림이 없어서 어떠한 계발도 할 수가 없고 더 높은 차원의 지혜를 넓힐 수가 없어서 부처를 이룰 수가 없습니다. 우리 몸이 있을 때 비로소 부처를 이룰 수 있는 그 차원을 얻을 수 있는 것입니다.

높다고 높다랗게 앉아서 움죽거리지 않는 게 아닙니다. 거기엔 바로 두 가지 여건이 있습니다. 생각하고 몸으로 움죽거리며 행하는 것이 있고, 생각하고 몸 아닌 몸으로서 움죽거리는 모습이 있습니다. 한 생각이라는 건 모습도 없거니와 상대방이 모습을 바랄 때에 그 모습을 보여주는 것뿐입니다. 아무것도 모르는 사람이 '산신이시여, 나를 도와주소서!' 할 때에, 마음은 착하고 곱고 인정 있고 진정한 사람인데 고만 모르니깐 '산신님 나 좀 살려주시오.' 한다면 그 사람은 모르니깐 산신의 모습으로 보여주는 것뿐입니다. 그래야 그 사람이 납득하고 '아이구, 산신이 도와주셨구나!' 하는 믿음이 생길 거 아닙니까? 그래야 믿고 방황하지 않을 테니까요.

이러는 수가 있습니다. 부처님으로 보이고 산신으로도 보이고, 기독교인은 예수로도 보이고 마리아로도 보이고, 모르는 사람에게는 그걸로 인해 믿게 하고 알게 하는 거죠. 지성스런 그 마음으로 산신이 나타나서 나를 살려줬다는 생각을 함으로써 부처님을 믿게 되는 미끼가 돼가지고 다시금 이 길을 더위잡게 됩니다. 그래서 진정한 공부를 하게 되면 '아, 그 모습도 없는 것이구나! 내 마음에서 스스로 모습이 천차만별로 화하는 거로구나!' 하는 걸 알게 되겠죠. 그때는 바로 '자기가 마음 쓰기에 달려 있고 참나의 생명수의 맛을 보게 하는 나의 스승이 바로 내 마음에 있구나!' 하는 걸 알게 될 겁니다.

질문자 1(女) (청취 불능)

큰스님 말끝에 이 말이 지금 생각납니다. 나는 그전에 이런 일 때문에 많이 울었습니다. 왜, 열 사람이라면 꼭 다섯 사람이나 여섯 사람만 완쾌하고 나머지는 그렇지 못하고 항상 떨어지는가. 그것이 내 탓이라고 돌리면서 얼마나 울었는지 말도 못 합니다. 이렇게 똑같이 불쌍하고 그런데 왜 한꺼번에 다 똑같이 되지 않느냐고 울었죠.

그런데 하루는 달이 그믐달이었는데 어느새 초생달이 되어 있었습니다. 그걸 쳐다보고 한없이 울었습니다. 그러자 달이 둥글었다가 반쪽이 됐다가 점점 점점 줄어들더니 나중엔 아주 실낱같이 적어졌다가 또다시 둥글어지고 그러더군요. 새삼스럽게 지금만 있었던 게 아니라 예전에도 있었건만 그걸 쳐다보고 '옳지, 세상은 이렇기 때문에 진리가 끊임없다고 말을 했구나. 그 사람네들이 그렇지 못한 거를, 거기에 어떠한 문제가 걸려 있는 거를 내 어찌 하겠는가? 보름달이 있으면 그믐달이 있듯이 마음과 마음이 차이가 나고 그렇게 되니 어찌 하겠나?' 하고 그땐 눈물을 닦으면서 싱긋이 웃고 들어갔습니다마는 웃음은 잠시 잠깐이고 생각에 잠겼었습니다.

지금도 답답한 게 아니라 담담합니다. '세상이 왜 이렇게 요지경 속으로 돌아가나!' 하는 생각에서 담담하단 말입니다. 그렇다고 내가 답답해 하고 방황하는 것도 아니고 불쌍해서 애를 쓰는 것도 아니고 안 불쌍해서 덜 애쓰는 것도 아니고 쾌활한 것도 아니고 그냥 항상 담담하단 말입니다. 그러면서도 언짢지는 않으나 '하이구, 요지경 속이구나!' 이러고 어떤 때는 길을 가다가도 그냥 너털웃음으로 웃어버릴 때가 있습니다. 그게 어떠한 웃음이겠습니까? 웃음도 천차만별입니다. 우스워서 웃는 웃음이 있는가 하면 기가 막혀서 웃는 웃음이 있고 말입니다.

그러니 불법을 배운다는 분들이 아직도 정신을 깨지 못하고 자기의 옷깃을 여밀 줄 모르는 그런 분들이어서는 아니 됩니다. 이렇게 밝고 밝은 세상에서 우리가 왜 그렇게 미(迷)하게 돌아가야만 합니까?

부처님께서 전자에 형상을 모셔놓고 제자들을 가르친 것도 아닙니다. 또는 선방을 만들어놓고 앉아서 너희는 시간을 정해서 해라 하고 가르친 것도 아닙니다. 나는 경을 보지 않았습니다. 그런 것도 모릅니다. 그러나 그때 당시에는 자유스럽게 놔두면서도 자기가 스스로 계율을 지키게끔 이끌어주는, 바로 그런 길을 부처님께서는 인도하셨던 겁니다. 몸으로써 고행을 한다고 해서 부처를 이루고 또는 고행을 안 한다고 해서 부처를 못 이루는 건 아닙니다. 첫째 마음입니다.

그러니 우리 마음이 참 중요하죠. 이런 문제가 역력하게 있습니다. 집안에서 한 사람이 그 도리를 알았는데 그저 언짢은 말은 하지 않고 사랑하기 때문에, 자기가 막말도 뱉지 않습니다. 자기 말이 한 번에 법이 되기 때문입니다. 그 도리를 아는 사람의 한생각은 법이 되기 때문입니다. 그래서 항상 그것을 자비하게 돌려서 생각을 하게끔 돼 있습니다. 그 향기로운 마음의 에너지는 한방에 있는 자기 식구들을 얼마나 밝게 비춰주겠습니까?

이렇게 성스럽고 이렇게 묘하고 이렇게 생활에 즉각적인, 즉각적으로 감지되는 생활 속의 근본적인 진리인데도 우린 그걸 모르고 항상 그저 산에 올라가서 빌고, 일 주일이고 삼 주일이고 백일이고 천일이고 목욕재계하고 그저 멸치도 안 먹고 고기도 안 먹고 남편도 멀리 해가면서 올라다니는 사람이 지금도 많습니다. 그것을 나쁘다고 하는 게 아니라 가정 파괴가 되니까 하는 소립니다! 내가 없는데 어떻게 부처가 있습니까? 내 가정을 파괴하고 어떻게 부처님을 이룬다고 합니까? 내 앞의 것을 모르고 어떻게 저 먼데 것을 잡습니까? 그것도 다 욕심이거든요. 허황된 욕심이란 말입니다.

부처님께서는 그래서 이렇게 가르쳐주셨죠. '문전에서, 너희들이 정성을 들이려고 이고 나올 때 벌써 정성은 받았느니라.' 그게 무슨 소린 줄 아십니까? 자기가 벌써 알고 있기 때문에 부처도 일체 신도 알고 있는 겁니다, 자기가 알고 있으니까. 그 뜻을 왜 모르십니까? 예전에 그렇게 명백하게 가르쳐주셨는데 그 뜻을 왜 모르십니까? '네가 아는 것이 부처가 아는 것이다, 일체 신이 알고 있다. 일체 신이 알고 있고 일체 심(心)이 알고 있고, 만물이 같이 돌아가고 이렇게 행하고 있거늘 어찌 그것을 모르고 너희들은 타의에서 바라는 게 항상 그렇게 많으냐?' 하시고 말입니다. 네가 해먹지, 네게 있으니까 네가 퍼다 먹지 왜 남의 걸 바라느냐, 이겁니다. 네 안에 바로 네것이…, 이 우주 공간에 꽉 찬 것이 다 네건데 어째서 남한테 바라는 마음을 갖느냐 이거죠. 그런 마음을 갖기 때문에 네것이 다 못 되느니라 이겁니다.

그래서 아까도 얘기했지만 배가 고프다 하는 것은 밥을 못 먹어서만이 배가 고픈 게 아닙니다. 일체 만법의 생활이 어떤 게 부족하든지 다 배고픈 건 배고픈 겁니다. 그러면 배고파도 내가 배고픈 걸 알기 때문에 배가 안 고프게 할 수 있다는 거를 또 알아야 되죠. 그것은 물러서지 않는 믿음을 진실하게 가지면 벌써 그런 걸 알고 있기 때문에 '아, 내가 배고프면 벌써 여기서 해주겠지.' 이런 생각이 안 들어도 벌써 알고 있기 때문에 그건 이렇다 저렇다 말할 것도 없어요. 그리고 편안한 겁니다. 자기가 그렇게 알고 있기 때문에 스스로서 돌아오는 것을 왜 내가 걱정을 하고 '배가 고파, 배가 고파! 부처님, 배 좀 부르게 해주시요.' 하고 애원을 하고 그렇게 해야만 합니까? 그렇다면은 영원히 노예가 돼서 항상 배고프다고, 항상 남의 집 머슴 노릇만 할 겁니다. 남을 주고 살아야지 만날 노예가 돼서 남의 심부름이나 하고 얻어먹기나 해서 되겠습니까? 이건 비유입니다마는 진실입니다.

나는 이날까지 욕심이 많아서 그런지 그전부터, 어려서부터도 그랬습니다. 꽃나무를 심어도요, 당년초는 심고 싶지를 않았어요. 또 한 가지는, 욕심이 어떻게 많았던지 조그만 거든 뭐든 하나도 갖고 싶지 않고 그랬단 말입니다. 그 왜 그랬을까요? 나도 모르게 그런 게 다 부질없다는 생각이 들고요, 오히려 뭐 하나를 갖다놔도 신경이 써져. '그것도 생명이 있는 건데, 이것도 죽으면 안 되지.' 하는 거. 물질적으로나 물질 아닌 걸로나 다 신경이 써지는 거라. 그거 뭘 합니까? 다 필요 없는 겁니다. 다! 내가 당장 쓸 거, 필요한 거면 족한 겁니다. 없으면 안될 거, 지금 당장 내가 써야 될 것만 필요하지 죽— 무슨 잡화상처럼 진열을 해놓고, 그거 다 필요 없는 겁니다. 내 마음의 부자가 부잔 거지 물건을 진열을 해놔서 부자가 아닙니다.

부처님께선 이 일체의 만물을 다 자기의 자식이자 자기라고 그랬습니다. 그렇게 자기 자식이자 자기 아님이 없어. 그랬을 때에 그냥 보고 놔놓고, 쓸 때 되면 쓸 수 있는 것만 갖다 쓰고 그러지 그거 뭘 들고 다니고 지고 다니고 그러느냐 말입니다. 그게 편안치가 않거든요. 다 마음으로 욕심이 있으면 편안치 않고 아상이 있으면 편안치 않고…. 사상(四相)을 그대로 버린다면은 삼독도 빠지고, 아상을 버리면 사상이 빠지고 사상을 버리면 바로 삼독도 없어지는 거, 욕심도 없어지는 겁니다. 권위나 무슨 그… '가난하니깐 창피하지, 옷을 헐벗으니까 창피하지.' 이런 것도 없고.

어떨 때 좋은 옷을 입고 어디를 가는데 비가 후둑후둑 오죠? 그런데 다리는 아픈데 어디 앉을 수가 없잖아요? 여러분이 그럴 거예요. 그럴 때에 만약에 몸빼 쪼가릴 입었다면 아무 데나 가 앉아도 그 마음

이 편안할 겁니다, 아마. 그런데 몇백만 원짜릴 입었거나 몇십만 원짜
릴 입었다면 이건 땅에 그냥 앉을 수가 없습니다. 이렇게 고역입니다.
그래서 때에 따라 환경에 따라 입어라 이겁니다, 옷을 입는 것도. 누가
입지 말라는 게 아닙니다. 그와 같이 생활도, 부처님 법도 그러하다 이
겁니다.

학과 사미승

85년 2월 17일

여러분, 우리가 한자리에 이렇게 앉게 된 인연도 지금 찬불가를 부른 거와 같이 너무나 깊습니다. 이 인연이라는 것은 수십억겁을 거쳐서 오늘날까지 이렇게 이어진 것입니다. 엊그저께 인연 오늘 인연이 따로 있어서가 아니라 여러분의 마음에 의해서 인연이 되는 것입니다.

지금 이 시대는 뭐든지 공중에서 탐지하고 공중으로 정보를 보내게끔 되어 있는 그런 급박한 시대입니다. 그러니만큼 우리가 어떻게 처신을 하고 어떻게 공부를 해야만 이 생사를 벗어날 수 있는가 하는 것을 잘 참작해야 될 것이라고 생각합니다. 우리가 인간으로 태어나서 이 생사의 윤회를 벗어나지 못한다면 너무나 급박한 세월 속에서 수천 년 수만년이라는 세월을 그냥 또 이름도 없이 말려서 여기에서 태어나고 저기에서 태어나고…, 차원이 낮게 나고 차원이 높게 나고, 항상 몸을 받아 나와서 그렇게 애를 써야만 하는 것이니까 말입니다.

그렇지만 인간으로 태어났다면 부처님 되는 것이 십중팔구라고 생각합니다. 왜 그러냐? 사람의 마음이라는 것이 자기를 부처로 만드는 것이기 때문입니다. 자기 마음이 부처를 만드는 것이지 허공에서 갖다 주는 것도 아니고, 형상에서 갖다주는 것도 아니고 글자를 세워서 갖다

주는 것도 아닙니다.

나는 여러분과 같이 한도반으로서 여러분의 길을 인도해드릴 뿐입니다. 그 맛을 아는 것은 바로 여러분입니다. 여러분이 각자 그 맛을 알아야 되는 것이죠. 그러기에 부처님께서도 "사람이 살고 죽는 데에서 벗어나는 길은 이 길밖에는 없다."고 말씀하셨습니다.

살고 죽는 데서 벗어나야만 하는 일은 우리들한테 너무나 큰일이며 너무나도 타당한 일이라서 게을리 생각하지 말고 부지런히 닦아서 벗어나야 한다는 뜻입니다. 스스로 자기가 자기를 속이고 또 속임을 받고 하는 것은 자기 마음일 뿐이지 누가 속인다 또 안 속인다가 없습니다.

한번 생각을 해보세요. 만약에 귀를 꼭꼭 막고서 소리를 듣는다고 할 때는 안 들릴 겁니다. 또 그 귀막은 것을 떼고서 소리를 들어보십시오. 다 듣게 됩니다. 역시 눈도 그렇습니다. 일체 만물과 이 세상… 아니, 보물이 수두룩히 쌓여 있다 하더라도 우리가 눈을 감고 볼 때는 보이지 않지만, 눈을 뜨고 볼 때는 보이듯이 마음의 눈을 뜨지 못하면 그 도리도 모르거니와 우리가 그렇게 진기한 문제를 터득할 수도 없고 내가 나를 발견할 수도 없는 겁니다. 반면에 허망한 물질적인 문제들만 가지고 싸우게 되고 집착하게 되고 삼독을 빼버리지 못하게 되는 원인이 거기에서 비롯되는 것입니다.

그러면 우리가 바쁜 것이 무엇이냐? 나는 항상 자기 내공에 모든 것을, 일체 들이고 내고 하는 것이 우리 생활이니 그 생활을 바로 자기 내공에 놓으라고 했습니다. 우리가 이 법을 믿지 않는다면 놓지를 못하고 또 놓지를 못하면 편안치가 못합니다. 그러니 여러분이 생활에서 얼마나 쪼달리고 방황하고 그렇게 애를 써야만 합니까? 한 번 와서 머물렀다가 그냥 가는 길에 말입니다. 이 세상에 나와서 잠시 잠깐 머무르는 동안에 이렇게도 한 세상 저렇게도 한 세상 사는 것이지만 억겁 동안 말리느니, 억겁 동안 그 생사 윤회에서 벗어나지 못하고 애를 쓰느니 한 세상에 머물렀다 가는 이 길에서 우리는 터득을 하는 것이 마땅하다고 보고 벗어나는 게 마땅하다고 봅니다. 모두들 물질에만 급급해하지 마시고 물질을 쓰되 하나도 씀이 없다는 것을 스스로서 느끼셔야 될 것입니다.

옛날에 어느 소년이 말입니다. 부모를 일찍 여의고 이리저리 돌아다니다가 어느 스님한테 가서 있을 데가 없다고 애길 하니까 그 스님이 받아들이셨습니다. 그런데 그 스님이 가만히 그 소년이 하는 것을 보니까 아주 싹이 있어 보여서 소년을 출가를 시켰습니다. 그런데 옛날에는 산골에서 몇 분 되지 않는 스님네들이 밭을 갈고 해서 곡식을 심어서 살곤 했죠. 그러다 보니까 한시도 놀 사이가 없었습니다. 또 그 스님께서는 한 번도 책을 놓고 가르친 예가 없이 항상 말씀으로 그저 귀에 못이 박히도록 "너는 허망한 것이다. 네가 하는 일도 허망한 것이다. 네가 허망하고 네가 없기 때문에 네가 하는 모든 것조차도 한 사이가 없느니라." 하셨더랍니다. 그러면서 '네 마음을 발견하라.'고 만날 그 한마디 말씀뿐이더랍니다.

그러다보니까 열댓 살이 넘으셨습니다. 어느 날 참, 똥지게를 지고서 허둥지둥 허둥지둥 가면서 스님의 말씀에 몰두를 하다보니까 그만 돌부리에 채어서 똥지게를 엎어버리고 말았더랍니다. 그만 엎어져서 이가 부러진 채 뒹굴다가 그래도 일어서서 똥이 묻고 그런 거를 개천가에 가서 다 씻고 부어오른 입을 씻고 막 일어서려고 하는데 별안간에 학이 탁 떨어지더랍니다.

그런데 그 학을 보는 순간에 아픈 생각은 어디로 가고 "아이고! 다른 학은 다 날아가는데 너는 어째서 떨어졌느냐?" 하는 생각에 허둥지둥 가서 보니까 다리가 부러졌더랍니다. 그래서 부러진 다리를 잘 동여매주고선 숲속에다가 감춰놓고 생각하기를 '콩을 한웅큼이라도 갖다 줘야 되겠다.' 하는 생각을 했더랍니다. 똥통은 엎어졌겠다, 또 똥은 지고 와야만 했습니다.

그래서 똥통을 다시 지고선 한참 되는 길을 되돌아갔는데 입이 터져서 부어오른 것은 스님이 채 못 보시고 괭이자루로다가 얼마나 후려갈겼는지 또 고꾸라졌더랍니다. 고꾸라져가지고도 그 사연을 말을 할래도 입이 붓고 해서 그만 얘기도 못한 채 맞았는데도 아픈 줄도 모르겠더랍니다. 그건 왜 그랬느냐? 그 학이 배고플 생각을 하니까 말입니다. 콩 갖다줄 생각에 그만 자기가 맞아도 아픈 줄도 모르고 이빨이 그렇게 됐어도 답변을 해서 좀 노여움을 풀어드릴 그런 생각조차도 없었더랍니다.

그래서 콩을 가지고서 부랴부랴 그 학한테로 갔죠. 가서 콩을 주면서 생각을 했더랍니다. 무슨 생각을 했느냐? 콩을 주고서 딱 돌아서는데 무슨 생각이 났느냐 하면은 스님이 항상 그런 말씀 하신 것이 문득 생각이 나더랍니다. '옳지, 이제는 알았어.' 뭘 알았나 하면은 내가 똥을 지고 올 때도 그렇고 똥을 엎을 때도 그렇고 또 가서 매를 맞을 때도 그렇고, 콩을 갖다주려고 허둥지둥 뛸 때도 다친 곳이 안 아팠다 이거야. 맞은 것도 안 아팠고…. 그랬는데 콩을 갖다주고선 돌아서서 마음을 턱 놓고 오다보니까 아픈 데가 너무 많더랍니다.

그래서 그 어린 마음에도 '스님이 말씀하신 이게 바로 마음의 조작이로구나!' 하는 거를 생각하면서, 그 마음이 거기에 몰두가 되니까, 그만 삼매에 들어가서 자기가 아픈 줄도 몰랐다가 마음을 턱 놓으니까 그렇게 아프고 쑤시고 그럴 수가 없더랍니다. 거기서 홀연히 깨달았고 참, 싱긋이 웃으려니까 그만 입이 부은 것이 또 찢어져가지고 피가 나오는데 피가 나오는 것도 모르면서 웃었더랍니다. 웃으면서 하는 소리가 뭐라고 그랬는 줄 아십니까? '학이 나한테 오색 빛깔 구슬을 갖다줬다.'고 했습니다.

그 이튿날 너무나 좋아서 아픈 줄도 모르고 '야! 이건 아무것도 아니다. 우리 스님께서 그렇게 말씀하신 걸 내가 알아냈으니까 이제 참….' 기쁘기만 해서 그렇게 어렵던 일이 하나도 어렵지 않고 그렇게 매맞고 욕먹고 하던 것이 하나도 없이 사라졌더랍니다. 사라져가지고선 똥지게를 지고 그냥 입이 아직 가라앉질 않아서 말은 못 해도 너무나 좋아서 콩을 넣어가지곤 또 겅중겅중 뛰어갔더랍니다.

콩을 갖다주고서 막 돌아서려니까 학이 하는 소리가 "나는 너의 아버지니라. 나는 너의 아버지였는데…." 즉 말하자면 '너의 전자의 은사였느니라.' 하는 소립니다. "아버지였는데 내가 너에게 그 구슬을 던져주고 가기 위해서 학의 몸을 받아가지고 이렇게 왔으나 나는 학이라는 이 몸을 벗고 이제는 가느니라." 이렇게 말을 하더랍니다. 그래서 너무나 이상스러워서 생각을 깊이 하다보니까 '아하, 그렇지! 그 구슬을 던져주셨어, 당신께서.' 그러고 학을 껴안고 엉엉 울다가 "그러면 내가 똥지게를 갖다가 부어놓고는 또다시 오겠습니다." 하고 그때는 '해라.'를 한 게 아니라 바로 은사라고 생각하면서 거기에다가 절을 삼배를 하면서 갔다가 오니까 학은 간 곳이 없더랍니다. 그분이 바로 정감록을 쓴 분이랍니다.

여러분! 우리가 이 세상에 날 때에 누구나가 다, 못생겼든지 잘생겼든지 자기가 형성시켜서 자기가 난 겁니다. 못났든 잘났든 자기가 형성시켜서 났으니까 바깥에서 구원을 받으려고 애쓰지도 말고 바깥에서 구하려고 애쓰지도 말아야 합니다. 바깥의 형상을 보고 남의 참견도 하지 마시고 오로지 나한테 인연이 있어서 닿는 일은 모든 것을 나한테, 그 상대방을 원망하고 상대방한테 말할 게 아니라 바로 내공에다가 믿고 놓고, 거기에서 굴릴 수 있는 그 마음의 여유를 갖는다면 우리는 그렇게 크나큰 일도 그대로 할 수 있는 것입니다.

소소한 일뿐이겠습니까? 생활이 불교고 불교가 생활이고 또는 마음이 부처고 부처가 마음인지라, 우리가 사람으로 태어나서 공부하는 데 어디에 역점을 둬야 하느냐? 생활이라면 가정 생활만이 아니라 사회적으로도 그렇고 국가적으로도 그렇고 세계적으로도 그렇고 우주적으로도 그렇습니다. 다 생활인 겁니다.

만약에 공중에다가 우주 정거장을 만든다, 우주에 정거장을 만들고 사람이 우주에 가서 살 수 있도록 만든다 하더라도 하늘과 땅, 이 전체가 상응되지 않는다면 이것이 무허가로 몰리게 되는 것입니다. 보이지 않는 데 아무것도 없다 하지마는 우리가 보이는 데보다도 더 역력하고 더 세밀하고…, 쌀 한 토막 에누리가 없는 이 법은 아주 엄중하고 엄중합니다.

　　그러니 우리가 얼른 생각할 때에 '이 공부를 해서 무엇을 하나?' 하지마는 그렇게 섣불리 생각하지 마십시오. 우린 생활에서도 하나하나 말을 하지 않고 한생각을 먼저, 그러니까 상대방에서 어떠한 문제가 생겼을 때 한생각이 벌써 건너고 나면은 그 마음이 내 마음과 둘이 아니어서 내 몸뚱이 움죽거려서 거길 갔을 때에는 이미 마음이 한마음으로 통해서 마음과 마음이 다 같아지니 이 육신도 같이 참 좋게 대화가 이루어지는 겁니다. 그러면 가정적으로나 사회적으로나 모든 것에서 이 법이 일상 생활에 쓰여진다는 것을 역력히 아실 수가 있는 것입니다.

　　그런가 하면 지금 시대가, 아까도 얘기했지마는 공중으로 수집을 하고 있고 공중으로 어떠한 혹성의 타격도 받을 수 있는 문제가 있고 세균의 타격을 받을 수도 있고 공해의 타격을 받을 수도 있는 그런 시대입니다. 그러나 한생각에 공해도 없을 것이요, 한생각에 공해도 있을 것이요, 있다 없다, 한다 안 한다를 한생각에…, 내 한생각이라면 그렇게 법이 돼서 그대로 정돈이 될 때에 바로 내 이 살림뿐이 아니라 국가적으로도 그렇고 사회적으로도 그렇고 우주적으로도 우리가 마음대로 응용할 수 있는 작용법이 되는 겁니다. 이 작용법을 바로 여러분이 다 섬세하게 가지고 계시다는 걸 증명하는 것도 바로 인간입니다.

　　여러분이 이 세상에 나왔으니까 바로 그것이 화두가 되고 그것이 근본이 아니겠습니까? 부처를 만들 수 있는 근본이 아니겠습니까? 그 근본을 어디 가서 찾습니까? 자기가 가지고 있으면서 말입니다. 그래서 부처님께서 말씀하시기를 '네 몸은 법당이 되고 네 마음은 바로 법신이 되는 것이고 마음내기 이전은 바로 부처니라. 그러니 그 삼합(三合)이 공존해서 아들이 아버지로 가면은, 즉 말하자면 생각을 내지 않으면은 아버지로 하나가 돼버리고, 생각을 내면은 아들로 하나가 돼버리고 그러니 그것은 무슨 연고이냐?' 하는 겁니다. 여러분! 여러분이 생각하실 때에, 생각을 내는 것도 생명의 불성이 있으니까 생각을 내실 수 있지 않겠습니까?

그런데 여러분이 바깥에서 자꾸 찾는 그러한 문제가 어디에 있는가? 그걸 비교해서 한번 말씀드리죠. 줄창 내가 얘기하지만 작년 콩씨를 올해 심어서 콩싹이 났습니다. 콩싹이 자라서 콩이 열렸습니다. 그랬는데도 불구하고 그 콩나무는 자기 콩나무에서 콩씨가 열린 거는 생각 안 하고 작년에 심은 그 콩씨를 찾는 것입니다. 내가 나기 이전을 찾으라니까 그만 바깥에서, 작년에 밭에 심었던 그 콩씨를 찾느라고 헤매고 돕니다. 얼마나 어리석습니까? 생각을 해보십시오. 코를 꽁꽁 막고선 냄새를 맡으려고 해보십시오. 냄새 맡아지나? 혀를 끊고서 말을 하려고 해보십시오. 말이 되나? 우리는 마음의 눈을 떠야 마음의 진가를 맛볼 수 있는 것입니다. 물론 마음의 진가를 맛보았어도 맛본 그것을 또 안으로 굴려서 체험을 하면서 자꾸자꾸 지혜를 넓혀가는 것입니다. 그래서 내가 깨달았으면은 깨달았다는 말 할 필요가 없이 안으로 굴리고 굴려서 또 지혜를 넓히고⋯. 지혜를 넓혀서 또 온 바다를 만드는 거와 같이 내 마음이 온 누리 어느 곳곳에 닿지 않는 데가 없이 됐을 때에, 여러분과 나와 둘이 아니게끔 됐을 때에 일체 만물, 무정물이나 모든 생물, 물에 있는 고기와 대화를 할 수가 있는가 하면 저런 풀잎하고도 대화를 할 수가 있는 겁니다. 산에 올라갔을 때는 그 풀잎들이 다 말을 해주고 '이것은 당신의 약이 되는 거'라고 하면서 가르쳐 주기도 합니다.

여러분은 꼭 먹을 걸 짊어져야만이 산에도 올라간다고 생각합니다. 그러나 난 그거와는 다릅니다. 내가 먹기 위해서, 도야지처럼 이 세상에 났다면 그것은 천만의 말씀입니다. 자기가 자기를 형성시켰을 때는 자기가 자기를 굶겨죽이는 법은 없습니다. 하늘이 무너져도 솟아날 구멍이 있다는 속담이 있듯이 말입니다. 맨 몸뚱이로 산에 올라갔어도 맨 몸뚱이로 그렇게 올라갔다면 '허허, 이거는 먹을 궁리를 안 하고 올라왔으니 먹여줘야지.' 허허허, 그래서 그 풀잎과 풀잎이 다 같이 동일하게 되니까 먹을 것을 스스로서 갖다가 주더라 이겁니다. 왜 갖다주느냐? 내가 움죽거리는 대로 먹을 게 있어! 그러면 사람이 먹기 위해서 삽니까? 살기 위해서 먹습니까?

또 어떤 사람은 생식을 한다고 쌀을 물에다 불려가지고 한 주발씩 먹는 것도 봤습니다. 차라리 밥을 해먹지 뭣 때문에 물에다 담갔다 한 주발씩 먹습니까? 그렇게 하려면 차라리 보통 여러분과 같이 그냥 먹는 게 낫겠죠. 코가 간지러울 거예요, 아마 그렇다면은. 그러기 때문에 진실한 마음이 필요한 겁니다. 진실한 마음은 하늘에서 알고 땅에서 알고 법계에서 안다는 얘깁니다. 거짓이 한치라도 있다면 그건 용납되지 않습니다. 거짓이 한치라도 있다면 바로 자기가 자기를 속이는 것이죠. 그 속임을 받는 것도 자깁니다. 그러기 때문에 하늘에서 열쇠를 내주지 않습니다! 바로 주인공이라는 이름 아닌 주인공이 하늘, 우주 전체를 싸고 돌고 있는 것이죠.

여러분 과거를 못 보시걸랑은 현실을 보십시오. 눈이 어두워서 말이죠. 빚을 얻어서 어떠한 장사를 하려고 했는데 이익이 남아서 들어올 것만 알았지 빚져서 이자와 더불어 같이 나가는 거는 생각지 못하고, 그러다가 그것째 그만 잃어버려서 탕진을 하는 수도 많습니다. 그러니까 여러분이 진실한 자기 마음을 속이지 말고 자기 마음을 정도에 넘치지 않도록, 분수를 알맞게 지키면서 한 걸음 한 걸음 무겁게 두들겨가면서 걷는다면은 아마 천둥 벼락을 내려도 꼼짝도 안 하고 여러분은 그대로 진행할 수도 있을 겁니다.

'내가 이런 공부를 하면 보통 생활에서 어려움이나 좀 없애고 그냥 살겠지.' 그러지만 이 생활 속에서도 얼마나 어려움이 많습니까? 내가 주장자를 세우지 못하고 그걸 발견을 못 하고 이래가지고서는 세균, 영계, 윤회, 생사, 유령, 업보에 끄달리면서 살아나가니까 그 고달픔은 말도 못 합니다. 거기에서 나 하나만 몰락 벗어난다면 그외의 것은 다 벗어나는 것입니다. 본래 나는 공(空)해서, 벗어난 것인데도 불구하고 마음으로 지어서 속는 것이고 그게 업보가 되는 것입니다.

자꾸 되풀이하는 것 같아서 오늘은 이만 끝내겠습니다마는 여러분이 잘 침착하게 생각하셔서 누가 모든 걸 망하게 했고 누가 흥하게 했고 누가 웃게 했고 누가 울게 했고 누가 그렇게 했는지를 잘 살펴야 합니다. 그렇지 못하고는 공덕은 쌓을 수가 없습니다.

그러기 때문에 여러분이 진심으로 있든 없든 내 성의껏 시주를 하고 정성을 들이면서, 과거의 빚을 갚으면서 미래의 덕을 쌓으면서 우리는 현실의 공부를 하자 이겁니다. 현실의 공부를 할 때 영원한 오늘, 영원한 오늘을 안다면은 영원한 오늘도 벗어날 것입니다. 나 하나로 인해서 이 세상의 모든 것이, 진리가 돌아간다고 생각했을 때 나 하나도 바로 벗어날 수 있을 것입니다. 그 경지까지가 어려운가 하면은 어렵지도 않고, 어렵지 않은가 하면 어렵기도 합니다마는 이것이 가다 보면은 다 되는 것이 아니겠습니까? 하려고 생각하는데 왜 안 되겠습니까?

여러분이 앞가슴을 다시 한 번 잘 여미고, 옷을 여미라는 게 아니라 마음을 여미고 다시 한 번 집중해보실 수 있는 기회를 가지시길 바라면서 오늘은 이만 마치겠습니다.

좋은 인(因)도 짓지 마라

85년 3월 17일

　　지금 젊은 분들도 그렇거니와 애들서부터 어른까지 다 알아야할 인생관, 인생이 어떻게 해서 자기한테 주어졌고 어떻게 조화가 돼서돌아가는지 그것을 한번 생각해보시기 바랍니다. 저 화원의 꽃이 저렇게 한데 합쳐져서 조화가 이루어졌듯이, 또는 산의 고목이나 벌레 먹은나무들, 짧고 긴 나무들, 풀 등도 각기 모습이 다 다른 것들이 같이 모여 있기에 조화를 이룬다는 것, 산골마다 물도 좋고 돌도 있고, 그 여러 모습들이 조화된 아름다움으로 우리들 눈에 비추어진다는 것을 한번 생각해 보셨으면 합니다. 우리들의 삶에 대한 것도 역시 그와 같다는 것을 알게 될 것입니다.

　　우리가 모둠이로 생각해서 물 위에 산이 가고, 산 위에 물이 간다고 했습니다. 그것은 무슨 뜻이냐? 지혜 있는 데 마음이 있고 마음있는 데 지혜가 있지 않겠습니까? 이것이 곧바로 자기한테 있다는 얘깁니다. 지혜 따로 있고 마음 따로 있는 것이 아닙니다. 그랬을 때 지혜는 물로 비유했고 마음내는 이 자체는 법으로 생각하기 때문에 모습모습이 다른 여러 종류들이 성황을 이루고 있는 산에 비유를 했습니다.그것은 우리 살아나가는 모습들이 다르고 이름들이 다르고 또는 병든 사람 건강한 사람, 잘난 사람 못난 사람, 키가 작은 사람 큰 사람, 모두 다 같이 사는 것처럼 산에도 그렇게 조화를 이루고 있다는 얘깁니다.

그와 같이 들이나 산이나 물이 함께 조화를 이루어서 돌아간다는 것을 알고 우리 한번 그것을 타진해봅시다. 물이라는 것은 지혜로 비유하니 우리가 시각적으로나 촉각적으로나 또는 감각적으로나 청각적으로나 온갖 지각이 한데 합쳐진 것을 물이라고 한다면, 우리는 귀로 듣는 것을 받아들이고, 또는 눈으로 보는 것을 받아들이고, 또 코로 냄새 맡는 것을 받아들이고, 혀로 맛을 아는 것을 받아들이고, 또는 부닥치는 것을 받아들여서 그 모두를 지혜롭게 돌린다 하는 것입니다.

우리가 귀로 들어서 화가 불끈 나는 것도 있지만 아주 감미롭고 친근하고, 어떤 땐 웃음이 날 소리도 들을 수 있고, 어떤 때는 상을 찌푸리는 소리도 들을 수 있고 이랬을 때에 그 듣는 순간에 마음이 달라진다는 얘깁니다. 달라지는 이 마음 자체가 지혜가 있기 때문에 그렇게 돌아간다는 것입니다. 그래서 지혜는 물로 비유한 것입니다. 그리고 듣는 것은 여러 가지로 듣기 때문에 산으로도 비유한 겁니다.

듣는 것만 듣는 것이 아니라 보는 것도 역시 아름답게 생각이 들 때가 있고, 아주 속상할 때가 있고, 여러 가지가지 아니겠습니까? 냄새를 맡아서 구린내가 나는 것도 있고 향기로운 냄새도 있는 것입니다. 또 맛을 봐서 아주 맛이 없는 것을 느끼고 맛이 있는 것을 느낍니다. 또는 우리가 손으로 쥐어서 촉감이 좋은 것이 있고 아주 거칠은 게 있습니다. 그런 걸 알게 하는 그 자기의 모든, 한데 합쳐진 지혜라고 할까요? 그러니까 청각이 뚜렷하고 시각적으로나 감각적으로나 모든 게 융합돼서 돌아가는 것을 발현하고 서로 상응하게 하는 그 자체의 지혜가 넓어야 된다는 얘기죠. 바다와 같아야 된다, 좁아서는 허공에 바늘 구멍도 안 들어간다는 얘기죠. 그러니까 우리가 귀로 듣고 혀로 맛을 보고 코로 냄새를 맡고 하는 것이 한두 건이 아닙니다.

그래서 부처님께서는 중생이다 부처다 하는 것은, 중생들은 보고 듣고 생각 일어나는 것, 모두가 자기가 그렇게 한다고 생각하기 때문에 그것이 중생이요, 부처님의 뜻은 자기가 고정돼 있지 않으니까 마음조차도 배꼽이 떨어졌다 라는 겁니다. 처음 단전을 할 때 배꼽 밑에다 중심을 두라고 하지만 그 배꼽까지도 송두리째 빠졌다 이 소립니다. 송두리째 빠지니까 나라고 내세울 게 없는 것이 공한 이치라고 생각합니다.

고정된 게 하나도 없지 않습니까? 아까도 얘기했듯이 귀로 듣는 것도 고정됨이 없고, 느끼는 것도 고정된 게 하나도 없죠. 보는 것도 고정되게 보는 게 하나도 없고 말하는 것도 고정되게 말하는 것이 하나도 없고, 행하는 것도 그렇고, 내 몸도 어떠한 부분을 내 몸이라고 할 수 없게끔 모든 면에서 고정되어 있지 않죠.

그렇다면 그렇게 고정되지 않게 돌아가는, 조화로이 돌아가는 것을 '한 사람'이라고 한다면 왜 '한 사람'이라고 했을까? '한'이라는 것은 이 내 몸 안에 5억이라는 생명이 들어서 한데 합쳐져서 조화를 이루고 자기 소임을 맡아가지고 돌아가니까 '한'이라고 한 겁니다. 그렇게 그 생명체가, 한데 합쳐졌기 때문에 손을 움죽거릴 수 있고 귀로 들을 수 있고 눈으로 볼 수 있고 모든 것에 상응할 수가 있고 받아들일 수가 있고, 줄 수가 있고…, 그렇기 때문에 공하다 라는 얘기죠?

모든 것을 그렇게 받아들이는 그 자체가 바로 한 화병에 여러 가지 꽃을 담아서 조화가 되게 하듯이, 산에도 모든 게 조화가 돼서 있듯이 그렇게 조화가 돼서 연방 돌아간다는 뜻입니다. 우리가 '한 사람' 하면은 그 사람의 소임 맡은 지금 대표인 즉, 한 사람의 마음을 가리키는 것입니다. 5억의 생명을 대표하는, 한 사람의 마음이 5억을 대표하기 때문에 지혜롭게 돌아가는 겁니다. 대표하는 그 마음이 생각하는 대로 우리 이 몸 안에서 돌아가는 것도 거기에 응해서 돌아가는 것이요, 또 그 마음에 응해서 바깥의 상대를 접하는 것도 내 마음에 의해서 접하게 되는 것이죠.

그러기 때문에 이런 말도 있죠. 뜻을 이루어서 참자기를 자기가 발견한 자는 계법을 지키지 않아도, 그 계법을 범하지 않는다는 얘깁니다. '계법을 지키지 않는 반면에 결국은 범하지를 않는다. 앉아서 다리를 틀고 좌선을 하지 않아도 일상 생활에 끊임없이 게으르지 않게 정진하는 것이 참선이니라.' 한 것입니다.

내가 꼭 한마디 하고 싶은 것은 깨우친다 안 깨우친다를 떠나서 우리 젊은이들이 앞으로 더 나아가야 할 길이 있는 것이 여자고 남자고 젊고 늙고 간에 불문에 부치고 자기 앉은 방석을 지키지 못하는 사람은 인간이라고도 할 수 없다는 점입니다. 그러기에 중생이라고 말한 것인데 우리가 이 한국이라는 조막댕이만한 나라에 태어났으니 이런 말을 하는 겁니다. 자기 몸을 보호할 줄 아는 사람이 자기 가정을 보호하고, 자기 가정을 보호하는 사람이 사회도 보호할 줄 알고, 또는 국가적으로도 그렇거니와 세계적으로도 우주적으로도 할 수 있는 자신이 있어야 내가 앉은 자리를, 내가 내 발등에 불 떨어지는 거를 끌 수 있다 라는 얘깁니다, 한마디로 말해서.

반면에 여러분이 '아, 부처님 법은 이렇게 어렵구나! 이걸 깨달아야 한다니… 아이구, 우린 깨닫지 못해서 중생이지.' 이렇게 생각을 한다면 중생 부처가 따로 있는 것입니다. 그런 생각을 하기 때문에 선의 생각을 해도 그것은 집착이니 인을 짓는 것이니라 한 겁니다. 아무리 내가 보시를 하고 이런 거는 좋은 일이고 이런 거는 공부를 잘 했고…, 하더라도 착을 둔다면은 그것도 선인(善因)을 짓는 거죠. 집착을 했으니까. 그래서 악에 집착을 해도 아니 되고 선에 집착을 해도 아니 되느니라, 일상생활에서 요만한 거 하나라도 착을 둬서는 안 되느니라, 내 마음이 고정되게 돌아가지 않고 공했으니 내가 하는 모든 일도 전부 공했느니라, 그러기 때문에 하나도 착(着)을 두지 말고 그냥 무심, 무심으로 해라 했던 겁니다.

그렇다고 '마음 내놔 봐라.' 한다면 어디 눈에 마음이 붙어 있다고 하겠습니까? 귀에 마음이 붙어 있다고 하겠습니까? 코에 붙어 있다고 할 수도 없고 배꼽에 붙어 있다고 할 수도 없는 겁니다. 너무도 광대하게 돌아가기 때문입니다. 그 마음이 어디 고정되게 붙어 있지 않기 때문에 부처라는 이름이 있지 만약에 공하지 않았다면 부처라는 이름도 없을 것입니다, 아마. 그래서 팔십종호(八十種好) 할 때 '종호', '종'도 '호'니라, 하는 거죠. 그러니 여러분이 어렵다, 어렵지 않다는 생각을 떠나서 시간과 공간이 초월된 상태로 우리는 지금 그냥 가고 있는 것입니다. 옛 산도 없거니와 옛 사람도 없고, 옛 물도 없다는 뜻이 바로 이런 데 속합니다. '어렵다'고 생각하시지 말고, '내가 중생이다 부처다.' 이런 생각도 하지 마시고 '내가 이렇게 하면은 중생이고 저렇게 하면 부처인데 내 부처를 어떻게 깨달을 수 있을까.' 이렇게 어렵게도 생각하지 마세요.

우리 한 사람 한 사람이 지금 부처의 행을 하고 있는 겁니다. 인간으로 태어났다면 잘못되고 잘된 것을 너무도 잘 알고, 이렇게 하면 안 되고 저렇게 하면 되고, 저렇게 하면 좋고 이렇게 하면 언짢은 거를 너무도 잘 알기에 그러는 것입니다. 그러니까 사회 상식을 가지고 나왔기 때문에 벌써 태어났으면 나쁘고 좋은 걸 안단 말입니다. 우리가 의려를 하지만 그렇더라도 우리가 인간으로 태어났으면 알 만큼은 알 수 있는 거니까 그걸 묵인하고 그냥 부처님의 행을 하고 있는 겁니다.

우리가 흔히 마음먹기에 달렸다고 하는데 마음먹기에 달린 이 한생각을, 시대로 봐서도 우리가 단연코 중생이 아니라 부처의 행을 해야 하지 않겠습니까? 이 마음은 체가 없기 때문에 나쁘다 좋다를 떠나서 크게 생각하려면 크게 생각하고 작게 생각하려면 작게 생각하고, 내가 우주 바깥을 벗어나려면 벗어나고 안에 들어있으려면 들어있고, 혹은 굴 속에 들어가서 있으려면 있고, 바늘 구멍 속에라도 들어가려면 들어갈 수 있는 것이 마음입니다. 마음은 체가 없기 때문에 크고 작게 할 수 있는 그런 능력을 가지고 있는 것, 바로 그것이 참자기의 작용이 아니겠습니까?

그러니 생활 속의 어떠한 작은 일이라도 그렇고, 나라를 비유할 때도 그렇고, 사회를 비유할 때도 그렇고, 우리가 각중(刻中)에 어떠한 걸 봤다, '이 참 위태하구나!' 이럴 때 즉 '이렇하면 안돼!' 하는 그 일념을 낼 수도 있죠.

한 사람의 한 생각, '한 그릇'이라는 뜻도 되고 '한마음'이라는 뜻도 됩니다. 5억이라는 생명의 능력도 우리가 생활을 해나가는 데 부담이 없이 해나가게 하고 있습니다. 그렇죠? 우리가 딛고 다니게 하고 또 먹고 싶으면 먹게 하고 가고 싶으면 가게 하는 능력을 갖게 했습니다. 생각을 하게 했구요. 그러니까 그 능력을 발휘해서, 우리의 몸뚱이는 하나가 아니라 5억의 생명들이 한데 합쳐서 대표인으로 됐는데, 대표인끼리 또 한데 모이면은 그 '한'이 너무도 광대무변해서 어디고 안 닿는 데가 없이, 아니 담을 게 없이, 아니 돌아가는 게 없이, 아니 덮는 게 없이, 아니 비치는 게 없이 광대무변하게 상응할 수가 있다는 점입니다.

그렇다면은 우리가 어떻게 해야 부처님 법을 빨리 알 수가 있을까, 지속적으로. 모든 것은 시간과 공간을 초월한 것입니다. 사람은 사람대로 한생각 낼 때에…, 한생각은 생각 내기 이전이 근본인데 그 근본으로 하여금 생각을 낼 때, 크고 작은 것은 그대로 유(有)의 법으로써 그냥 무심으로 해가야 되겠지만 내 생각 자체가 그대로 법이라는 걸 아셔야 합니다.

어저께 어느 분이 이런 말을 합디다. '어느 분이 이렇게 말합디다.' 하는 것은 나라고 할 수가 없으니까 그럽니다. 어저께 테레비에서 씨름을 하는데 말입니다. 한 사람은 덩치가 크고 한 사람은 덩치가 작았습니다. 그거를 보는 순간 '약한 사람이 덩치 큰 사람을 한 번 이겨 보는 것도 좋다.' 하는 생각을 했습니다. 그렇다고 누구한테 얘기를 하거나 '내가 한다.' 이런 생각을 하는 게 아닙니다. 순간 '야! 저건 그렇게 하면 재미있는 게임이야.' 하는 생각이 문득 들은 것입니다.

그러니까 덩치가 작은 사람이 팔이 저리고 아파서 못 쓰면 도저히 덩치 큰 사람을 넘길 수가 없기 때문에 마음의 에너지가, 덩치가 작은 사람의 마음과 이 마음이 둘이 아니기 때문에 그 팔은 힘이 솟아난 겁니다. 그러니까 그 큰 몸뚱이를 넘기는 게임을 모든 사람들이 볼 때 '이왕지사 이겼던 거 조그마한 사람이 이겨라.' 하하하, 이렇게 했던 것을 지금 말씀드리는 건데 우리들이 한마음 한뜻으로써 내 가정을 지키고, 내 몸을 지키고, 사회를 지키고, 국가를 지키는 데에 이러한 한생각이 필요한 것입니다.

　　지금 싸움이 없으면서도 실은 어떠한 위기에서 싸움을 해나가고 있는 거나 마찬가지입니다. 그랬을 때에 생활이나 몸에 대해서나 사회적으로나 국가적으로나 모든 것을 해나가려면 마음이 넓어야 한다 이겁니다. 이 한국만 생각하지 마시고 널리 세계를 보고, 우주적으로도 지금 앉은 방석을 온전하게 조화를 이루게 해야 합니다. 화병에 꽃을 꽂아서 향기를 맡고 아름다움을 즐기고 생활이 잘 될 수 있고 웃을 수 있고 조화가 잘 될 수 있듯이 말입니다. 부처님 법에는 이 생명 저 생명이, 이 나라 저 나라가 둘이 아니지마는 둘이 아니면서도 너무나 철두철명하게 너와 나가 있는 것입니다. 여자 남자가 없으면서도 여자 남자가 뚜렷하게 있어 여자 할 일은 여자가 하고, 남자 할 일은 남자가 하듯이 그렇게 뚜렷한 것입니다. 둘이 아니면서도 모습 모습은 다 각각이나 조화를 이루듯이 그렇게 살고 있는 겁니다.

　　그러니 우리가 그 마음부터 알아야 그야말로 한생각을 내도 지혜롭게 넓게 할 수 있는 겁니다. 마음부터 알아야 하는 것은 내 마음은 체가 없어서 내놓을 것이 없이 공했다, 그러니까 공한 내 참나를 그냥 무조건 믿고 무슨 일을 하는 것도 내가 옳다고 생각했을 때는 무조건 한다, 또 사회적으로도 이렇게 해서는 안 될 텐데, 우리 국민이 이거는 안 되겠다 할 때는 무조건 국민을 위해서, 대인을 위해서 밀고 나가고 내가 회사원이라 할지라도 그렇고 공장을 한다 무슨 장사를 한다 이런 경우도 다 그런 점으로 인해서 융성하게 되기 때문입니다. 한생각에. 한 사람만이라도 생각을 잘 하는 사람이 있다면 그 회사는 아주 융성하게 되는 것입니다. 나라도 그렇습니다. 여러분이 한생각을 잘 한다면 이 나라는 바로 물질과학으로부터 정신과학으로, 마음으로써 만법을 마음대로 자유자재할 수 있다는 점을 우리가 명심하시고 나가야 되겠습니다.

그러니 깨우친다 안 깨우친다 이거를 어떻게 말로 표현을 하나 하는 생각을 합니다. 여러분은 자꾸 스스로 좌절해요. 여러분은 자기를 못 믿어요. 여러분은 자꾸 자기가 생각하는 거를 '중생이 생각하는 건데 이거 안 되지.' 하기 때문에 안 되는 것입니다. 조그마한 것뿐만 아니라 큰 것도, 타인의 일이라도 말입니다. 공장을 처음 냈는데 '이게 이렇게 하면 안 되는데…' 할 때 그 생각을 하지 말아야 하며, 한생각을 탁 내줄 때 그 공장은 그대로 유지돼 나가는 것입니다. 그러니까 우리가 한생각을 내주는 것도 그렇고 한생각을 하는 것도 그렇고 한생각의 그 향기로운 냄새가 온 우주를 다 덮고 우주를 싸고 아니 닿는 데 없이 닿을 수 있게끔 되어 있는 것입니다. 그게 바로 마음의 능력입니다. 마음은 여러 가지로 낼 수 있고 여러 가지로 받아들일 수 있으니 바로 이것이 말로 형용할 수 없는 이치입니다. 몸뚱이도 한 사람 몸뚱이지만 한 사람의 몸뚱이라 해도 이름이 다 각각 있지 않습니까? 눈이다 코다 귀다 손이다 발이다 간이다 하는 이름이 여간 많지 않습니까? 이 많은 이름들이 한데 합쳐진 게 사람 아닙니까? 그래서 사람이 하는 노릇이 부처가 하는 노릇이다 이겁니다.

그렇게 백지장 하나 사이인데도 그게 그렇게 안 돌아가니까 힘이 든다 이겁니다. 마음의 주인공은 바로 가슴에서 느끼는 점입니다. 느끼는 점! 이 가슴에 와닿아가지고 느끼는 점입니다. 느껴서 그대로 생각 나면 그냥 그대로 법입니다. 그러니 보는 것도 아주 세밀하게 볼 수가 있는 데도 그거를 여러분이 느끼면서도 못 믿는 것입니다. '야,

이건 내 마음으로 이렇게 느껴지는데 이건 모두 여러 사람들의 말을 들어보니까 이건 안 된다는데…' 이러거든요. 왜? 남의 말을 그렇게 잘 듣고 잘 들으면서 자기 마음에서 나오는 자기 주인공의 뜻은 왜 못 믿습니까? 자기 스스로 믿고 스스로 행하고 스스로 자재한다면 그대로 법신 아닙니까?

그래서 법신은 '자(子)'로 치고 마음내기 이전은 '부(父)'로 쳤습니다. 마음을 내서 용(用)을 할 때는 '부'는 '자'로 하나가 돼버리고, 말을 안 하고 가만히 있을 때는 한데 조화가 돼서 가만히 있으니까 부처거든. 그러니 여러분이 생각할 때 좁게 생각하지 마시고 넓게 생각을 하십시오. 부처님께서 '누구 형상에다가 절을 하지 말라.'고 말씀하신 뜻은 그걸 알고 하면은 절을 해도 자기요, 모르고 하게 되면 타인이 되기 때문입니다.

우리가 빨리 깨우쳐야겠다 해도 그것이 착이 되는 거니까 빨리 깨우쳐야겠다 하는 그 말 자체가 아닌, 그대로 자기를 믿으라는 얘깁니다. 욕심이 생겼다는 얘깁니다. 욕심이 생겼는데 내가 항상 말을 하듯이 여기를 뛰어넘을 수 있다면, 자기 자신(自信)이 있다면 그것을 믿고 나가고 자신이 없다면 믿고 나가지 말아야 하겠죠. 이것이 자기 분수에 따라서 판단하고 정하는 것이죠. 그래서 판단을 할 때 처음에는 요기밖엔 못 디뎠는데 나중에는 저기까지 딛게 됐다 이겁니다, 지혜가 넓어져서. 그랬을 때 차츰차츰 뛰어야 되는 거지 이걸 한꺼번에 뛰려면 안 되니까 살면서 체험을, 조그마한 것에서부터 체험을 해나가시라 이겁니다. 체험을 해나가시다 보면은 사회적으로나 국가적으로나 세계적으로도 만반의 준비를 할 수가 있다 이겁니다. 여러분을 볼 때 오관을 통해서 오신통(五神通)을 지금 하고 계시면서도 그것을 백프로 활용을 못 하고 있는 것입니다. 유의 법만 활용을 하지 무의 법은 활용을 못 하고 있는 것입니다.

그러기 때문에 눈으로 보고 귀로 듣고 하는 것을 욕심 없이, 내가 한다는 생각 없이 해야만이 된다. 즉 습이라는 게 참 무섭다는 얘깁니다. 모든 걸, 선한 일을 했어도 내가 한 일이 아니요, 악한 일을 했다 할지라도 내가 한 게 아닙니다. 두루 편하기 위해서, 대의를 위해서 했다면 악한 일이 아닙니다. 거짓도 남을 위해서 거짓을 했다면 잠시만 거짓으로 한 거지 그건 거짓이 아니겠죠. 그러기 때문에 모든 것을 다 자기가 잘 생각한다면 남을 이익하게 할 수 있고 또 나를, 나의 중생에게도 이익하게 할 수 있을 겁니다. 타인의 육체나 내 육체나 똑같은 중생이지만 말입니다. 자기 중생을 자기가 이익하게 만들 수 있어야 남을 이익하게 만들 수 있죠.

그러니까 우리가 잘 생각해봐야 할 점이 있다 이겁니다. 잘 생각해야 할 점은 깨달아야만 한다는 거, 그거를 마음으로 규정지어 놓고선 '얼마쯤이나 가야 될 것인지?' 그러지 마시고 우리 생활 속에서 하나하나 체험을 해봐가면서 탁탁 밀고 나가보시라 이겁니다. 의심을 하지 말고. 그렇게 탁탁 밀고 나가다 보면 어떤 거는 자기에게 감촉이 왔단 말입니다. 그 자리에 감응이 와서 느꼈단 말입니다. 점점 점점 점점 아주 굳어지는 겁니다. 굳어지는 반면에 큰 일도 할 수 있는 거예요. 지금 우리 나라가 위기에 처해 있다 할지라도 그걸 밀치고 나갈 수 있다 이겁니다.

여러분도 꿈을 꾸어보셨지요. 우리가 살면 좋은 집에 살면서 즐거운 것도 순간 돌아가고, 친구들하고 술을 마시면서 즐겁게 논 것도 순간적입니다. 그렇게 즐거웠는데 그만 돌아서면 순간 허전하고 허황한 게 말할 수 없죠. 또 좋은 집에서 잘 사는 것도 금방 망해서 돌아갔을 땐 그 허전함이 말할 수도 없구요. 꿈에 참 좋은 데 가서 즐겁게 놀고 즐겁게 살고 하는 데도 그게 꿈을 깨고 나면 그렇게 허황될 수가 없죠. 목을 눌러서 죽이려고 하는데 꿈을 깼다. 야! 꿈이기에 망정이지 이거 생시 같으면 죽을 뻔했다고 할 겁니다. 이게 모두가 사람의 생각에 의해서 꿈도 생시도 있는 것입니다.

그러니 꿈이 생시요, 생시가 꿈이듯이 우리가 허황되지 않은 진실을 알아서 그대로 법을 행하는 것이 부처이자 법신이자 보신(報身)이자 화신(化身)입니다. 용왕도 거기 들어 있고 모두가 다 거기 들어 있는데 왜 그 능력을 내지 못합니까? 그대로 능력을 발휘할 수 있기 때문에 공한 것입니다. 공했기 때문에 능력을 발휘할 수 있는 거지 공하지 못했다면 능력을 그렇게 발휘할 수가 없는 것입니다. 부처 된다고 할 수가 없는 거죠. 부처 될 가능성도 없고요. 그래서 '짐승들이 사람을 거치지 않는다면 부처가 될 수 없다'라는 얘기가 나옵니다.

우리가 참 실질적으로, 내가 이렇게 말하면서도 말입니다, 역시 부처는 말이 없는 것이 부처입니다. 우리가 또 설법을 하는 거는 '말씀'입니다. 말씀! 그리고 부처님이 말씀하신다고 하고 듣는다고 하는 것도 말씀입니다. 즉 교법이죠. 그건 유의 법이죠. 그리고 말없이 걸레를 빨아서 탁 닦는 것도, 말없이 걸어가는 것도, 말없이 행하는 것도 모두가 부처가 하는 일이죠. 그런데 말을 하는 것도, 말을 안 하고 하는 것도 그것이 둘입니까? 누가 했습니까?

그렇게 여러 가지를 하고 돌아가는데, 이걸 되풀이해서 말하는 것은 지금 잘 생각해보시란 뜻입니다. 여러 가지로 자꾸 변해서 돌아가면서 행하는 이 생활 속에서 하나하나 해가면서 일부러 지어서보다도 생활 속에서 그냥 문득문득 다가오는 대로 하는 겁니다. 이건 장난으로 하면 안 됩니다. 실생활 속에서 무엇을 하든지 내가 이런 거는 이렇게 해야 되지 않나 할 때 한 번 해보는 거, 하나하나 해보다 보면은 거기에서 완벽하게 자기에게 능력이 생기는 겁니다. 자신이 생겨요. 그랬을 때 모든 것을 자신 있게 해나갈 수 있다는 얘깁니다.

지금 여러분도 아시다시피 문학적으로나 과학적으로나 철학적으로나, 사회 정치적으로나 모든 것을 볼 때 과학이 철학이고 철학이 과학이고 과학이 문학이고 이것이 둘이 아니게 돌아갑니다. 그리고 물질 과학으로서 우리의 다섯 가지 능력만 해도 이 도리를 체험해서 아신다면 우리 나라에 급작히 미사일이 건너와서 폭파될 처지라 하더라도 '여기는 안 돼! 못 와!' 하고 못박으면 못 오게 됩니다. 근본적으로 그렇게 자꾸 체험을 하다 보면 느낌이 옵니다. 느낌이 오게 되고 안으로 굴리게 됩니다. 이게 참선입니다. 안으로 굴리게 되고 자꾸 돌아가다보면 느낌으로 무슨 소리를 들어도 '아, 이건 이렇게 되는구나!' 하는 것을 즉각적으로 알게 되는 겁니다. 알게 됐을 때에는 '여기는 안 돼! 못 와!' 하면 미사일이라도 그건 못 오는 겁니다.

예를 들어서 누가 5년 후에 이렇게 된다 하고 예언을 해 놓은 것을 들었는데 '그렇게 해선 안 돼! 5년 있다가 하면 이게 될 법한 일인가?' 이렇게 해놓으면 5년 있다가 그 말이 한데로 떨어지게 되는 거죠. 그래서 예언자는 소인이라고 한 게 그런 데서 오는 거다 이겁니다. 이건 자신이 자신을 발견해서 자유스럽게 그냥 자활을 하는 것이기 때문에 예언을 한 걸 지워버릴 수도 있는 그런 능력입니다.

그래서 부처님께서는 '나는 어저께도 없고 내일도 없이 하루살이로 사느니라.' 왜? 없어서 그런 게 아닙니다. 연결됐기 때문입니다. 마음과 마음이 전달돼서 연결이 돼 있기 때문이죠. 내가 콩씨 얘기도 많이 했고, 바닷물이 흘러 들어오는가 하면은 흘러나가고, 흘러나가서 다시 돌아서 또 흘러 들어오고 이러는데 두드러지지도 않고 줄지도 않는다고 그랬죠. 그것이 바로 지혜입니다. 그리고 사람 사는 마음으로써 전달되는 한마음입니다. 그러니까 한마음으로서 우리가 일을 행해나갈 때 미사일이든 폭탄이든 그게 마음대로 못 하죠. 절대로 마음대로 못합니다. 무전도 그렇습니다. 우주간 법계에 그 무전줄이 있어서 '이거는 안돼!' 하고 차단을 시켜놓으면 그건 안 되는 법입니다. 급할 때 쓰는 겁니다. 이것을 신통이라고 하는 거죠?

그래서 오신통이라 하는 건 신통입니다. 신통은 급할 때 쓰는 겁니다. 무전기도 급할 때 쓰는 거고, 미사일이라는 것도 급할 때, 한생각이면 다 돌아간다는 뜻입니다. 급하면 급한 대로 다 탐지기도 쓸 수 있고, 콤퓨타도 쓸 수 있는 거죠. 그러니까 모든 것을 그렇게 쓸 수 있게끔 만든 장본인이 누구냐 이겁니다. 그런 생각이 이 오신통으로 들어오고, 눈으로 귀로 상응하고 서로 받아들이고 이러는 그 자체가 누가 만들었느냐는 얘깁니다. 그거 생각나기 이전 영원한 자기 생명이, 그 근원이 바로 그렇게 융합하고 또 돌아가게 만드는 거 아닙니까? 그런 일을 보고 듣고 받아들이고 내주고 하게끔 만드는 거죠. 그러니까 그 근본이 아니라면 오신통을 할 수가 없는 거죠. 오신통이라는 것은 말로 오신통이지만 우리가 그렇게 한 번 생각을 해서 체험을 한 번씩들 해보시면서 공부를 하셔야 돼요. 그래야 위급해도 당황하지 않습니다. 피난처가 따로 있습니까? 내 앉은 자리가 피난처지. 육신이 아무리 돌아다니면서 피하려고 애를 써봐도 되지 않습니다.

생활면에 있어서 체험을 해본 분들은 거기에서 또 능력을 얻는 수도 많습니다. 또 남을 위해서도 조그마한 체험이라도 해보시고 자꾸자꾸 들어간다면 처음에는 조금 조금 먹다가 나중에는 큰 바다의 물을 다 삼켰다고 하는 수가 있습니다. 그럼 삼키기만 하면 되느냐. 아닙니다. 삼켰다 내주고 내줬다 삼키기도 하는, 아주 다양하게 자활할 수 있는 그런 자유인이 될 수 있는 사람이라야만이 그걸 진짜 사람이라고 했고 부처라고 했고 선각자라고 했습니다. 그러니 여러분 이날까지 살아가면서 몸에 대해서나 가정에 대해서나 타인으로 인해서나 또는 내가 봐서나 들어서나 이것을 한 번이라도 체험했던 분들이 있다면, 또 거기에 의심이 나는 게 있다면 물어주십시오. 질문해주십시오.

빨리 우리는 알아야 되겠습니다. 왜 우리가 알아야 하는지 여러분이 더 잘 알 겁니다. 시대로 봐서도 그렇고요, 이 조그만 조막댕이만한 나라에 또 세계적인 올림픽도 한다고 그러죠. 가난한 집안에 말입니다, 손님네들이 많이 온다고 그러죠. 참, 이것도 한 가정 일이나 마찬가지입니다. 그런 데다가 또 사람이니만큼 남이 잘 된다면은 좋지 않게 생각하는 사람들도 많고 모략하는 사람도 많습니다. 그렇게 한 가정에서 그렇듯이, 한 사람에게 그렇듯이, 한 나라에 그렇듯이 그러한 문제들이 있으니까 여러분으로 하여금 모든 것을 나를 내세우고 하기 이전에 스스로 하게 할 수 있다면 그것이 이 한국에 얼마나 이익이겠습니까?

또 여러분이 어느 회사에 나가도 그렇고 회사를 운영하셔도 얼마나 이익이 되겠습니까? 그걸 쓰지도 않고 그냥 그대로, 그냥 다니기만 한다면 그것은 목석인 겁니다. 목석! 생각을 좀 달리 해보고 다녀야죠. 공부하시는 분들이 여기 와서 듣고 그런가 보다 하고 그냥 가고 또 살면서 그냥 왔다갔다 이렇게만 하면 안 됩니다. 내가 책보를 끼고선 학교에 그냥 왔다갔다하기만 하고 강의 들은 내용을 다시 한번 공부 안 해 보면 되겠습니까? 여러분이 생활 속에서 꼭 해봐야죠.

또 회사에 나가는 사람, 은행에 다니는 사람, 뭐 기자면 기자, 또 어떤 직업을 가진 사람이든지 누구라도 말입니다. 학교에서 내가 공부를 못하면 찍힌다 했을 때 열심히 해야 하듯이 모든 게 다 공부란 말입니다. 학교 공부만 공부가 아니라 생활 속에서 모두들 수시로 공부를 하게 되어 있는 거예요.

그러니 하나하나 자기가 해 나가야지 누가 해 나가겠습니까? 그렇다면은 하나하나 그게 체크가 되는 거라, 자기가! 감응이 오는 거라. 이거 내가 이렇게 하려고 그랬더니 그대로 돌아가는구나. 그대로 돌아가면은 자신이 생긴단 말이에요. 그래서 큰 것도 하고 작은 것도 하고 닥치는 대로 하는 거예요. 그런데 그거를 해보지 않는 사람, 그냥 물색 없이 왔다갔다하고는 해보지 않는 사람. '이거 뭐, 내가 힘이 없는데, 아이 내가 뭐 이런 일을…' 그냥 아예 생각조차도 해보지 않는 겁니다, 자기가 분명코 해야 할 일인데도 불구하고. 그게 목석 아닌 목석이죠. 우리 유의 법만 취하고 사는 사람들, 좀 무의 법을 활용해봐라 이겁니다. 마음으로써 나도 살고 남도 살 수 있는 일이다 이겁니다. 그것이 바로 이익 중생 아닙니까?

그러니 여러분이 오늘서부터는 학교에서 공부했으면 집에 가서도 공부하는 겁니다. 집에 가서 앉아서 공부하는 게 아니라 생활면에서 오고 가며 직장에서 어떠한 일이 있다, 이러한 일이 있을 법도 한데 미리 잘못돼가지고 그걸 방치하려고 하지 말고 내가 생각해봐서 요런 일은 요렇게 되고 저런 일은 저렇게 되고 이렇게 나가야 되겠다, 이것은 이렇게 되면 안 돼! 하는 것을 못박아놓을 수 있는 대로 못박아놓고, 천천히 차근차근히 시험을 해보는 겁니다, 오는 대로. 그대로 돌아가는 것입니다.

그렇게 하는 분이 있는데요. 그분이 차근차근히 이렇게 하다보니까 그게 실감이 나는 거죠. 그러니까 어느 일이라도 해낼 수 있다라는 자신이 생기는 거예요. 그러니 자기에게 이익하지마는 남도 이익하고 또 나라도 이익하고 모두가 이익하지 않습니까? 그런데 그뿐입니까? 체험하는 공부를 하게 되면은 나라 위태한 것도 막을 수 있다는 얘깁니다.

예전에도 그랬지만 지금도 그렇습니다. 모두 기복으로만 그저 왔다갔다 말만 모두 성하고 나자신은 생각해보지 못하고 흉보고 잘못한다 잘한다. 정도다 사도다 하고 비판하고 다니다보니까 자기는 영 돌아다볼 사이가 없는 거죠. 이러다 보니까 공부들을 못 하는 겁니다. 그래서 예전에 오백년 역사에도 어쩔 수 없이 그냥 급할 때나 맛을 조금씩 본 겁니다, 남이 해줘서. 그러고 그것을 이렇게 해야 되는 거다 하고 실질적으로 가르쳐줬어도 받아들이지 않고 그냥 너 잘났다 그러고 해서 몹쓸 일들이 저질러진 것이 우리의 역사라고 볼 수 있겠습니다.

지금부터라도 여기 오는 분들만이라도 우리는 이 나라를 아주 융성하게 한 자리 올려놓을 수 있는 그런 능력을 가지게 될 겁니다. 그러고 삼국을 통일시킬 수 있었던 건 뭐냐 하면 세계를 통일시킬 수도 있다 이 소립니다. 왜? 각각 있으면서도 마음이 한마음으로 돌아가서 서로가 서로를 위해서 보람 있게 살 수 있는 그런 연결이 된다는 얘기죠. 마음과 마음이 그렇게 전달돼서 연결이 된다면은 죽이려고 단추를 누르지 않을 겁니다. 칼을 들이대지도 않을 겁니다.

그래서 무기를 만들어 죽이려고 하지 않고 불국토를 이룰 수 있게 우리 인간들이 대성황을 이룰 수 있는 지구를 만들 수 있는 그런 역할을 하게 이끌고가는 겁니다. 그래서 여기 앉아서도 여러분이 소련으로나 중공으로나 유럽으로나 어디를 막론해놓고 마음을 던져놓게 되면은, 어떻게 돼야 된다고 던져놓게 되면은 그것이 다 돌아가게끔 돼 있는 겁니다.

옛날에 이런 말이 있죠. 시어머니는 빨래를 하는데 아주 옥같이 해놓는데, 며느리가 아무리 따라서 할래도 옥처럼 되질 않아요. 그래서 그걸 가르쳐달라고 그랬는데 영 안 가르쳐주거든요. 죽을 때서야 '꼭 꼭' 하고 죽더랍니다. 꼭 짜면은…, 허허허. 그런 거와 마찬가지로 여러분한테 나는 그렇게 말해주고 싶습니다. 여러분의 능력은 그대로 있건만 여러분이 그것을 인정하고 믿어주지를 않습니다. 자기를 자기가 믿지를 않아요, 우선적으로. 그러니 어떡합니까? 첫째 믿지 않죠? 믿지 않기 때문에 용을 하지 못하죠? 용을 하지 못하기 때문에 현실로 나오지 않죠? 실감나지 않지? 그렇게 되니까는 절망에 빠지는 수가 많고 자기가 자기를 죽이는 수도 많고 망하는 수도 많고, 이거는 말도 못 하죠. 삶의 보람도 없고 그냥 허황되기만 하죠.

이 도리를 안다면 내일 죽고 지금 금방 죽는대도 하나도 겁이 나지 않는 겁니다. 마음이 무슨 착잡하거나 또 허황되거나 하는 생각이 하나도 없는 거예요. 그렇게 떳떳한 거예요. 왜 그러냐? 금방 몸은 벗었으나 금방 내가 그대로 살고 있기 때문입니다. 그걸 아시려면은 오늘서부터는 체험을, 사는 데서 체험을 자꾸자꾸 하세요. 적으면 적은 대로 크면 큰 대로 말입니다. 대부분 남자분들은 나가서 일하시면서 그 일하는 장소에서 해나가셔야 될 겁니다.

그리고 한 가지 부탁할 것이 있습니다. 우리가 생각할 때에 왜 미리 막지 않느냐 이런 것이 있습니다. 공부를 하는 사람들은 공부를 시키려면 미리 막아두지 않는 법이 있습니다. 또 공부를 하는 사람은 아픈 걸 금방 낫게 해주지 않는 법도 있습니다. 또 이 몸을, 옷을 벗기고 죽여서 그 사람을 살리는 수도 있습니다.

그렇지만 여러분은 생활하면서 그렇게 하지 말고…, 자신들이 하는 거니까. 예를 들어서 어느 회사를 하는데 다른 사람은 새 기계를 들여놓고 해나가기 때문에 내가 들여놓은 기계 가지고는 도저히 상대할 수가 없어. 밀려서 할 수가 없는 거거든. 그렇다고 문을 닫게 되면 벌써 손해야. 그러니 이것을 한생각 내서 다시 설치하게끔 만들거나 기계를 다시금 똑같을 수 있게 조립을 하거나 한생각 내면 윗사람들이 다 마음을 내게끔 돼 있다 이거야. 돼 있는 연후에 가서 말만 띄우면 되는 거라. 심부름만 하면 되는 거지. 주인의 심부름만 하면 되는 거라.

이렇게 떠넣어줘도 모르시면 안 됩니다. 이렇게 밥숟가락을 떠넣어 드려도 먹을 줄을 모른다면은 이걸 어떡합니까? 왜 내가 이렇게까지 해야 하는지 모르겠습니다마는 이것은 바로 지금 우리가 살아나가는 이 사회가 너무나 복잡하기 때문입니다. 그러니까 모든 일에 대해서 급하게 서두르지 마시고 서두르는 마음 없이 그냥 그대로 대처해야 될 겁니다. 나는 아주 귀찮을 때가 있죠. 여러분도 그럴 거예요. 다니는 회사에 무슨 큰 일이 생긴다면 큰 일이니까 아예 그냥 다 자기 생각대로 할 수 있는 능력이 거기에 있으니 그대로 해보시면서 잘 굴려가면서 체험하면서 자기를 믿을 수 있게끔 만드십시오. 자기를 자기가 못 믿어서 모두들 못 하시니까 자기를 자기가 진짜로 믿게끔 만드십시오. 신념이 가게끔요.

여러분 중에 말씀하실 거 있으면 말씀하시구요, 그렇지 않으면 오늘 이만 말씀드리겠습니다.

내 한몸이 바로 법당이요

85년 4월 21일

우리가 지금 같이 앉았는 자리가 이 법당 한자리지만 이 한자리가 우주 삼라만상의 한자리인 것입니다. 한자리란 그렇게 가벼운 한자리가 아닙니다. 한생각도 가벼운 한생각이 아닙니다.

역대로 내려오면서 부처님이 나시기 이전에도 진리는 있었겠지만, 부처님께서 그 진리를 발견하셔서 우리들한테 마음에서 마음으로 전달해서 지금까지, 아니 후대에까지 영원토록 이어지고 우리가 그 진리를 주춧돌 삼고 또는 거름을 삼아서 변함없이 그 자리에 앉아서 이 설법을 같이 나눌 수 있으니 이 자리가 바로 한도량입니다. 대의적으로 따진다면은 삼라만상 대천세계가 여래의 집이면서도 여러분 각자 한몸 자체가 바로 법당인 줄 아셔야 합니다.

참선이란 명상도 아니고 좌선도 아닙니다. 단지 내가 한생각에 내공의 모든 것을, 일체 만법에 대한 모든 생활을 자기가 한 발 한 발 놓고 가는 것입니다. 그런데도 그걸 모르고 자기라는 착을 가지고 있기에 그것을 한마디로 말해서 사상(四相), 즉 말하자면은 아상(我相)·인상(人相)·중생상(衆生相)·수자상(壽者相) 이런 것에 걸려 있다고 할 수 있습니다. 그리고 또 육에 대한 착, 또는 육근에 관한 착의 문제가 붙습니다.

사람이 아상만 뗀다면은 착도 떨어지는 것입니다. 내가 공(空)했
는데 어찌 모든 것을 공하다고 하지 않을 수 있겠습니까? 모두가 내
아상과 집착과 삼독을 빼버린다면 우리는 그대로 여여하게 공해서 돌
아가는 걸 알게 될 것입니다.

수많은 사람들이 지금 부처님 제자로서 이렇게 모두 배우려고
열심히 하고 있습니다마는 우리가 이 허깨비 같은 몸으로만 배우는 게
아니라, 자기의 생명선과 더불어 거기에 마음을 낼 수 있는 그 자체,
몸을 움죽거릴 수 있는 그 자체, 삼합(三合)이 공존이 돼서 우리는 이
렇게 여여하게 살고 있다는 것을 깊이 깨달아야 할 것입니다. 그러면서
도 여러분이 아직 몰라서 그렇지 우리가 항상 비교할 때 어저께 부처
와 오늘 부처가 둘이 아니며, 그럼으로써 여여하게 활용할 수도 있고
이렇게 한 발 떼어놓으면 한 발 없어진다는 그 점을 상세히 생각한다
면 그대로가 부처님 법이며 그대로가 가르침이며 그대로가 행이며 그
대로가 여여한 줄을 알 겁니다. 그러나 그걸 모르기 때문에 말을 할 게
없는 것인데도 불구하고 다시금 말을 해야만 하는, 억지로라도 말을 해
야만 하는 것입니다.

그래서 콩나무로 비유를 가끔 합니다. 어저께 콩씨를 오늘 아침에
심었더니 콩나무가 나더라. 그런데 그 콩나무는 어저께 콩씨가 자기 몸
으로 화(化)해진 것을 모르고 어저께 콩씨를 찾느라고 바깥에서 애쓰더
라. 오늘의 콩나무로 화한 콩나무는 그 콩나무에 바로 콩이 열렸다는
것을 자각한다면 우리가 그 콩씨를 바깥에서 찾지 않을 것입니다. 바로
자기가 움죽거릴 수 있고 작용할 수 있고, 말을 할 수 있고 생각할 수
있는 그 자체가 바로 자기의 참 생명의 선이기 때문입니다.

생명의 선은 움죽거리지 않지만 자기가 움죽거리는 것은 바로
바퀴와 같이 돌아가고 있는 것입니다. 그러나 그 심봉은 움죽거리지 않
듯이 그렇게 광대무변한 것입니다. 그러니까 여러분이 그 콩씨가 바로

자기한테 있다는 것을 발견함으로써 깨닫는 것입니다.

깨달으면 깨닫는 대로 또 안으로 굴려서 자기가 나침반을, 중도를 세워서 항상, 입으로 나쁜 말이 튀어 나오더라도 안으로 굴리고 좋은 말을 하고 좋은 생각을 해서 인연을 맺고 또는 그렇게 해나간다면 우리가 아마 부처님의 그 가르침의 뜻을 그대로 받는다고 하겠습니다.

우리가 지금 시대에 맞춰서 꼭 알아야 할 문제가 바로 이런 것입니다. 여러분이 생각해보십시오. 시대 돌아가는 것을 세계적으로 보세요. 우리는 만물의 영장이면서 이 땅의 주인이기 때문에 누구라도 각자 주인입니다. 주인이기 때문에 그렇게 만물의 영장이라는 이름을 갖게 됐습니다. 그러면 우리가 지금 자연적으로 가지고 있는 게 무엇인가? 그 생명선에 의해서 주어진 모든 것, 음파의 조절이라든가 또는 빛의 조절이라든가 또는 광명선의 조절이라든가 또는 콤퓨타의 조절이라든가 영사기의 조절이라든가 또는 인과의 조절이라든가 또는 탐지기의 조절이라든가 무전기의 조절이라든가 이런 것이 다 자연적으로 자기한테 주어져 있다는 것을 여러분은 깊이 생각해야 될 것입니다.

그럼으로써 물질과학이니 문명이니 문화니 철학이니 하는 모든 과목도 바로 인간에게서 주어지고 인간에게서 나온 것입니다. 그렇지만 여러분이 물질과학으로서 문명으로서 이렇게 발전된 것을 기쁘게만 생각할 게 아니라 그것은 바로 여러분이 만들어놓고 여러분이, 바로 거기에서 죽어간다는 것을 아셔야 합니다. 그래서 그것들을 우리가 리드해나갈 수 있는, 앞장서서 이끌 수 있는 그런 만능적인 자유인이 되고자 해서 우리는 이렇게 열심히 하고 있는 것입니다.

그래서 말인데 우리가 어저께 일을 알고 있고 작년 일을 알고 있고, 어디서 구경을 하고 왔으면은 집에 와서도 보고 있는 것처럼 생각되는 거와 같이 깨달은 사람들은 역시 앞 부처, 뒷 부처가 따로 없기 때문에 모두가 내 아님이 없고 모두가 내 자리 아님이 없고 모두가 내 아픔 아님이 없고 모두가 자비이며 사랑인 것입니다. 그러면 그것을 어떻게 해결을 할 수 있을까? 우리는 마음의 자기 내공에, 즉 말하자면 생명선 그 자체가 움죽거리지 않으면서 보신(報身)과 화신(化身) 또는 법신(法身) 부처가 따로따로 있는 게 아니라 자기 마음 가운데로부터 이 육신으로 공전하기 때문에 다 갖추어서 있다는 것을 터득해야만 합니다.

물부처가 따로 있고 불부처가 따로 있고 흙부처가 따로 있고 바람부처가 따로 있는 것이 아닙니다. 또 관세음보살이 따로 있고 문수보살이 따로 있는 게 아니고 어떠한 부처님들의 이름 자체가 부처인 것이 아닙니다. 여러분의 마음에 따라서 찰나찰나 움죽거리고 돌아가는 그 자체가, 화해서 돌아가는 그 자체가 부처님인 것이고 나중에는 어떤 것도 내세울 수 없다는 데까지 도달해야만이 살아서 열반을 하게 되는 겁니다. 살아 있으면서 열반을 해야지 죽어서 열반을 한다면 그것은 더하고 덜함이 없기에 죽어서 열반을 한다는 사람은 너무나 어리석습니다.

열 가지 물감 빛깔이 있다면 어떤 것을 물감이라고 내놓을 수 있을까요? 이 도리를 아셔야 할 것입니다. 그래서 여러분한테 주장하기를, 이름해서 그것도 주인공이라고 하나 삼합이 공존을 하고 있으니까, 삼세심(三世心)이 공해서 돌아가고 있는 이 이치를 알게 하기 위해서 이름해서 주인공이라고 했으니 그 주인공에 모든 것을, 일상생활에서 일어나는 모든 것을 거기다 다 일임해서 놔라 하는 것입니다. 왜? 믿어야 하니까. 자기의 생명선을 못 믿는다면 말은 어떻게 하며 몸은 또 어떻게 움죽거리겠습니까?

그러기에 자기 생명선, 이름해서 주인공인 참자기는 이 우주 삼라만상의 모든 것을, 유생 무생과 더불어 생활하고 돌아가는 진리를 다 할 수 있다는 것을 전제하고 믿어야 합니다. 믿고 거기에다가 모든 것을, 좋은 것은 좋은 것대로 놓고 나쁜 것은 나쁜 것대로 돌려서 놓는 것입니다. 끊는 게 아닙니다. 망상이 일어났다고 하지만 망상이 없으면 부처를 이룰 수가 없는 것입니다. 그러기 때문에 망상도 끊으라는 게 아니라 놓으라는 것입니다. 놓아서 돌리라는 것입니다. 하나도 버릴 게 없기 때문에 '무(無)'라고 했습니다. 물질적인 것은 변하지 않는 게 하나도 없기 때문에 바로 '놔라, 공했느니라.' 이런 것입니다.

　그러니 여러분은 꼭 거기에다가, 단연코 자기 영원한 생명의 선은 무엇이든지 할 수 있다라는 걸 진짜로 믿고 바로 거기에다가 모든 것을 일임해서 놓으셔야 합니다. 자기가 더 잘 알고 있지 않습니까? 나쁜 거든 좋은 거든 흥겨운 거든 기쁜 거든, 모든 걸 너무나 잘 알고 있기 때문에 잘 알고 있는 그 자체가 바로 우주간 법계에서 다 통과가 되고 있다는 뜻입니다. 그러니까 진짜로 믿고 거기다가 놓으십시오.

　사람이 아파서 놓는다 하면 반드시 거기서 의사가 돼줄 겁니다. 자기의 참자기는 체가 없습니다. 그러기 때문에 무엇으로도 화할 수 있는 광대무변한 뜻입니다. 빛으로는 빛으로 응하고 음파로는 음파로 통하고 모든 것이 하나서부터 열까지 그렇게 통하고 있는 것입니다. 그러기 때문에 거기에다 모든 걸 일임해서 놓고 자기 마음을 편안하게 둔다면 바로 자기까지도 내공에 다 놔버리는 것입니다. 아까 말했듯이 아상을 갖지 말라. 왜? 열 가지 빛 중에 하나를 내가 내세워서 이게 빛이라고 내놓을 게 없는 도리이니까요.

　여러분이 생각해보세요. 어렸을 때를 자기라고 하겠습니까, 젊었을 때를 자기라고 하겠습니까, 늙어서 호했을 때를 자기라고 하겠습니까? 또 남편을 만날 땐 부인으로서 생각이 날 것이고, 애들을 만났을 땐 어머니로서 생각날 것이고 또는 친구를 만났을 땐 친구로서 생각이 날 것이고, 그러니까 여러분은 보고 듣고 말하고 먹고 행하는 것이 전부 고정되게 돌아가는 게 하나도 없어요. 그러기 때문에 찰나찰나 돌아가는 거죠. 그러니 찰나찰나에 한 가지도 아니고 그 여러 가지의 생활을 하는 거를 일일이 내가 한다고 어떻게 하겠습니까? 그래서 역대의 부처님들은 바로 '무' 했던 것입니다. 어떤 거를 내세워서 부처라고 말할 수 없기 때문이죠. 어떤 거를 내가 했다고 말할 수 없기 때문이죠.

그러니까 예를 들어서 콤퓨타 하나로 말을 한다 하더라도 내가 마음먹는 대로 콤퓨타에서 나와야 할 텐데도 불구하고, 주민등록증이나 이런 거를 넣는다면은 무턱대고 자기는 콤퓨타의 노예가 돼서 모든 걸 뺏기고 마는 것입니다. 안 그렇습니까? 자기가 한 행적이 다 나오게 돼 있으니까. 그러니까 주인과 하인이 뒤바뀐 거죠? 주인이 만들어놓고 거꾸로 하인한테 먹혀서 도리어 하인 노릇을 하는 거죠. 어떻게 되겠습니까?

그 도리를 아셔야만이 우리가 의학적으로는 내 몸을 지킬 수 있죠. 그걸 자세히 말하기 위해서 한마디 하면은 이 몸이 법당이라고 한 뜻은 무어냐? 내 몸 안에 5억이라는 생명이 들어있는데 내 마음이 대표로서 마음 한생각을 하는 데에 따라서 정맥 동맥이 오르락내리락하면서 소임을 맡은 그 생명체들을 지배할 수가 있다는 뜻입니다. 그것뿐입니까?

우리가 이 이치를 안다면, 자기가 마음을 발견해서 그 뜻을 안다면 바로 콤퓨타나 영사기나 그런 데도 말리지 않을 것이고 바로 미사일에도 말리지 않을 것이고 미사일을 막기도 할 것입니다. 나는 새도 떨어뜨린다고 했습니다. 그것도 마음이 있기 때문입니다. 마음이 근본입니다. 어느 거 하나 두렵고 무서운 게 없습니다. 그래서 병에도 그렇지만 내 마음을 내가 이끌어가지고 갈 수 있는 그 능력을 기르는 것입니다. 그래서 상구보리(上求菩提) 하화중생(下化衆生)이라고 말씀하셨습니다. 위로 거슬리지 않고 아래로 거슬리지 않는 반면에 즉석에서 자기 육신이 바로 제도가 되는 것입니다. 거기는 언어가 두 마디 세 마디도 붙지 않는 자립니다.

그러면서 바로 체가 없는 자기의 광대무변한 참자기이기에 때에 따라서는 화해서 물에 가면 물부처가 돼버리고 바람이 불어서 다 죽게 되면 바람부처가 될 것이고, 가난하면 관세음보살이 돼줄 것이고, 명이 짧으면 지장보살이 돼줄 것이고, 법에 송사가 붙었으면 판사가 돼줄 것이고, 내가 어떠한 경찰에 연관이 돼 있으면 경찰이 돼줄 것입니다. 이렇게 참, 광대무변하고 묘법인 것을 여러분이 각자 가지고 있으면서도 그것을 사용 못 하고 오히려 노예가 돼서 이리저리 끌려다니는 그런 폭에 지나지 않죠.

그러니 지금 시대가 어느 때라고 바깥에서 구하고 바깥에서 찾고 빌고 이렇게 해야만 되겠습니까? 지금 옷깃을 다시 한 번 여미고 정신을 바짝 차려야만 하는 시대라고 보며, 지금 어떻게 해서 우리가, 내가 이 땅의 주인인지, 내가 이 몸의 주인인지를 생각해야 옳을 줄로 믿습니다. 부처님 법이 따로 있는 게 아닙니다. 또 어떠한 이름이 기독교가 아니고 이름이 불교가 아니고 이름이 카톨릭교가 아닙니다. 그 이름 따라서 바로 짝짝 갈라가지고서 마음으로 지어가지고 인과를 받고 윤회에서 벗어나지 못한다면 우리는 아마 지옥에 떨어질 수도 있는가 하면 말 한마디 잘못해서 그 말이 한데 떨어진다면 그건 법이 아니라 바로 망상이라고 하는 것입니다.

여기서 어느 누구든지 올바로 아셔야 할 것입니다. 나를 믿으란 소리도 하지 않습니다. 나를 따르고 부처를 따르랬지 누가 믿으라고 한 건 아닙니다. 법당에 들어오면 법당에 들어오는 대로 저 부처님과 마음으로써 둥글려서 한데 합쳐서 안에 딱 놓고서 삼배를 올린다면 그냥 천배 올린 것보다도 나을 것입니다. 바깥으로 부처님께 '나를 구원을 해주시오.' 하고 삼천배 절을 해도 아마 한생각 하는 것만 못할 것입니다.

그러니 여러분은 어떡하면은 이 도리를 알아서 유체나 유령이나 악령이나 유전이나 또는 생사 열반에서 벗어날 수 있을까, 아니 지금 세균도 그렇죠. 여러분의 중심이 없다면은 빈집이니깐 들어와서 모든 세포의 눈을 통하고 귀를 통하고 몸을 통해서 갖은 병 갖은 악취스런 냄새가, 거미줄도 치고 벌레도 생기고 그래서 여러분의 몸은 병이 들고 말 것입니다. 내가 옷을 벗을 때에도 벗고 싶을 때에 벗고, 입고 싶을 때에 입고 그렇게 자재할 수 있는 자유인이 된다면 얼마나 좋겠습니까!

두서없이 내가 이렇게 말씀 드리는 것은, 나는 책을 읽어서 강의할 줄을 모릅니다. 이 세상 돌아가는 것이 팔만대장경이죠, 뭐. 왜 팔만대장경이라고 이름을 지어놨을까요? 그건 숫자적인 이름이 아닙니다. 팔만! 팔이면 벌써 그대로 사무(四無) 사유(四有)가 돌아가는 뜻입니다. '사천'이면 벌써 우리들이 사는 세상을 말하는 것입니다. '천' 하면은 벌써 하나를 두고 말을 하는 것입니다. 그리고 '대장경' 했거든. 팔십종호(八十種好)도 말씀하셨지만 '호'도 '종'이라고 했으니 '종'도 '호'다 이 말입니다.

옛날에 말입니다. 요거를 한번 자기 내공에 놓고, 의정을 가져보셨으면 합니다. 어느 조실 스님이 말씀하시기를, "애들아, 오늘은 큰스님네들이 오시니 오만 평에다가 씨를 뿌려서 저녁에 요리를 해서 그 큰스님네들한테 맛있게 대접을 해야겠다." 했습니다. 어떻게 해야만 오만 평에다가 오늘 씨를 뿌려서 음식을 맛있게 요리해 낼 수 있을는지 한번 침착하게 생각해볼 일입니다.

한마디 더 부탁하는 것은 그러면 여러분이 다 놓게 되면은, 생활하는 사람이 다 놓게 되면 어떻게 삽니까? 이렇게 말 하시리라고 믿습니다. 그러나 뛰지 않으면서도 뛰는 방법이 있고 뛰면서도 뛰지 않는 방법이 바로 그런 것입니다. 여러분 변소에 가서 똥을 눴는데 똥눈 사이가 있습니까, 없습니까? 시원할 뿐입니다. 일체 생활을 하면서도 벌써 앞발 떼어놓지 않았으니깐 없는 것이고 뒷발은 떼어놓는 대로 없는 것입니다. 그대로 공해서 자기가 했단 말 하나도 할 수 없이 생겼습니다.

매사에 자기 거다 라고 생각들 하시는데 금을 수만 관을 갖다가 쌓아놨다 할지라도 자기는 관리인입니다. 자기 주인의 관리인이야! 관리인이지 자기 것이 아니야! 여러분이 시주를 아무리 했다 하더라도, 여러분이 가게 갈 때에 돈 갖다 주려고 간 게 아니듯이 누구에게 준 게 아닙니다. 물건 사기 위해서 돈을 가지고 간 것이고 그 돈 값어치대로 물건을 사오지요. 그건 눈에 보이니까 그 사람 갖다줬다는 말을 전혀 안 합니다. 그리고 절에 와서 단돈 만원을 갖다 냈다 할 때에 여러분이 어떠한 스님네들을 잘살게 하기 위해서 갖다놓은 거는 아닙니다. 자기 것을 가져가기 위해서, 돈 값어치 가져가기 위해서 갖다놓은 것입니다.

그런데 갖다놓은 것만 보였지 가져가는 것은 보이지 않기 때문에 여러분은 그것을 착각하고 있는 것입니다. 갖다준 사람도 없는 것이요 받은 사람도 없는 것입니다. 냉정하게 판단을 해보십시오. 이 도리를 모르신다면 기복으로만 나가서 나중에는 생사에, 아니 선인과(善因果)도 짓지 말라고 그랬는데, 부처님께서는. 만약에 선의 인을 짓는다면은 그 선과를 받게 마련이니 악의 인과도 그렇지마는 선의 인과도 짓지 마라 했습니다. 일등 동물로서 태어나 여기에서 벗어나지 못한다면은 영원히 벗어나지 못한다고 했습니다.

그러니 여러분은 달마대사와 양무제가 말씀하신 그 점을 상세히 생각하시면서 모든 것이 내 내공과 더불어 같이, 삼세심을 같이 들어서 내가 한 생각을 하지 않고 응용을 하지 않는다면 그것은 사량으로 그냥 떨어져서 헛돌아가는 거죠. 그러니 여러분은 이름해서 주인공이라고, 자기 영원한 생명의 선을 주인공이라고 했으니 주인공에 모든 것을 일임해서 놓으세요. 어떠한 건이든지 다 놓으시고 남한테 나쁜 말 하지 마시고, 가정에서도 애들이 공부 안 한다고 공부해라 해라 해서 더 공부를 못 하게 하지 마시고, 착을 두지 마시고 모든 것을 일임해서 자기의 주인공에 놓으십시오. 그러면 스스로 에너지와 같은 그러한 능력은, 바로 그 애한테도 불성이 있기 때문에 거기까지 연결이 되고 집안에 향내가 아주 그윽할 겁니다. 그러고 이 삼라만상 대천세계가 조화가 돼서 돌아가듯이 그렇게 한 가정이 조화가 돼서 화목하게 됨으로써 돈이든 뭐든 모든 게 아마도 구족할 것입니다. 오늘은 이만 마치겠습니다.

이 공부를 하지 않으면

85년 6월 16일

　자기 자신의 주인공, 이 몸 자체와 더불어 삼세심(三世心)이 공
(空)한 자리를 그대로 화두로 삼고, 마음에다가 딱 안정하고 잠시 입정
합시다. 자기 자신에게 다짐하고 했다면 말씀드리겠습니다.

　여러분에게 제가 말씀드리고자 하는 것은, 왜 우리가 이 공부를
하지 않으면 안 되는가 입니다. 강조하는 겁니다. 우리는 모두 지(地)
를 바탕으로 해서, 즉 말하자면 흙을 바탕으로 해서 일체 만물이 소생
됐고, 그 일체 만물이 소생됨에 따라서 생명체가 이렇게 인간이라는 고
차원적인 동물로 화(化)한 것입니다. 지·수·화·풍으로써 모두가 규
합됐기 때문에 생명이라는 것이 바로 소생돼서 그것을 근원이라고 하
고 불성이라고 합니다. 불성이라고도 하지만 '자신(自神)'이라고도 하
고, '진여(眞如)'라고도 하며, '각(覺)'이라고도 합니다.

　그런데 우리 인간들만 그런 게 아니라 동물이 토하는 거를 식물
이 먹고, 식물이 토하는 걸 동물이 먹습니다. 이렇게 조화가 돼서 돌아
가는 이 이치를 여러분이 생활 속에서 자세히 침착하게 생각해보십시
오. 여러분은 혼자서 살지 않습니다. 쌀 한 톨만 보더라도 쌀 한 톨이
나오려면 쌀 한 톨 씨앗에 지수화풍이 포함돼 있습니다. 흙을 바탕으로

해서 물과 태양과 바람이 있기 때문에 바로 그 씨 한 톨이 나오는 것입니다. 그와 같이 우리 인간에게도 역시 똑같습니다.

그래서 한마음이라고 하는 뜻을 자세히 알아야 되겠습니다. 말하자면 혜성이나 행성의 돌아감도 역시 둘이 아니라는 것을 아셔야 합니다. 어떠한 혹성이든지 지수화풍이 한데 융합되지 않는다면은 생명이 없습니다. 모든 것이 흙으로 바탕을 하고, 바람과 더불어 물과 태양이, 온화한 태양이 없다면 그것은 생명이 없이 폐허가 되는 거나 마찬가지입니다. 그러기 때문에 우리 지구도, 또는 어떠한 혹성이라고 해도 우주 이 자체 내에 있는 것이 아니라고 생각되는 사람은 하나도 없겠죠. 모두가 더불어 같이 있는 것입니다. 인간이 같이 있듯이, 생명이 같이 있듯이, 우주 혹성들이 같이 돌아가듯이, 이렇게 같이 돌아가고 있는 것입니다.

그래서 모든 사람들의 행로를 보면은, 몇백 년 전 역사를 본다면 우리 한국은 그 이치와 도리를 몰라서 서로가 한마음이 되지 못하고 하늘과 땅이 상응하지 못했기 때문에 가난했습니다. 마치 전세나 사글세로 사는 한 오막살이에 지나지 않는 집을 가지고 있는 거나 마찬가지였습니다. 그러니 지금이라도 그러한 마음을 깨달아서 앞으로 대성하고 부흥하게끔 어떻게 응용을 할 건가를 여러분이 잘 생각해보셔야 될 겁니다.

여러분이 다 아시는 바와 같이 유럽의 몇몇 나라들은 인간의 힘으로 했다고 보기가 어려울 만큼 개발을 잘 해서 살아왔습니다. 어느 나라든지 다 그런 거는 아닙니다마는, 그런 사람들은 혹성과 더불어 같이 한마음으로서 돌아갔기 때문에 나라가 융성해졌습니다. 정원을 그렇게 인간이 할 수 없으리만큼 해놓고, 물이 없어도 천 미터나 되는 땅속에서 끌어올려 위에서부터 아래로 흘러내리게끔 해놓고 자연스럽고 자유스럽게 살았다는 그 이치를 여러분은 잘 아실 겁니다.

그리고 또 사막의 폐허도 잘 생각해보십시오. 인간의 몸으로 말

한다면 한쪽에 피가 없으면 백혈병이라고 하고 그냥 폐허가 되는 것과 마찬가지로 어떠한 지역에도 물이 없다면, 물이 마르면 바로 그것이 폐허가 되는 것입니다. 그리고 사막이 되는 것입니다. 암흑이 되는 것입니다. 그러나 우리가 물과 따뜻한 태양과 더불어 내 마음의 근원인 '불' 그 자체와 더불어 같이 돌아간다면 우리는 어떠한 일이든지 못할 게 하나도 없다고 생각합니다. 그러면 우리는 앞으로 어떻게 이 공부를 해야 하느냐? 우주가 내 '자신'과 헤아릴 수 없는 혹성의 자신들과, 그 혹성 속에 들은 생명들과, 우리 뱃속 오장육부에 들은 생명들이나 모든 게 융합이 되어서 한데 돌아간다는 요 묘법을 한번 거론해보겠습니다.

이 법당에 앉아계신 분들이 다 한마음으로 돌아가는 자체의 도리를 아신다면, 여러분이 한생각을 낼 때 바로 내 주장자를 당신 주장자에 줄 것이고, 내가 쓸 때는 당신 주장자들을 나한테 줄 것입니다. 이 뜻은 무엇이냐 하면은 그런 능력이 있다면, 서로 한생각을 내면 모든 생각의 능력이 한데 합쳐서 들게 돼 있습니다. 중심 없는 사람들은 빈집이 되니까 거기를 들락날락해도 어느 게 들어왔다 나가는지, 또 들어오는지 그걸 모르기 때문에 이리 쏠리고 저리 쏠리고 노예 생활로서의 창살 없는 감옥에서 헤매고 돌아야만 하는 것입니다. 그러기 때문에 여러분은 다 침착하고 안전하게 좀더, 내 마음의 바깥에서 찾지 마시고 안에다가 관(觀)하시는 것이 너무도 당연하다고 생각합니다.

우리는 한마음으로 돌아가는 능력이 그렇게 광대무변하다고 믿을 때에, 상구보리(上求菩提) 하화중생(下化衆生)이라 했으니 나를 위로 아래로 다 이끌고다닐 수 있고, 무(無)로나 유(有)로나 한데 합쳐서 무생(無生)으로서 이끌고다니고 유생(有生)으로서 이끌고다닐 수 있는 그런 자력을 얻는 것입니다. 그 자력을 얻었다 하면은 바로 내 몸에도 이익하지만 내 가정에도 이익하고, 사회에도 이익하고 국가적으로도 이익하고 세계적으로도 이익하게 됩니다.

지금 과학자들이 연구를 하고, 특히 각 강대국에서 연구들을 하고 있는 것이 있습니다. 소련이나 미국은 지금 핵폭탄이나 모든 행성 또는 한 번 스위치만 누르면 전체가 다 불타버릴 수 있게끔 공중전을 연구하고 있습니다. 우리가 그런 도리를 알 것 같으면 지금 내 마음의 투입을 어디다가 할 수 있는가를 생각하게 됩니다. 조그만 일이든지 큰 일이든지. 우리는 이 지구의 오막살이가 만약에 사람들이 많아서 붐빈다면 바로 딴 집을 짓고도 나갈 수 있는 그런 이치가 있는 것입니다. 한 조그만 오두막살이가 아닙니다. 그러기 때문에 과학자들이 연구하는 데에 참자신의 한마음이 투입을 해준다면, 혹성보다 몇 배 더 큰 집을 짓고 우리는 나누어서 행복하게 살 수 있을 것입니다. 그것뿐만 아니라 그보다 더한 일도 자유자재할 수 있는 능력을 가지고 있으면서도 창살 없는 감옥에서 노예생활을 해야만 하는 이런 실정에 놓여 있습니다.

　　불법이라는 것이 밥해 놓고, 떡만 해 놓고 고사를 지내고 부적을 하고 또는 점을 치고 이러는 것이 불법이 아니라는 걸 여러분이 명심해야 할 것입니다. 우리는 우리 자신에게 모든 게 갖추어져 있고, 자신이 바로 일체 만법의 마음을 낼 수 있는 자연의 '자력'을 가지고 있다는 것을 아셔야 합니다.

　　우리 마음이 '악과 선을 다 몽땅 공에 놔버린다면' 하는 소리는 무슨 소리냐 하면은, 여러분이 모든 것을 고정되게 먹는 것도 없지만 고정되게 듣는 것도 없습니다. 고정되게 가고 오는 것도 없고 고정되게 말하는 것도 없기 때문에, 여러분이 어떤 거 할 때 나라고 세울 수 없는 것이 바로 부처인 것입니다. 그 도리를 알면은 바로 부처인 것입니다. 그래서 자신은 체가 없기 때문에, 이 육신은 한계가 있지만 자신의 부처는 수만 개가 됐다가 또 수천 개가 됐다가 하나도 없기도 합니다. 어떤 거 할 때 나라고 내세울 수가 없는 것이니까 말입니다.

　　그러기에 우리는 진실하게 공부를 하지 않으면 안 됩니다. 이제부터 여러분은 타의에서 구하고 타의에서 찾고 또 부적에 의존하고 남의 말에 의존하는 그런 습성은 버려야 될 것입니다. 그 습성이 자라면 자라는 대로 우리가 껍데기를 벗는다 할지라도 그 습이 남아 혼이 돼서 유체로서 남의 집을 이리저리 기웃거리면서 남을 해치게 되는 영향이 여간 많지 않습니다.

지금 우리가 어떻게 생각을 해야만 이 생사윤회에서 벗어날 수 있는가? 선으로만 생각해도 선에 걸리기 때문에 바로 생사윤회에서 벗어날 수 없는 것이고 악에 치달아도 할 수 없는 것입니다. 그러니까 악도 선도, '내가 이렇게 잘 하고 있으니까 나는 죄가 없겠지.' 하는 것도 걸리는 겁니다. '내가 이 세상에서 잘못함이 없이 이렇게 잘 하고 있는데, 내가 이렇게 잘 알고 있는데…' 이러는 마음을 갖는 것도 바로 걸리는 마음입니다. 잘 알고 있는 마음도 없고 잘 하고 있는 마음도 없는 것입니다. 체가 없기 때문에 또 고정되지 않기 때문에 그렇게 돌아가고 있는 것입니다. 돌아가고 있는 이 자체가 바로 열반이라는 이름을 가지고 있는 것입니다.

우리가 나를 알았을 때에 바로 더불어 같이 알아야 하는 것이, 여러분이 나를 알기 위해서 나를 몽땅 놔버려야만 하는, 사대(四大)와 오온(五蘊)이 공한 줄 아는 그 뜻이 바로 여러분과 나와 더불어 같이 공해서 돌아간다는 걸 알게 되는 것입니다. 그렇게 여러분과 나와 같이 죽어서 같이 나투는 것을 알게 됨으로써 우리는 열반의 뜻을 가지고 이 세상 우주 만물에 대한 거침 없는, 걸림 없는 활용을 상응케 하면서, 같이 한마음으로 그 능력을 서로 서로 줘가면서 여여하게 살 수 있는 시대가 될 것입니다. 우리가 아무리 유(有)의, 이 색상의 법으로서 잘한다고 하지마는 그것은 한계가 있고 너무도 모자랍니다. 지금 시대가 돌아가는 걸 잘 보십시오, 어떻게 모자라고 있는가.

그리고 내가 한 말씀 드릴 건, 지난번에도 이런 말을 했습니다만 어느 스님께 제자가 말씀드리기를 "고기가 고기로 보여서 못 먹겠습니다."라고 하니 스승께서 말씀하시기를, "백수에 백살을 넣어서 백수탕을 해오너라." 했답니다. 만약에 여러분에게 어느 스님이 그렇게 말씀하셨다면 어떻게 대답을 하겠습니까? 말없이 말을 해야 하고 말을 하면서도 말을 하지 않고 대답을 할 수 있는 여건이 있다면 여러분 손 들어보십시오. 그것을 모르신다면 자기 주인공에, 바로 마음 속에 넣고 굴리면서 의정을 내보십시오. 그것을 꼭 알아야만 되겠다고 의정을 내도록 하시고 요다음에 다시 만나서 대답을 한 분 한 분 하셨으면 좋겠습니다. 왜 그렇게 되는지….

옛날에 우리 문중 스님께서 이런 말씀을 하셨습니다. 나는 지금 차에 치어서 늑막염이 들었는데 어떻게 고쳤으면 좋겠는지, 병원에 가도 도저히 고칠 수가 없어서 6년 7년이나 됐다고 했습니다. 그래서 자꾸 병이 나니깐 어쩔 수가 없이 뭐를 어떻게 해야 하느냐고 물었습니다. 그랬을 때에 나는 이렇게 말을 했습니다. "산토끼를, 시장에 가면 있으니 그거를 마늘을 넣어서 푹 고아서 잡수시오." 하니까 그 스님께서 뭐라고 말을 하냐 하면 살생을 하지 말라고 그랬는데 그 고기를 먹어서 쓰겠느냐고 했습니다. 그랬을 때 나는 뭐라고 말을 했느냐 하면, 어떻게 말을 할 줄을 몰라서 이렇게 말을 했죠. "그 토끼의 마음이 바로 내 마음과 둘이 아니요, 그 토끼의 몸이 내 몸과 둘이 아니니 즉석에서 요리를 한다면은 바로 그 맛을 알고, 맛을 아는 반면에 그 육신은 바로 약이 될 겁니다." 하고 말했습니다.

그러니 얼마나 그것이 묘법이며 우리가 자유자재할 수 있는 법이겠습니까? 또 한 가지는 만약에 모두가 둘이 아니고 모든 생명이 둘이 아니라면은 내 몸과 같이 사랑하기 때문에 바로 고기를 먹지 말아야 하고, 살생을 하지 말아야 하는 것입니다. 그러나 내 몸과 같이 둘이 아니고 사랑하기에 또 그 고기를 먹어야 하고 살생을 해야 할 때가 있습니다. 그건 살생이 아니라 무명만 바꾸어놓을 뿐이지, 그것이 바로 나이기 때문에 살생이 되지 않는다는 겁니다. 그것은 내가 체험을 해보지 않고 남의 말만 듣고서 귀동냥이나 해서 말을 한다면 이건 진실이 못 될 것입니다.

　　그러니 여러분이 좀더 깊이 생각하셔서, 여기 나오셔서 공부하시는 분들이 마음의 불을 켜야만 됩니다. 마음의 불을 안 켜고, '내가 절에 갔다오면 고만이지.' 그것도 '잘 되게 해주시오, 또 이렇게 해주시오, 저렇게 해주시오.' 하고 다니는 것만이 불법이 아니라는 걸 아셔야 됩니다. 그것은 바로 내가 공부하는 길에서 자연히, 내가 똑바로 나가고 일심으로 나가는 반면에 일심 자체도 없다는 도리를 알 때에는 비로소 나는 몰라도 그 가정의 화합이라든가 융화가 되고 또 아주 조화가 돼서 잘 돌아가면서 아픈 거라든가 가난이라든가 그런 것은 스스로 없어질 것입니다. 그런데도 불구해놓고 어떤 사람은 그렇게 말을 합니다. 내가 아파서 급해서 왔는데 뭐 땅뚜깨 같은 소리를 하느냐고 속으로 중얼중얼합니다. 그러나 그것이 먼저이기 때문입니다. 그것을 함으로써 아픈 거나 가난은 면하게 돼 있기 때문입니다. 그게 근본이기 때문입니다.

　　그럼 오늘은 이렇게 간단히 끝내겠습니다. 요다음에 다시 이러한 내용에 대해서 여러분이 서로 어떤 팀이든지 토론을 하고, '그 설법에는 무엇이…, 나는 이렇게 생각했다. 난 저렇게 생각했는데 어떤가?' 이렇게 토론들을 할 수 있다면은 공부 아닌 공부, 자신의 능력, 자신을 부흥시키는 방법은 절대적으로 좋은 방법일 것입니다. 그럼 이만 줄이겠습니다. 감사합니다.

금강자석의 능력

85년 7월 21일

이렇게 일 주일 만에 또 만나게 돼서 반갑습니다. 설법을 들으실 때에 설법 아닌 게 없지만 해당치 않은 말이라고 해서 허술히 듣지 않으시는 게 좋을 거라고 생각합니다. 어떤 귀머거리가 천둥 번개가 치는데 딴사람이 천둥 번개 쳤다니깐 귀머거리는 천둥 번개가 어딨느냐고 고집을 부리더랍니다. 그런 거와 마찬가지로 누구나가 다 이 오묘한 진리를 모르기 때문에 이해가 안 가는 점이 많이 있을 겁니다. 그런데 말입니다. 이해가 가게 하려니까 여러분이 알고 있는 물질을 방편으로 써서 얘기할 수밖엔 없는 것입니다. 그것을 끌어내기 위해서 우리 생활에서 이렇게 부합을 시켜서 얘기해드리는 겁니다.

우리가 전자에는 쓰고 배우면서 공부했지마는 지금은 쓰고 배우고 읽고 그래서만 되는 거는 아닙니다. 한생각을 하고 그것도 더불어 같이 한생각을 해서 우리가 탐구하는 데 목적이 있다고 봅니다. 우리가 마음 한생각에서 탐구하는 것은 여러분도 아시다시피 '인간 자체가 고정됨이 하나도 없기에 이 사대(四大)와 세상, 오온(五蘊)이 다 공(空)한 줄 알게 된다면…' 하는 겁니다. 그거를 알게 된다면 계향(戒香), 정향(定香), 혜향(慧香), 해탈향(解脫香), 해탈지견향(解脫知見香), 이 뜻을 이미 몇천 년 전에 말씀하셨다는 게 너무나 감개무량하고 참 깊은 뜻이 있다는 걸 알 겁니다. 우리는 아무렇게나 그냥 '이건 부처님 앞에 정성들이는 소리다.' 이렇게만 생각할 게 아니라 자기 자신을 한번 생각을 하면서 탐구할 수 있는 그런 마음 자세가 필요한 것입니다.

그래서 '계향' 하면은 우리 스님네들만 계를 지켜서 되는 것이 아닙니다. 여러분과 스님네들과 더불어 같이 있는 거지 스님네들 따로 있고 여러분 따로 있는 것은 아닙니다. 그러기 때문에 '계향' 한다면은 질서를 문란치 않게 하는 마음과 더불어 모든 것을 정도에 넘치지 않게 하는 것. 일체 만법에 대해서 말입니다. 생활면에서 있어서 모든 것을 한생각 뉘우치면서 남을 원망하지 않아야죠. 가정에서나 내 몸으로나 밖으로나 모든 것이 계율에 어긋난 살림살이라면 그 살림살이는 벌써 어느 한 구석이 터지고 맙니다. 그러기 때문에 '계향' 했습니다.

그런데 다섯 가지를 말씀을 하실 때에 끄트머리에 꼭 다 향, 향, 향, 향, 향 했습니다. 왜 계향, 정향, 혜향, 해탈향, 해탈지견향 한지 아십니까? '향'이라는 것이 어떠한 데에 쓰는 것이 '향'이냐? 우리가 향을 피우는 것만이 향이 아니라 내 마음의 아름다운 향을 피우는 것. 종합해서 일체 만법을 행하는 데에, 마음 쓰는 데에, 뜻을 행하는 데에, 뜻과 행과 말이 한데 떨어지지 않는 행의 계율이 돼야만 되겠습니다. 그래서 '계향' 한 것입니다.

'정향' 하는 것은 모든 것이 사대와 오온이 전부 공한 줄을 알았다면은 일체 만법의 마음을 내며 일체 만법의 행을 하며 일체 만법의 눈을 뜨고 빛을 보며 또 일체 만법의 염파를 들으며, 또는 우리가 몸을 움죽거리면서 행을 할 수 있는 마음을 내며, 뜻을 가지는 모두를 겸해서 '주인공'이라고 이름을 지었다면 그 주인공 자체, 그 자신의 실상, 근본을 주인공이라고 이름을 해서 그것을 믿고 거기에다 일임해서 맡기고 물러서지 않는다면, 물러서지 않는 것을 말해서 '정향'이라고 했던 것입니다.

어떠한 문제든지 나로부터 이 세상이 생긴 거지 나 없이 생긴 것은 아닙니다. 그래서 내 바탕인 나의 주인공의 그 뜻을 가지고서 일체 만법의 마음을 내면서 활용을 하시지 않습니까? 그러니깐 모든 것이 공했다는 걸 알고, 거기다가 놓고 일임하고 믿고, 거기서 전부를 다 지켜볼 수 있는 오관을 통한 감각, 이것을 지켜볼 수 있다면 우리 모두 공부하는 데 한 발짝도 물러서지 않을 것입니다.

　　또, '혜향' 했습니다. '혜향' 이라는 것은 청각이나 시각이나 또는 미각이나 촉각, 지각을 한데 합쳐서 마음 근본에 모든 것을 놓고, 돌아가는 그 자체를 가만히 안팎으로 유(有)의 법이나 무(無)의 법이나 상황을 잘 판단을 해서 지혜롭고 능동적이게 마음을 쓰게 뒷받침을, 정향의 뒷받침을 해주는 것입니다. 물러서지 않는 마음에 거기다 뒷받침을 해주는 것이 지혜입니다. 그래서 '혜향' 한 것입니다.

　　'해탈향' 이라는 것은 우리가 전자에부터 수없는 억겁을 거쳐오면서 진화되고 창조되고 또 창조되고 진화돼서 여기까지 올라온 인간이지마는 아직 50%가 모자라는 인간입니다. 그러기 때문에 이 공부하는 사람으로서는 모든 것을 주인공에 일임하고 맡기고 믿고 지켜보면서, 모든 것은 이 허수아비가 하는 것이 아니니 모든 것을 주인공에 놔라 이겁니다. 놓게 되면 나중에 억겁에 걸친 업의 과보라든가 억겁에 대한 죄업이 얼기설기 다 묶어진 것을 풀게 하는 것이 '해탈향' 입니다. 그러니깐 억겁의 업보가 풀리는 그 자체가 바로 '해탈향' 의 뜻입니다.

　　그러면 '해탈지견향' 이라는 것은 뭐냐? 항상 모두를 놓고 항상 밝아서 유의 법, 무의 법이 같이 밝아서, 내 생명의 근원과 마음내는 것이 항상 밝으니까, 이 육신도 밝게 행하게 되니까 여러 가지로 다 밝아서 통달하고 보니깐 무엇인들 거기에 걸릴 바가 있겠습니까? 걸리지 않고 돌아가는 것을 '해탈지견향' 이라고 합니다.

　　그렇다면은 우리가 한번 생각해 보십시다. 내가 요 한마디는 하고 넘어가야 할 것 같습니다. '무(無)' 자 화두를 가졌다 또 '이뭣고?'

화두를 가졌다, 어떤 화두를 가졌든지 간에 그 화두는 바로 이름인 것입니다. 또 내가 주인공이라고 부르라고 한 것도 이름인 것입니다. 그러나 이 주인공이라고 이름을 낸 것은 내 마음 안으로 모든 것을 놓고 믿으라는 것이죠. 내 자아를 발견하는 데에 필수적으로 필요한 것이니깐요, 이 바탕이 말입니다. 그러기 때문에 몸이 이 세상에 나온 것을 화두라고 생각하고 근본에 바로 들이대라. 이것이 근본의 지표가 될 수 있고 바탕이 될 수 있는, 이게 제사 지낼 때 위패 놓는 거나 마찬가지고 우리가 또 부처님을 조성해놨을 때에는 '바로 저 부처님의 몸이 우리의 몸이요, 저 부처님의 마음이 우리의 마음이니.' 이렇게 알게 하기 위해서 모셔놓은 것과 같습니다. 그러면은 그 화두 든 것은, 우리의 이 몸이 벌써 화두로 정해졌고 이 세상에 나왔을 때 이미 화두로 정해졌는데 바깥에 또 화두를 쥐고 있으니 이거 용납이 되겠습니까?

이거를 비유해서 한번 들어봅시다. 모든 기계가 물건을 생산하는데에 쭉쭉쭉쭉 빠집니다. 그런데 기계 한 귀퉁이가 고장이 나가지고선 만약에 막혔다고 합시다. 그렇다면은 뒤따라 나오는 것이 막히게 돼 있습니다. 그러니 이것은 파산이 될 수밖에 없지 않습니까? 부딪칠 수밖에 없는 것이죠. 인간 생활도 바로 놓고 그냥 돌아간다면 그렇게 밀리지 않을 것을, 밀려서 부닥치고 부닥치면서 사람이 고를 겪고 그러지 않을 것을 자꾸 만들어서 자업자득으로 생활을 해나간다는 얘깁니다.

그러면은 우리 자체를 한번 비유해서 얘기해보십시다. 이 우주 전체가 말입니다. 이 우주 전체가 금강자석이라고 한다면 금강자석에 의해서 그 빠른 힘이 있어서 물이 이 지구 바깥으로 돌고 있습니다. 만약에 그렇지 않다면은 이 지구는 멸망하고 마는 것입니다. 자석과 같은 힘은 누가 가져왔느냐? 바로 우리들 마음입니다. 우리 마음의 별성입니다. 바로 우리의 능동적이고 활용적이고 움죽거릴 수 있는 그 무한의 능력을 가진 생명선입니다. 그 생명선이 떠다니다 떠다니다가 한데 모아진 것이 바로 지구덩어리라고 본다면 그 능력에 의해서 금강자석이라고 이름을 붙여봅니다.

그렇다고 여러분이 돌아가면서 자석에 붙어서 있는 게 아니라, 자석에 의해서 이렇게 마음을 내가지고 자석에 의해서 궤도를 돌아가고 있는 겁니다. 돌아가고 있는데 여러분이 어떠한 물건이든지 내 앞에 닥쳤을 때는 체가 없는 마음이 마음을 동작을 시키는데 이것을 다 놓고 돌아간다면 자석에서 붙을 건 붙고 떨어질 건 떨어지고 해서 분해가 다 되는 것입니다.

그 자석이 떨어질 것도 없고 붙을 것도 없다는 것은 무엇이냐? 왜 그런가? 이 금강자석이라는 것은 물건인 쇠자석이 아니라 체가 없는 자석이라서 예를 들어 헝겊 쪼가리도 붙을 수 있다는 얘깁니다. 그러기 때문에 헝겊 쪼가리든지 쇳쪼가리든지 다 거기에 의해서 돌아가게 돼 있고 분해가 되는 것입니다.

또 여러분이 지금 현실에서 보십시오. 그 자석에다가 쇠를 하나 붙여보면 그 쇠 붙인 데가 또 자석이 돼서 다른 게 또 붙습니다. 여러분 잘 생각해보십시오. 그래서 우리는 이 마음의 능동적이고 묘하고 광대무변한 이 금강자석을 다 가지고 있으면서도 그것을 못 믿어 하고 업신여기고, 바깥으로 신을 찾아서 '아이고 저 위대한 신을 내가 찾으면은 잘 될 테지.' 하는데 타의에서 찾는 그 마음은 다 지금부터라도 소멸시키고 모든 것을 안에서 구하는 데에 역점을 두시고 탐구하는 데에 역점을 두시는 것이 옳을 줄 압니다.

옛날에는 우리가 책 한 권 끼고 공책 하나 들고 연필 하나 가지고 책 보따리를 어깨에다 척 둘러매고 가서 공부를 하면 됐습니다. 지금은 안 그렇습니다. 지금은 다릅니다. 시대가 벌써 변천해서 돌아가고 있습니다. 또 옛날에 하던 그 방식으로 자손들을 키운대도 아니 됩니다. 지금 시대는 마음의 에너지로 하여금, 그 금강자석의 에너지로 인해서 거기에서 마음과 마음이 이끌려서 한데로 새지 않게 만드는 자석을 가지고 해야지, 몸을 붙들려고 하고 말로 하려고 하니까 이거는 가뜩이나 창살 없는 감옥에서…. 지금 끌려가는 형국인데 말입니다. 허허허, 가다가 죽는 사람도 있고 끌려가서 죽는 사람도 있겠죠.

그러나 이 공부는 죽고 사는 게 없고 또 생사윤회에 끄달리지 않으며 또는 우리가 자유권을 가질 수 있는 공부입니다. 자기가 뿌려놓은 씨들도 자기 자석에 의해서, 그 자석의 위력이 딴 데로 새지 않는 마음, 올바른 마음을 줄 수 있는 그런 능력이 여러분한테는 다 있습니다. 그런데도 불구하고 자꾸 이 육신, 허수애비 같은 육신만 잡으려고 하니까 그것은 안 되는 법입니다. 육신은 개방시키면서 마음으로는 항상 그렇게 자석과 같은 마음으로 서로 잡아당긴다면 그것이 바로 둘이 아니라는 뜻입니다.

지금 여기서 주인공이라고 하는 그 이름을 버리고, 버린 게 아니라 저절로 스스로 놔지고 능동적으로 지혜 있게 활용을 하면서 걸림 없이 시간과 공간을 초월해서 그대로 살아가는 분들이 있습니다. 그런 분들은 벌써 견성해가지고 성불로 가는 도중에 이르렀다고 봅니다. 또 아직 발로가 되지 않은 분이 있고 발로가 돼도 지금 발걸음 하나 떼놓을 수 없는 형상인 분들이 있고, 그런 분들이 여차 많습니다.

그러면은 거기에 세 층으로 나누어봅시다. 발로가 된 분에 한해서는 그때는 주인공이라는 이름을 부르지 않아도 그냥 그 금강자석은 내면에서 묵직하게 뒷받침이 되죠. 그래서 유위의 이 세상이 돌아가는 이치나 무루(無漏)의, 진여(眞如)의 무한 능력을 가진 마음이 동시에, 몸이 일을 할 때는 진여의 능력이 뒷받침해 주고, 또 무루의 마음을 한 생각 내서 체가 없이 일을 하는 데는 또 오관을 통해서 몸이 뒷받침을 해 주죠. 이렇게 양면을 다양하게 도와줄 수 있는 것이 바로 불(佛)과 법(法)입니다. '불성과 법이 둘이 아님으로써 승보(僧寶)도 그러하니라.' 한 것이 부처님의 말씀이자 바로 우리의 행이며 말이며 뜻입니다.

여러분 중에서 부처님 법이 따로 있고 우리의 생활이 따로 있다고 생각하시는 분들이 있다면 오늘부터는 그것을 고치십시오. 일상생활에서 우리는 그렇게 놓고 참선을 하고 가고 있습니다. 우리가 사랑을 하고 오손도손 얘기를 하는 것도 참선이요, 말다툼을 한다 하더라도 참선입니다. 만약에 그 근본을, 그렇게 돼 있는 근본을 아실 것 같으면 우리는 화가 나도 화를 자재할 수 있죠. 놓고 돌아가니까 말입니다. 여러분 싸움을 했다고 일년 이년, 생명이 다할 때까지 화가 나 있는 분이 있습니까, 없습니까? 고정된 것은 하나도 없습니다. 웃음도 한계가 있고 우는 것도 한계가 있고 속상한 것도 한계가 있고 잘사는 것도 한계가 있고 못사는 것도 한계가 있습니다. 고정된 거는 하나도 없습니다. 그래서 공했다는 것이 바로 진리인 것입니다.

그러니 이 셋째 일요일날 제가 이렇게 말씀드린 것과 또 첫째 일요일날 설법을 들었어도 이해가 안 가는 점이 있으면은 질문하시기 바라고 또 내가 이렇게 말한 것도 이해가 안 가시는 분이 있으면 질문하는 것도 좋습니다. 왜냐하면은 '나는 그거 이렇게 아는데….' 그건 그분의 생각입니다. 똑같은 말을 했어도 다 각자 다르게 생각을 하고 있습니다. 그러니 동일하게 돌아가나 하고 한번 툭툭, 다리를 건너가는데 이 다리가 제대로 됐는지 한번 쳐보는 것도 좋다 이겁니다.

참으로 지금 공부하는 분들, 우리 한마음선원 도량에 흡족하고 기쁜 일이 너무도 많습니다. 여러분이 이렇게 공부를 함으로써 우리가…, 또 한마디 하고 넘어가야 될 일이 있습니다. 요즈음 세계적으로 벌어지는 문제에 대해 여러분은 납득을 하십니까? 세계적으로 납득을 하고 국가적으로도 납득을 하고 우리 생활적으로도 납득을 하시고 사회적으로도 납득을 하시겠죠. 물론 저보다도 더 잘 아시겠죠. 그렇게 아시고 가는 분들이 만약에 이 공부를 하신다면은, 한생각에 모든 걸 아주 자재력있게 해결할 수 있는 능동적이고도 지혜적이고도, 여러분의 불성의 그 능력을 다 같이 한 주먹에 쥐고, 이것은 한 손에 들은 걸로써 한생각을 해서 해결을 할 수 있는 문제가 있습니다.

'86, '88 문제도 아주 심각한 문제지마는 우리는 지금도 가난한 전세방에 그것도 반쪽으로 나누어진 이 전세방에서 그나마도 모두가 참 공평하지도 못하지만 그 이전에 우리가 참 살기가 극난하다고 봅니다. 살기가 극난한 게 아니라 겁난다 이겁니다.

왜 겁나느냐. 나는 6·25를 지내봤으니까 압니다. 지금은요, 6·25처럼 그렇게만 싸운대도 또 겁 안 납니다, 달아나가면 되니까. 그런데 그게 아닙니다. 지금은 공중전을 하고 있습니다. 그러기 때문에 우리의 조그마한 새우 싸움이 만약에 고래 싸움이 된다면 큰 문제가 일어날 겁니다. 그러니 공부를 하시는 분들은 공부가 좀 안 됐다 하더라도 한 생각으로서 급하면 급한 대로 보이면 보이는 대로 '이건 이렇게 돼야 겠어!' '지금 우리 방석을 튼튼히 해야 되겠다.' '천만에! 여기에는 너희들이 손을 못 댄다!' 라는 마음으로 나서야 합니다.

가정에서도 그렇습니다. 몸도 그렇습니다. 모든 게 작으나 크나 '이건 못 한다.' 하는 약한 마음을 갖지 마십시오. 여러분의 금강자석은 약하지 않은 겁니다. 모든 자석은 한데 합쳐져서…, 우리는 조직입니다. 지금 지구 안에 있는 여러분이 바로 조직체입니다. 한 그릇 안에서 우리는 한 살림을 하고 있는 거나 마찬가지로 세계적인 이 자체가 큰 살림이라고 볼 수 있겠습니다.

그러니 우리가 이 살림을 하는 데는 한생각이, 그 생각이 아주 필요합니다. 만약에 어떠한 머저리 같은 문제가 일어난다면 모두가 한 생각, 지혜를 이런 때 써야 하는 겁니다. 아하, 저 사람네들은 안하무인이니까 저 사람네들의 주장심, 즉 말하자면은 금강자석이 있는 것을 홀딱 여기다 붙여버리면 되겠구나 생각하고 그렇게 하면 됩니다. 또 그 사람이 아주 유망하다 할 때는 금강석을 그쪽에다가 붙여주죠. 그쪽 자석에다 붙여준단 말입니다. 그러면은 사람 백 명의 능력보다도 한생각이 커지게 됩니다. 만약에 열 사람의 능력을 거기다 보충해 준다면, 바로 금강자석의 그 능력에 투입을 한다면은 우리는 절대로 기울어지지 않을 것입니다. 모든 것은 자유권을 가졌기 때문에…. 이걸 말로 어떻게 다하리까? 하나하나 모든 것이 달리 나투어서 돌아가는 것을 여러분이 지혜로써 닥치는 대로 하는 것을 알아야지 어떻게 내가 이건 이렇다 저건 저렇다 하고 이루종차 가르칩니까?

그러기 때문에 마음을 깨닫는 데만 역점을 두시는 게 좋다. 그러면서도 가정이라는 조그마한 데의 문제를 놓고 검토하고 실험해라. 만약에 내가 이것 때문에 지금 큰 문제가 생긴다 할 때 이것을 자석에다 탁 놓는단 말입니다. 놓으면은 이 자석은 자기의 근본에서 나오는 분신이라서 에너지처럼 돌아다니며 다 해결을 합니다. 무에서는 무대로 해결을 하고 유에서는 유대로 부지런하게 뛴다면 이거는 정말 시체말로 '왔다' 입니다. 응? 그렇게 걸리지 않고 능히 한생각에 우주가 들릴 수 있다면, 또 한생각에 우주를 덮을 수 있고 돌릴 수 있다면 이거보다 좋은 일이 어딨습니까? 이것은 바로 50%의 미완성을 되찾은 것입니다.

그러니까 우리가 억겁 전년서부터 이렇게 진화돼서 나오면서 인간까지 등장을 했는데 이 등장한 자체가 바로 여기에서 배우고자 하는 데 있습니다. 우리는 여기를 학습 도장이라고도 볼 수 있고 공부하는 학교라고도 볼 수 있습니다. 연구하는 연구실이라고도 볼 수 있습니다. 우리는 연구실에서 연구를 하고 탐구해 가지고 지구 자체의 색상에서 벗어나서 우리 한생각으로서 일체 만법의 능력을 바로 가져야 할 것입니다. 그래야만 손이 안 닿는 데가 없고 내 아님이 없고 내 자리 아님이 없어서 바로 우주적으로도 삼천대천세계적으로도 우리는 능히 한생각에 그쪽으로 고개를 끄떡만 해도 벌써 거기 가서 같이 상응하면서 한번 거기서 하룻동안 살아보기도 할 겁니다. 하룻동안 살고 여기 왔더니 벌써 일 주일이 걸렸다고 하던가요? 또 하룻동안 살았더니 아, 일년이 됐답디다. 하룻동안 살았더니 만년이 됐다 합디다. 이 뜻을 잘 생각해보십시오.

우리 사람이 이름을 지어서 하루다 이틀이다 한 달이다, 또는 가을이다 봄이다 이렇게 사계절을 정해놓은 거니 우리가 얼마나 참 똑똑

합니까? 사계절을 이렇게 정해놓고 말입니다. 그러니깐 하나 버릴 게 없는 거죠. 우리가 하나 쓸 게 없다는 것은 너무 나투어서 빨리 돌아가니까 공했다고 한 거지…. 여러분이 참 그거를 납득해서 공부하는 데 열심히 할 수 있는 근본을 스님들한테도 자꾸 여쭤보고 하시는 게 참 좋습니다. 우리가 아무리 깨달았다 할지라도 겸손할 줄 알아야 합니다. 우리는 또 이 마음으로 깨달았다고 해서 내가 조금 싹이 났다고 해서 내가 나라고 세우고 모두를 내 눈 아래로 본다면 그것은 이룬 게 하나도 없습니다. 그것은 아닙니다. 그것은 잘못나가는, 마음 자세가 올바르지 못한 것입니다.

여러분이 또 꿈에 보인다고 하면서 꿈과 현실을 가리는데 꿈에 이러이러해서 나는 요런 게 됐으니까 요렇게 해야겠다 하는데 왜 꿈을 가지고 생각을 하느냐 말입니다. 꿈도 현실이요, 현실도 꿈이니 둘이 아닙니다. 둘이 아닌 데서 내 중심을 잡아서 주인공에 탁 놓고 놓은 자체를 생각할 때 믿음직하게 듬직하게 하면은 바쁜 것이 바쁘지도 않아! 그랬는데 내가 바쁘지도 않은 사이에 벌써 일은 돌아왔어. 일은 해결이 됐어.

이렇게 되는 것인데 꿈에 이러니까 내가 이렇게, 이것이 무엇인가? 그것도 꿈에 알았으면은 나를 공부시키려는 조짐이구나 하고 좋게 돌려서 놓고, 놓고 또 가다 생각나면 또 한 번 생각해보고 탐구해보고 또 놓아! 그걸 노상 붙들고 가면 그냥 죽죽 오는 것이, 오는 것도 없는 게 오는 것이 그냥 막혀버리면은 살림을 어떡합니까? 여러분이 살림을 어떻게 걸리지 않고 하겠습니까? 마음입니다.

그래서 육조 스님도 이런 말씀하셨지 않습니까? 오조 홍인 선사가 금강경에서 한 대목을 설해 주시면서 말입니다. "너는 말을 하지 말고 말을 해봐라." 이러니까 육조 스님이 "내 이 몸이 청정한 줄 어찌 알았으리까." 하셨더랍니다.

청정하다 하는 것은 더럽고 깨끗한 거를 말하는 것이 아닙니다.

어렵고 어렵지 않은 거를 내가 다 하는 거를, 일체 만법의 모든 것을 하나도 뜀이 없이 내가 한다는, 하는 그 자체가 바로 청정함을 뜻하는 겁니다. 그러면 "내가 청정함을 어떻게 알았으리까? 스스로 내가 갖추어가지고 있는 것을 어떻게 알았으리까? 스스로 내가 흔들리지 않음을 어떻게 알았으리까? 스스로 일체 만법의 마음을 내는 줄 어떻게 알았으리까?" 이렇게 말 한마디 하게 되자 그것은 바로 오조 홍인 선사나 육조 혜능 선사가 둘이 아니게 하나로 그냥 합쳐져버렸어요.

합쳐져버렸으니까 그것은 이쪽 쇳덩어리가 저쪽 쇳덩어리로 한데, 예를 들어서 자석과 같이 붙어버린 것처럼 돼버렸거든. 그러니까 "네가 가는 것이 내가 가는 것이고 내가 가는 것이 네가 가는 것이니 이 바리때와 가사 장삼을 가지고 가다가, 눈에 보이는 물질적인 바리때나 가사 장삼이 법을 주고 받는다고 생각을 한다면 만날 싸움이 날 테니 이건 네 대에 없애라." 이럭하고선 마지막 주셨답니다.

그러니 우리가 그런 거를 가만히 생각해볼 때에, 서로 둘이 말을 할 때는 이게 둘이 아닌 것입니다. 말과 뜻이 맞으면. 뜻이 맞지 않으면은 벌써 둘이 되는 거죠? 그러니까 우리 공부하는 사람들은 뜻이 맞지 않으나 맞으나, 이것이 뜻이 맞지 않게 말을 해서 저쪽 상대방에게 해로울 기세가 보이고 또 역정을 낼 것 같으면 말은 하지 말고 안에다가 놓으면, 거기에다가 일임해서 놓으면은 바로 그쪽 자석으로 염파가 가죠. 오관을 통해서 다 염파로 통하게 돼 있죠. 그래서 이 우주간 법계는 거미줄같이 전부 허공에 쳐져 있다 이겁니다. 아마 전체 망원경을 가지고 본다면은 한 부분이라도 볼 것입니다.

그럼 오늘은 이만 마치겠습니다. 감사합니다.

감로수를 양식으로 삼아

85년 9월 15일

　　모두들 자기 자성 주인공에 잘 가라앉히면서 정립하십시오. 요즘의 우리 생활에 지침이 될 수 있는 말씀을 좀 드리고자 합니다. 우리가 살아나가는 데 모든 걸 주인공 자리에서 해결할 수 있는 방법이 어떤 것인가 말입니다. 남들은 체계 있게 경을 설하시고 높은 말씀을 하시나 우리는 얕은 데서, 연꽃이 더러운 데서 피어나도 더러운 물방울이 묻지 않듯이 우리도 지저분한 데서 나서 이렇게 고귀하게 살고 있습니다. 지저분한 데서 났어도 고귀한 이 자체는 더러운 물이 묻지 않는다는 그 점을 말합니다. 그리고도 우리 생활에 그대로 반영이 되는, 부처님의 법이 우리 생활에 그냥 그대로 있다는 그 점 말입니다.

　　옛날은 아니지마는 예를 들어서 한번 얘기해보겠습니다. 이것이 남의 얘기가 아니라 여러분의 얘기라는 것을 감응하고 즉설적으로 들어야 하실 겁니다. 원주에 있을 때입니다. 제천 의림지라고 하는 데가 있는데, 그리로 바람을 쐬러 나가자고 해서 그 곳에 갔습니다. 의림지라는 데를 가서 보니깐, 강이 연못처럼 돼 있는데 꽤 넓었습니다. 있다가 보니깐 저녁나절인데 어느 분이 허덕허덕하고 왔습니다. 누가 인편을 놓아서 같이 만나게 됐습니다. 그런데 어떤 얘기를 하느냐 하면은,

지금 금방 사람이 아주 시난고난 다 죽게 됐다는 겁니다.

나는 거기 바람 쐬러 나온다고 나온 건데 어딜 가나 그건 면치 못했습니다. 여길 가도 그렇게 인연이 닿고 저길 가도 인연이 닿습니다. 그러니 저는 껄껄 웃었습니다. 여길 나서도 그렇고 저길 나서도 그렇고, 바람 쐬는 게 아니라 바로 이것이 사람 사는 데에 차원 따라서 인연이 되고 인연 따라서 우리가 이렇게 주어지는구나 하는 생각이 문득 들면서 싱긋이 웃어버리고 말았습니다. '바람은 무슨 바람이야!' 하고선 속으로 중얼중얼거렸습니다.

그랬는데 그 사람이 부득부득 모시고 가겠다는 겁니다. 그래서 저녁에 여관으로 갈 거 없이 그 집으로 가자고 하면서 그 집으로 갔습니다. 그 집으로 가서 병자를 보는 순간 그 병자는 어떻게 아프냐 하면 "아이구 뜨거! 아이구 뜨거! 아이구 뜨거워!" 이럽니다. 뜨거 뜨거 하면서 가슴팍이 썩어들어간다고 하면서 영 부지를 못했습니다. 부지를 못한 지가 3년째랍니다. 그러니 그 집안 가족들은 어땠겠습니까, 그 고통이. 그랬는데 그분 말이 말입니다. 지금 5대째 이런다는 겁니다. 서른 다섯 살만 되면, 애를 둘을 낳아놓으면은, 딸 하나 아들 하나를 낳아놓고서는 꼭 그런 병에 걸려서 죽는답니다. 5대째 그런다는 얘깁니다. 그러면 딸도 시집 가서 35세쯤 되면 꼭 그런 병에 걸려서 가고, 또 아들은 아들대로 그쯤 되면 똑같은 병을 앓으면서 신음하고 죽어간다는 얘깁니다.

그래서 나는 그때 문득 생각하기를, '아하, 이게 이렇게 된 점이로구나!' 하고 그 순간 느낀 것이 뭐냐 하면 '6대 위의 조상이 딸만 셋을 낳고 아들을 못 낳았다고 부인을 내쫓았는데, 그 여자가 애를 두고 갈 수가 없어서 애는 달라고 했다.' 이런 생각이 들어가요. 지금만 같아도 애들하고 여자가 살려면 살지만 그때만 하더라도 아마 혼자 살기는 무척 어려웠던 모양입니다. 그래서 그 여자는 애들을 데리고 나가서 살려다가 그만 못 살고 잿물을 먹고 네 식구가 다 죽은 것 같습니다. 내

맘에 그런 느낌이 왔습니다. 그러면서 그 사람들을 감지하게 됐습니다. 어떻게 된 것까지도 순간 감지되면서, 어떻게 그 고난을, 그 고통을, 그 아픔을, 쓰라림을, 짓밟혀가지고 그렇게 된 그 여인의 한, 아주 아팠던 거죠. 그걸 어떻게 아프다고 말로 형용할 수 있겠습니까? 그때 그랬기 때문에 그 연관으로 인해서, 그 아픔에 의해서 상대방이 영향을 받아서 내내 이렇게 내려오지 않았는가 하는 느낌이 직감적으로 왔습니다.

그러나 상대방한테 그런 말은 못 하고…, 그건 내가 알고 내가 처리할 뿐이지 그것을 얘기했다 하면 벌써 점쟁이가 돼버리고 말고 그냥 입으로 망하게 되는 거죠. 아무튼 죽은 사람과 6대 할아버지가 저지른 그때의 그 상태가…, 우리가 시공을 초월했다면 5대가 지났다 할지라도 그때가 지금 현실입니다. 현실이 5대가 지날 수도 있고 세세생생이 될 수도 있는 거죠. 그러기 때문에 즉시에 그분들 생각을 하면서 천도를 하고 다음으로 돌아가신 분들을 모두 천도를 한 거죠, 그 순간에 거기 앉아서. 그렇게 하면서 속으로 중얼중얼거렸습니다. '야, 세상에 본래 모질고 본래 악한 것은 없건만 누구가 나한테 칼을 들었다면 나도 순간 몽둥이든 칼이든 들 수 있구나! 그렇게 착하고 어질던 여자인데 어떻게 그렇게 될 수 있었을까?' 그러면서 '본래 착하고 본래 못된 사람은 없구나!' 하는 거를 느끼면서 말입니다.

그래서 그 당시 아팠던 것을 좀더 메꿔주면서, 모든 일을 처리를 했죠. 이런 법이 있지요. 지금 공부하는데, 주인공에다 모든 걸 놔라 하면은 주인공에서 느낌으로 무(無)의 세계는 무의 세계대로, 보이지 않는 건 보이지 않는 것대로 갖가지로 다르고, 또 보이는 데서는 오관을 통해서 모든 것을 살펴서 판단하는 것에 우리가 삶의 보람을 느끼는 거죠. 그런데 반은 못 하고 반은 하니까 정말 반쪽 사람으로서, 미완성 사람으로서 50%만 가지고 '나'라고 하며 살고 있죠.

그 당시에 그렇게 하는데, 단지 그런 말을 했습니다. 그때는 이생 (利生)이라고 얘길 했습니다. "당신 마음 속의 이생을 믿되 5대 6대 할

아버지나 할머니들이나 그 모두를…, 그때 당시에 그렇게 되고서부터 당신 할아버지도 그렇게 해서 죽었으니 이게 6대째다, 5대째가 아니다. 당신 알기에 5대째지마는 모두 그렇게 연관성으로 5대째든 6대째든 예전에 잘못한 것이 지금에 나올 수도 있지만, 대대손손으로 나온다." 그러니까 좋은 싹이라면 좋은 싹으로 나올 것이고 아주 나쁜 싹이라면 나쁜 싹으로 나올 것이다. 팥 심은 데 팥 나고 콩 심은 데 콩 나듯이 말입니다.

차원에 따라서 인연이 되고 인연에 따라서 한데 합쳐지고 합쳐지면 그 고통을 어떻게 감당해야 하며, 그것이 어떻게 어디서 온 줄도 모르고 어디로 가는 줄도 모르고 이렇게 살다가 그 연관성으로 인해서 또 살게 되거든요. 그래서 그 얘기를 잠시 해주면서 "당신은 이생에게 모든 것을, 그렇게 됐던 거고 저렇게 됐던 거고 간에 좋고 언짢은 것을 다 이생에게 놓고 모든 걸 일임해서 믿고 놔라. 보이지 않는 데서 보이는 데로 유루나 무루를 다 합해서 이끌어줄 테니까 이생에게 모든 걸 놔라." 그랬습니다.

그러하고선 그 이튿날 나는 오게 됐습니다. 사흘 되던 날 그 부인이 찾아왔습니다. 찾아왔는데 뭘 가져왔느냐 하면, 그때 3년 동안이나 너무 고생을 하다보니 가져올 게 없어서 고추농사를 조금 했다면서 고추 요만큼을 가져왔습니다. "우리 집에서는 이것밖에 없으니 어떡합니까?" 하면서 고맙다고 가져왔습니다. 그때 저는 그것도 감지덕지 좋았습니다. 그거 아니라도 될 텐데…. 그게 마음이다 이거야, 고추가 아니라 마음의 향이라 이거야. 우리가 촛불을 켜도, 또 향을 피워도, 쌀을 갖다 놔도, 과일을 갖다 놔도, 꽃공양을 한다 하더라도 그것은 마음의 향이고 마음의 꽃공양이지, 그것은 내가 어떠한 물질을 갖다놓은 게 아니란 말입니다. 그래야 공덕이 되지, 마음 아닌 물질로만 하면 공덕이 될 수 없으며 복도 얻을 수 없다 이 소립니다.

그래서 그 사람이 나아서 평생을 잊지 못하겠다고 말을 했습니다. "나는 어디를 가나 스님을 평생 잊지 못하고, 이 머리를 깎아서 신을 삼아드려도 그것을 다 못 갚는다."고 했습니다. 그러나 그것은 말뿐이었습니다. 그 사람은 그대로 말뿐이었으나 그래도 나는 보람을 느낀 겁니다. 나는 나 할 일만 하면 되니까. 그 사람이 안 찾든 찾든 그것이 나한테는 하등 상관이 없습니다. 나 할 일만 했으면 되니까. 나쁘다 좋다가 없습니다. 얼마나 기뻤는지 몰랐습니다. 안 찾아와도 좋습니다. 나는 얼마나 기뻤는지 그때 눈시울이 뜨거웠습니다. 왜? 그 사람의 아픔을 보지 않았으면 모르되 보니까 바로 내 아픔이더란 말입니다.

그런 거와 마찬가지로 지금 각 절에서나 신도 여러분이나 스님네들이나 다 각자가 큰스님한테 화두를 받아서 좌선을 한다 하는데 한번 이런 말을 안 하고 넘어갈 수는 없겠습니다. 우리가 부처님 법의 언어로 말한다면은 '사대(四大)와 오온(五蘊)이 공(空)했는데 무엇을 가질 게 있고 놓을 게 있느냐?' 이런 말을 합니다. 그렇다면 이것이 말만 알았지 뜻을 모를 때는 안 것 그 자체도 소용 없는 것입니다. 다 소용 없는 것입니다. 그러기 때문에 잘 참작해서 한번 침착하게 들어보시기 바랍니다.

어느 스님이 화두를 줬다 그러면 이차적으로 이 화두를 끊어지지 않게 하고 들어야지 하는 이런 생각이 납니다. 삼차적으로는 여기에다가 모든 것을 일임하고서 앉으나 서나 끊기지 않아야지 하는 생각이 들면서, 좌선을 해도 이것을 꼭 가지고 '뭣고 뭣고 뭣고' 하고 돌아갑니다. 자기가 스스로 벌써 공했기 때문에, 내가 공하고 세상이 공했기 때문에 내가 하는 것마저도 공했고 내가 가질 것도 가진 것도 공해버렸으니까, 모든 것이 가질 게 하나도 없다는 그 점은 뭐냐? 내가 본래 가지고 있기 때문에 가질 게 하나도 없다는 겁니다. 그걸 한번 침착하게 생각을 해보십시오. 내가 본래 가지고 있기 때문에, 여러분이 모든 거를 나쁘다 좋다 해왔고, 여러분이 다 움죽거리고 있고 여러분이 다 생각하고 판단하고 하는 것입니다.

남한테 이끌려가는 것도, 자기가 판단 못 하고 남한테 이끌려가는 것도 바로 자기 중심이 없기 때문에 그런 것뿐입니다. 그렇다면은 우리가 남이 준 화두, 바로 이것을 꽉 쥐고 굴리질 못하고 있는 겁니다. 그러나 나는 일 초도 머무르지 않고, 그냥 머물렀다가 돌아가고 머물렀다 돌아가고 이것이 한정 없이, 어느 한군데 고정적으로 국한된 게 없이 전부 변천해 돌아가고 부서져버리고 상해버리고, 또 나는 만날 때마다 변하고 또 말할 때마다 딴 말하게 되고 만날 때마다 딴사람 만나서 딴사람 생각하게 되고 이렇게 되는 것입니다. 그러니 이것이 공했다는 얘깁니다. 갖가지로 소소영영하게 가지고 소소영영하게 하면서도 공했다는 얘깁니다. 그대로 여여하게 우리가 간다는 얘기죠, 놓고 간다는 얘깁니다.

그랬으니 항상 그릇은 비어있다는 얘긴데, 마음으로 만들어서 지어가지고, 문도 없고 걸릴 것도 없는 것을 마음으로 지어가지고 '그 큰스님이 이렇게 하시니까 이것이 불법이다.' 하는 걸 쥐고서는 그거를 놓질 못하고 가기 때문에, 되려 자기 마음이 자기 문을 만들어놓고 그것을 열지 못하고 닫지 못하는 그런 이치가 허다합니다.

그러니 참선이라는 거, 예전의 스님네들이 이런 말을 했죠. '참선이라는 것은 꼭 해야 된다.' 하는 것을 주장했습니다. 아주 제일등으로 쳤죠. 그러면은 참선이 어떤 것이 참선이냐? 참선은, 행선도 참선이요 좌선도 참선이요 입선도 참선이요, 모든 행 전부가, 일거수 일투족 전부가 참선이란 말입니다. 그런데 모두, '아! 결제가 되면 한 철 선방에 가서 나야지. 앉아서 좌선을 해야 그것이 으뜸이지.' 요렇게 변경이 돼버렸단 말입니다, 마음이. 육신 떨어지면 마음도 떨어지고, 마음 떨어지면 코도 떨어지고 입도 떨어지고 다 떨어질 것을 뭐이 그렇게 쓸모가 있다고 그렇게 이 육신을 가지고 매달리고 그렇게 해야만 됩니까?

마음이 주인공에 모든 걸 일임을 시켜서 놓는다면은 모든 것이 편안하고, 편안한 반면에 반드시 내가 생각을 하면은 바로 자(子)가 되는 것이고 생각을 안 하면 부(父)가 돼서, '부와 자가 둘이 아니니라.' 하는 뜻은 '부는 자로 가면 자가 돼버리고, 자는 부로 오면 부가 돼버린다.'는 얘기입니다. 둘이 아닙니다, 모두가. 그걸 어떻게 생략해서 말을 할 수 있을까. 내가 가만히 있으면은, 마음을 가만히 두면은 부가 되는 것이고, 즉 말하자면 부처님이다 이 소립니다. 또 마음을 내고 움죽거렸다 하면은 그것이 바로 자가 되는 것입니다. 그게 법신(法身)이자 화신(化身)입니다.

내가 움죽거릴 때는 부처가 아들로 가고, 또 내가 가만히 있으면 움죽거렸던 게 바로 부로, 자부처로 온단 말입니다. 그러니 이건 체가 없는 거라 왔다갔다해도 왔다갔다함이 없이, 함이 없이 그냥 가고 옴이 없이 그대로, 그대로 자가 될 땐 자가 되고 부가 될 땐 부가 되고 이런단 말입니다. 그 도리를 아실 것 같으면 우리가 수많은 유생(有生)이나 무생(無生)이나 전체, 즉 말하자면 이런 게 있죠. 저 물이나 산이나 들이나 어느 곳을 막론해놓고 영계, 보이지 않는 데 영계, 유령, 유체 또는 세균이나 또 사람들 사는 마음, 천차만별로 마음 차원에 따라서 우리가 주인공에 모든 걸 일임하는 겁니다.

'주인공' 하면은…. 참, 구지스님이 손가락 하나 척 들었다고 하니까 손가락을 보는 사람이 있는데, 손가락이 아니라 우주를 든 겁니다, 전체를. 그런 거와 마찬가지로 손 든 것도 방편이니 손 들 것도 없이 내가 '아! 이런 건 이렇게 해야 할 텐데.' 하는 생각을 갖게 되자 바로 주인공과 함께 하는 거죠. 승보(僧寶)도 그러하니라, 불(佛)과 법(法)이 둘이 아닐지언대 승보도 그러하니라, 승보는 그냥 따라가느니라 이러거든요. 이 육신은 그냥 따라가는 거죠. 마음이 생기는 대로 그냥 따라가는 것뿐입니다. 그러면 불과 법과 승보가, 불과 법이 즉 애비와 자식이 둘이 아니게 돌아갈 때는 승보도 그러하니라. 몸은 그냥 따라가느니라 이런 거죠.

그렇다면은 참선이라는 것은 주인공에 모든 것을 놓고…. 참 그 도리를 안다면 어떠한 거든지 못 할 게 없고, 어떠한 거든지 주인공이 하는데 내거라고 할 것도 없고 남의 거라고 할 것도 없을 겁니다. 모두는 내것도 아니면서 전체 내것입니다. 그러기 때문에 따로 내것이 있다는 생각이 없습니다. 그럼으로써 일체 한생각에는 나도 건질 수 있거니와 남도 건져줄 수 있는 그런 여건의 능력이 바로 샘솟듯 한다. 그래서 감로수가 돼서, 그 감로수로서 양식을 삼는다는 애기입니다.

감로로써 양식을 삼는다면은 어떠한 사람이든지, 내 중생이든지 남의 중생이든지 모든 것을 이끌고나갈 수 있는 그런 여건이 생겨서 주인공이 모든 것을 내고 들입니다. 그럴 때 만약에 여러분이 내가 알지는 못하나 내 주인공이 전체를, 상하를, 전체 동서남북을 다 가지고 있다는 거를 알게 되자, 믿어지고 바로 거기에 어떤 여건이 있다면 거기에다가 상응한다 이거죠. 그러면 '당신이 전부 하시는 거니까 당신이 이것도 해결을 해야지.' 하는 생각을 하게 되고 즉시 그것이 반영된다는 애깁니다, 우리가 성냥불을 탁 켜듯.

그런데 성냥불을 하나 탁 켰는데 왜 안 되는가? 안 되는 게 아닙니다. 우리가 재판소에 가서 일을 하려면 서류를 꾸미고 도장을 맞고, 그게 다 끝나도 또 그 서류가 돌아서 통과가 되어야 해결이 나듯이…, 이런 것도 있는가 하면, 그것이 즉시 되는 수도 있고 그렇습니다. 여러분은 되고 안 되는 것을 생각해서 여기 오는 게 아니라, 되고 안 되는 것을 다 놔서 능력을 기르려고 여기 오시는 겁니다. 복을 빌러 여기 오시는 게 아니라, 내가 그렇게 능력을 기른다면은 바로 복은 잇달아서 나한테, 복을 달라고 하지 않아도 자기의 주인이 자기를 이끌고다니는데, 자기 몸인데, 실상인데, 어찌 자기를 해롭게 하겠습니까? 천만에요.

그래서 여기가 이렇다, 저기가 이렇다 그런다면은 각기 분야의 소임을 다 맡아가지고 있는 그 공장장들이 바로 내 한생각에 붙어 있기 때문에, 연관성이 있기 때문에 내 한생각이 그렇게 '주인공에 일임해버리고 여기 당신이 이끌고다니는 몸뚱이를 당신이 해결을 해야지!'

하는 생각이 들게 되고 그것은 차차 소생되고야 맙니다.

우리가 스스로 해결을 못 한다면 남을 어떻게 건져주며 남을 어떻게 해결을 합니까? 여러분이 사장이 되든 회장이 되든 대통령이 되든 장관이 되든 공장장이 되든, 어떠한 사람을 이끌어나가도 그러한 도리만 정립된다면 그것이 바로, 일어서든 눕든 앉든 그대로 참선입니다. 선방에 가서 육신을 구부러뜨리고, 무릎 관절이 상하도록 앉았는 것만이 참선이 아닙니다. 그건 '앉아서 내가 참선을 해야지.' 생각을 했기 때문에 참선을 하지 않는 거고, '참선을 다 했다.' 하기 때문에 벌써 그것은 아닌 것이고, 그러기 때문에 참선이 자꾸 끊어졌다 붙었다 끊어졌다 붙었다 하는 생각으로 하기 때문에 그건 백날, 천날을 해도 아마 자기 부처 찾기는 어려울 것입니다.

그러니 우리가 그 능력을 생활에서 한 가지 한 가지 체험하고, 또 가다보면은 그것이 커지고 커져서 마음의 사리가 온 우주를 덮고, 온 우주를 받들고도, 온 우주를 둥글리고 살 수 있는 그런 여건이 되면서 바로 대장부인 것입니다. 그러니 여러분이 참선이라는 게 어떤 종류의 것이 참선인가를 생활하면서 체험해야 합니다. 한 가지 예를 들어서, 일할 때나 변소에 가서도 자기가 있는 곳에 부처가 있고, 법당에 들어왔으니까 거기 부처가 있습니다. 부처님을 조성해서 이렇게 모셨습니다. 그러면은 저분도 코 있고 눈 있고 귀 있고 몸이 있습니다, 손 있고 발 있고. 여러분이 다 같이 둘이 아니라는 걸 표시하기 위해서 조성해 놓은 겁니다. 그리고 그 마음도 또 둘이 아닙니다.

그러니 여러분이 여기서 정중하게 몸으로써는 모든 걸 살펴서 계법을 그대로 지키면서 질서를 문란치 않게 하면서 옳게 생각을 하고 옳게 행을 하시면서, 또는 무위로는 마음의 주인공에 모든 것이 살고 죽는 거, 윤회가 되는 거, 인연이라는 것조차 또 시간과 공간 이런 모든 걸 놔버리고 믿는다면, 거기서 다 하는 거니까 다 놔버린다면 바로 그것이 참선으로 돌아가서 모두 내 아님이 없이, 내 자리 아님이 없이,

내 아픔 아님이 없이 돌아가는 그런 도리를 알게 되실 겁니다.

옛날 얘기 잠깐 하고 일어나겠습니다. 들은 이야기인데 아마 조선 시대인 모양입니다. 어느 마을에 어떤 사람이 밤만 되면 항상 '이놈 때려 죽인다.'고 미친듯이 도끼나 낫을 가지고선 아무 집에나 들어가서 그냥 찌르곤 야단이 난 겁니다. 그것이 어느 때서부터 그랬느냐 하면은, 그 마을이 잘 살았는데 어느 때서부터 갑자기 그런 일이 생겼답니다. 그래서 동네가 다 망하다시피 했는데, 어느 스님이 들어오시다가 그곳에 들르셨답니다. 들르셔서 보니까 '아하, 이거 야단났구나!' 하는 생각이 들어서 몇몇 사람을 데리고서 '곡괭이하고 삽하고 괭이를 가지고 날 따르라.' 이랬답니다, 아무 말 없이.

그래 스님을 따라서 골짜기로 올라가니까 그 산 모롱이에, 왜 산 혈맥이 있지 않습니까? 혈맥 귀퉁이 거길 파라고 하더랍니다. 그래 파니까, 옛날에 오물 묻었던, 넓게 지하실을 만들었던 자리가 있더랍니다. 그런데 그 자리에서 뼈다귀가 수없이 나오더랍니다. 그래서 그 뼈다귀를 다 태워버리고 난 뒤에 그 스님 하시는 말씀이, "예전에 일본 마적이 들어와서 여자들을 납치하고 또 그 식구들을 죽이고 데려온 여자들을 죽이기도 하고 다른 사람들도 데려다가 막 죽이고 재산을 뺏고 몰살을 시키고 묻어버린 그 자린데, 그냥 혈을 끊어서 그 짓을 했기 때문에 그런 문제가, 이 혈을 따라서 이 동네로 왔기 때문에 이 동네가 이렇게 망한다. 이것을 태워버렸으니 이젠 괜찮을 거다." 하고선 부적을 하나 써서 "이것을 마을에 붙여라." 했답니다.

부적이 그래서 생겼는데, 우리가 그러한 얘기를 들을 때 혈도, 지금 이 공부하시는 분들은 혈이 산에 이렇게 생겼든 저렇게 생겼든 혈이 이쪽으로 왔든 묘지를 쓰든 또 집을 짓든 이사를 가든, 아무 걱정 없는 것이 바로 이 공부입니다. 혈을 우리 마음대로, 혈이 이렇게 됐다면 이쪽으로 이렇게 해놓을 수도 있고 저쪽으로 해놓을 수도 있어요. 누가 '혈이 없다, 이건 나쁜 터다.' 이러더라도 내가 한 번 딱 짚었으면, 지팡이로 딱 짚은 겁니다. 주장자를 말하는 겁니다. 자기의 중심을 말하는 겁니다. 그래서 딱 짚으면은 그 자리가 참 좋은 자리가 되는 겁니다.

그리고 내가 나쁘다 하면 나쁜 것이고 좋다 하면 좋은 것이지, 왜 남의 운운에 끄달리면서 노예가 돼가지고 이리 왈 저리 왈 갈대와 같이 흔들리느냐 이겁니다. 이 공부는 자기 자성불을 이루어서 해탈을 하라는 뜻입니다. 해탈이라는 것은 뭐 구태여 말로 해탈이랄 거 없이 자기한테서 나오는 모든 것을 다 자기한테다 다시 놔라 이겁니다. 몸도 고정되지 않고 먹는 것도 고정되지 않고, 보는 거 입는 거 모두가 고정된 게 없으니 공한 것이죠.

우리 인생이 어떻게 하고 가는가? 사람은 공부할 때는 부모에 따라서 공부를 합니다. 아무것도 보지 않습니다. 상대성을 놓고서 인간의 삶에 있어서, 인간 관계를 제대로 갖지 못하면서 친구들하고 몰려서 공부만 하다가 대학을 졸업합니다. 졸업을 해서 사회에 나갔다고 하나, 박사학위를 받았다 하더라도 공부를 또 해야 한다 이 소립니다. 사회에 나가면 벌써 인간 관계의 공부를 합니다. 어떻게 사는 것이 인간인가 하는 사회를 공부합니다. 그러면서 자기가 맡은 분야를 공부합니다. 자기가 전자에 공부했던 것을 바탕을 삼아서 잘 하려니까 또 공부를 해야 합니다.

허둥지둥 그렇게 공부를 하다가, 일을 하다가보니까 가정이 생겼고 자식이 생겼고, 나중에는 자식을 믿게 됩니다. 그러고 부부간에 믿게 되고, 이렇게 살다가보니까 늙어서 오십이 넘고 정년퇴직하게 되면은 어떻게 되느냐? 사람의 마음이 이렇게 됩니다. 자기가 그렇게 생각을 했기 때문에 자기 마음이 어떻게 되느냐 하면은 '아하, 나를 받쳤던 이 서까래가 하나 둘 빠져 달아나가는구나!' 이런 걸 느낍니다. 나중에는 하나 둘 하나 둘 다 빠져! 오두마니 그냥 자기 기둥만 서 있는 것입니다. 그래서 오두마니 기둥만 서 있다가 홀연히 생각을 하니까, '아하,

내가 빈 손 들고 나왔다 빈 손 들고 가는 이 마당에서 이 기둥 하나 섰는 거마저도 쇠퇴해가는구나!' 하면서 준비를 하게 됩니다.

이런 저런 생각하는 게 준비입니다. 그러면서 두 가지가 있습니다. 그 도리를 모르면은, "야! 이놈의 자식들아! 너희를 내가 뛰면서 어떻게 가르쳤고 어떻게 기르고 어떻게 먹여 살렸는데, 너희들은 나한테 이렇게 하느냐! 너희들은 너희 살 궁리만 하고, 나는 한 달에 한 번 보거나 말거나 하는구나!" 하고선 아주 노여워하고 노발대발하고 그냥 척이 집니다. 그리고 어떤 사람은 '아, 세상살이가 그런 거지. 본래 그런 거 아닌가? 저것들이 바로 나이기 때문에, 바로 나이기 때문에 나는 섭섭할 것도 없고 아무것도 없구나!' 이러고서 그냥 홀연히 아주 안치를 해서 자기가 자기를 놓고 그냥 여여하게 좋게 사는 분들도 있습니다.

마음 한 번 먹기에 달린 건데, 나 괴롭고 자식들 괴롭게 할 필요가 뭐 있겠습니까? 그 자식은 바로 내 씨가 내 나무를 만들었고 내 나무에서 또 씨를 만들어서 나간 것이기 때문에 바로 나인 것입니다. 부모도 미래의 나인 것입니다. 그러기 때문에 나 아님이 하나도 없기 때문에 마음이 그렇게 홀가분하게 좋은 것입니다. '그래, 네가 속 안 썩이고 잘 살고, 네가 잘 하고 사는 것이 나한테 갚는 것이구나. 나한테 갚을 것도 없다. 네가 바로 나이기 때문이다. 잘 해라 잘 살아라.' 이러면 얼마나 마음이 편안하겠습니까?

그런데도 불구하고 만날 싸우게끔 되고 척이 지고 '이놈의 자식, 저놈의 자식!' 하다보면은 그렇게 혼란스러운데 어떻게 복이 들어가겠습니까? 돈도 웃고 즐기는 데 들어가기 좋아하지 찌푸리고 싸우고 그러는 데 들어가기 싫어합니다. 그렇게 되면 좋아하는 사람도 하나 없습니다. 가정도 만날 싸우고 그러면 자식들도 '아유! 우리 엄마 아버지는 만날 싸워.' '아이, 들어가기도 싫어.' 이렇게 돼서 방황하게 됩니다.

그러니까 여러분이 침착하게 공부를 열심히, 자기 주인공 그 자체가 일체 만법을 활용할 수 있다는 점을 꼭 잊지 마시고, 일체 만법을 활용한다는 그 점을, 바로 도심으로써 활용을 할 수 있는 그런, 여기만 가는 게 아니라 우리 국가에도 세계적으로도 우주적으로도 다 할 수 있다는 그 점을, 우리가 무심코 그냥 한 번씩 던져서 행해보십시오. '내가 모르니까 이거 못 해.' 이러지 마시고요. 패기 있고 물러서지 않는 마음으로써 그냥 한번씩 생활하시면서도 나한테 부당한 일이 올 때, 몸이 아플 때 모든 것을 다 그렇게 해보시면은 영가가 뭐 어떻게 되고 어떻게 됐다, 아버지가 돌아가시고 이렇게 됐다, 이런 것도 다 자기가 행하면 되는 것입니다. 되는 것이니 그냥 해보세요. 그냥 그냥 해보시면 바로 체험이 되고 체험이 되면 그게 커지고 커지게 되면 뭐든지 할 수 있다는 그 점을 알게 됩니다. 오늘은 이만….

무전자와 유전자

85년 11월 17일

　여러분과 더불어 같이 토론하는 중에 지난번에는 우리가 인간뿐만 아니라 모든 생명이 어디에서부터 어떻게 이루어졌나를 한번 토론하자고 했습니다. 그래서 오늘 셋째 일요일날은 우리가 거기부터 잠깐 거론하고 넘어가야 할 것 같습니다. 우리 인간이 이렇게 오기까지 어떻게 해서 이렇게 오게 됐는지는 나중에 되돌아올 때 얘기가 되겠죠. 오늘은 거기에서 잠시 잠깐 끊고 다음에 또 하기로 하죠.

　그런데 처음에 제가 생각하기에 말입니다, 생각해서 아는 것은 절대 아닙니다만 이 지(地)수(水)화(化)풍(風)이라고 한다면, 우리는 지수화풍의 성질과 자기 무전자의 그 독특한 맛을 다 가지고 있는 것입니다. 그러나 생명만 살아있다 뿐이지 모든 게 지수화풍이 움죽거리지 않고 침체돼 있는 상태에선 아마 암흑이라고 했을 것입니다. 그러나 그 지수화풍이 제가끔들 살아있는 것만이 능사가 아니라 너는 너고 나는 나지마는 서로 공존해서 우리 어떠한 걸 세우자고 예를 들어서 했다면, 그렇게 지수화풍이 한데 합쳐지니까 지수화풍은 없어지고 말입니다, '공기'로서의 능력이 발생하게 됐던 거죠.

　'공기'라는 그 뜻은 뭐냐 하면 천체를 말하고 능력을 말하는 겁니다. 우리가 개별적인 하나 같으면은 그냥 능력이라고 해뒀으면은 좋겠는데 왜 '공기'라고 했을까 이겁니다. 모든 뭇 생명들을 소생케 할 수 있는 능력이기 때문에 '공기'라고 했던 거죠. 그 후에 이름을 지어서 붙였겠죠. 그러면 그것은 어떠한 이름도 없이 그것으로써 무전자의 집단체를 이루었던 거죠. 무전자라 하면은 지수화풍이 한데 합쳐서 '공기'로서 전체 아니 닿는 데 없이 닿게 되는 향기와 같은, 에너지와 같은 것이기 때문에 그런 걸로 인하여 유전자가 발생된 겁니다.

유전자는 어떠한 역할을 하느냐? 무전자에서 유전자가 발생될 때는 수많은 그 생명들이 유체로서 보이지 않는 그 유전자의 발생이 온 우주에 확산됐다고 봅니다. 그러면 그 유전자로부터 어떠한 것이 형성되었느냐? 유전자로부터 형성된 것이 별성이라고 볼 수 있겠습니다. 그러면 별성이 다르고 우리 몸뚱이가 다르냐 하면 그것은 아닙니다. 우리도 별성이요, 그 또한 별성입니다. 그러면 물질적인 차원에서 반짝거리면서 움죽거리는 것을 우리는 무전자에서 유전자가 발생됐다고 말할 수 있죠. 유전자가 모든 생명체들을 소생시켰다는 얘기죠.

그러면 유전자의 생명에 의해서 그 체가 발생이 됐다면 수많은 별성들의 체가 발생이 됐다는 얘기죠. 그러니까 사람들이 살아나가는 데에도 무슨 청와대가 있으면 국방부도 있고 그렇듯이, 그렇게 별성들이 발생되고 보니까 거기에서는 무전자의 능력으로써 유전자의 묘법으로써 가지각색의 물질이 등장하게 되는 것이죠. 그 묘법이라는 것은 시간과 공간도 없이 생기게 할 수 있는 그런 능력이죠. 즉 말하자면 우리의 선 혼백이든지 악의 혼백이든지, 혼백을 만약에 유전자라고 한다면 차원에 따라서 그 유전자는 달라지는 것인데 만약에 내가 차원이 낮으면은 낮은 유전자가 될 것이고 질이 높으면 높은 대로 유전자의 차원은 높아질 것입니다. 그래서 찰나찰나 고정됨이 없이 나투면서 화(化)하면서 그 물질이 발생되는 것입니다. 각체 각급의 그 모습은 다를지언정 어떠한 모습으로서 그렇게 발생되는 그 유체들은 이루 다 헤아릴 수가 없는 것입니다.

　그럼으로써 우리가 어떻게 해서 인간의 모습을 가지고 왔느냐? 별성의 모습이 바로 우리의 모습이거든요. 별은 반드시 북에서부터 이렇게 해서 이렇게 해서 이렇게 갔습니다. 그러면 우리 머리와 두 팔과 두 다리라고 볼 수 있겠습니다. 일곱 개의 북두칠성이라고 하죠. 그것은 우리가 말하자면 정부의 정치인들이라고 볼 수 있겠습니다. 그 정치인들로 하여금 모든 이 생명의, 즉 물질로서의 물체들을 생산해냈던 거죠. 그런데 생산을 해내려 해서 해내는 게 아니라, 자기의 마음이 이렇게 생각을 한 거면 이렇게 모습이 나오고 저렇게 생각한 거면 저렇게 모습이 나오게 돼 있습니다. 그러니깐 묘하다는 거고 그것이 광대무변하다는 겁니다.

　그래서 그렇게 나오고 보니까 거기에서 또 갈라진 것은 물의 생명도, 흙의 생명도 독특하게 자기의 근본성을 가지고 있다는 애깁니다. 바람도 그런가 하면 불도 그렇습니다. 그런데 불의 원리가 어디에서부터 비롯됐느냐? 지수풍이 한데 합쳐져서 비벼졌기 때문에 거기서 불이 일어난 거죠. 즉 말하자면 우리가 쓰레기통에 쓰레기를 질척질척한 거와 같이 갖다 넣었더니 거기서 벌레가 생기고 가스가 생기듯이 말입니다. 그 뜨거운 거기에서 아늑함이 생기기 때문에 바로 생명체가 일어나는 거죠. 그와 같이 지수화풍이 한데 합쳐지지 않았더라면 이렇게 광대무변하게 생명과 더불어 물질이 생기진 않았을 겁니다.

　어쨌든 지금 그걸로부터 여러 가지로 독특하게 물에서 사는 거는 물의 성질을 따르게 됐고 흙에서 사는 거는 흙의 성질을 따르게 됐고, 또 화해서 사는 생명은 화생으로서의 독특한 가짐가짐을 가지게 됐다 이겁니다. 그러면 공중의 생명들, 그 유전자가 암흑 속의 반딧불처럼 반짝거리면서 집단을 이룬 것도 역시 바람의 성질을 아주 독특하게 가졌기 때문입니다.

　그러면 이렇게 해서 모든 게 이루어지고 있는 이 자체에서 우리가 잘 살펴봐야 하는 것이 바로 우리의 공부라고 생각합니다. 그런데 그것은 요다음에 얘기하겠지마는, 그렇게 광대무변하고 독특한 맛을 가졌기 때문에 사람이 어디로부터 났느냐는 이것도 규정돼 있지 않습니다. 원숭이로부터 됐다는 사람, 곰으로부터 됐다는 사람, 공룡으로부터 됐다는 사람, 별의별 사람이 다 많습니다마는 그것은 어디에 한군데로 규정될 수가 없는 것이, 자기의 그 유전자의 진화력에 의해서 자꾸 구르면서 나온 것이기 때문입니다. 즉 말하자면 진화력에 의해서 나온 것이지마는 독특한 물의 생명의 그 근원을 가지고 있고 흙의 근원을 가지고 있고 바람의 근원을 가지고 있고 그 화함의 근원을 가지고 있기 때문에, 그 독특한 자기의 본성은 그대로 집착돼 있기 때문에 그렇다는 얘깁니다. 비유해서 우리가 김가면 김가다라는 집착을 가지고 있기 때문에 김가를 벗어나지 못하듯이, 그렇게 특성을 가지고 있기 때문에 거기에서부터 각종 각체들이 벌어지는 거죠?

그런데 각종 각체들이 벌어지면서, 물에서 진화돼서 나온 것도 인간으로 됐고 흙에서도 인간이 됐고, 화해서 난 것이 전부 억겁을 거쳐오면서 진화해서 동물로 인간으로, 즉 말하자면 고등동물까지 진화해서 올라왔다는 얘깁니다. 그러기 때문에 우리는 우리대로 이렇게 많은 진화의 모습을 각각 가졌으니 마음도 각각이요, 몸도, 모습도 각각인 것이죠. 어떻게 이렇게 많은 모습이 나와 있을까? 우리가 스스로 연쇄적으로 진화해서 올라오는 그 자체를 현재에 볼 수 있다는 것을 한번 생각해 보세요. 과거에 내가 그렇게 올라온 것이, 바로 지금도 그렇게 올라오고 있다는 것입니다.

개구리가 개구리대로 그냥 있는 것은 아닙니다. 뱀이 뱀대로 그냥 있는 것도 아닙니다. 그래서 하나도 고정됨이 없다는 얘기죠. 인간도 인간대로 고정됨이 없습니다. 그러니 모든 것이 그렇게 고정된 게 하나도 없는 마음이기 때문에 행하는 것도, 듣는 것도, 보는 것도 고정된 게 하나도 없어요. 찰나찰나 고정됨이 없이 이렇게 돌아가면서 자기가 생각해서 진화하는 그 잠재의식에 의해서만이 자기 물질을, 자기 형상을 그대로 자아낼 수 있다는 그런 각자의 위력을 가지고 있는 거죠. 그렇다면은 그것이 얼마나 무서운가를 우리 스스로 생각해봐야 할 일입니다.

우리는 머리로 물질과학을 연구하는 게 아니라 마음으로써 이 모든 일체 만법의 만물만생이 전부 진화해서 고정됨이 없이 모습을 바꿔감으로 해서 이렇게 광대무변하게 세상이 펼쳐졌다는 것을, 확산됐다는 것을 알게 되면은 머리로써 돌아가는 이 오신통을 넘어서야 한다는 걸 느끼게 될 겁니다. 그러니까 오신통 다섯 가지, 이게 지금 세상에 콤퓨타나 모든 걸로 나와 있습니다마는 영원한 자기의 무전자의 콤퓨타가 그렇게 무전자의 능력이 있기 때문에 유전자의 다섯 가지 요소가 다 자기한테 들어있는 겁니다. 그건 왜? 지수화풍이 한데 합쳐진 하나의 유전자입니다. 유전자가 바로 그 다섯 가지 요소를 부리고 있습니다, 부리고 있어요.

그런데 우리는 다섯 가지에 말리고 있습니다. 우리가 연구할 때에 똑똑히 연구해야 될 것입니다. 그런데 콤퓨타에 우리 인간이 말리고 있고 자유자재 못 합니다. 우리가 꼭 심부름을 해야만이 콤퓨타가 움직거리게 돼 있습니다. 그것뿐만이 아닙니다. 영사기나 천체 망원경이나 또는 무전기나 탐지기나 이런 것이 다섯 가지가 다 표면적으로 나와 있지만 그것도 마찬가지입니다. 그렇지만 우리한테 영원히 이 무전자의 유전자로, 무전자의 능력에 의해서만이 그 유전자 바로 거기에 공(空)해 있다는 겁니다. 자연이 거기에 공해 있기 때문에 우리가 그것을 물질적으로 연구해낸 겁니다. 연구해냈어도 인간의 마음이 아니라면은 절대로 그건 움직거릴 수가 없습니다.

우리는 그 마음 하나를, 물질적으로 내놓지 않아도 천차만별로 바꾸어가면서 우리는 무전통신을 할 수 있고, 콤퓨타로 책정을 할 수가 있고, 또는 그 유전자의 모든 유체들의 마음들을 책정해서 알 수 있고,

거쳐온 거를 알 수 있습니다. 그것을 불가에서 말하면 타심통(他心通)이라고 합니다. 또 지금 속을 아는 건 숙명통(宿命通)이라고 하고요. 그리고 천이통(天耳通)이라고 하는 건 마음으로 듣는 도리를 말하니 무전기입니다. 그러면 영원한 무전기와 더불어 다섯 가지를 자기가 소유하고 있을 때, 소유하고 있는 그 다섯 가지가 나의 부하라면, 다섯 부하라면 바로 내가 주인으로서 그 다섯 부하를 동시에 부리지마는 여러분은 그 다섯 부하들에게 오히려 말리고 있습니다. 말리느냐 부리느냐에 문제가 있습니다, 지금. 내가 유린을 당하느냐 내가 부리고 있느냐.

그런데 말입니다. 아주 문제가 되는 것은 지금 세균이라는, 공중 세균, 흙의 세균, 물의 세균, 참 모든 이 세균들이 독특한 자기 근본 본성을 가지기 때문에 얼른 표현하자면 그러한 독특한 맛이 있기 때문에 우리가 이러고저러고 할 수가 없는 겁니다. 그러나 그것을 물에서는 물대로 응용할 수 있고, 들에서는 들대로 응용할 수 있고, 흙에서는 흙대로 응용할 수 있고, 공중에선 공중대로 응용할 수가 있고 바람이나 모든 걸 응용할 수가 있으니 하물며 우리가 나 하나 끌고다니기야 식은 죽 먹기겠지요.

그런데 우리가 지금 그 말로 어떻게 형용할 수 없는 것은 거기에서도, 비유하건대 물에서 사는 생명들도 바로 그 유전자로 인해서 수만 개가 퍼지는데 모습들이 다 다릅니다. 그런데 만약에 쏘가리라는 모습을 가지고 나왔다면 그 모습을 빨리 편리하게 바꿔야 할 텐데도 쏘가리라는 모습을 바꿀 수가 없는 것은 바로 그 쏘가리의 마음에 달려 있기 때문입니다. 쏘가리의 마음에 달려가지고는 자기가 이렇게 생겼다는 그 의식에 담겨 있는 그 마음이 도대체 변화를 시키질 못합니다. 마음은 체가 없기 때문에 광대무변하게 이렇게도 바꿀 수 있고 저렇게도 바꿀 수 있고 무한정으로 바꿀 수 있는데도 자기가 그것을 완전히 계발을 못 했기 때문에 모르는 겁니다. 그래 쏘가리의 모습을 백년이고 천년이고 버리지 못하고 말입니다. 진화를 못 하는 겁니다.

사람도 그렇습니다. 물질에 끄달리면서 의식적으로 자꾸자꾸 쌓아온 그 생각들이 의식화돼 있다면은 그 차원에서 도무지 벗어날 수는 없습니다. 백년이 가든 천년이 가든 그건 그 차원에서 벗어날 수 없기 때문에 깡통 간 데 깡통이 모이고, 금 간 데 금이 모이고, 넝마 간 데 넝마가 모이게 돼 있습니다. 그와 같이 우리 인간은 그렇게 참 광대무변한 요소를 가지고 있는 당체라고 볼 수 있겠죠.

　　여기선 이렇게 대충 마무리를 하고 아까 얘기하다가 말았던 것을 하자면 왜 은하계라고 이름을 지었을까 하는 얘깁니다. 그것은 우리가 인간으로 치면은 동맥 정맥이 안에서 오르락내리락하듯이 은하계도 인간의 몸체와 같이 삼각원형을 이루면서 그 물이 삼각형으로 돌고 있습니다. 들이고 내고 하는 그 삼각형의 받침대는 바로 애들이 이렇게 뚱그랗게 원을 그리려면은 콤파스로 이렇게 대고 그리게 되죠? 그런 거와 같이 받침대가 인간에게도 주어져 있는가 하면 그 은하계에도 주어져 있다 이겁니다. 그게 무전자의 한자리에 삼각원형을 이룬 받침대라고 보겠습니다. 나는 시체말 모릅니다. 그냥 이렇게 말을 하는 겁니다. 그러니 공부한 사람들이 알아서 생각들 하세요. 허허, 믿든 안 믿든 그건 알아서들 할 거고요.

　　그래서 삼각원형을 이루면서 뒷받침대가 돼 있기 때문에 그것이 중간 지점에다 딱 찍어놓고서 무전자의 받침대가 되는 겁니다. 이건 보이는 데의 받침대가 아닙니다. 무전자의 받침대, 즉 말하자면 백지가 있어야 글씨를 쓰듯이 받침대가 되는 것입니다. 그래 무전자의 받침대가 삼각원형을 이루고 있을 때에, 비로소 유전자의 그 유체가 바로 운영을 하는 겁니다. 돌아가는 겁니다. 똑바로 궤도를 도는 것입니다. 우리도 중심이 없다면 똑바로 돌지를 못하고 미치광이 모양으로 돌 것입니다, 아마. 그런 거와 같이 그 은하계의 무리들도 그렇게 무전자로, 무전자의 받침대로 위에서 유전자가 그렇게 많은 그 모습들을 소생케 해가지고, 유체를 형성시켜 가지고 자기네들이 돌고 있는 거죠.

그렇다고 해서 그 세계가 다르고 이 세계가 다른 건 아닙니다. 그런데 모든 사람들이 멀리 은하계는 아주 특별히 그렇게 돼 있는 걸로 알고 있지마는 그것이 먼저 났든 나중에 났든 바로 시간과 공간이 초월된 상태에서 우리가 볼 때는 어느 해, 어느 달, 어느 날, 어느 시간이 없습니다. 그러기 때문에 수억년 전에 그것이 이루어졌다 하더라도 내가 지금 현재에 태어나서 내가 그걸 안다면 바로 지금이 태초며 지금이 시작인 겁니다. 지금 모두가 생한 거다 이겁니다. 내가 그걸 생한 걸 지금 알았으니까, 안 것이 뭐냐 하면은 억겁 전년서부터 내가 진화돼서 나왔다 할지라도 억겁 전년이 일 초도 될 수 있으니까 말입니다. 시간도 없고 공간도 없습니다. 억년이라는 말, 언어도 붙지 않는 자립니다.

　　그래서 거기에서부터 생겨난 그 문제가, 무전자의 그 삼각원형을 이룬 자체가 바로 그 후에 참, 마음들의 그 빛을 내게 되었죠. 마음들의 빛을 낸다는 것은 우리가 현상세계에서 본다면 우리가 마음을 내지 않고는 지금 전기가 발전이 될 수도 없고 전기가 들어올 수도 없습니다. 물이 없으면 또 전기가 들어올 수도 없죠? 그와 마찬가지로 그 삼각원형에 의해서 은하계라고 그렇게 이름을 지었겠죠. 그 삼각원형의 능력으로 인해서 바로 태양도 생긴 거라고 생각이 됩니다.

　　그럼 태양은 언제, 북두칠성이 생기기 전에 생겼느냐? 아닙니다. 별성이, 그렇게 많은 별성이 생기고 참, 질서를 유지하고 다 그런 뒤에야 태양은 나중에 생긴 것입니다. 우리가 전기 달듯이 말입니다. 촛불을 켜다가 전기 달듯이 발전이 된 거죠. 그러니까 그 발전은 누가 했느냐? 그 유전자가 광대무변한 능력을 가지고 있다는 얘깁니다.

　　그러면 여기에서 갈라져 나가는 문제가 뭐가 있느냐 하면, 악한 것은 악한 데 쓰이는 칼이 될 것이고, 즉 말하자면 유전자의 그 진화력을 아주 못되게 쓰는 악령의 문제들이 거기에서 부풀려 나온다는 얘깁니다. 그러나 근본적으로는 이게 좋게 발전이 돼서, 유전자로 인해서 유체를 승화시키는 데는 무엇이든 아랑곳없이 무전자의 그 능력으로 이끌어 가는 거죠. 그래서 거기에서 어디까지나 그 궤도를 올바르게 돌면서 생명체든지 생명체가 아니든지 남을 이익하게, 즉 말하자면 유체든지 무체든지 다 이익하게 이끌어가지고 가면서 집단을 이뤄갔다고 볼 수 있죠. 말하자면 대통령이라고 할까요, 또 집단체를 이끌어가지고 가는 회사 사장이라고 할까요? 이러한 모습 없는 모습들을 가지고서 수많은 그 생명체들을 소생시켰다는 얘기죠.

그러면은 우리가 지금 그것들을 비유해서 보겠어요. 왜 세균이 나쁜 역할도 하고 좋은 역할도 하느냐는 얘깁니다. 그것이 이해가 안 간다면 우리 인체 안에서도, 내 몸 안에서도 생명체들이, 지금 세균들이 있다고 봅시다. 이름을 세균이라 하지만 바로 나인 것입니다. 나의 분신인 생명이 여기에 있는데 만약에 타의에서 유전자가 들어왔다면은 세균입니다. 자의에 있는 생명은 세균이 아닙니다. 나를 나쁘게, 인체를 해롭게 하는 것이 세균이지 인체를 이익하게 하는 것은 바로 '나'인 것입니다.

만약에 내 생각이 잘못 돌아가면, 이 혹성의 사장이, 여러분이 다 혹성의 사장입니다. 사장이 잘못 생각을 한다면 이 인체의 유전자, 즉 말하자면 인체에 있는 생명들의 유전자들이 다 겉으로 노는 거예요. 그 사장이 잘못 생각하는 대로 파워를 일으키고 분단되고 조화를 이루지 못할 때에 그러니까 타의에서 세균이 침입을 해서 들어올 때 막아내지 못한다 이겁니다. 그럼으로써 자기 몸뚱이는 여기저기 병이 들고, 파워를 일으키니까. 이렇게 해서 집이 망가지는 거죠.

그와 마찬가지로 이 전 우주에 관한 문제들이 다 그러그러하다 이겁니다. 그런데 요소는 무엇을 뜻하느냐? 어떠한 딴 혹성도 다 마찬가집니다. 그런데 왜 목성이라고 하고 토성이라고 하고, 보이는 것대로 이름을 붙여도 그렇게 묘하게 이름을 붙였는지 모르겠습니다. 물론 그 이름을 흙에서 나는 독특한 성질을 가지고 토성이라고 이름을 붙였고,

또는 목성이라고 그렇게 붙였고. 아주 하나하나 여기 있는 대로 그렇게 이름을 붙인 거예요. 혜성은 혜성대로, 응? 어쩌면 그렇게, 수성은 수성대로, 금성은 금성대로, 화성은 화성대로 이름을 똑똑히 그렇게 잘 붙였는지 모릅니다. 그러면 그 행성들의 이름이 그게 그대로 겉벌로 이름이 나온 게 아니라 근본 자체가 그걸로 그렇게 생겼기 때문에 성도 그렇다 이겁니다. 우리가 김씨 문중에서 나왔기 때문에 김씨이듯.

그런데 또 화성 같은 데는 만물상은 만물상인데 무체 만물상! 허허허허. 지구에 물질이 다 있듯이 유전자가 살 수 있는 그 화성이라는 만물상! 거기에서, 즉 말하자면 연결해서 서로서로 보급이 되고, 서로서로 교류가 되고, 우리가 질적으로 낮은 거 높은 거를 골라낼 수 있는 그러한 그 만물상이라고 볼까요? 너무나 또렷또렷하게요, 이 세상이 벌어져 있어요. 그럼 우리같이 이렇게만 사느냐? 여기만 생명이 살고 있는 건 아닙니다.

이런 예가 있었어요. 요것만 한마디 하고 끝내겠습니다. 어느 큰 돌이 하나 있었습니다. 그런데 어려운 사람들이 참 비참하고 그러니까 산골에서 한 마을을 이루고 있으면서 참, 자기의 그 애절하고 괴로웁고 그런 것을 어디다 호소할 수가 없어서 그 돌에다 했습니다. 항상 대대로 내려오면서 누구든지 아쉬움이 있으면은 거기 가서 빌었습니다. 마음으로 호소하고 빌었단 말입니다. 그런데 그 돌은 가만히 있었는데 말입니다. 그 마음들이, 자꾸 거기다가 호소를 하고 그러니까 그 마음들이 거기 집중이 돼가지곤 그냥 거기 전체가 한 집단이 돼버리고 말았죠.

그런데 그러면 사람의 혼백이 말입니다. 하나냐 하면 하나가 아니거든요. 거기 그렇게 마음을 두고 호소를 하고 마음을 거기다 두었다면 내 혼이 거기도 있고…, 내가 이 육체가 나인 줄 알고 여기 있으니까 여기도 있고, 내가 어디에다가 집착을 하고 있으면 집착한 데로 왔다갔다하고, 이거는 그냥 무분별하게 분별 없이 그냥, 그저 그 혼은 열 개도 됐다 백 개도 됐다 만 개도 됐다가 천 개도 됐다가 하나도 됐다가 하면서 이 짓을 한단 말입니다. 그런데 우리 배운 사람들은 알아서 고정되게 두지를 않는데 배우지 못한 사람들은, 이 도리를 모르는 사람들은 고정되게 거기다가 아예 착을 둔단 말입니다! 그러기 때문에 빼도 끼도 못하는 용납될 수 없는 문제가 생겨서 그걸 업보라고 하고 그런 윤회의 걸림에 걸려서 세세생생에 벗어나지 못한다는 문제들이 거기에 많이 걸려 돌아가죠. 생활에서도 많이 그렇게 돌아가고요.

그러면은 그렇게 거기에 집단을 이루고 있는데, 가만히 보니까 그 집단을 이룬 그것을 누가 모아놨겠습니까? 그 한동네에서 모아놨단 말입니다. 그것은 차원이 높은 유전자라면 별 문제가 아닌데 차원이 낮단 말입니다. 그러니까 거기서 뭐이 생겼느냐 하면, 거기다가 뭘 안 갖다 놓으면 동네가 모두 야단법석이 나는 겁니다. 그러니 이 노릇을 어떡하죠? 처음에는 요만한 거 갖다 놔서 해결이 됐다면은, 나중엔 큰 걸 갖다 놔야 하고 큰 걸 갖다 놓다가 안됐으면 그것보다 더 큰 걸 갖다 놔야 하고, 이 지경이 됐다 이겁니다. 그러니 사람이 미신 노릇을 하기 때문에 미신이 생긴 거지 사람이 미신 노릇을 안 한다면 어찌 미신이 있겠습니까?

그래, 나중에는 그 동네에 가서 그런 문제를 얘기했습니다. "당신네들이 미신짓을 하기 때문에 그 미신이 있는 거지, 당신네들이 미신짓을 안 한다면 미신은 없을 것이다." 하고서 그것을 그냥 아예 팽개쳐버리라고 했습니다. 그러니까 "이 동네 못살게 만들어놓느라고 그런다."고 그럽디다. 그래도 떡도 해놓지 말라고 그러고 모든 걸 아주 싹 없애버렸습니다. 그랬더니 그 동네가 잘살게 됐습니다. 오히려 편안케 말입니다. 그러듯이 내 마음 가운데 선신도 있고 악신도 있고, 모든 신들이 내 마음 가운데, 내 한 주인공에 있는 거지 어디 딴 데 있는 것은 아닙니다. 그러니 오늘은 이만 두고요, 요다음에 그 유전자가 수없이 확산돼가지고 그렇게 수없는 모습을 가지고 나온다는 이런 문제를 또 토론을 하십시다.

삼세가 둘 아닌 도리

86년 1월 19일

사회자 금주 법회부터는 담선법회식으로 진행하니 모든 불자님들께서 생활상이나 혹은 공부하시는 가운데 여쭐 말씀이 있으면 말씀하시기 바랍니다.

큰스님 우리가 한 손바닥만을 쳐서 소리가 나는 게 아니라 양쪽 손바닥을 쳐야 이 소리 저 소리가 나고 들을 수 있는 것입니다. 그러기 때문에 오늘서부터는 담선 법회를 하겠습니다. 내가 서두를 꺼내죠.

물론 마음을 깨닫고 안 깨닫고를 떠나서 나 역시도 여러분이 밥을 배불리 먹고 자유스럽게 살게 하기 위해서 길잡이 노릇을 하는 것입니다. 그러기 때문에 우리가 담선법회로써 서로 서로 대화를 해가면서 길을 가는 이 진리를 이해를 해야 믿는 것도 철저히 믿을 것 같습니다. 자기로부터 이 우주 천하가 생겼다는 것도 알고요, 자기로 인해서 모두가 있다는 점도 말입니다. 그리고 자기로 인해서 생활도 조화를 이루고 화목하게 갈 수가 있는 거고요. 또 사회적으로 나가서도 그렇고 국가적으로도 이익이, 모든 게 내 한마음 먹기에 달렸다는 그 점요.

그런 게 실감이 안 날 겁니다. 그러기 때문에 우리가 담선법회로 서로 질문하고 대답하고 하는 이런 도리를 취한 것입니다. 물론 이런 도리를 취하는 것은 길을 가는 데에 손목을 잡아주고 이리로 가야 된다고 일러주기는 하지만, 바로 가서 느끼고 맛을 알고 먹어봐야 안다는 그 점은 본인이 해야 하지요.

하지만 마음이 좁고 넓고를 말할 때에 넓은 강은 구정물이나 더러운 물이나 똥물이나 다 들어가도 들어간 사이가 없겠지만, 좁은 물에는 구정물이나 똥물이 들어가 한 번 뒤집히면 가라앉기가 어렵습니다. 가라앉는다 할지라도 조금만 건드리면 금새 구정물이 되고 떠오릅니다. 적은 물 큰 물, 이것을 비유해볼 때에 우리 마음이 지혜가 넓으면 모든 것을 이해하고, 또 이해만 해서도 아니되고 공(空)에서 나오는 걸 공에다 다시 놓을 수 있는 그 지혜력, 지혜가 없다면 허공에도 바늘 구멍 하나 안 들어가듯이 그렇게 좁은 물밖엔 될 수가 없습니다. 그보다는 큰 물과 같이 구정물이 때에 따라서 들어가거나 흙물이 들어가거나 똥물이 들어가도 그것을 그대로 슬기롭게 넘길 수 있는 그런 사랑과 도의 의리를 포함해서 지혜롭게 맡겨놓을 수 있다면 바로 그것이 대천세계(大千世界)의 강물이라고 비유할 수도 있는 것입니다. 그러니 오늘서부터 담선법회로써 우리가 서로 토론해봅시다. 질문하십시오.

질문자1(여) 부처님의 말씀을 다 이해는 못 하겠는데요. 제게 현재에 어떤 사건이 생긴다면은 그것이 흔히 듣고 있던 어떤 인과에 의해서 과연 그런 것이 생기는 것인지요. 거기에 대해서 알고 싶고 그것이 전생으로까지 넘어가서 전생의 업보에 의해 이루어진 것인지 그것에 대해서 묻고 싶고요. 그러니까 현재가 과거에 의해서 완전히 결정되는가 그것도 알고 싶고요. 전생이라고 말하는 사실이 정말 존재하는지 거기에 대해서 좀 알고 싶어요.

큰스님 이렇게 밝고 밝은 세상에 그것을 이해를 못 하시면 안 됩니다. 의학적으로나 과학적으로 나와 있는 사실은 아마 이해하시리라고 믿습니다. 유전공학이니 뭐니 하고 있는 것 말입니다. 우리가 하룻

동안 지내면서도 그것을 이해하리라고 믿습니다. 고정된 관념이 없고 고정된 행이 없기 때문입니다. 우리는 요렇게 짤막짤막하게 한 토막씩 찰나찰나 넘어가니깐 그렇지 시간과 공간이 없다면 바로 일생, 칠십평 생 팔십평생 넘어가는 이 때에 우리는 그 물에서 떴다가 그 물에 가라 앉을 뿐입니다. 가라앉았다 뜨고 떴다가 가라앉고 이렇게 하는 것밖에 는, 인생이 그런 거밖에는 안 됩니다. 떴다 가라앉고 떴다 가라앉고 하 는 그런 동안에 우리가 일평생 살면서 어저께 저질러 놓은 일 때문에 오늘까지 울어야 하는 일이 있습니다. 그거를 비유해보십시오.

내가 잘 되겠다고 일을 했는데 그것이 안 돼버리고 망했을 때 그 렇게 자기가 저질러놨기 때문에, 엊그저께 저질러놓은 일이 오늘에 닥 치니까 막 울죠? 그리고 또는 이렇게 망할 줄은 몰랐는데 망했다고 남 을 원망하고 저사람으로 인해서 이렇게 망했다고 합니다. 그런 까닭이 어디에 있을까요? 그것은 바로 자기가 업을 지어놓고 자기가 받는 거 죠. 그것을 업이라고 합니다. 진화를 해서 우리가 모습을 바꾼다고 하 는 창조력은 우리가 금방, 요거를 이해를 해보십시오.

그전에도 얘기했지만 어머니를 만났을 때에 어떠한 생각이 듭디 까? 어머니 만났을 때 딸이라는 생각이 들면서 딸의 행동과 딸로서 말 이 나갑니다. 남편을 만났을 때는 남편에 의해서 말이 나가고 행동이 나가고 생각이 드는 것입니다. 그럼 어머니 만날 때하고 남편 만날 때 하고 찰나에, 내 마음은 전체적인 마음뿐만 아니라 그 행까지도 바뀌었 습니다. 어떻게 생각하세요.

지금 생활 불교로서 이끌어가려니까 이렇게 내가 말을 하지 않 고는 안 되겠어서 여러분과 같이 한자리에 뛰어든 것입니다. 옛 선사들 처럼 낚싯밥을 던져서 하기보다는 그냥 여러분하고 뛰어들어서 같이 죽을 쑤든지 밥을 쑤든지 같이 앉아서 이렇게 할 수 있는 계기를 만든 것입니다.

우리가 칠십평생 팔십평생이라고 합시다. 그러면 어머니 만날 때의 그 모습하고 남편을 만났을 때 그 모습은 변화가 돼가는 것입니다. 찰나여서 자기 자신들은 변한 거를 모르지만 시계 초침 하나 똑똑똑똑 가는 대로 변화돼 가는 것입니다. 금방 엄청나게 변화가 돼가는 게 아니기 때문에 변화된 걸 모르고 갈 뿐입니다. 찰나찰나 나투고 가는 것이죠. 화(化)해서 자꾸 변화되어 가는 것이죠?

그런데 어머니 만날 때에 말과 행과 마음이 동시에 융합이 돼서 무심으로, 그냥 무행을 했는데, 그러면 그렇게 한 자체와 칠십평생이나 팔십평생을 살다가 죽어서 또다시 이 세상에 나는 것이 순간이라고 합시다. 그러면 칠십평생, 팔십평생, 백 살을 살다가 죽든지 애 적에 죽었든지, 죽어서 다시 태어나서 인연 따라서 또 만났다 할지라도 그 순간, 어머니 만날 때의 즉 말하자면은 그 삼합(三合)이 동시에 움죽거려서 자기가 행을 하는 거, 남편 만날 때에 또다시 그것이 홀딱 바뀌어서 아내로서의 생각이 들고, 딸로서의 생각이 들거나 며느리로서의 생각이 드는 거, 며느리로 살다가 금방 아내로 살았어. 이것을 바로 윤회라고도 하고 인연법이라고도 합니다. 그것을 한 번 축소해서 생각을 해보시도록 하고요, 모르시면은.

우리가 그런 게 존재하느냐고 하는데 진리는 그렇게 존재하고 있습니다. 아까도 얘기했듯이 자기가 저질러놓은 것은 자기가 받게 마련이니깐요. 지혜가 있다면 다 놓을 수 있고 굴릴 수 있고, 지혜가 없다면 바늘 구멍도 안 들어간다고 했습니다. 그러한 좁은 마음은 그걸 능가할 수가 없어서 모든 것이, 어머니 만날 때도 내가 만났다고 하고, 남편 만날 때도 내가 만났다고 합니다. 벌써 시계 초가 하나하나 갈 때마다 내가 변화된 거를 모르고 있을 뿐 벌써 딸이 됐다가, 남의 집 며느리가 됐다가 금방 남의 집 남편이 된 그 사이가 찰나인데…. 그것을 우리가 가만히 생각을 해본다면 이 세상에 태어나서 살다가 또 한 번 다른 모습을 가지고 나와서 사는 걸로 비교를 해보십시오. 축소를 하면은 그게 되고, 만약에 대의적으로 따진다면은 죽고 또다시 모습을 가지고 나와서 사는 것을 말할 수 있겠습니다. 우리가 마음의 진화나 또는 모습의 진화가 아니었더라면 오늘날에 이렇게 자유스럽게…, 아까 얘기했듯 어머니 만날 때의 마음과 아버지 만날 때의 마음, 동생 만날 때의 마음이 이렇게 아주 묘하게 자유스럽게 무심으로 돌아갈 수 있었을까요?

그러니깐 우리는 90%가 부처라고 합니다. 왜 90%가 부처인가? 인간으로 태어난 것이 벌써 부처라는 얘깁니다. 그런데 자기 부처를 우습게 생각하고 남의 부처만 부처인 줄 알고 위대한 것만 위대하게 보고 낮은 건 낮게 보고서 아상을 높이고 권세를 부리고 또는 버리고 얕게 보고 이러는 까닭에 우리들은 고가 많은 것입니다. 한마디로 말해서 마음이 그래서지요. 마음의 생동력 있는 능력, 그 능력이 공해서 공심(共心)으로서 공생(共生)을 하고 있으니 우리가 때에 따라서 조그만 일이든지 큰 일이든지 다양하게 능력을 쓸 때에 항상 우주 천하 삼천대천세계의 생명들의 능력은 바로 내가 한생각 낼 때에 같이 들어오는 것입니다. 같이 들어와서 수많은 능력이 한데 한마음에 응시되니 한생각에 우주 천하가 들리고 말죠.

그런데 우리가 한 손으로 들 수 있는 물건이 있는가 하면 두 손으로 들어야 할 물건이 있고 여러분과 같이 드는 물건이 있습니다. 만약에 내가 독불장군으로서 그냥 '내가 했고 내가 살고 내가 모든 걸 쥤고 내것이고.' 이렇게 생각한다면, 모든 것, 이 물건 이 색(色)이, 내 몸 육신이 나라고 산다면 그렇게 나라고 했으니 수많은 생명의 능력은 한꺼번에 한마음에 들어주지 않습니다. 무량한 발전소, 즉 비유해서 자동적으로 돼 있는 자가발전소가 있다면 자유스럽게 남에게도 전기를 넣어줄 수도 있죠. 항상 들어오는 불이기 때문에 꺼지지도 않아요.

그러니까 자기가 자유스럽게 스윗치를 가지고 쓸 수가 있는 건데 그거를 못 쓰게 되는 원인도 바로, 무량한 자가발전소를 모르고 전기가 들어온 것만 가지고 내 것이라고 하니까 그런 겁니다. 스위치를 올렸다 내렸다 할 수 있는데 그걸 모르니까 전기를 내가 자유스럽게 켤 수가 없어. 그런데 그 자가발전소가 바로 나라면 내가 자유스럽게 할 수가 있다 이 말입니다.

그래서 마음을 좀 널리 지혜 있게 써서 내 육신이 생기고부터 이 세상이 모두 공한 거를 알았고 나로부터 전체가 공한 거를 알았고 내가 이 세상에 난 것이 태초요, 내가 난 것이 바로 화두니까 그 화두로 인해서 이 세상이 있고 세상에 진리가 있고 세상의 진리를 내가 탐구하고 깨우치려고 애를 쓰는 것이 바로 제놈이라는 걸 알아야 합니다. 제 속에서 모든 것이 나오는 거, 그 자리에다가 믿고 일임해놓지 않는다면은 천차만별로 된 부처님의 그 광대무변한 마음을 어찌 헤아릴 수 있겠습니까. 내 마음을 내가 헤아릴 줄 모른다면은 부처님은 아마 알지도 못하고 맛도 못 보고 보지도 못할 겁니다. 부처님의 삼천년 전 그 모습이 바로 여러분의 모습일 겁니다. 사람이라는 두 글자는 똑같겠죠. 삼천년 전 사람이나 지금 사람이나 뭐이 다른 게 있습니까? 모습이 조금 다르게 돌아갈 뿐이죠.

질문하실 분이 있으면은 질문하십시오. 한 사람 질문에 여러 사람들이 다 들을 수 있고, 또 이해할 수 있을 테니깐요.

내가 여러분에게, 달이 위에 있는 게 아니라 땅 속에 있다고 한다면은 여러분이 거기까지 이해를 못 해서 저이 미쳤다고, 만날 남이 못 알아듣는 말만 한다고 이럴까봐, 여러분 자신이 스스로 알게끔 하기 위해서 거기까지 끌고가는 길입니다, 지금.

우리가 서로 가까이 자꾸 접근하고 대화를 하고 그러다 보면은, 언젠가 홀연히, 나중엔 나를 만나지 않을 때도 만나지 않는 대로 둘이 아니라는 걸 알게 되고, 둘이 아니라는 걸 알게 되면은 항상 자기가 하는 일마다 '아, 이게 공했으니까 내 주인공이 하는 거로구나! 내 육신과 더불어 같이 공했으니까 주인공이야. 즉 내가 주인공이지. 모두 내가 한 거 나한테다 놔야지.' 하고서 모든 걸 놓게 됩니다. 그럴 때에 홀연히 스스로 단맛이든 쓴맛이든 다 합친 능력이 스스로서 나와서 자기가 그 생명수를 맛보게 되는 것이죠. 그러니 그대로 못 알아듣는 말 할 게 없이, 우리 지금 이 세상 얘기도 버릴 말이 없습니다. 잘 됐든지 못 됐든지. 여러분이 좀더 의정 나는 것을 물어서 서로 대화를 함으로써 그게 이해가 깊어질 때에 진실하게 놓을 수가 있다는 얘깁니다.

질문자2(남) 저의 전생이 있다면 여기 모인 신도님들의 전생도 있을 것입니다. 저의 전생과 전전생을 알 수 있는 길이 있다면 어떤 길이 있는지 말씀 좀 해주시면 감사하겠습니다.

큰스님 이런 말이 있죠. '콩 심은 데 콩 나고 팥 심은 데 팥 난다'고요. 그랬는데 말입니다. 우리가 그런 식물을 봐도 우리 인생의 진리를 알 수 있을 텐데요. 또는 과학자들이나 의학자들이 지금 하고 있는 일들을 가만히 생각해봐도 전생이 있고, 전생이 없다면 지금 현생이 없겠죠. 그런데 말입니다. 전생과 현생이 없다는 것은 전생이 바로 지금 현생과 더불어 한데 합쳐졌기 때문입니다. 즉 말하자면 과거심이 현재심과 동시에 합쳐졌다는 겁니다. 둘이 아니라는 겁니다. 그거를 아시면은 전생이 반드시 있죠.

작년에 콩씨가 있었기 때문에 올해 심어서 콩나무가 난 거죠. 그걸로 비유를 해두고요. 그런데 콩나무가 났기 때문에 콩씨가 또 열리죠? 그 콩씨로 인해서 콩나무가 나고요. 연방 되풀이하게 되지요. 그런데 우리가 살아가면서 그 콩나무가 자기라고 하기 때문에 콩씨는 여차가 된 거죠. 콩씨가 있는데도, 본래 콩씨가 자기한테 있는 것도 모르고 콩나무가 자기라는 겁니다. 콩나무가 자기라고 하지 말고 콩나무가 있기 때문에 콩씨가 있고 콩씨가 있기 때문에 콩나무가 있는 거니깐 둘이 아니다. 그러니 공했다. 공한 데서 나오는 거 공한 데다가 일임해서 놔라, 믿어라, 물러서지 마라 이러는데도 그걸 믿지 못합니다.

또 인과응보라는 것은 바로 콩나무가 나라고 하기 때문에 인과응보입니다. 콩나무가 나라고 할 때는 바람에 맞고, 모든 것이 아주 좋지 않습니다. 왜 좋지 않으냐, 너무 끄달리기 때문입니다. 끄달리기 때문에 쫄쫄이가 되죠. 사는 데 그건 부자가 못 되고 아주 가난합니다. 마음이 가난하면 생활도 가난하고 육신도 가난하고 모든 게 가난한 겁니다. 그러기 때문에 가난에 빠져서 허덕이면서 자기에게 본래 창살이 없건만도 마음으로 창살을 만들어놓고 그 감옥에서 헤매고 돌죠.

그럴 때에 자기 마음으로 지어놓은 업보가 바로 넝마의 차원이냐 금의 차원이냐 무쇠의 차원이냐 그 말입니다. 마음으로 지어놓은 그 업보의, 인연 지어놓은 것이 깡통 인연을 지어놨다면 깡통끼리 모여서 부딪칠 거고 넝마 인연을 지어놓았다면 넝마끼리 모일 거고, 그리고 만약에 금의 인연을 지어놨다면 금끼리 모일 겁니다. 이 세상을 잘 보십시오. 금끼리 모이고 넝마끼리 모이고 깡통끼리 모이고 무쇠끼리 모이고 이 세상 사람들도 자기 배운 것만치 자기 차원대로 전부 모이지 않습니까? 상인은 상인대로 모이고 말입니다.

그러니까 자기가 경험하고 행하고, 배우고 듣고 보고 이런 차원에 의해서 바로 우리는 오늘날 그대로 모인 것입니다. 우리가 한식구로서 살면서도 그렇고, 깡통은 깡통끼리 모였기 때문에 소리가 분잡하게 나죠. 소릴 안 내려고 가만히 했는데도 소리가 나는 거예요. 말다툼이 되는 거죠. 그래서요, 금이라는 거는 조그마하면서도 항상 속에다 지니기 때문에 말도 없고 부딪칠 필요도 없고 항상 몸에 지니지 않으면은 장 속에 넣어놓고 이러니 부딪칠 리가 없어요. 그것이 한 차원의 마음이라고 볼 수 있겠죠.

자기가 보이지 않는 데 마음으로 지어놓은 것은 보이지 않게 받을 것이고 또는 보이게 육신으로 저질렀다면은 육신으로서 받게 마련입니다. 그러니 우리가 해놓고 우리가 받는 것이지 누가 갖다주고 뺏아가는 것이 없죠.

그러니 우리가 이 세상 돌아가는 거를 잘 파악해서 잘 생각해보신다면은 우리는 견성성불할 수 있습니다. 모든 게 공해서 돌아가되 자기가 지어놓은 대로 깡통이 되려면 깡통이 되고 자기 마음먹는 대로 자기가 마음먹고 행하는 데에 달렸으니 전생 후생을 따로 찾을 게 아니라 바로 내가 전생에서도 그러한 차원에 있었기 때문에 오늘날에도 요 차원에서 벗어나지 못하고 여기에 태어나서 요렇게 차원대로 모였구나. 내가 지어놓은 것만치 가지고 탈렌트처럼 팔자 운명이 거기 붙어 돌아가고 윤회하는 것입니다.

우리가 '유전성' 하는데 아니 글쎄, 할아버지께서 목병을 앓아서 돌아가셨는데 아래 손주 대에 손주가 목병을 앓는단 말입니다. 어떻게 됐겠습니까? 그게 왜 그러냐? 아까 얘기했죠? 차원이 깡통이라면 깡통끼리 모여서 살기 때문에 그 가정에 모인 인연들이 전부 깡통이란 말입니다. 인연 따라 만나서 보는 사람도 고(苦)고 당하는 사람도 고입니다. 그러니까 고가 있다 없다, 윤회가 있다 없다 이걸 떠나서 우리는 마음먹기에 달린 것입니다. 팔자 운명도 없을 것이고 유전성도 없을 게 아닙니까. 그건 왜? 자재할 수 있으니까요.

이 세상을 한번 보세요. 우리가 거기까지 생각지도 않고 있지마는 팔만대장경 법구경이 다 어디 있나. 이 세상 돌아가는 게 바로 삼각원형을 이루고 돌아가는데, 우리는 어떻게 이렇게 돌아가고 있는가. 다양하게 색색가지로 이렇게 천차만별로 돌아가는 이 자체가 바로 법구경 아닙니까? 그 법구경을 누가 이루고 다니나요? 자기가 바로 마음을 내서 이 생명과 육신이 움죽거리고 돌아가니까 삼각원형을 이루고 돌아가는데 우주의 섭리도 다른 혹성도 은하계도 모든 게 삼각원형을 이루고 돌아가는 것입니다.

우리 인간 자체가 바로 샛별이며, 샛별을 보고 깨달았다고 부처님께서 말씀하신 것은 내 마음의 샛별을 말하는 것입니다. 별성도 옷을 입고 있어요. 별성이 옷을 입고 있기 때문에 우리가 별을 볼 수가 있는 거지 옷을 입고 있지 않다면 우리가 별을 볼 수가 없는 것입니다. 그 별성도 옷을 입고 있기 때문에 옷에 의해서 반사가 돼서 마음으로부터 생명으로부터 반사를 이루고 또 그 보이는 모습으로 인해서 물에도 비치는 겁니다.

우리도 마음의 근본인 자기의 영원한 생명이 있기 때문에 마음을 낼 수가 있고, 낼 수 있기 때문에 육신이 움죽거릴 수가 있고 또는 상대방에게 내 마음을 전달할 수도 있고, 지혜로운 마음을 비춰줄 수도 있고, 스스로서 보이지 않는 데 서로가 서로에 상응할 수 있고, 무수한 천차만별로 돼 있는 보이지 않는 생명들에게 서로 상응할 수 있고, 보이는 마음들하고도 같이 상응할 수도 있고, 모습하고도 같이 모이면서 헤어지고 헤어지면서 모이는 이러한 진리를 우리가 세세히 알 수가 있는 것입니다. 그러니 세상 돌아가는 이 이치가 얼마나 무궁무진한지 하나하나가 만약에 지혜로운 마음이 없고 자기 깨달은 바 없다면 모든 것이 겉돌아가고 항상 걸리고, 이것도 걸리고 저것도 걸리고 그럴 겁니다.

우리 인간은 내일 일이 어떻게 될지도 모르나 저런 날아다니는 새들은 내일 일이 어떻게 될지를 알고, 옥수수밭의 옥수수도 내일 어떻게 될지 내년이 어떻게 될지도 알고 있거늘, 우리는 인간으로서 어찌 내일 일을 모르고 모레 일을 모르고 어저께 일을 몰라서 눈이 캄캄하고 귀가 먹고 어떻게 할 줄을 모르고 전생이 뭔지 후생이 뭔지, 어디서 왔는지 어디로 가는지 그거조차도 몰라서야 어찌 부처님 제자라고 할 수 있겠습니까? 부처님 제자라고 하기 이전에 인간이라고 어떻게 할 수 있겠습니까 말입니다.

그렇지 못한 인간이라면은 다시 모습을 바꿀 때에 마음의 차원이 만약에 넝마라든가 깡통이라든가 이렇다면은 그 차원대로 나올 것이고, 또 사람 구실을 못했다면 요다음에 좌천해서 그 모습을, 짐승의 모습도 가지고 나올 수 있는 것이죠. 짐승의 모습을 쓰고 나와서도 사람 행을 한다면, 정말 참마음으로서 남한테 해롭지 않게 하는 아리따운 마음을 가졌다면 다시 인간의 모습을 가지고 이 세상에 출현할 것입니다. 그런데 여러분이 모르고 살기 때문에, 애들이 모르고 살듯이 우리도 모르고 살기 때문에 그것이 무서운 법인 줄 모르고 있습니다. 무서우면서도 바로 자비하고 자비하면서도 무서운 것을 우리는 깜박 잊고 있는 것입니다.

깊이 잘 생각해보고 생각해보십시오. 그냥 생각해서 넘길 일이 아닙니다. 인간으로 태어났다면 벌써 고등동물이라고 해서 벌써 90%, 그거를 알면 90%라는 언어도 붙지 않는 자리지마는 벌써 부처라고 이름해놨는데 육신으로 산다면 중생이 사는 거고 마음으로 산다면은 바로 부처니라, 법신이니라 했습니다. 근본 마음으로 인해서 또, 시체말로 자가발전소의 에너지를 자기가 자유스럽게 쓸 수 있다면 바로 불(佛)과 법(法)이 둘이 아니어서 자유인으로서의 각(覺)을 이루었다는 뜻입니다.

그러니 우리가 옛날처럼 낚싯밥이나 던지고 앉았을 때가 아닙니다. 내 생각에는 그렇게 앉아서는 도저히 우리가 생활 불교로서 이끌어갈 수가 없다고 봅니다. 그렇기 때문에 나는 부처 되기 이전에 부처 된다 안 된다, 또 앞으로 내가 부처가 될 거다 안 될 거다를 떠나서 여러분과 같이 이렇게 앉아서, 어떤 사람은 법을 설할 때에 법상을 놓고 한다는데 나는 앉은 데가 법상이라고 생각합니다. 여러분도 같이 법상에 앉았는 것입니다. 법상이 따로 있는 게 아닙니다. 흙에 앉아서도 법상이 될 수 있고 법상에 앉아서도 그 법이 한데 떨어진다면 그것은 법상이 될 수가 없습니다. 전자에 석존께서는 길을 가다가 한 사람을 봐도 이끌어주셨고 두 사람을 봐도 이끌어주셨고 또는 뙤약볕에 앉아서, 할 수가 없을 때는 뙤약볕에 앉아서도 그대로 설하시고 또 이끌어주셨습니다.

그러니 우리 마음들이, 심중 깊이 잘 생각해보세요. 이 세상을 가만히 살펴보십시오. 믿는 것은 오직 자기의 깊숙한 마음, 그 주인공뿐입니다. 깊숙이 주인공을 진실로 믿으면서 세상이 이렇게 천차만별로 돌아가는구나, 이렇게 천차만별로 돌아가니 어떤 거 할 때 나라고 할 수 있겠나, 그러니 바로 주인공, 내 주인공이 제일이지, 모든 그 마음이 공했을 때에 공생(共生)의 그 능력이 나에게 공심(共心)으로 돌아와서 공행(共行)을 하게 될 때에 여러분은 여러분대로 바로 그 액을 공식(共食)할 수도 있는 것입니다.

어떠한 물질적인 약만 있는 게 아니라 물질이 없는 액 자체의, 그 에너지 자체의 약이 있습니다. 무의 세계에서 공식하는 거, 유의 세계에서 공식하는 것이 둘이 아니라는 얘깁니다. 무의 세계에서도 물질이 보이지 않는 무체액, 그 자체가 바로 공해서 공식을 하고 있는 것입니다. '내가 이거를 먹어야 되겠다' 하기 이전에 자동적으로, '당신이 모든 거를 하고 있으니까, 당신이 하고 있으니까.' 할 때 그것이 바로 자동적으로 콤퓨타처럼 벌써 '내가 아픈 데 공식하고 있다.'고 생각하니깐 벌써 그 약이 들어오겠죠. 배가 고프다고 생각했을 때에 바로 쌀이 들어옵니다.

이렇게 무궁무진한 것을, 유의 법 무의 법이 그렇게 무궁무진한 것을. 그래서 무의 법으로서의 체가 없는 액이 나에게 주어질 때는 사흘을 굶어도 배 고프다고 지지하게 쓰러지지 않을 거예요. 또는 어떤 거라도 먹게끔 다 들어오기 때문에 굶을 필요도 없는 거죠. 왜 굶어요? 주인이 심부름꾼을, 심부름꾼을 시킬 때에 굶겨가면서 심부름 시키는 거 보셨습니까? 그렇게 떳떳한 것입니다.

그래서 우리는 저 허허바다처럼, 청정한 그 바다처럼 엔간한 똥물이 들어가도 엔간한 흙물이 들어와도 뒤집힐 필요도 없고 끄떡없이 금방 가라앉고 조화가 되고 그러죠. 그런데 조그마한 연못, 우물에는 들어가면 그냥 활랑 뒤집히죠. 금방 가라앉았대도 또 뒤집히죠. 그러니까 마음을 넓게 쓰시고 항상 주인공에서 나온 거, 공에서 나온 거 공에다가 놔야 되겠다 하는 믿음을, 물러서지 않는 믿음을 가지고 진짜로 진실하게 깊숙하게 믿어보세요. 싸움할 것도 없고, 괴로울 것도 없고,

굶었다고 배고플 것도 없고 내가 발버둥치지 않아도 바로 스스로서 가져온다 이겁니다.

　　질문자3(여) … 의정을 내는데요, 제가 선택을 아직, 처음이 돼서 잘못하는 것 같애요. 어떤 거는 너무 많아서 어떤 걸 선택할지 또 의정을 내다가 해결이 될 때도 있지만 안 될 때는 또 딴 거로 밀고 나가는데요. 어떤 길을 선택해야 되는지 거기에 대해서 좀 가르쳐 주십시오.

　　큰스님 보살은 나온 지 얼마 안돼서 그러시는데 오신 지 얼마 안되는 분들은 찬찬히 자주 나오시면서 자꾸 질문을 하시고 그러세요.

　　그런데 꿈에…, 꿈도 꿈이고 현재 생시도 꿈입니다. 저 달이 말입니다, 강에 비췄다 이겁니다. 강에 비췄을 때에 그 강에 비친 달은 하늘에 있는 달과 둘이 아니면서 그림자예요. 내가 지금 몸뚱이를 가지고 다니기 때문에 내 모습을 내가 마음으로 요렇게 생겼고 내가 요렇게 있다 하는 걸 알고 그것이 바로 잠재의식 콤퓨타에 책정이 된 겁니다. 그래서 꿈을 꿀 때는 항상 그 모습으로 나갑니다. 그렇게 나가서 하루 온종일 살다가 들어왔는데도 한 시간도 안 됐더래요, 온종일 살았는데. 꿈에서는 하루 온종일 살았답니다. 그랬는데 저녁에 밥 얼른 달라고 그러는 바람에 깨보니까는 한 시간밖에 안 됐더라는 얘깁니다.

　　그렇다면은 자기가 마음으로 자기 모습을 지어가지고 돌아다니다가, 돌아다니는 일은 지금 육신을 가지고 돌아다니는 거하고 모습 없는 모습을 가지고 다니는 거하고는 빠르기가 여간 다르지 않습니다. 시간과 공간이 있으면서도 없으니까, 진실은. 그러니 이 육신을 끌고 하루 종일 산 거하고 꿈에 한 시간을 산 거하고 차이가 얼마나 납니까? 그래서 꿈을 꾼다고 하는 것도 모두, 생시나 꿈이나 자기의 모습이 다니는 거니까 자기에다 봐라 이겁니다.

　　진짜 씨가 있기 때문에 콩나무가 나고 잎과 가지가 있는 것입니다. 그러듯이 거기다가 그렇게, 놓을 데 없는 데다가 놓을 게 없는 것을 놔라, 하는데 진실히 믿지 않으면은 그렇게 될 수가 없습니다.

그러고 어떤 분들은 생시에 만나면 일가 친척이나 누구고 간에, 애들의 친구든지 내 친구든지 또는 어떤 회사든지 상업을 하는 사람이든지 천차만별로 살아나가는 데 거기서 만남이 있지 않습니까? 그 만나는 사람마다 나하고 저 사람하고 각각 보니까 상대가 생기죠? 그러니깐 업보를 짓는 겁니다, 상대로 보니까. 우리가 여여하게 살면서도 상대를 마음으로는 둘로 보지 않아야 그게 업보가 되지 않는데, 업보에 끄달리지도 않을 거고. 현실에 끄달리지 않는다면은 꿈에도 끄달리지 않을 것이고 이것도 꿈이요 저것도 꿈이라면, 꿈에 또 끄달리질 않는단 말입니다. 그러면 내 진짜의 마음 그 자체도 뛰어넘는 것입니다.

억겁을 거쳐오면서 별의별 모습을 다 가지고 자기가 살던 그 습성이 모습과 함께 자기한테 자꾸 나타나는 거거든요. 짐승이 와서 나한테 덤볐다, 또는 뱀이 나한테 덤볐다, 꽃이 화창하게 핀 걸 봤다, 또 무슨 도둑이 들었다, 강도가 들었다, 강도가 나를 죽이러 쫓아다닌다 이런 문제들이 여간 많지 않죠. 그러고 또 꿈에는 훨훨 날아다니는 사람도 있구요. 그러한 문제가 어디에서 나왔느냐 이겁니다.

그것은 이렇게 말하죠. 콩 심어서 콩나무가 났으니까 그 작년 콩은 없어진 거죠, 아주. 없는 거죠. 그런데 미생물이 있기 이전부터 또, 미생물이 생겨서 오기까지 그것이 수백 수천 년 수만 년 그 헤아릴 수 없는 억겁을 거쳐오면서 여기까지 왔어도 온 사이가 없다는 얘깁니다. 지금 이 자리에 앉았는 여러분이 억겁을 거쳐나온 바로 그분들이에요. 그런데 생각으로서 살던 그 습이 남았단 얘깁니다. 짐승으로 다니던 습과 천차만별로 거쳐온 그 습이 남았단 얘깁니다.

살아온 것이 자기 마음의 콤퓨타에 쟁여있으니까 그것이 때로는 습에 의해서 인연에 의해서 자꾸 인과응보가 돼서 나오는 거예요. 그러나 나오는 대로 그냥 주인공에 모두가 둘이 아니게 놓았을 때에는 다 녹아버립니다. 인연법에 의해서 그 인과응보가 다 녹아버리고 유전성이

다 녹아버린단 말입니다.

　그것이 아니었더라면 그런 습성을 기르지 않았더라면, 기르려고 그래서 기르는 건 아니지만 말입니다. 이날까지 오면서 습성을 놓고 왔더라면, 지금 현재에 놓고 가는 건데, 그대로 여여하게 놓고 가는 것을 홀연히 깨달았다면, 억겁을 거쳐오면서 이날까지 그 습을, 남은 것도 없고 앞으로 또 쟁여질 것도 없고 전자에 쟁여진 것도 없고 이랬을 텐데 아니, 마음으로 지어서 습에 의해서 그냥 착착 쟁여놨단 말입니다.

　그래서 우리가 돌아가면서 어머니 만날 때 아버지 만날 때, 이런 일 할 때 저런 일 할 때, 나투어서 돌아가듯이 그런 업보도 인연 따라서 올 때에, 그렇게 자꾸자꾸 나투면서 지은 것이 진화…, 그래서 '발이 없어. 발이 없으니 어떻게 되지?' '아니, 내가 네 발로 걸어다니기보다 서서 다니는 게 편리할 거야.' 이런 생각을 한 것도 진화력이거든. 그 생각에 의해서 진화되는 거지 몸뚱이로 다니게 하려고 아무리 애를 써도 안 돼요. 여러분도 다 꽁지 떨어진 자리가 있다구. 방뎅이 좀 보라구요, 꽁지 떨어진 자리가 없나.

　이 세상의 모두가 다 그렇게 거쳐온 것입니다. 우리는 여기에서 이 모습을 마저 벗기 위해서, 끄달리지 않고 마저 벗기 위해서 지금 이렇게 공부하는 것입니다. 인간으로 나오기만 하면은 큰 고(苦)든지 작은 고든지 고는 고니까. 만약에 깨달으면 고가 아니지만 깨닫지 못하면 고예요. 항상 고예요. '나는 뭐 '고' 될 것도 없어. 그저 모든 게 주인공에 맡기고 놓고 사니까.' 이렇게 말들은 하지만 때에 따라서는 진짜로 깨달아 스스로 나올 수가 없는 사람들은 그대로 속상한 일이고 자꾸 끄달리죠.

　그런데 한 소식을 얻은 사람들은 금방 일어났다가도 금방 가라앉습니다. 금방 일어났다 금방 그냥 가라앉아버리고 없어지죠. 그런데 그렇게, 깨달은 거하고 한 소식, 뭐 한 소식이라는 게 두 소식이 있고 세 소식이 있어서 '한 소식' 하는 게 아니거든요. 이 과정도 우리가 애 적이 있고 젊을 적이 있고 늙을 적이 있듯이, 한 몸이 그렇게 자꾸 변해서 가듯이 마음으로 공부하는 것도 두 소식이 한 소식이고 세 소식이한 소식이 돼야 됩니다. 그 한 소식마저도 없어서 내세울 게 없어야 열반경지에 이르는 것입니다. 계단 없는 계단을 걸어야 하고 걸을 게 없는 길을, 발 없는 발로다 걸어야 하는 것입니다.

오늘 우리 담선법회를 한다고 하면서도 이렇게 나만 정말 약 팔게 해야 됩니까? 허허허, 물건을 어떤 걸 드릴까요?

질문자4(여) (청취 불능)

큰스님 그런데요, 정말 홀연히 깨달을 듯 깨달을 듯한 사람, 두 가지가 있습니다. 깨달아가지고 안에다 굴리면서 언제나 그렇게 하고, 깨닫기 직전에 안에다 놓고 굴리는 거, 이건 잊지 마십시오. 모든 의정은 안으로 굴려야지 바깥으로 질문해서 알아서는 아니 됩니다.

그러나 알려고 질문하는 게 아니라 그 모든 것을 하는 사이 없이하라 이겁니다. 자기가 질문을 한다 하더라도 그건 질문한 사이가 없어. 한 사람도 없고 받은 사람도 없으니까 그대로 무심으로 하라는 얘깁니다. 하면서도 함이 없이 질문을 하고 책을 보되 책을 보는 사이 없이 보라 이겁니다. 그런다면 하나도 걸리질 않아. 질문을 해도 걸리지않고, 또 안 한다고 '안 해야 되겠다.' 해도 걸리는 거고 '해야겠다.'해도 걸리는 거니 모든 걸 무심으로 돌려라 이겁니다, 주인공에.

'모든 걸 주인공이 하는 거고 내가 거기 첨보됐으니 그대로 내가하고 싶은 대로 하는 것이 그대로 부처님의 법이자 우리들의 법이고바로 생활이지.' 이렇게 하고 걸리지 마세요. 질문을 하더라도 걸리질마세요. 그대로 한 거지 뭐, 그대로 한 건데 한 거 없이 한 거지. 말씀하세요.

질문자5(남) (청취 불능)

큰스님 콩으로 드는 방법, 콩나무하고 같이 드는 방법 이런 것이 있죠. 그래서 유의 법 무의 법을 다양하게, 만법을 응용해야 된다는 얘기가 있어요. 그러면 뭘 그렇게 무겁게 짊어지고 다녀서 무겁소? 세상에 아무 건덕지도 붙을 자리도 없고 붙일 자리도 없는 것을. 그렇다면은 여여하게 그대로 자기의 그 진실함 속에서 스스로서 샘물이 터져야 생각하는 놈하고 생각 내기 이전 놈하고 같이 상응이 돼야 그때는 '아이구 이거 무거운 줄 알았더니 무겁지도 않고 가벼운 줄 알았더니 가볍지도 않고 그렇구나!' 하는 웃음이 나올 수밖엔 없는 거죠. 그러고 거기서 스승 아닌 참스승이 자기를 가르치는 겁니다. 그러니 무겁다 가볍다, 이 두 마디가 다 아니면서 아니라는 것도 아닙니다.

질문자6(남) (청취 불능)

큰스님 그런데 말입니다. 그런데 지금 말씀하시는 걸로 봐서요, 지금 여러분한테 이렇게 말하는 사람은 "대선사는 이렇게 말하는 것도 아닌데 그렇게 말한다."고 그러겠지마는 작은 것이 있기 때문에 큰 것이 있고 큰 것이 있기 때문에 작은 게 있고, 또 주춧돌이 있어서 기둥을 세울 수 있는 거기 때문에 이런 말씀을 드립니다. 우리는 남이 어떻게 됐든지 모두 여러분이 그저 홀연히 참자기를 계발해야 하고 또 깨달아야 할 것 같아서 서슴없이 이런 말을 합니다. 때에 따라서 공부하는 사람들은 자기가 해놓고 자기가 지켜본다는 얘깁니다. 즉 말하자면 무심으로서 자기가 진실히 자기를 믿으니까 그렇게 하죠?

이런 말이 있어요. 인천에 사는 어느 분이 있는데요, 그분이 이렇게 말을 했습니다. "저 사람이 가엾어서 안됐는데 영 말을 안 들을 것 같아서, 그쪽에는 얘기도 없이 내가 그냥 해놓고 내가 지켜봤습니다. 아, 그러니까 글쎄 이튿날 그냥 툭툭 털고 취직할 데를 마련해야겠다 그러면서 술집에 올 겁니다. 이젠 다 나은 것 같다고 하면서요." 그래서 속으로 주인공한테 '주인공 감사합니다.' 이렇하고선 감사하게 생각을 했답니다.

그러고 만나서 '감사합니다.' 하면서 무슨 말을 했느냐면 '아이고, 이젠 병이 나았으니 식구가 먹고 살아야 할 테니 취직 좀…. 그래서 무슨 생각을 했느냐 하면 당신이 취직도 하게 하는 거지 뭐. 저 사람 주인공이나 내 주인공이나 둘이 아니니까 내가 이런다면 저 사람 주인공도 둘이 아닌 까닭에 잘 끌고 취직도 시킬 거다.' 이렇게 생각을 했답니다. 그랬더니 나흘 만에 인천에 뭔가 하는 데 취직이 됐더랍니다. 그래서 자기는 그 사람으로 인해서 공부가 됐다고 그 사람이 잘 됐건만도 자기가 술을 한잔 사주고 싶더랍니다, 고마우니까. 자기 공부 되는 거니까, 자기 공부 대상이 됐거든. 실험 대상이 됐으니까, 얼마나 고맙습니까?

그렇게 실험을 해보니 나도 좋고 그 사람은 그 사람대로 좋고 얼마나 좋습니까? 그게 다 보살행이 아닙니까? 자기는 나쁘게 되고 남은 좋게 되고 또 나는 좋게 되고 남은 나쁘게 되고 이런다면은 그건 보살행이 아니고 중생들이 하는 행동인 겁니다. 공부를 하면서도 우리가 생각을 안 해보고 연구를 안 하고 행을 해보지 않는다면은 늘지를 않아요. 그리고 뚫리질 않아! 이거는 보석이려니 하고 가만히 두면은 그게 줄든지 늘든지 그러질 않아요. 잘못되든지 잘되든지 한번 해보면은 잘못되는 거 잘되는 거를 알게 되거든요.

안 돼도 자기 법, 돼도 자기 법이라. 그래서 그분이 하는 소리가 나의 실험으로써 잘 해나갔는데 어느 때는 그렇게 안 되더랍니다. 그래서 이렇게 생각했답니다. '스님께서 안 되는 것도 법이라더니 요놈, 되는 것만 법이냐 안 되는 것도 법이라는 걸 모르느냐?' 요렇게 생각을 하면서 '주인공이 날 가르치느라고 그러는구나!' 이렇게 생각을 하니까 또 너무도 감사하더랍니다.

들고 나는 거, 안 되는 거 되는 거 모든 것을 거기다 감사하게 믿고 놓으니까는 너무 좋더랍니다. 스스로서 자기가 벌써 생각을 하면 알게 되니까요. 어떤 일이 있어 생각을 해보니까는 내일 모레 감사가 나올 것 같더랍니다. 감사가 나오는 걸 알게끔 되니까 미리미리 착착 준비해서 감사에 걸리지도 않았다지 뭡니까. 그러니까 자기한테 닥칠 거는 벌써 착착…. 누가 움죽거리지 말라나요, 생각하지 말라나요? 생각하는 것도 움죽거리는 것도 다 공해서 돌아가는 거고 자기 실상이라고 해도 그 자리를 믿지 않으니까 그렇죠. 그렇게 해나가면서 장부를 척척 해놓으니까 뭐 걸릴 것도 없고, 와서 보자기를 풀어서 턱 내놓으니까 그냥 그냥 된다고 이렇게 말하는 사람도 있었습니다.

이 생활 불교는 그대로 여러분의 진실한 생활에서 움죽거리는 법입니다. 옥수수 나무도 올해 바람이 많이 불고 폭풍이 일어날 것 같으면은 뿌리를 깊숙하게 박아요, 그 해에는. 그렇게 알고 하는데 인간으로서 어떻게 앞으로 닥칠 거를 자기가 튼튼하게 해놓지 않습니까? 물이 쳐들어올 텐데 내가 어떻게 둑을 쌓아놓지 않습니까? 그러니깐 너무 역력하게 아주 삶의 보람을 느끼고 사시라고 이런 공부하라고 그러는 거지 귀신 마구니로 살라는 게 아닙니다.

그리고 중생으로만 고집하지 마세요. 중생이 부처고 부처가 바로 중생입니다. 이 몸 아니었더라면 우리가 부처를 어떻게 찾습니까? 그리고 남한테 어떻게? 물건이 있어야 보이죠? 부처님께서도 저렇게 물건으로 보이게끔 하시지 않았습니까. 우리도 이렇게 물건으로 보이게끔 해놓고 움죽거렸기 때문에 부처님을 저렇게 모습으로 모셔놨지 않습니까! 저렇게 가만히 앉았으면 부처고요, 움죽거리면 법신이에요. 여러분도 가만히 앉았을 때가 없습니까? 가만히 생각 없이 앉았을 때는, 무심으로 눈을 감고 앉았을 때 부처예요. 그리고 생각이 났다 하면은 법신이구요. 일어나서 움죽거린다 하면 화신이구요.

그러니 여러분이 마음먹기에 달려 있고 행하기에 달려 있고 마음 씀씀이를 넓게 쓰는 데 달려 있고 좁게 쓰는 데 달려 있으니 좁게 쓰면 업보가 더할 것이고 넓게 돌려놓으면 업보라는 언어도 붙지 않는 것입니다. 오늘은 이만 마치겠습니다.

태양의 원리

86년 3월 16일

오늘은 우주의 섭리나 태양의 섭리나 별성의 섭리가 인간의 혹성의 섭리와 똑같다는 것을 여러분 앞에 거론할까 합니다.

태양의 근본도 인간의 마음의 근본이라고 했습니다. 태양이, 아무리 태양이 광대무변하게 비춰준다고 하더라도 인간의 티끌 같은, 한 개의 촛불 같은, 그런 조그마한 한 티끌의 불씨 자체보다는 못하다는 얘깁니다. 인간의 마음은 온 누리를 태양보다도 더 깊고 무변하게 비칠수 있기 때문입니다. 인간의 마음은 땅 속이나 물 속이나 어디 아니 미치는 데가 없다 생각합니다. 그러니 태양의 근본도 바로 인간의 마음의 근본이 아니겠습니까. 우주의 근본이 전체 한데 합쳐서 한마음의 근본에 있는 것입니다. 그럼으로써 한번 태양계의 뜻을 살펴봅시다. 지난번에는 지구에 관한 건을 잠깐 거론한 것 같습니다.

우리가 태양의 문제를 볼 때에 거기에도 오장육부가 있고 삼계 (三界)의 뜻을 가지고서 우리는 활력성 있게 활용을 하고 있습니다. 그럼으로써 태양의 그 근본 자체가, 그 중심이 삼각으로 원형을 이루었다는 뜻입니다. 태양은 근본적으로 그 안을 본다면은 차게 돼 있습니다. 우리가 불덩이 같으니까 모든 것이 근본적으로 불덩어린 줄 아시는데,

그렇게 아실 수도 있겠죠. 그러나 속의 찬 게 없으면은 더운 것이 바깥으로 나올 수가 없습니다. 또 안이 뜨겁다면 바로 바깥으로 찬 게 없습니다. 여러분은 정맥 동맥이 오르락내리락한다는 사실을 여러분 몸을 통해서 다 아시리라고 믿습니다.

그래서 한 개가 뚱그렇게 있다면은 양면으로 다 자극을 줍니다. 자극을 주는 작업을 합니다. 그래서 접착풀이라고 얘기했죠? 접착풀 같은 물을 자아냅니다. 그러나 그것은 뜨거운 물은 아닙니다. 참니다. 그것을 자아내는 반면에 한 계단이 있으면은 거기엔 유리막 같은 거, 즉 말하자면은 유리막 같은 것이 돌면서 바로 그 물을 바깥으로 내놓습니다. 그리고 그것을 끼고 도는 망사 같은 게 있습니다. 그럼으로써 그 물을 망사로 내보내는데 그 망사는 쇠입니다. 쇠망입니다, 금속 쇠망. 내보냄으로써 거기에서 그 물로 증기를 일으켜서 바깥으로 화력을 내보내는 역할을 맡아서 합니다, 한 켜는.

여섯 계단이 있습니다. 계단 없는 여섯 계단이 있어서 내보내는데 하나는 잡아당깁니다. 그렇게 바깥으로 내보내는 바깥 껍데기가 세 껍데기가 있는가 하면 안 껍데기가 여섯 껍데기라고 볼 수 있겠습니다. 아주 알른알른한 막 또는 망 같은 문제. 자아내는 그 자체는 세 계단이 되기까지는 참니다. 그러나 네 계단째 돼서는 뜨거운 것을 자극해서 바깥으로 화기가 일어납니다. 일어나면은 안으로 들여보내지 않는 작업을 안쪽에서는 하고 하의 바깥 껍데기에서는 바깥으로 잡아당기는 역할을 합니다. 그럼으로써 여기에서는 불길이, 즉 말하자면 뜨거운 김이 나가는 걸 바깥 계단 쪽에서는 잡아당기면서 가운데서는 조절을 합니다. 바깥으로 내보내는 조절을 하면은 바깥 껍데기에서는 그걸 정돈합니다. 이렇게 해서 화력이 바깥으로, 이것이 만약에 이렇게 정돈이 되지 않았다면 터지고 맙니다.

우리 인간도 이렇게 정돈이 되지 않았다면, 정수에 즉 말하자면 체내의 모든 것이 중심으로 들지 않는다면 아니 되기 때문입니다. 태양도 인간의 역할처럼 꼭 그런 역할을 하고 있습니다. 대뇌로 인해서 모든 작업을 시키는 겁니다. 그러니깐 무전통신기가 항상 조달을 하고 있습니다. 자동 발전기가 항상 돌고 있구요. 그럼으로써 우리 혹성이 만약에 사흘을 돈다면 그건 일 초를 돌고 있습니다. 움죽거리는 것이 말입니다.

내가 '태양의 근본이 인간의 마음의 근본이다.' 하는 것은, 만약에 여러분의 체가, 예를 들어서 태양의 그 뜨거운 속에 들어간다고 한다면은 타죽고 없어지죠? 물질이라는 건 그렇게 없어지는 거죠. 그러나 우리의 마음이라는 것은 불 속에서도 물 속에서도 죽지 않는 것입니다. 불 속에 들어가서 모습을 가지고 할 수 있는 문제도 바로 그 뜻입니다. 태양계의 모든 생명이 아니, 체 없는 생명이 모습을 나타낸다고 해서 그게 뜨겁겠습니까? 그것은 녹지도 않을 뿐만 아니라 타지도 않고 뜨겁지도 않고 차지도 않는 것입니다.

그러기에 따뜻한 태양 빛을 내리쬐어서 만물을, 곡식을 익혀 여러분 입에 들어가게끔 하는 것입니다. 우리 마음도 그렇게 온화하고 따뜻하다면 만 백성을 다 한 팔로 끌어안을 수 있는 그런 지혜로운 마음이 되는 것입니다. 우리가 한생각을 잘 낸다면 그렇게 어마어마하고 광대무변한 것을, 그 마음을 가지고도 우리는 좁은 마음으로 뛰어넘지 못하고 참….

우리는 인간이 되기까지 얼마나 많은 노력을 해왔습니까? 이 지구에서도 지금 인간이 되려고 무척 애쓰는 게 있습니다. 모습을 차츰차츰 바꿔가면서 가다가 보니까 인간을 봐야만 자기가 그 모습을 타고나겠기에 인간을 납치할 수도 있는 것입니다. 인간을 납치해서 그 모형대로 그걸 봤으면은 바로 자기 몸을 그대로 진화시키는 겁니다. 그러한 능력은 있으나 바로 봐야, 먹어봐야 또는 들어봐야 모든 것을 알겠기에 말입니다. 우리는 이렇게 서로 서로 경쟁으로써 발전을 이룬 겁니다. 우린 인간 되는 것도 경쟁을 해서 인간이 됐고 지금 살아나가는 것도 경쟁을 하면서 살아나가고 있습니다. 우리가 사는 이 도량이라는 자체, 우주 전체의 한 도량이 이렇게 어마어마하게 치열한 경쟁 상태에 있는 겁니다.

이쪽에서는 저쪽 정보를 수집하려고 하고 저쪽에서는 이쪽 것을 수집하려고 하는 문제들이 지금도 허다합니다. 이러한 것들이 국내에서도 그렇지마는 세계적인 문제에서도 이 나라에서 저 나라를 먹으려 하고 저 나라에서 이 나라를 뺏으려 하는 그런 경쟁 속에서 우리는 지금 허덕이고 있는 것입니다. 더군다나 국내의 우리 사정은 더 치열한 상태에 놓여 있다고 봅니다. 우리의 마음 한생각이 그렇게 넓고 묘하고 또 생동력 있게 나갈 수 있고 삶의 보람을 느끼는 대인이라면 우리는 앉아서 호국불교를 할 수 있고 앉아서 세계를 지배할 수 있고 앉아서 우주에 상응할 수 있는데 말입니다.

지금은 몸이 나서서 호국불교를 하고 우주에 상응하고 하는 게 아닙니다. 우리 몸 하나가 지금 미국을 갈래도 그렇고 소련을 갈래도 그렇고 막이 쳐져 있습니다. 그리고 불교를 그렇게 몸뚱이가 다니면서 펴는 시기는 벌써 지났습니다. 한생각으로써 우주를 둘러쌀 수 있는 그러한 마음, 한마음이 될 수 있는 그러한 능력이 우리 인간 하나 하나에게 더불어 주어져 있다는 겁니다. 여러분이 광대무변한 이 법을 상실하고 배척하고 자기 자신의 그 광대한 능력을 아주 멸시하고 있는 것입니다.

여러분은 멸시 안 한다고 하지마는 그것은 여러분을 이끌어온 그 은혜를 잊고 있는 거고 또 자기 능력을 아주 포기하고 있는 거나 마찬가집니다. 여러분에게 그렇게 능력이 있다는 것은 바로 거기에서부터 나왔기 때문입니다. 우주 대천세계로부터 우리 모두가 이렇게 등장이 됐기 때문입니다. 사람이 처음에 미생물로부터 큰 짐승으로 이렇게, 물에서도 나고 화(化)해서도 나고 그 후에는 알로 낳게 됐고 태로 낳게 됐고, 이렇게 해서 우리는 인간이라는 이름을 받게 된 거죠.

비유를 해서 지금 지구에서도 세계적으로 볼 때에 '인공위성을 띄운다, 우주정거장을 세운다.' 이러는 문제도 없는 건 아닙니다. 그렇게 할 수도 있지만 우리가 마음공부를 하지 않고 무허가로서 우주에 상응도 하지 않고 회의도 안 하고 서류도 올리지 않고 우주정거장을 세운다면 우주정거장은 파괴될 수 있는 우려가 십중팔구입니다.

과학적인 문제가 거론된다 할지라도 우리가 마음의 그 섭리에 서로 상응을 할 줄 모른다면, 바로 회의를 하지 않고 무시하고 들어가는 게 되기 때문에…, 그 뜻을 모르거든요. 우리의 울타리 안에서 울타리 바깥으로 권위를 쥐고 있는, 우리가 육안으로 볼 수 없고 또 알 수 없는 사실이 증명되고 있는 것은, 부딪치면 부딪치는 대로 나가는 겁니다. 타버리고 나가고 부서집니다.

요즘 말하는 혜리성(핼리혜성을 이르심)이라고 하는 그 문제들도, 모두 혜리성은 이렇다 저렇다 얘기들을 합니다. 그런데 난 말을 못 하겠습니다. 그건 왜? 양면이 동등하게 돼 있기 때문입니다. 예를 들어서 말한다면, 여기로 비유해서 정보국이라고 합시다. 정보국에서 정보국장이 하달을 해서 정보원이 어떠한 순찰을 돌 때에, 잘 하는 부분은 잘 한다고 서류가 올라갈 거고 못 하는 부분은 아예 파괴시킨다는 얘깁니다. 그렇다고 해서 파괴를 시키는 게 그냥 불이 나거나 그러는 게 아니라, 모든 사람들이 병이 들거나 어떠한 나라든지 재앙이 옵니다. 파산이 되고 국토가 나빠지고 이렇게 되는 문제가 생기기 때문에 그건 나쁘게 한다 할 수도 없고 좋게 한다 할 수도 없는 양면이 있으니 그 말을 어떻게 하겠습니까?

그래서 그 나라의 임금의 공덕이 크면은 백성들도 잘 살 수 있다고 말했습니다. 백성들의 공덕이 크면은 임금의 이름이 상천에 오른다고 했습니다. 이것은 양면이 다, 우리가 마음 가짐가짐을 잘 가짐으로써 지혜로운, 생동력 있는 발전을 이룹니다. 그러니 한마음 한뜻으로써 돌아가는 이 원리를 우리는 반드시 알아야 할 것입니다.

지금 국내에서도 싸움박질들을 하고 야단들인데 말입니다. 그것은 너무나 섭섭하다고 봅니다. 아니, 아쉬웁다고 봅니다. 왜냐하면은 모두가 공생(共生)·공심(共心)·공용(共用)·공체(共體)로서 공식(共食)을 하고 돌아가는데 어떻게 됐길래 내 몸을 내가 죽이려고 하느냐 이겁니다, 내 집안에서 내 식구를. 이게 뭡니까, 모두?

　　그러면 한번 축소해서 내 몸 안을 봅시다. 몸 안 오장육부를 우리 국내라고 하고 세계라고 합시다. 그런다면은 이 몸 안에서 간공장에서 막 파업을 일으키고, 장공장에서 일으켜서 체내에 문제가 일어난다면 이 몸뚱이가 어떻게 되겠습니까? 몸뚱이가 망가지면 안에 들은 그 공장장들도 다 없어지고 모두가 죽는 줄 왜 모릅니까? 아니, 이 한 몸뚱이 없어지면 이 속의 것도 다 없어지지 그래, 그게 남아납니까?

　　물질적으로 예를 들어서 말을 하는 겁니다, 지금. 그러나 물질적인 이 문제로 인해서 우리가 부처를 이룰 수도 있고 지혜를 넓힐 수도 있고 발전을 이룰 수도 있고 또는 첨단을 이룰 수도 있는 것입니다. 그러기 때문에 육신 이 자체도 무시해서는 아니 되죠. 모두가 이 육신을 받았기에 진화력을 가지고서 창조해 온 거 아닙니까? 거듭거듭 거쳐가면서 물에서 나오면은 추워서 털옷을 입고 또 털옷만 입어도 그건 살기가 부적당하고 괴로워. 그래서 점차적으로 돌아가다보니까 자꾸자꾸 괴로운 거를 떨어버리고 자꾸 진화를 시킨 거예요.

　　그래서 여기까지 올라왔는데 그런데도 불구하고 딴 데서는 여기까지도 올라오지 못한 이치의 모습들을 가진 사람들도 있거든요. 워낙 많은 생명들이 있어서요. 예를 들어서 한 일억년 전이라고 본다면 아마 우리 귀도 이만큼 길었을 겁니다. 그러나 우리 선조들이 열심히 연구하고 또 연구를 거듭해서 지금의 이 모습으로 진화를 했겠죠. 미생물에서부터 거쳐온 것이 다 조상이라고 볼 수 있다면 나 아님이 어디 있겠습니까?

　　그래서 조상이 따로 있는 게 아니라 내가 여기 앉았는 게 조상이요, 전자 후자가 다 여기에 있다 이겁니다. 과거다 미래다 할 것 없이, 우리가 전자에서부터 쭈욱 계산해 본다면은 미생물에서부터 점차적으로 올라오면서 진화돼 왔으나 그 살던 습에 의해서, 그 착에 의해서 습이 조랑조랑 조랑조랑 달려서 지금 여기 와서 돌돌 말리고 있다 이겁니다. 그러니 여러분 꿈에나 생시에나 그 붙는 게 얼마나 많겠습니까?

그 인연줄이라는 것은 여러분이 끊을 수도 없고 칼로 벨 수도 없어요. 무의 칼이 아니라면은 끊어질 수도 없는 겁니다. 무의 줄이기 때문에, 무의 인연줄이기 때문에. 여러분이 살던 습의 줄이기 때문에, 그것이 조랑조랑 지금, 여러분이 앉아있는 데 지금 여기에 다 같이 붙어 있는 것이지 따로 떨어져서, 과거에 있는 것은 따로 떨어져 있는 줄 아십니까. 그렇지 않습니다.

그러기 때문에 모든 것은 생각나는 대로 일심에서 나가는 거 일심으로 든다. 일심으로 들면 일심에서 모든 일체 만법이 나가고 든다. 그러니 네 주인공을 발견해라! 네 주인공을 발견할 때는 부처님을 봐도 부처님 형상이 내 형상이고 부처님 마음이 내 마음이니 절대로 둘로 봐서는 안 된다 하는 겁니다.

참선이라는 것은, 우리가 행동하고 자고 깨고 먹고 하는 것이 전체 참선이지 참선이 따로 있어서 결제 해제가 있고, 참선이 따로 있어서 앉아서 하고 그러는 것이 아니다 이겁니다. 명상은 명상이라는 이름이 있고, 좌선은 좌선이라는 이름이 있고 이런 것입니다. 그러니까 그 이름을 떠나서 진실한, 인간이 뛰면서 생각하고 생각하면서 뛰는 이 자체가 바로 참선이라는 뜻입니다.

그것이 중심으로서 만법이 나오고 만법이 드니 주인공에 모든 거를 좋은 일이나 즐거운 일은 감사하게 놓고, 안 되는 게 있으면 안 되는 대로 '당신이 하는 거니까' 하고 놓고, 모든 것을 그렇게 놓다 보면은 대의정이, 미지수의 그 어마어마한 의정이 스스로 나오는 것이지 남이 화두를 줘서 의정을 내는 거는 절대 아닙니다! 남이 줘서 언제 이루겠습니까? 남이 주는 화두를 가지고 남이 강제적으로 하라는 걸 가지고 내가 어떻게 합니까? 어떻게 저 불덩어리 저쪽을 뛰겠습니까? 저쪽이 바로 여깁니다. 요기 앉은 방석에서 한 번 돌아앉기가 그렇게 어렵단 얘깁니다.

한 번 이렇게 움죽거리는 것이 바로 우주를 넘나드는 일입니다. 이거 한 번 이렇게 움죽거리는데 과거생이요, 한 번 움죽거리는데 미래생이라 이거야. 현재에 내가 앉았는 데 과거생도 미래생도 있는 것이지 어디에 따로 있는 것이 아니다 이거야. 여기에는 절대로 어떠한 것이 붙을 자리가 아니다 이겁니다. 삼천대천세계의 생명들, 물의 생명, 불의 생명, 돌의 생명, 모래 생명 전체가 하나의 공(空)에 들었으니 그 공에 들은 한 점의 마음이 우주에 상응하고, 모든 것을 같이 돌고 있으니, 비유해서 물감이 열여덟 개라면 '어느 물감이 진짜냐?'고 물을 때 어떤 것이 진짜라고 말 못 하듯이, '내가 이 우주의 근본, 대인(大人) 부처요.' 하고 나설 수 없는 것이 바로 부처라.

이 세상의 모든 것을 조그맣게 독 안에서만 생각하지 말고 독 바깥으로 훌쩍 넘어나가서 한 번 생각해보라구, 나름대로에. 지구가 독이라면은 나라를 세워서 독 안으로 만들어 놓고 또 있고, 또 나라를 세워 놨으면은 자기 집을 독 안을 만들어 놓고, 자기 몸을 독 안으로 만들어 놓고, 몇 겹으로 독 안을 만들어 놓고 거푸거푸 거쳐 창살 없는 창살을 만들어 놓습니다. 생각을 해서 한 번도 뛰어넘어보지 못하는 이러한 관계상 우리는 해탈을 못 하는 것입니다.

거기에 어디 문이 있습니까? 문이 없어서, 하나도 문이 없어서 찾지 못하는 사람이 있고 너무 문이 많아서 찾지 못하는 사람이 있습니다. 문이 없는 것도 아니고 있는 것도 아닙니다, 내 생각 한생각에 달린 거지. 여러분 여기 앉아서도 한 번 훌쩍 뛰어넘어서 저 허공으로 무중력 상태로 나가보십시오. 그 마음, 한 점의 마음으로써 우주세계를 한꺼번에 듭니다. 들었다 놨다 들었다 놨다 하는 것이 바로 한 점의 마음입니다. 이거는 말로 형용할 수 없는 능력의 강한 생동력입니다.

우리가 좌선을 잘 하는 사람보고 공부 잘 한다고 합니다. 난 여러분이 죽은 부처되라고는 하지 않겠어요. 공에 빠지기가 십중팔구거든. 편안하기만 하면 그게 공부 다 한 걸로 아는 그런 사람이 많아요.

그러고 한편 또 어린애로 탄생을 했으면 한 번 죽어서 탄생한 걸 가지고, 즉 말하자면 이 세상의 도를 이뤘다고 합니다. 도라는 것이 뭐 말라빠져 죽은 도인지 나는 그 이름조차 모릅니다. 단지 이름 없는 것이 도라고 하는 것은, 결국은 나를 깨우쳤다 할지라도 깨우쳤단 말 하지 말라. 억겁을 거쳐서 온 습을 항복받고 체험하고 보임(保任)하면서 돌아가는 그 기간이 점차적으로 흘러흘러, 돌고 돌아야 된다. 그렇게 수많은 해를 거쳐가면서, 또는 같이 나투는 방법에 대한 것을 또 배우면서…. '같이 나툰다' 하면은 우주와 더불어 수많은 생명들, 헤아릴 수 없는 생명들과 같이 나투는 방법이 바로 열반계(涅槃界)라고 합니다.

지난번에도 얘기했지만 어린애가 금방 나와서 오줌을 싸고 똥을 싸고, 그게 감각이 있는 겁니까, 없는 겁니까? 내가 한 발짝 딛고 나설 때에 바로 감각이 다 대뇌로 돌아서 오죠. 여기에도 오관이 뚜렷하게 있단 말입니다. 그래서 대뇌가 있으면 소뇌가 있고 중뇌가 있고 간뇌가 있고, 조달하는 모든 망(網)이 있단 말입니다. 이것이 모두 무얼 뜻하느냐? 예를 들어서 콤퓨타다 탐지기다 또는 발전기다 무전기다 망원경이다, 이런 것이 여기 다 대뇌에 있다는 겁니다. 있기 때문에 모든 걸 조달하는 겁니다, 이 체내의 모든 것을. 그래서 중수에도 부감이 있고, 부감으로 하여금 모든 것을 대뇌로 조달을 해서 인체를 이끌어가고 있는 겁니다.

우리의 섭리가 우주의 섭리와 더불어 같이 돌아간다는 이 사실을 아셔야 할 겁니다. 태양계나 다른 혹성들도 그렇게 돌아가고 있다는 사실입니다. 그런데 여기는 중천세계라고 봅니다. 여기를 우주로 말하자면 중간 우주다 이 소립니다. 상 우주가 있고 중간 우주가 있고 소 우주가 있어. '대천세계'라는 것이 그런 데서 말이 나온 거라. 대천이 있으면은 중천이 있고 소천세계가 있어, 우주세계. 우주세계에는 헤아릴 수가 없이 은하계가 많은데 대체적으로 은하계 본부가 세 개라면은 이 세 개의 은하계가 있기 때문에 은하계와 혹성들이 거기에 연관성이 있어서 돌아간다는 걸 아셔야 합니다.

이 광대무변한 섭리를 어떻게 파악을 하시렵니까. 나는 말로다 파악을 못 하겠습니다. 말로 여러분한테 알려드릴 수가 없는 실정입니다. 그러나 여러분이 어떠한 부문에 대해 질문을 하신다면 그건 똑바로 대답해 줄 수 있습니다. 그러나 자청해서 얘기하기는 상당히 어렵습니다. 이거는 이렇다 저렇다 할 수 없는 문제가 많기 때문입니다. 혜리성만 하더라도 그것이 어떠한 역할을 한다는 걸 한 마디로 꼬집어서 말을 할 수가 없는 것이 세 가지의 소임을 맡아가지고 있기 때문입니다. 사람으로 비유한다면 '어떤 거 하는 사람입니까?' 한다면 무엇이라고 대답을 할까요.

이 모두가 광대무변하게 벌어진 이 세계, 때에 따라서는 말로 어떻게 형용할 수가 없는데 조그마한 어떠한 물체가 자꾸 커지다가 보니까, 이 지구에서도 사람을 많이 잃어버렸다고 봅니다. 어디로 갔는지 어디로 왔는지 그것조차도 모르는 현상이, 예전에 몇천 년 전만 하더라도 많이 있었다고 봅니다. 산에 나무하러 갔다가도 없어지는 수가 있고 물에 나갔다가도 없어지는 수가 있습니다. 덤불 안에 들어가서도 없어지는 수가 있고, 그것은 말을 들어서가 아닙니다. 지금도 커지면 커질수록 드문드문하지마는 그것이 있지 없는 건 아닙니다.

지금 세계적으로 볼 때에 인간이, 완성되지 않은 인간이 얼마든지 모여 있다고 봅니다. 그러면 그 인간 되기 이전, 밑으로 연쇄적으로 내려가보십시오. 지금 우리가 전부 보고 있지 않습니까?

옛날에 이런 예가 있었습니다. 어머니가 돌아가셨는데, 돌아가시기 전에 절에 아주 열심히 다녔답니다. 이거는 들은 얘깁니다만, 그 애길 듣는 순간에 '이건 거짓말이 아니야. 그냥 보통 있는 얘기야.' 이랬습니다. 그랬는데 그 어머니가 자식을 못 잊어서 말입니다. 자세히는 못 들었지마는 이렇게 그냥 얘기하죠. 자식은 그 어머니가 개로 태어난 걸 모르고 있었습니다. 그런데 자식이 어디를 가다가 보니까, 강아지가 따라 들어와서 영 나가지를 않아요. 내쫓으면 또 들어오고 내쫓으면 또 들어오는 겁니다.

그런데 꿈을 꾸니까 어머니가 강아지더랍니다. 강아지가 말을 하기를 '내가 니 에미다.' 하더랍니다. 그런데 강아지가 또 변해서 자기 어머니로 보이면서 강아지가 됐다 어머니가 됐다 하더랍니다. 그 다음부터는 그 강아지를 내쫓지 않고 어머니로 모시고서 발도 씻겨주고 옷도 해 입히면서 목욕도 날마다 시키면서 절로 모시고 다니며 대장경도 좀 보게 해드리고 각 절마다 구경을 시켜 드렸답니다.

자식은 효자로서 세상에 그렇게 간절한 마음이 있건만, 어머니는 사람으로 살던 마음만 있고 개의 허물을 썼으니 사람과 개의 허물 쓴 거는 정반대로 갈라져 있다 이겁니다. 세계가 다른 거야, 개세계하고 사람세계하고. 지금 우리가 사는 여기에서도 여러분이 살다가 죽어서 그렇게 옮겨가도 모습을 달리 했기 때문에 모를 겁니다. 형제가 그렇게 됐는지 부모가 그렇게 됐는지 그 사실을 알 수가 없는 거죠. 만약에 그것을 여러분이 알게 됐다면 원수는 도끼 가지고 죽이려고 할 겁니다.

하지만 그것을 모두 아는 자신의 자성불은 모든 전체, 대의적으로 모든 것을 알고 보면은 하나도 남이 없고 하나도 죽일 게 없고 하나도 살릴 게 없고 모든 게 그대로 자연입니다. 전부 나 아님이 없고 내 아픔 아님이 없고, 정말 간절합니다. 이 뜨거운 피가, 여러분의 피나 뜨거운 이 마음의 피나, 솟구치는 이 피가 바로 여러분의 피며 내 피입니다. 이것을 누가 알겠습니까? 이렇게 간절한 이 마음을 누가 알겠습니까?

그래서 어떤 때는 이렇게 한탄도 했습니다. 예전 얘깁니다. '임이여! 무지렁이 같은 나를 이렇게 가르쳐서 모두가 둘이 아닌 것을 알게 해서 아무것도 모르는 사람들에게 어떻게 알리렵니까? 어떻게 해야만 됩니까?' 하고 한탄을 하고 울기도 많이 울었습니다. 그래서 남 못 듣는 데서 노래도 했고, 노래가 시도 됐고 시가 노래도 됐습니다. 이렇게 하면서 방방곡곡에 아니 다니는 데 없이 다니면서도 이런 생각을 했지요. 내가 왜, 문패도 번지수도 없이 이렇게 갈까? 아하! 이것은 어딘가가 물이 돌고 돌고 돌듯이 쳇바퀴 돌듯 하는 것이 우리의 이 마음 아닌가?

우주 만물 만생이, 유생 무생이 다 같이 이렇게 돌고 있거늘 어찌 환상으로 보이는 귀신을 보면 마다하고 달아나갈까. 그러고 무섭다고 하나. 그렇게 달아나갔기 때문에 해치지 않나. 동심으로서 따뜻한 마음을 갖는다면은 모두 우리 부모형제가 죽은 영들인데, 내 몸 내 마음인데, 내 모습이었는데, 어떠한 마음의 상처를 입고 물에 빠져 죽은 귀신이 나온다 하더라도 그것은 바로 내 마음이자 바로 나의 모습이었는데, 덥썩 껴안고 위로해 주는 마음을 갖는다면 바로 내 마음을 내가 위로하는 거라. 모두가 둘이 아닐지언대 광대무변한 법, 그 법칙에 의해서 자연으로서 돌아가는 향기로운 그 꽃내음을 온 누리에 안 풍길 수 있나요?

그래서 지금은 몸으로 다니면서 하고 말로 하기보다는 한생각으로서 우리 국내를 지키며 또는 세계를 조정하면서 우주에 상응하면서, 여러분의 모든 것이 좀더 정신적으로나 마음적으로 항상 넓게 지혜롭게 생동력 있게 살게끔 언제나 내가 돼주는 그런 마음, 마음새를 가지고 항상 진행하고 있습니다. 여러분이 다 그런 마음을 가지고 나간다면 내 자식 아님이 없고 내 부모 아님이 없고 내 형제 아님이 없습니다. 그러니 그 아픔이 어찌 남의 아픔이겠습니까.

내가 보시를 한답시고 또는 내 이익을 취해서 방생을 한답시고 그 생명들을 앗아간다면 그렇게 어리석을 수가 없는 법입니다. 또는 우리가 물질로써 어떠한 것을 보시한다고 해서 '내가 이렇게 보시를 하고 다닌다'고 이름을 세우고 또는 '내가 이렇게 이렇게 했는데…' 해서 방송으로 나오고 하는 문제들이 바로 나변(那邊)에 있습니까? 내가 내 몸을 위해서 내 생명을 위해서 또는 내가 가난하니까 내가 나에게 준 것을 어디다가 내가 이렇게 했다고 내놓을 것입니까?

내가 그전에도 얘기했지만, 어느 스님께서 이런 말씀을 하셨지요. 예전에는 바리때를 들고 집집마다 다니면서 탁발을 해서 발우공양을 했습니다. 그랬는데 어느 집에서는 하도 가난해서 남의 보리쌀을 씻어주고 보리쌀 뜨물을 갖다가 아침에 푹푹 끓여서 스님네들 오시면 드리겠다고 먼저 부뚜막에다가 한 주발을 퍼놓았습니다. 그랬는데 그 스님이 바리때에다 부어주는 것을 받아가지고 그걸 먹으면서 얼마나 감개무량했는지 나무를 한 짐 해다줄 양으로 부지런히 종일 나무를 해서 한 짐 잔뜩 짊어지고 내려왔습니다.

그랬는데 한 어른 스님께서 "너는 그 나무를 어디로 가지고 가려고 해왔느냐?" 하니까, 이건 예를 드는 겁니다. 또 사실이 그렇구요. 사실이 그랬다는 얘깁니다. "어디로 가져가려고 하느냐?" 하니까 그 사실 얘길 다 했습니다. 그 스님께서는 참 대선사시지요, 아주 귀중이시고. 그런 분이 있다 하는 소리가 "너는 어째 그렇게 지혜가 부족하냐? '참 너'를 발견치 못함으로써 지혜가 스스로 늘지 못했구나." 하시면서 작대길 집어서 그냥 정강이를 어떻게 후려갈겼던지 나뭇짐하고 사람하고 그냥 내리 굴렀단 말입니다. 구르는 도중에 스님이 악을 쓰시면서 하시는 소리가 "이놈아! 무주상 보시(無住相布施)를 하랬지, 나무 한 짐 갖다가 준들 태워버리면 그뿐일 것을 그것도 보시라고 하느냐? 이놈아!" 하고 악을 쓰는 바람에 굴러가면서 홀연히 깨우쳤다는 얘깁니다.

거기에서 구르면서 깨우쳐서 한생각을 한 것이 그 집에 무주상 보시가 돼서 참, 그때부터 형편이 풀리더니 마름을 두게 됐고 행랑것을 두게 됐고 그 고을에서는 부자로 잘 살았답니다. 그리고는 그 은혜를 잊지 못해서 항상 뭐든지 한 쪼가리라도 생기면 반 쪼가리는 스님네들한테 올리고 하면서 그 뜻을 알았답니다. 그분도 깨우쳐가지고 나중에 몸을 벗고 다시 그 도량으로 들어와서 공부했다는 얘기가 있습니다마는, 우리가 한푼 한푼 주는 거, 쌀 한 가마를 준다 하더라도 그렇고 집을 지어준다 하더라도 그렇고 그 도리를 모르고 한다면 공덕이 될 수가 없습니다.

여러분은 돈 벌기보다 쓰기가 더 어렵다는 걸 아셔야 합니다. 피땀을 흘려가면서 번 그것을, 그것이 핏방울인데 그 핏방울을 어떻게 함부로 씁니까? 그리고 또 각 절의 스님네들도 그 핏방울을 무조건 받아쓸 수 있는 걸로 알아서는 아니 됩니다. 내가 받았으면 줄 줄 알아야 하는 그러한 법칙이 있습니다. 무주상 법칙. 또 받아서만이 주는 게 아닙니다. 받는 것도 없고 주는 것도 없습니다. 바로 나이기 때문입니다. 여러분의 마음이 갈라지지 않고 한마음으로 돌아간다면 수시로 여러분의 생명수 에너지는 항상 여러분을 보호하고, 항상 그렇게 자신에서 스스로 나올 겁니다.

질문자1(남) 큰스님, 제가 질문 드리겠습니다. 어느 목사님이 혜원 스님한테 "물 한 그릇 먹으라고, 물 한 그릇 주는 것이 법이라고 하니…", 그렇게 말씀하셨는데 거기에 대해서 좋은 말씀을 주십시오.

큰스님 내가 체험한 거를 얘기하겠어요. 어느 분이 와서 "어떤 것이 진짜 불법입니까?" 했습니다. 그럴 때 나는, 항상 이런 거를 여기다 놓고 있으니깐, 박카스도 여기 있거든. 그래서 박카스를 주면서 "이걸 먹으면 시원할 테지?" 하고 줬습니다. 그러니까 '이게 불법이니라' 하는 뜻으로 준 것입니다. 만약에 빈 병이라면 그 안에 먹을 게 없지만 그 병 안에는 박카스가 들어 있거든. 더운 때에 목말라 하니까 "어떤 것이 진짜 불법입니까?" 했을 때 진짜 불법을 주었지 않은가! 이것이 진짜 불법이다, 이러고 줬는데도 "아, 그거는…" 하고 비켜놓습니다. 비켜놓고 "어떤 게 진짜 불법입니까?" 또 묻습니다. 거기 물 한 그릇 있는 걸 마저 줬습니다.

그러니 우리가 지금 앉았다 일어나고 목마르면 마시고 배고프면 먹고 똥 마려우면 누고 졸리면 자고, 항상 나가서 일하고 돌아오고 일하고 돌아오고 별의별 일을 닥치는 대로 환경에 따라서 다 하는 것이 만법입니다. 불법의 진의고 진리고 만법입니다. 만법을 가진 그 한 점의 마음이 바로 여러분 마음 가운데에 있습니다.

우리가 말을 해서 감화가 되고 감응이 돼서 자기를 발견하게끔 만들어주는 것도, 어쩔 수 없이 말을 안 할래야 안 할 수 없는 도리가 있는 것이고 말을 할래야 할 수 없는 게 있으니, 할 수 없는 거는 여러분이 스스로 깨달아서 알아야 하는 것입니다. 여러분이 밥을 안 먹고 어찌 배가 부르다고 하겠습니까. 본래 배는 부른 거지마는 이 육신은 밥은 먹여줘야 되는데 여러분이 모르기 때문에 자기 시자를 배를 곯려 가면서 육신을 고달프게 만들고 천차만별로 괴롭히는 겁니다.

여러분! 여러분이 마음 하나를 잘못 써서 여러분의 시자를, 즉 말하자면 이름해서 그것도 시자입니다. 이 시자를 고생을 시킨다면은 그럼 누굴 믿고 살겠습니까? 여러분 몸뚱이가 여러분 그 마음을 믿지 않고 누구를 믿고 살겠습니까? 어디가 고장이 나도 벌써 신호가 오는데, 그 주인이 알아서 시자를 다 고쳐가지고 다녀야죠. 안 그렇습니까? 운전수가 차를 끌고 다닐 때에 무인지경에 나가서 고장이 나면은 운전수가 책임이니까 자기가 고쳐가지고 어떻게 해서라도 끌고가야죠. 누구한테 기대고 있겠습니까. 또 사람이 많은 데서 고장이 났을 때는 병원에 가듯이 그렇게 고쳐가지고 또 간단 말입니다.

그러나 이 불법의 진의는 항상 병원엘 가든지 안 가든지 모두가 자기 작용이야. 자기 성품의 작용이기 때문에 그 성품이 있기 이전 바로 그 생명수의 근원으로 인해서 성품이 만법으로 쓰이게 돼 있어. 그런 거를 우리가, 우리가 탑처럼 돌고 있지 않느냐 이겁니다. 탑돌이를 한다고 하는 원인도 우리가 지금 삼각원형을 이루고 돌아가기 때문에 탑을 비유해서 세워놓은 겁니다. 여러분도 항상 점차적으로 깨닫고 지혜로운 마음으로써 자기 자신을 알라 이겁니다.

조주스님이 왜 신 한 짝을 머리에 이고 갔을까요? 뜻이 그렇게 묘한데도 우리는 눈앞이 캄캄해서 보이지 않기 때문에 그렇겠지요. 무생의 이치를 모르고 유생의 껍데기만 보고선 좌우하는 거야, 결정을 짓고. "저 사람은 왜 저래. 에이그!" 말만 듣고 또 그 사람이 돼보지도 않고 결정을 짓는 거죠. 그러니까 화를 일으킨단 말입니다. 싸워야 하고 증오해야 하고 미워해야 하고 이런 문제가 나오는 게 조그마한 일이지만 이 일로 대국적인 일도 벌어지는 수가 있습니다. 그래서 나라와 나라끼리도 싸우지 않습니까? 그러니 요만한 불씨가 전체 큰 불씨가 될 수도 있고 큰 불씨가 다 태워버릴 수도 있는 문제가 생기는 거죠.

예전에 부처님께서 가르친 거는 화두법이다 좌선법이다 또는 묵조선이다 간화선이다 이런 게 아닙니다. 그런 문제들도 모두 근래에 난 거지 전자에 부처님께서는 그렇게 가르치신 게 아닙니다.

첫번에 우리가 들어올 때는 문이 좁아도 나가면 문이 넓고 벌판이 돼야지, 길 없는 길이 돼야 하고 발 없는 발이 돼야 됩니다. 여러분이 뛰어넘으려면 불도 있고 가시도 있고 물도 있고 산도 있습니다. 그런 데를 뛰어넘는데 어찌 있는 발로만 뛰어넘으려 하십니까? 그러고 길이 있는 데로만 가서 그것을 뛰어넘으려고 하십니까? 길 없는 길이 있고 발 없는 발이 있고 손 없는 손이 있는데 말입니다. 이 모두가 우리는 한 점의 마음에서 그 양면을 다 쥐고 있다는 얘깁니다. 우리 오장육부에 정맥 동맥을 다 가지고 있듯이. 그럼 오늘 이걸로써 끝마칠까요.

한마음의 위력

86년 4월 20일

마음을 차분하게 가라앉히고 잘 들으세요. 차분하지 못하다면 바로 들어가지를 못합니다.

지금 불법의 교리를 그냥 그냥 얘기하는 게 아닙니다. 누구나가 공부하는 사람이라면 진짜 자기 자신의 주인공을 믿고 물러서지 않고, 만법이 들고 나는 작용을 항상 자기 원력에다가 놓고 맡기고, 그렇게 반복해야 합니다. 그것이 참선이며 행선(行禪)입니다. 왜 내가 이런 말을 항상 되풀이하고 넘어가느냐 하면은 여러분이 그렇게 안 하신다면 앞으로 이득이 하나도 없고 이득이 없는 반면에 지구라는 배 안에서 사는 생명들에게도 이익이 하나도 없습니다.

모든 무정물이나 식물이나 동물이라는 말이 이름으로 지어져 나온 것입니다. 그리고 그 말이 나온 자체로 인해서 과학이니 철학이니 생물학이니 또는 정치니 국민이니 공학이니 하는 문제들이 점차적으로 나온 겁니다. 문학도 그렇고 의학도 그렇고 말입니다. 전자에도 그런 말을 모두 한문으로 해놓고 유식하게 했지만 우리가 실천으로 옮기지 못하고 계발이 되지 못했기 때문에 바로 우리의 오백년 역사가 어려웠습니다.

그러나 우리가 앞으로 인간으로서의 주어진 능력으로 행을 해나
갈 수 있다면 그대로 우리 역사가 달라지며 차원이 달라질 겁니다. 그
러므로 우리가 지금 말하고 있는 이것이 말로 떨어지는 말이 아니라
법(法)이 될 수 있게끔, 생활에 실천으로 보급이 될 수 있는 그런 법도
가 이루어져야 됩니다. 나는 이렇게 생각합니다. 지금 말하는 이 말 자
체가 현실로서 일체 만물 유생 무생(有生無生)에서 다 같이 이루어져
서 우주의 개발로부터 우리 인간의 계발이 동시에 실천에 옮겨져야 된
다는 얘깁니다.

　　여러분은 항상 눈에 보이는 것만 생각하시는데 한 찰나에 눈에
보였다가도 모습을 바꿔놓으면 알아보지 못합니다. 모습만 이 모습이
되고 저 모습이 되고 그러는데, 찰나찰나에 돌아가는 그 자체를 모르기
때문에 죽는다 산다는 소리가 나옵니다. 우리는 본래 죽는다 산다도 없
으며 바로 모습만 바꿔서 옮겨놓을 뿐이지 죽는 게 없습니다. 본래 살
아나온 게 없기 때문에 죽는 게 없다는 뜻입니다. 따라서 생사윤회도
업보도 인과도 모두가 여러분의 한생각에 달려 있다고 봅니다. 그것마
저도 없다고 하는 것은 너무 찰나찰나 돌아가기 때문에 인과응보나 유
전성이나 윤회가 붙을 사이가 없다는 뜻입니다.

　　그 뜻을 제가 안 것은 아주 예전입니다. 산에 있을 때 하루는 눈
이 와서 사람이 발을 딛지 못하리만큼 아주 미끄러웠습니다. 유리알처
럼 미끄럽고 아주 가파랐죠. 그런데 거기를 지나가려니까 양쪽으로는
디딜 데가 없고 외길인데 유리알 같으니 어떻게 발을 붙이면서 가겠습
니까. 그래 거길 내리뛰었습니다. 만약에 발을 떼어놓을 때에 한참동안
붙어 서 있다가는 걸음은 못 걷고 바로 갈 수가 없었을 겁니다. 그러니
거기 붙기 전에 발을 떼놓아야 합니다.

　　거기에서 납득한 것이 뭐냐 하면은 우리가 찰나찰나 옮겨놓고
옮겨가고 모습을 바꿔놓는 진화력, 그 진화력이나 창조력이나 또는 타
심력(他心力)이나 숙명력(宿命力), 천이력(天耳力), 천안력(天眼力) 또

는 신족력(神足力)이 다 포함해서 우리들한테 주어져 있다는 것입니다. 그러면 천이력이라고 하는 그 뜻이 무엇인가. 지금 우리 시체말로 통신력이나 또는 책정력이라고 할 수 있죠. 그리고 천안력이라는 것도 시체말로 하면 천체망원경을 말하는 거죠. 이 모두가 같이 주어져 있는데도 우리는 그 도리를 몰라서 행을 못하고 있습니다. 그럼 50%가 모자란다고 볼 수밖엔 없죠. 그러나 우리가 이 도리를 알면은 50%가 채워져서 100%로서 우리는 행을 할 수가 있다는 얘깁니다. 그러면은 이것은 죽은 불교가 아니라 우리가 지금 생동력 있게 살아 나갈 수 있고 삶의 보람을 느낄 수 있는 산 불교가 되겠죠. 봄이 되면 저렇게 진달래가 피고 개나리가 피고 목련이 피고, 온갖 꽃이 다 피고 온갖 풀이 다 파랗게 나고, 얼음이 녹아서 시냇물이 흐르고 새들이 울고 이러는데 불국토와 어디가 다르겠습니까?

우리가 그 도리를 알아서 앞으로 해나갈 수 있는 지혜가 바로 찰나찰나 무기가 된다면 그 하나가 바로 '은 나와라 뚝딱! 금 나와라 뚝딱!' 하는 속담의 말처럼 최고의 무기가 될 수 있죠. 한마음의 한 점은 바로 우주의 근본이며, 태양의 근본이며, 바로 천지의 근본이니 내 한마음의 한 점이 그렇게 위대하다는 겁니다. 그 위대한 한 점이 바로 아까 속담의 말처럼 '은 나와라 뚝딱, 금 나와라 뚝딱'인데 나오는 거만 말하는 게 아니라 나오는 것도 주는 것도, 하는 것도 드는 것도, 덮는 것도 굴리는 것도 모두 그 한 점의 마음에 있다는 얘깁니다.

그렇다면은 우리가 앞으로 어떻게 실천으로 옮겨야만 되는 건가? 여러분이 공부를 해서 앞으로 그 한 점의 요리를 잘 할 수 있다면, 우리는 지금 우리 마음 자체를 한마음으로 굴리면서, 바깥으로 굴리지 않고 안으로 굴리면서, 안으로 굴린 거기서 무심코 한생각 나는 것이 우주 개발도 할 수 있는 능력이 된다는 겁니다. 그럼 우주의 개발이 우리 지금 살아나가는 생활 속에 있다면은 바로 신성한 우주의 개발이란 얘깁니다. 그러면 우주만 신성하고 여긴 신성하지 않으냐? 아닙니다.

모두가 신성한 곳입니다.

　　내가 이렇게 말을 한다고 해서 설법으로만 듣고 그냥 귓전으로 흘려버리지 않았으면 좋겠습니다. 나는 실천에 옮기는 말을 하지 실천이 아닌 말은 하고 싶지 않습니다. 예를 들어서 설법을 할 양으로 계획적으로 추려가지고 이런 설법을 하겠다 하고 올라오는 거는 이미 죽은 설법입니다. 우리가 목마르면 그냥 마시는 물이 진짜 내가 목마르면 마실 수 있는 물입니다. 그와 마찬가지로 우리가 지금 여기 법당에 올라왔을 때는, 여기 앉아서 우리가 살림살이 해나가고 일을 해나가는 자체인데 어찌 얘기를 못 하겠습니까. 남이 써놓은 것을 추려서 얘기하는 게 아니라 지금 실질적으로 해나가는 살림살이에 의해서 얘기하는 겁니다.

　　그런 대로 나는 지금, 가깝게 국내에서 벌어지는 일들, 세계적으로 합류가 돼서 벌어지고 있고, 벌어지고 있는가 하면 혼돈이 일어나고, 혼돈이 일어나는가 하면 잔잔히 가라앉고, 가라앉는가 하면 일어나고 하는 문제 등등이 그렇게 어렵다고 보지는 않습니다. 우주의 한마음 그 뜻이, 우리 지구를 지속시키는 반면에 모든 공해가 빠져 달아나가고 또는 한마음 한뜻으로 조화를 이루고 굴곡이 지지 않고 평화스럽게 올 수 있는, 평화를 유지할 수 있는 기초를 닦기 위해서 발판을 세우는 거라고 봅니다.

　　그러면 국가적으로나 또는 세계적으로나 우주적으로나 어떻게 해야만이 그런 거를 다 실천해서 평온을 가져올 수 있으며 또는 우주의 개발이 될 수 있을까 하는 겁니다. 아까도 얘기했듯이 저기서 여기 옮겨놓으면 모르고 저기서 저기 옮겨놓으면 모르듯이, 굼벵이가 매미가 될 때 모르고 매미가 굼벵이가 될 때 모르듯이, 우리 인간도 그렇게 연쇄적으로 진화되면서 형성해 온 것을 모르고 돌아가고 있습니다.

　　그래도 우리가 많이 계발된 것이, 지금 유전자로써 많은 물질이 바꿔지기도 하고 또는 많이 나기도 하는 것을 연구해 낸 것입니다. 그런데 내가 생각할 때는 무루(無漏)의 무전자로 하여금 유전자가 있고 유전자로 하여금 물질이 나온다고 봅니다. 그렇다면은 무루의 무전자가 그 유전자를 없앨 수도 있고 또 많이 생기게 할 수도 있는데, 그것은 바로 무전자의 원자력도 될 수 있고 통신력도 될 수 있기 때문입니다. 자력에 의해서요. 즉 말하자면 그전에도 얘기했듯이 자석과 같이 모든 것이 하나에 붙으면 붙는 대로 타버리는 능력이 아주 광대무변하기 때문에 뭐든지 집어삼킬 수 있고 또는 그것을 요리해서 에너지로 만들고 영양소로 만들어서 여러분한테 이익도 줄 수 있는 그런 자유권이 있다는 얘깁니다.

그럼으로써 이 지구에 있는 여러분이 세계적으로, 살아나가는 데 차원을 높여서 지금 현실에 살아나간다면 생활이나 모습이 달라질 겁니다. 역사도 그렇구요. 지금 점차적으로 달라지고 있지마는 앞으로는, 이런 생각도 듭니다. 지금은 스위치를 눌러서 말을 듣고 썼지마는 한 생각 내면 그냥 통과가 될 수 있는 그런 세상도 맛보지 않을까 이렇게 봅니다.

지금 우리는 그렇게 할 수 없다라는 것보다도, 이런 얘기도 있죠. 마음이 가난하다면 정말 가난하게 사는 법이고 마음이 풍부하다면 정말 풍부하게 사는 법이다, 이런 거요. 그러니 여러분은 마음을 가난하게 두지 마시고 우울하게 두지 마시고 항상 보람 있게 또는 항상 생동력 있고 겸손하게 항상 웃는 낯으로 대하세요. 그 지혜가 무기가 되어 굴리는 살림살이를 해야만이 앞으로 풍부한 살림살이가 될 뿐 아니라 대인으로서 세계적으로나 우주적으로 전체에 공헌할 수 있다는 얘깁니다. 그러면은 우리는 진실로써, 말만 하는 게 아니라 부처님의 뜻을 항상 그대로 실천에 옮기는 법이 된다는 얘깁니다. 두고 보십시오, 앞으로 어떻게 진행이 되는가.

부처님 말씀에 이런 얘기가 있습니다. 예전의 모든 역사, 문화를 본다 해도 모두 사람들이 만들어서 문화가 발전이 됐습니다. 그러나 그것이 지속되지 못하고 지금은 폐허가 되거나 흔적만 남아있는 그런 나라도 있습니다. 그런 걸 볼 때 어떠한 사람으로 말미암아 그 문화나 역사가 그렇게 풍부하게 또는 졸렬하지 않게 발전이 됐을까. 그런데 왜 지금은 그렇게 폐허가 되고 흔적만 남아있을까. 여러분의 마음에 달려 있다 이겁니다.

그때에 문화를 발전시킨 사람들은 사람들이 잘 살자고 이렇게 하긴 했어도, 예를 들어서 일체 만법을 자기의 마음으로 낱낱이 돌려야 할 텐데 마음으로 돌리지 않고 색으로 돌렸다 이겁니다, 바깥으로. 그리고 타의로 돌려서 욕심, 원망, 증오, 싸움으로써만 가니까 '전체 일체 만법을 내 마음으로 돌리고, 남을 원망 안 하고 내 마음으로 돌린다면 내가 다시 여기 오리라.' 이런 말을 했다고 봅니다. 그런다면은, 여러분이 만약에 마음으로 돌린다면은 석가가 따로 있고 어디 예수가 따로 있겠습니까. 그 문화를 발전시킨 그분이 따로 있겠습니까? 그분들이 다 대인입니다.

그렇다면 우리 마음에 달려 있는 거죠. 우리도 그것을 다 가지고 있는 걸요. 인간이라 하면은 벌써 공급이 돼 있다 이겁니다. 공급이 돼 있나 안 돼 있나 보십시오. 천안이 있고 천이가 있고 숙명이 있고 타심이 있고 신족이 있습니다. 이래도 아닙니까? 예? 이렇게 주어져 있는데도 불구하고 거기에 그림자처럼, 그림자가 따라다니는 것처럼 말려서 돌아가고 있으니 그걸 부릴 수가 없는 겁니다. 우리가 그걸 마음대로 부릴 수만 있다면 우주의 개발이나, 세계적으로나 국가적으로나 꽃이 피게 만들어 놓을 수 있고 또는 역사나 문화나 모든 게 달라지리라고 봅니다.

그런데 지금 새로 학교에 다니는 사람들에겐 내가 이렇게 시체 말로 합니다, 못 알아들을 테니까. 천체망원경도 있고 무전통신기도 있고 탐지기도 있고 콤퓨타도 있고 책정기도 있고 영사기도 있다고요. 다 있는데 대뇌로 한 번 한생각이 돌아가면 다 통과가 되게끔 돼 있어서 자동용이다 이겁니다. 자동력으로써 우리는 지금 자동기를 쓰고 있는 거나 마찬가지예요. 그런데도 불구하고 불교가 어떠니 기독교가 어떠니 카톨릭교가 어떠니, 이것이 내것이고 저것이 네것이고, 분별하고 싸우다보니까 요만한 것에서부터 큰 것까지 전부 싸워야 돼. 뭣이 네가 잘나고 내가 잘났습니까? 이 세상 일체가 다 생명 없는 게 없는데, 안 그렇습니까? 그러기 때문에 모두가 생물 아닌 것이 하나도 없습니다. 그럼으로써 우리는 한마음 아닌 게 하나도 없이 일심(一心)으로 돌아가고 바로 공체(共體)로 돌아가고 공식(共食)하고 있고 공용(共用)을 하고 있거늘 어찌 독불장군이 있다고 그렇게들 야단들을 하는지 모르겠습니다.

우리가 '한마음 한뜻이 돼서'라고 하는 것은, 내 참나를 발견하지 않는다면은 한마음으로 돌아가는지 거꾸로 돌아가는지 그걸 모르기 때문입니다. 내가 나를 모르는데 어떻게 남을 알 수 있으며, 남을 모르는데 어떻게 우주의 섭리를 알 수 있으며 바로 대천세계(大千世界)의 근본을 알 수 있겠느냐 이겁니다. 우주세계의 근본을 모르는 것은 내 근본을 모르는 거와 같기 때문에 우주세계의 근본을 모른다 이 소립니다. 그러니 우주세계의 근본을 모르고, 우리가 한마음으로 돌아가지 않기 때문에 저 행성이나 위성 또는 정보원처럼 일하는 별성의 살림이 우리네 살림살이와 똑같은 걸 모릅니다. 다른 게 하나도 없어요. 국방도 정치도 다 있는 겁니다. 없는 게 아니에요.

그렇게 우리가 한마음 한뜻이 돼서 조화를 이룬다면 우주 개발은 그렇게 어려운 것이 아닙니다. 또 우주 개발이라는 것은 세계적으로 다른 데다가 우리의 좋은 씨를 공급을 해서 다른 집에도 그 씨가 생산이 되게끔 하는 것이 개발이요, 또는 생산이 돼서 잘 된다면은 바로 우리의 동네집이 된다 이 소리입니다. 혹성 하나하나, 별성 하나하나가 내 아님이 없으니 내 동네 아님이 없고 내 행동 아님이 없고, 내 모습 아닌 게 없어요. 여러분한테 내가 항상 이런 말을 하죠. 내 마음의 불씨 하나가 온 누리의 전체를 태워버릴 수도 있다구요. 온 누리의 전체를 태워버릴 수 있기 때문에 바로 거기에 갖추어져 있다는 겁니다. 자석력이나 전자력, 자동력, 통신력 이 모두가 바로 원소의 근본으로 하여금 전체가 돌아가고 있다는 얘깁니다.

그런데 사람은 이건 변질되고 죽는다, 이건 허망하다 이러는데 내가 생각하기엔 변질되고 허망한 게 아니라 항상 지속된다고 봅니다. 여러분이 애당초에 죽는다고 하는데 죽는 게 어딨습니까. 이 세상에 난 것도 없는데 죽는 게 어딨습니까. 눈 깜짝할 사이에 한 찰나에 나서 눈 깜짝할 사이에 한 찰나에 죽는다고 합니다. 그런데 죽는 게 아니라 눈 깜짝할 사이에, 예를 들어서 굼벵이가 지붕에서 먹은 생각이 있어서 떨어진다는 얘깁니다. '어, 굼벵이가 지붕에서 떨어지네.' 이러는 찰나에, 굼벵이는 바로 매미로 옮겨갑니다. 요거를 하나 예를 들어봐도 옮겨가는 거지 죽는 게 아니지 않습니까.

본래 지수화풍 근본에서, 흙과 물과 이러한 데서 미생물이 생겨서 그 생물로 인해서 모두가 이렇게 진화돼서 살고 있듯이, 우리는 그렇게 나와서 위로는 바람과 태양이 우리를 감싸주고 자라게 해주듯, 어머니가 애를 낳아놓으면 아버지가 벌어서 다 키우듯이 돼 있다 이겁니다. 그렇게 해서 온 것이기 때문에 본래의 지수화풍이 죽은 게 아니지 않습니까. 본래 살아나온 것도 아니고요.

본래 있기 때문에 본래 나온 거고, 본래 나왔기 때문에 본래 그 자리에 있는데, 지속되고 있으면서 자꾸 옮겨가고 모습을 바꿔놓을 뿐이지 뭐가 죽고 산다는 얘깁니까? 옮겨놓고 바뀌지는 그 사이에, 찰나 찰나 옮겨가는 고정됨이 없는 생활 속에 어찌 거기 인과응보가 붙으며 유전이 붙으며 또는 업보가 붙으며 생사윤회가 붙겠습니까. 거기에 끄달리지 않고 자연스럽게 일렁거리면서 우리는 지금 리듬을 타고 가는 겁니다. 옮겨놓고 지금 돌아가는 겁니다.

나는 오늘 이런 뜻에서 말을 하려고 앉았습니다마는 여러분한테 그 말을 해봤자 혼란만 일어날 것 같아서 다른 말로 돌리고 있는 겁니다. 내가 진짜 말하고 싶은 것은 여러분도 공부를 해서 부처님이 될 수 있고, '부처님이 될 수 있고' 하는 거는 자유인이 될 수 있는 여건을 가졌다면은 모든 것을 훌떡, 지금 현상계를 홀랑 뒤집어서 역사가 달라질 수 있는 그런 개발을 할 수 있다라는 얘깁니다. 오고 감이 없이 우리가 에너지를 공급해서, 양식으로써 공급을 해서 공업개발이나 모든 분야에서 역할을 할 수 있는 그런 능력이 여러분한테도 다 주어져 있다는 얘깁니다.

물질을 가져왔으면, 가져오는 게 아니라 저런 목성 같은 데도 에너지가 아니, 원자력이 튼튼해서 자력으로서 끌어들이는 힘이 풍부하다면 전자를 끌어들여서 역시 풍부한 에너지를 이익될 수 있게끔 산소 같은 걸 만들어서 사람이나 생명이 살 수 있는 그런 기초적인 개발을 할 수 있는 겁니다.

그러면서도 또 우리 마음이 안으로 튼튼하게 돼 있다면은 우리 몸뚱이 안의 생명들도 폐허가 된 살 속의 간이나 장 같은 데를 튼튼하게 하듯이, 그렇게 튼튼하게 돼서 동네가 다 편리하고 집이 다 편리하고 그래서 사람이 생동력 있게 살게 될 겁니다. 그와 마찬가지로 우리가 공부를 해서 원력이 부족치 않다면은 딴 동네의 에너지도 끌어올 수 있다는 얘깁니다. 멀고 가까움도 없을 뿐 아니라, 여러분은 그것이 몇 광년으로 보실 테지마는 부처님께는 한 주먹 안에 있습니다, 한 주먹 안에! 모든 생명들이 자기 아님이 없으니 부처님 한 주먹 안에 있을 수밖에요. 마음이 가지 않는다면은 요 턱 밑에 있어도 천리 만리고 마음이 같이 한마음 한뜻으로 돌아갈 수 있다면은 천리 만리에 있다 할지라도 바로 가까운 턱 밑에 있는 것입니다.

그러니 지금 이 시점에서 모든 일들을 어떻게 해야만이 호국 역할을 하면서 그걸 실천으로 옮길 수 있으며, 공업 지대를 더 발전케 해서 앞으로 우리 한국에도 그렇고 세계적으로도 원료가 부족치 않게 할 수 있는가? 원료를 부족치 않게 할 수 있는 그런 힘도 여러분이 가졌다는 거를 증명해 보일 수 있는 것은, 앞으로 차차 이 뜻이 어떻게 돼서 그렇게 되는가를 공부하면은 여기에서 공급이 되는지 안 되는지 알게 될 거예요. 또 공급을 해오려면 한생각에 공급이 되지요.

예전에는 몸뚱이가 다니며 호국불교를 하고 정치도 하고 무역도 했지만 지금은 앉아서 할 수도 있어요. 그걸 화신력(化身力)이라고 한다면은 내가 그 사람이 되는 겁니다. 내 마음은 내놓을래야 내놓을 것도 없고 빛깔도 없고 쥘 것도 없습니다. 양면이 다 똑같기 때문에 그 사람이 될 수 있고 그 사람이 내가 될 수 있는 거죠. 그러기 때문에 모든 것을 해나가는 데는 그쪽에 일하는 데, 예를 들어서 국방부에서 일을 한다면 내가 국방부장관이 되어서 나라가 이익되는 대로 이끌고 갈 수 있지 않겠느냐는 얘깁니다. 정치인이라면 정치인대로 그 사람의 마음을 소상히 알아서 그 사람이 돼주면 될 거 아닙니까. 이거는 지금 몸뚱이를 보고, 색을 보고, 말을 하는 걸 들어서 위대한 인간을 뽑는 게 아닙니다. 그런 시대는 벌써 지났습니다. 앉아서도 천리를 볼 수 있어서 그 사람 마음을, 즉 말하자면 아까도 얘기했듯이 콤퓨타가 돼야 된다 이겁니다, 앉아서. 자연 콤퓨타! 자연 콤퓨타가 모두 있기 때문에 지금 현재에 물질 콤퓨타가 나온 것입니다. 그런데 그 물질 콤퓨타는 인간의 마음이 들어가야만이 콤퓨타가 움죽거리고 알 수 있는 거거든, 입력해 넣지 않으면 몰라. 인간이 없으면 그것도 없는 거죠. 그게 무슨 소용 있습니까!

예를 들어 정치를 하는 사람은 정치를 하되 정치를 하게끔 해주는 것은 무엇인가? 무언가가 있다, 그러면 신이냐? 신이라고 할 수도 없다. 이것도 아니고 저것도 아닌 그 가운데 여러분의 한마음 한 점의 마음이, 우주를 덮고도 들고도 굴릴 수 있는 그런 마음이, 바로 오관을 굴릴 수 있는 그런 마음이 있다면 바로 내가 직접 하는 일입니다, 그게. 나 아님이 없고 내 자리 아님이 없고 내 아픔 아님이 없고 내 말

아님이 없는데 어찌 그것이 아니 되겠습니까? 그래서 역사가 달라지고 개발을 한다는 거고 또는 문화가 발전이 되고 꽃을 피울 수 있고 조화를 이룬다는 거죠. 그리고 좀먹는 벌레들을 한데 합쳐서 바로 내가 돼가지고 진화시키는 거, 만약에 좀먹는 벌레가 식물에도 있고 동물에도 있고 또 여러 생물에 다 있다면, 진화시키면 연쇄적으로 하나도 버릴 게 없다는 결론인데 거기에서는 쓸데없는 것들도 많이 있거든요.

이것이 지금 중세계의 지구 안에 있는 살림살인데 그 살림살이에서 2차원, 3차원, 4차원, 5차원, 6차원, 7차원까지 올리려면은 그 좀먹는 것들을 다 한데 용광로에 넣어서 좋은 물건으로 생산하는 그런 작업이 필요하다 이겁니다. 이거는 물질로써는, 물질을 보고 행하는 거 가지고는 도저히, 학식이나 지식을 가지고는 도저히 할 수 없는 겁니다. 여러분이 학식이나 지식을 즉 그 물리학이든 철학이든 과학이든 몰락 한꺼번에 넣어서 거기에서 자기가 살아나야 됩니다.

그건 무슨 소리냐 하면 여러분이 지금 살고 계신 그 자체, 누가 살지 말랬나요? 그전 말마따나 돈 없이 살랬나요, 재산을 다 내버리고 살랬나요. 참선이라는 걸 모두 잘못 아시는 겁니다. 여러분이 생활하고 있는 게 그대로 참선입니다, 행선이고! 일분 일초도 쉬지 않고 돌아가고 있는 게 그대로 참선입니다. 돌아가고 있는 그 자체가 그대로 참선이니 어디 가서 방황할 겁니까? 바깥에서 무슨 형상을 찾을 생각도 말고 위대한 이름을 찾을 생각도 말고 허공에서 찾을 생각도 말고 연구하려고 골치를 썩일 필요도 없습니다.

오직 만법의 근원이 어디로부터 나오나. 참다운 내가 있기 때문에 모두가 나가지 않나. 또 참다운 내가 있기 때문에 모든 거를 오관을 통해서 들이고 있지 않은가. '주인공, 당신이 억겁을 통해서 나를 끌고 다녔는데 내가 당신 은혜를 모르겠는가. 나는 당신의 은혜를 알 터인즉 당신은 나를 올바르게 이끌고 가거라.' 하는 겁니다. 이 도리가 바로 참선이며 행선입니다.

몸으로만 좌선을 하고 앉았다가 일어나면 벌써 선(禪)은 끊어지게 돼 있습니다, 참선이 끊어져요. 그런데 그걸 어떻게 선이라고 하겠습니까. 앉았는 좌선이지. 그냥 앉았기만 하는 거야. 자기 수련은 할 수 있을지언정, 몸을 단련을 해서 조복은 할 수 있을지언정 어떻게 그것으로 이 크나큰 뜻을 알 수 있겠습니까. 은산철벽을 어떻게 뚫을 수 있겠습니까?

그러니 하나도 떨어트리지 말고, 티끌 하나도 들고 나는 데 붙을 자리가 없다는 그 도리를 아셔야 합니다. 걸리지 마셔야 합니다. 그렇다고 해서 도둑질을 해도 그 자리에서 시키는 거니까 되겠지, 이건 천만의 말씀. 인간으로 태어났다면 상식과 교양과 질서, 사회적인 상식을 전부 아시리라고 믿습니다. 그러니까 그 말은 덧붙이지 않아도 될 거라고 믿습니다. 공부하는 여러분은 기독교니 불교니 카톨릭교니 알라신이니 이런 거 다 제쳐버리고, 제쳐버리는 게 아닙니다. 모든 것을 자기 마음의 주인공 용광로에다 다 넣어버리고 녹여라 이겁니다, 모두를. 그렇게 둥글게 녹여서 거기에서 생산이 되는 것은 아마 이 세상에 보배가 될 것입니다.

여러분이 이름을 지어서 이름을 붙인 거지 어디 따로 있습니까. 우리는 지금 무람선 한 배에 타고 있습니다. 여러분이 타고 있으면서도 이 무람선이 어디로 달리는지도 모르고 지금 속수무책으로 있는 겁니다. 지금 이 순간에도 어디로 달리고 있는 줄 아십니까? 허허바다에서 배를 타고 가는데 그 배가 쏜살같이 달려도 어디까지 왔는지 몰라요, 여기가 어딘지. 우리가 지금 바깥을 내다볼 틈도 없습니다. 그건 왜? 별성이나 지구가 돌아가는 대로 똑같이 따라가기 때문입니다. 그러기 때문에 우리는 여기가 어딘지 어디까지 왔는지 그것도 모릅니다. 그런데 그 안에서 살면서도 무슨 말이 그렇게 많습니까.

이 지구가 내 몸이라면 내 몸속에 대장, 소장, 간, 위장, 직장, 이자, 콩팥이니 뭐니 이렇게 같이 살림을 하면서, 이 안에서 같이 살림을 하면서 뭐가 그렇게 말이 많습니까, 도대체. 이 부분은 내것이고 이 부분은 네것이고, 이렇게 갈라놓으면 사람이 죽어요! 지구가 없어진단 말입니다! 몸뚱이가 없어져요. 한 부분이 나빠지면 벌써 폐허가 되지만 한마음 한뜻으로 조화가 된다면 폐허가 될 수가 없습니다. 그러니 역사가 달라지죠. 조그마한 나 하나 끌고다닐 줄 모르고 몸뚱이 혹성 하나 이끌고 다닐 줄 모르고 조화를 이룰 줄 모르면서 어떻게 내 가정, 사회, 국가, 세계, 우주를 밝게 보고 밝게 듣고 밝게 응용할 수 있겠습니까?

불교가 어떤 겁니까? 밥이나 놓고 빌면서 귀신 단지처럼 내 고귀한 생명을 어디다가 맡기고 사는 그런 존재입니까? 그런 게 종교입니까? 그런 것이 불교입니까? 그리고 여러분 중에도 부적도 해다가 만날 베개 밑에다 넣는가 하면 만날 주머니에 달고 다니고 이러는데, 그래 자기가 이 세상에 나와서 그냥 갈 수 없는 고귀한 보배인 줄을 모르고 하치않은 그런 종이짝에 쓴 거를 가지고서 그걸 보배라고 고귀한 생명을 거기다가 맡겨요? 그렇게 맡기는 그런 게 종교가 아닙니다. 여러분은 똑바로 알고 똑바로 행하셔야 될 것입니다.

우리의 고귀한 보배의 마음이 그대로 생동력 있게 숨쉬고 있고 움죽거리고 있습니다! 이것이 바로 부처님이자 한생각을 내려딛으면은 법신(法身)이고 한생각을 또 내려딛으면 화신(化身)입니다. 그리고 한 생각을 돌리면은 바로 지혜로운 문수 보현이 됩니다. 여러분은 부처가 따로따로 있고, 신장이 따로따로 있고, 의사가 따로따로 있고, 판사가 따로따로 있는 줄 알지만 여러분 한생각에 의사 판사가 다 될 수 있는 겁니다.

보이는 것만 있는 줄 아십니까? 여러분 몸 속에 수십억 생명이 지금 여러분의 부하로서 우물거리고 있습니다. 여러분을 모시고 말입니다. 공장장들이요, 회장을 모시고 다닙니다, 지금. 여러분 생각해보세요. 얼마나 성스러웁고 얼마나 기쁘고 좋습니까.

여러분을 모시고 다니는 부하들이 세포 하나하나마다 이렇게 망을 치고선 어디에서 뭐가 들어올까봐 막아주고 위하는 자기의 생명들을 어찌 그렇게 무시하고 꼭 병원으로 가야만 사는 줄 알고 남한테다 의존하고 이럽니까. 남한테다 의존을 하더라도 의사와 내가 둘이 아니어야 됩니다. 그 마음도 둘이 아니어야 하고 또한 내 속에 병이 난 그 부분에 있는 생명들도 나하고 둘이 아니어야 됩니다. 그래야 폐허가 되지 않고 병이 생겼다가도 잘 아물어질 수가 있고 또는 한마음으로 조화가 돼서 병이 씻은 듯이 나을 수가 있는 겁니다.

병뿐만 아니라 살아나가는 일도 그렇고 살림살이도 그렇고 사업도 그렇고 생업도 그렇고 또 공업도 그렇고 여러 가지로 다 그렇습니다. 시를 쓰는 시인이라 할지라도 살아있는 시를 쓰는 시인이 되지 못하고 죽은 시를 쓰는 그러한 분들이 돼서는 아니 되죠. 글을 쓰든 춤을 추든 온통 야단을 하더라도 그건 살아있는 것이 돼야지 죽은 것이 돼서는 아무 의미가 없는 겁니다.

나는 말도 조리 있게 할 줄 모릅니다마는 여러분이 조리 있게 들어주십시오. 내가 조리 있게 할 줄 안다면 진실되게 이렇게 할 수 없습니다. 나는 조리 있게 할 수가 없으니, 그리고 그렇게 할 줄도 모르니까 듣는 분들이 조리 있게 들으세요! 그걸 이해해주시고요. 나는 내 한 마디를 공(空)에 그냥 떨어트리게 할 수는 없습니다.

죽은 뒤에 천당에 가자구요? 천만에요. 나는 나를 불사르면서, 불사르면서 타면서, 피가 흐른 게 몇 바가지나 되는 줄 아십니까? 이다음에 잘 되고 이다음에 천당 가고 이다음 기회를 보자, 이거 난 무섭지 않아요. 칼이 오든 가시덩쿨이 오든 자갈밭이 오든, 현실에 내가 체험하고 넘어서야 돼! 난 그렇거든요. 내 목숨 하나 내놓는다면 그뿐인 걸 무얼 그렇게 어려울 게 있습니까. 응? 이왕지사 여러분도 칠십 평생을 살든지 어린애 때 죽든지 한 번 죽는 거는 죽는 겁니다.

그런데 죽는 거는 둘째 쳐놓고 우리가 몇 번을 죽었습니까? 여러분 여지껏 살아오시면서 이 모습이 몇 번 바뀌었습니까, 이겁니다. 몇 번 모습이 바뀌는 것도 죽는 겁니다. 자기는 이미 죽었어, 벌써. 어저께 까지 살던 게 죽었어요. 그래서 오늘 아침 일어나니까 또 살아난 겁니다. 그렇듯이 우리는 변화되고 변화되고 몇 번이나 죽고 또 죽고, 죽고 또 죽고 이렇게 돌아가고, 그리고 모습을 조금 조금 바꾸다가 나중엔 홀딱 다 바뀌버리는 이러한 이치에서 우리는 살고 있는 겁니다. 돈이 억만냥 있으면 뭘 합니까. 하늘 땅만치 다 준다 해도 바꿀 수 없는 건 바로 내 보배뿐입니다.

어떤 분들은 돈을 사람 생명보다도 더 중하게들 생각하시는 분들이 아주 많습니다. 그런데 누가 돈을 버리랬나요. '자기' 게 아니고 '자기' 것이라고 해도 그걸 못 알아듣는단 말입니다. '자기' 게 아니고 '자기' 거라니깐요! 자기는 관리하는 거지 영원히 자기가 가지고 있는 겁니까? 그러니까 영원히 지속적으로 죽지 않고, 영원히 가지고 살림살이하라고 해도 그걸 못 알아듣는 겁니다.

당분간 내가 가지고 있는 걸로 알고, 내가 당분간 쓰는 걸로 알고 그러니까 그걸 어떻게 말을 해야 할지 모르겠습니다. 허망하니까 아무렇게나 쓰는 사람도 있고 쥐고 있는 사람도 있고 별의별 분이 다 많겠죠. 그러나 돈은 버는 것보다도 쓰는 게 더 어렵다는 걸 아셔야 돼요. 쓰는 것부터 배우세요, 벌려면.

빵 하나를 훔치다가 3년을 징역을 사는 사람이 있어요. 빵 하나 값이 얼마나 됩니까. 옛날에 예수님도 내 떡 하나 얻어먹으려면 네 재산을 다 가져오라고 그랬습니다. 부처님께서도 "네 보물을 다 가져오너라. 그리고 네가 이 공부를 하려면은 네 권속을 다 떼어놓고 오너라." 그러니까 "내 권속 다 떼어놓고 왔습니다." "너는 지금 권속을 다 데리고 왔어. 그러니 다 떼어놓고 오너라." 갔다가 또 떼어놓고 왔거든요. 이제 마음으로 다 떼어놓고 왔다고 하니 또 하시는 말씀이 "너는 권속은 떼어놨으나 재물을 또 다 가져왔으니 재물을 다 바다에 넣고 오너라." 이랬거든요.

세상에 마음 한생각 내는 게 얼마나 중요합니까. 뭐이 그렇게 영원히 자기 것이라고 그렇게 욕심을 냅니까. 공부할 때는 공부만 하면 내것 네것 없이 참 여여하게 그렇게 좋을 수가 없는데, 공부하는 과정에는 모든 게 자기 주인 것이지 내 것이 아니라고 생각을 해야죠. 이 육신 게 아니란 말입니다. 제 성품에 의해서 지금도 움죽거리고 있으니 그 성품 주인에게 다 맡겨버리세요.

예전에 경허(鏡虛)스님이 나무꾼더러 때리라고 해가지고서는 "나 경허는 죽지 않았다, 맞지 않았다." 하니 아, 때리면 돈 준다고 그랬는데 맞지 않았다니까 돈 안 줄까봐 안 때리거든요. 그래서 "왜 안 때리느냐?" "아, 스님이 '난 안 맞았다.'고 그러시니 돈을 줄 리가 없지 않겠습니까?" "그렇지 않으니라. 내 선돈 줄께 때려라." 그래서 맞으면서 "경허는 맞지 않았노라."고…. 그런 거와 마찬가지로 이 공부하는 데는 시련과 더불어 얼마만큼 쌓아야 되는지 여러분은 짐작도 할 수도 없을 겁니다마는 여기서 지금 가르치는 것은 속속들이 우리가 빨리 깨우치게 하는 그런 과정을 거치고 있습니다.

오늘은 이걸로써 끝마치겠습니다.

한 점의 불씨는 우주를 싸안고도 남음이 있다

86년 5월 18일

같이 한마음 한뜻으로 애써주신 데 대해서 감사드리면서 법회를 시작하겠어요. 처음 오신 분들은 총무스님이나 여러 스님들한테 여쭤보시고 또 먼저 공부하시는 분들한테 물어보셔서 잘 지도 받기를 바랍니다. 총무스님한테 여쭤보시면 초발심에 대해서 잘 가르쳐주십니다.

그러니까 게을리하지 마시고 늙었으나 젊었으나 이 모습을 가지고 있을 때에 마음의 차원을 기르지 못한다면 그 모습은 또 좌천이 될 수도 있어요. 그러니 여러분이 여지껏 인간의 모습을 가지고 나오기 위해 얼마나 애를 썼다는 것을 하다보면 스스로 아실 때가 올 것입니다.

우리 부처님께서도 그 한 티끌 같은 불씨가, 마음의 불씨가 아니었더라면 그렇게 사방천(四方天)을 밝히고 오온이 스스로 밝아서 돌아가고 그러지 못하셨을 겁니다. 오온이 밝아서 스스로 돌아가니 칠보가 가득 차서 어디에고 손이 안 닿는 데가 없고 어디에고 발이 안 닿는 데가 없고 눈이 안 닿는 데가 없고, 내 아님이 없고 내 자리 아님이 없고 내 보물 아님이 없고 내 아픔 아님이 없는 거죠. 모든 일체 유생 무생(有生無生)을 조화로써 한 점의 상투 끝 동곳에 바로 그 빛을 가지시고 우리들한테 항시 비춰주시는데도 여러분이 몰라서 항상 그렇게 헤매서야 되겠습니까?

우리들이 우리 마음의 불씨를 밝혀서 그 줄을 잡으면, 그 줄을 잡는다는 것은 반야줄이라고도 하고 일심줄이라고도 합니다. 또 예전에 말씀하시기는 여의주라고도 했습니다. 그 여의주를 잡지 못하면, 모든 걸 여의고 줄을 잡지 못한다면은 금강주를 얻지 못한다는 얘깁니다. 금강주에 의해서 화광주나 서광주나 흑광주, 야광주, 이 다섯 가지의 광주가 한데 합쳐서 스스로 돌아가는데, 금강주를 얻지 못한다면은 이 우주의 삼라만상 또는 보이지 않는 생명들, 보여지지 않는 모습들, 그 천차만별로 돼 있는 중생들을 한생각에 건지지 못합니다.

그렇게 오고 감이 없이 늠름하신 부처님의 뜻을 우리가 못 받고 있는 것은 부처님께서 49년을 설해 놓으셨어도 우리가 금강경 한 번을 제대로, 천 독을 했다 하더라도 그 말씀 첫머리, 중간, 끄트머리 이 세 마디만 보면 벌써 다 알 수 있는데도 불구하고 그거를 모르고 천 독을 하고 삼천 독을 한다 한들 그건 헛 읽은 것입니다. 그런 걸 비유해서 한번 얘기해볼까요?

여기에 지금 컵도 있고 안경도 있습니다. 그런데 이것이 안경이다 컵이다 이러는 것은 이름이고 모습일 뿐이지 속의 진의는 무엇이냐는 얘깁니다. 모습과 이름이 헛거가 아니지마는 여러분 앞에는 헛거예요. 왜 헛거냐? 사람이 한번 생각을 잘 돌려서 그것을 깨달으면은 그게 법륜(法輪)이 스스로 굴러서 바로 법의 양식이 되고 그대로 실상의 법의 도리가 되지만 그렇게 돌아가지 못하고 깨우치지 못해서 항상 그거를…. 그러니 중생이라고 부르고 사량이라고 하고 또는 아무리 굴리려 해도 아니 되니까 자유인이 되지 못한다 이겁니다.

우리는 부처가 되려고 하는 것도 아니고 또는 어떠한 것이 되려고 하는 것도 아니란 얘깁니다. 스스로 자기가 사람 되기 위함이요, 사람 노릇하기 위함이요, 나와 남이 둘이 아님을 알기 위함이요, 나와 남이 둘이 아니게 나투기 위함이야. 그래서 공생(共生)·공용(共用)·공체(共體)로서 같이 돌아간다는 진리를 알기 위해서지 '우리가 무엇이 된다 안 된다, 나는 이만큼 알았으니까 성문이다, 연각이다, 무슨 보살이다.' 이런 문제가 거기 붙지 않는다는 얘깁니다.

단, 그 한 티끌과 같은 한 불씨에, 바로 금강주는 있는 겁니다. 오관을 통해서, 이 오관을 통하면은 그것이 가고 옴이 없이 보는 천체망원경이니, 이런 문제가 거기에 붙어 돌아가죠. 항상 얘기하지요. 오신통(五神通)이라는 것은 지금 시체말로 이름들이 다양하게 붙었고, 전자에는 전자대로 오신통을 천안통(天眼通)이니 천이통(天耳通)이니 타심통(他心通)이니 숙명통(宿命通)이니 또는 신족통(神足通)이니 했습니다. 그러나 지금은 과학이 발달이 돼서 과학적으로 나온 말 좀 보세요. 콤퓨타니 천체망원경이니 또 천체영사기니 책정기니 탐지기니 무선통신기니…, 이것이 다 오관을 통해서 있는 거 아닙니까? 그러기 때문에 우리가 시체말로 해도 전자에 있던 말과 똑같은 얘기죠. 그 말도 아니고 그 말도 아니고 바로 나한테 있다는 얘깁니다, 모두 각자. 나라고 손짓한다고 해서 나인 줄 아시지 말고 여러분 각자가 다 소소영영하게 갖고 있다는 얘깁니다.

그래서 지난번에도 얘기했지만 거론하지 않고 내가 그런 얘기를 한다면 또 어떻게 될지 몰라서 다시 한 번 거론하겠습니다. 화가가 그림을 그리는데 오십 가지 물감과 종이 한 장을 놓고 그림을 그렸습니다. 우리도 지금 한 장을 놓고 그림을 그리고 가고 있는 겁니다. 그런데 오십 가지 물감이 다 한 붓에 쓰여집니다. 물 그릇 하나를 놓고 찍고 씻고 또 씻고, 여러 물감을 쓰려면 씻어선 또 찍어서 쓰고 이럽니다. 어떻겠습니까? 참 묘하지요.

그러면 진짜 물감은 어떤 걸까요. 또 진짜 물감이 없기 때문에 소소영영하게 찍어다 쓰면서도 하나 쓰면 하나 씻고, 하나 쓰면 하나 씻고 맹물에다가 연방 씻어가면서 그리고 있습니다. 그런데 그렇게 소소영영하면서도 한 장에다 조화 있게 그려놓은 거를 누가 그렸다고 말할 수 없는 것은 자기가 여러 가지를 그려놓고 자기가 그렸단 말을 어찌 하겠습니까. 또한 자기마저도 공(空)했어. 물감 오십 가지가 다 공하고 보니까 자기마저도, 그린 사람마저도 공했으니 어찌 '나'라고 할 수 있으랴. 모두가 한마음 한뜻으로서 이루어진 것을 어찌 나만이 했다고 할 수 있으랴 해서 '애들아, 보거라. 너희들은 그대로 공했느니라. 즉 공(空)이며, 즉 색(色)이니라.' 이렇게 가르쳐주고는, 그 단 두 마디 그걸 깨우치지 못해서 우리는 헤매고 있는 것입니다.

우리는 찰나찰나 말을 하면서 행하면서 또, 봐가면서 돌아가면서 이렇게 오관을 통해서 책정을 하는 거는 내 마음입니다. 이게 옳다 그르다 하는 거는 자기 한마음에 있는 겁니다. 그런데 그 마음이 어디서 생겨났나? 여러분, 수없는 억겁을 거쳐오면서 여러 생명들과 친우같이 뭉쳤습니다. 한마음 한뜻으로 뭉쳐가지고 이 몸뚱이라는, 한 인간이라는 선장이 선출된 겁니다.

그러면 여러분 속에 생명이 얼마나 많습니까. 생명도 많고 물질도 많습니다. 가지 각색으로 생긴 것, 촌충이니 세균이니 뭐 생김생김이 얼마나 다양하게 생겼으면서도 소임을 제각기 아주 정교하게 맡아가지고 지금 잘 하고 있습니다. 정맥이니 동맥이니 하는 것도 다들 그렇게 다양하게 맡아가지고 진행하고 있는데 그 대표자인 선장은 누구냐? 여러분, 사람이라는 그 한 마디의 마음입니다. 한 점의 마음입니다. 그 생명이 한데 합쳐진 대표인 하나의 마음입니다.

그 마음이 잘 이끌어가지고 나침반을 잘 놔서 책정을 잘 해야만 오신통을 제대로 굴리는 겁니다. 오신통을 제대로 부린다 이거야. 내가 오신통에 말리는 게 아니라 내가 오신통을 제대로 부린다는 얘깁니다. 그 오신통을 제대로 부려야 바로 거기에서 금강주는 빛이 밝고 또 거기에 하나만 모자라도 아니 되기 때문에 야광주도 필요하고, 흑광주도 필요하고 서광주도 필요하고 화광주도 필요하고. 다섯 가지의 광주를 금강주가 몰아서 같이 굴러가면서 하기 때문에 금강주가 제일이다 할 수도 없고 야광주가 제일이다 할 수도 없습니다.

　말하자면 눈이 제일이다 할 수도 없고 귀가 제일이다 할 수도 없고 몸이 제일이다 할 수도 없고, 어떤 거 하나 빼놓을 수 없는 것이 전부 한데 합쳐서 금강주라고 볼 수 있겠습니다. 그렇다면 그 금강주에는 모든 일체의 부처와 조사와 중생들이, 보이지 않는 중생 보이는 중생들이 다 그 안에 들었거늘 어찌 자꾸 이것 저것 찾으면서 바깥으로 헤매고 돌아야만이 되겠습니까.

　우리가 또 한 가지 말하자면은 문화적으로 볼 때도 예전에 선조들이 해놓으신 것이 유래가 되고 또 보물이 되고 모르는 사람들에게 지침이 되고 주춧돌이 되고 방편으로도 되는데 그건 있어야 하겠죠. 그런데 그걸 버리라고 하는 게 아닙니다. 모든 거 하나하나가 그 한 점에 다 있으니 각각 보지 마라 이 소립니다. 여러분 알아들으시겠습니까?

　왜 각각들 봅니까. 미륵보살이니 관세음보살이니 각각 보고 전부 각각 행하니, 동서(東西)가 둘이라고 자꾸 볼 수밖엔 없겠지요. 그러나 동서는 둘이 아닙니다. 바로 한 점에 동서가 다 들어 있으니 동서를 따로 찾지 말고 물질을 따로 찾지 말고 따로 보지 말라는 얘깁니다. 소소영영하게 물감을 꼭꼭 찍어다가 쓰면서도 다시 씻고 또 찍고 다시 씻고 이렇게 하는 그 소소영영함. 우리 지금 살아서 돌아가는 이 생활 자체가 바로 소소영영하면서도 그것이 한마음의 뜻으로서 금강주에서 나가는 일이라 이 소립니다.

　이 말의 뜻을 잘 아신다면 삼천 년 전에 부처님께서 제자들과 많은 중생들에게 설법하신 그 자리나 우리 오늘 여기 이 자리나 앞으로 올 자리나 똑같습니다. 하나도 틀리지 않습니다. 그러나 여러분이 바깥에서 지금 물질과 모습과 이름만을 보고 살기 때문에 그 속의 진의를 모르고 50%의 미완성으로 보이지 않는 세계의 그 편안함을, 편안하면서도 자유스러운 거를 모르고 있는 겁니다.

　진짜 편안하고 자유스러운 거는 이 몸뚱이가 오고 가는 게 아닙니다. 몸뚱이가 오고 가려면, 우주정거장 하나 세운다 한다면 수십 년 동안 만들고 폐하고 또 만들고 폐하고 이렇게 해가지고 수없이 고난을 겪고 실험을 하고 재정을 무수히 들여서 해도 될까 말까 하는 그런 문제들이 놓여 있는 판국입니다. 그리고 여지껏 했다는 자체가 사람과 사람이 경쟁에 의해서, 억겁을 거쳐서 경쟁으로만 나왔기 때문에 그 습이, 아직까지도 꼭지가 덜 떨어져서 사람을 죽이려고만 하는 물건을 확대했다는 얘깁니다.

그러나 그 한 점에, 살리는 칼도 있고 죽이는 칼도 있는데 여지껏은 살리는 칼이라고 하면서도 죽이는 칼이었습니다. 그러니 죽이지도 않고 살리지도 않는 그런 태평성대의 중도에서 그 빛이 온 누리를 비춰서 평등하게 혼동이 오지 않도록 하면서 잘 이끌어나갈 수 있고 지속될 수 있는 진리를 숭상하면서 우리가 한마음의 불씨로써 만법을 응용할 수 있고 활용할 수 있어야 할 것입니다. 그리고 그것은 우주적으로도 응용할 수 있는 것이 사실입니다.

여러분은 물질과 모습, 이름을 겸해서 응용하지만 무슨 삼강오륜이다, 손자병법이다, 호국불교다 하는 게 다 그 속에 있는 것입니다. 오광주를 가지고 굴리면 하나도 버릴 게 없어. 그러니 우리가 앉아서 지금 세계를 보듯이, 앉아서 전부 응용할 수 있고 활용할 수 있는 것을 뜻해서 예전에 선조들이 구룡이라고 써놨듯이, 그것은 삼광주를 얻었기에 스스로 용(用)을 할 수 있다는 뜻입니다. 용으로 그려놓으면 용인 줄 알고 거북이로 그려놓으면 거북이로 알지 마십시오. 종이와 먹으로 사람이 글씨를 쓰고 그림을 그려놓은 것도 다 그림이자 모습일 뿐이지만 그 속에는 숨은 우주의 법칙이, 그대로 열쇠가 다양하고 자연스럽게 있다는 걸 아셔야 됩니다. 어디고 열쇠 없는 데가 없습니다.

그래서 사방천이 밝았는데 어찌 칠보가 가득 차 있지 않겠는가? 그러니 어찌 아니 닿는 데가 있으랴? 너 아님이 없으니 어찌 중생 부처가 따로 있으랴. 모르는 중생은 과거의 나였고, 아는 부처는 현재의

나요. 미래의 부처들은 바로 미래의 나이니라. 그러니 부처 아닌 게 하나도 없더라. 그리고 나 아님이 없으니 작은 데는 작은 그릇대로 들어가주고 큰 그릇에는 크게 해서 들어가주고. 그러니 안 맞는 데는 하나도 없어.

그렇게 둥글게 모든 게 다양하게 맞기 때문에 부처님 오신 날이 따로 있는 게 아니라 우리는 영원한 인등을 항상 켜고 있는 겁니다. 부처님 오신 날이 따로 있는 게 아니라 영원한 오늘, 오늘조차도 내세울 수 없는 내 마음의 등불, 이 등불로 앞장을 설 수 있고 밝혀줄 수 있지만 이 등불이 없다면 컴컴한 암흑 속에서 우리는 헤매고 돌지 않으면 안 되는 신세로 억겁을 거쳐온 그 습을 하나도 떼지 못할 겁니다.

종 문서는 내려놓고 다니나요? 짊어지고 다니지. 작년 콩씨를 심었을 때 그 콩나무로 다시 화(化)한 것뿐이지. 그리고 콩나무는 콩씨를 또 짊어지고, 보이지 않는 콩을 짊어지고 가기 때문에 여러분이 종 문서를 짊어지고 다니는 거지 과거의 업이 있어서 짊어지고 다니는 게 아니다 이겁니다.

과거의 나를, 나 나기 이전을 찾지 말고 나 있는 데서 찾으라는 거야. 모든 화두도, 자기가 나왔기에 색이 공이요 공이 색이지 자기가 그대로 그릇이 빈 그 자체가 바로 화두며 자기가 거기에서 한 점의 불씨를 얻는 것이 바로 그것입니다. 여러분은 모두 딴 데서 오는 것같이, 딴 데서 주는 것같이 생각을 하는데 물론 자기 불씨가 밝아져야 그 불씨를 보고서 부처님께서도 같이 한마음이 돼주시겠지만 암흑세계에서 그대로 돌고 부처님의 불빛을 보려고 안 하는데 어찌 부처님이 자꾸 도망가는 놈을 붙잡아다가 '이 불빛을 봐라, 불빛을 봐라.' 하겠습니까?

여러분도 자식을 기르고 계시지만 자식을 기르는 데도 억지로 할 수 없는 일이 여간 많지 않습니다. 말로 하고 모습으로 야단을 치고 그래서 되는 게 아닙니다. 내 한마음 주인공이라는, 이름해서 그 한 점의 마음에다 전화통 돌리듯이 거기다 맡겨놓고 '아, 내 한마음이 바로 애의 한마음이니 내 한마음이 이러한데 애의 한마음도 자기 육신을 끌고 길잡이가 돼서 잘 갈 수 있을 거다.' 라는 걸 진짜로 믿으면 그대로 나와 같이, 내 맘과 같이 생각한다면 잘 갈 것을, 괜히 말로 욕하고 때리고 온통 야단을 벌이니까 집안만 혼란해지고 일은 일대로 제대로 안 되고 가정은 파괴가 되고 언제나 상을 찌푸려야 하고 그러니 복은 들어오지 않고 공덕도 될 수 없고 이러니 어떻게 할 겁니까?

그러고 또, 그거 한 가지뿐만 아닙니다. 업보니 인과니 유전이니 또는 우환이니 이러한 문제 등등. 또 병고니 팔자 운명이니 이런 거 모두 여러분이 지어서, 모든 게 지어서 오는 것이지 누가 갖다줘서 받는 게 아니에요. 오늘부터라도 다시 정신을 차려서 주인공이라는 그 자체! 여러분이 내가 주인공이라고 그러는 것도 이름이라고 깔보려거든 아예 당신 이름을 불러! 성을 부르든지! 김씨면 김씨, 박씨면 박씨! 다 당신이 이날까지 살아왔잖아! 그러니까 네가 다 알아서 하고 안 되는 일도 네가 알아서 하고 잘 되는 일도 네가 알아서 해! 안 되는 거 되는 거 다 거기다 놓는다면, 맡겨놓고 참 믿는다면, 물러서지 않는다면 바로 거기에서는 홀연히 자기의 생명수의 근원이 스스로서 나올 거라구.

자기가 자기 길잡이가 돼야지 남이 길잡이가 돼서는 아니 됩니다. 초발심에서 여러분을 이끌어주는 길잡이, 그리고 내내 길잡이입니다, 같이 하고 있으니까. 그러니까 여러분이 따로 있다, 둘이 있다, 또 육신이 꼭 와줘야 된다, 가줘야 된다 이런 모든 걸 떼십시오. 육신은 고달픈 거고 한계가 있는 겁니다. 그러나 한마음의 그 불씨는 우주를 쓸어안고도 남음이 있는가 하면 다양하고 편리하게 달나라에 가려 해도 감이 없이, 오고 감도 없이 전체를 볼 수 있고 전체를, 즉 열쇠를 가지고 있을 수 있고 또 자유롭게 조화를 할 수 있고, 이끌어갈 수 있고 그러한 열쇠를 우리는 갖게 되는 것입니다.

가고 오는 데도 그렇지만, 부처님께서는 보는 것만이 도가 아니니라, 듣는 것도 도가 아니니라, 남의 속을 아주 잘 안다고 해서 도가 아니니라. 그것만 가지고 늘어지지 말아라. 착을 두지 말아라. 또 남이 지나내려온, 억겁을 거쳐온 숙명을 안다고 해서 도가 아니니라. 가고 옴이 없이 네가 맘대로 다닌다고 해서 도가 아니니라고 하셨습니다.

그 다섯 가지를 다. 네 마음을 깨우쳤다면, 탄생했다면 그 다섯 가지를 배우기 위해서 전력을 다 해서 안으로 보임(保任)을 다시 하면서, 다시 체험을 하면서 안으로 굴려서 다섯 가지도 다 익혀서 네가 부려야만이 그것이 바로 마음의 금강주로부터 누진을 통해서 다 부리는 것이고 그때는 진짜 가만히 있으면 부처요, 생각을 하면 법신(法身)이요, 움직거렸다 하면 화신(化身)이야. 그러니 보현 문수는 스스로 따르고 결국 자기, 자기라! 그래서 삼십이상(三十二相)이 그대로 밝아서 보살행을 할 수 있다라는 얘깁니다.

이것은 자기가 가보지 않으면 몰라! 물 속에를 들어가보지 않으면 몰라. 딴사람들처럼 물 속에 뭘 입고 들어가봐도 깊이나 알지 다른 데 깊이는 몰라. 척 생각하면 다 알도록 돼 있는, 알아도 아는 척 안 할 때에 하는 것도 모르게 할 수 있는, 누가 모르라고 그래서 모르는 건 아니거든. 모두 모르니깐 모르는 거지. 그런데 모르는 거를 또 알려고 애쓸 필요는 없다 이거야.

그러니깐 세계를 조절할 수 있고 우주를 조절할 수 있는, 즉 말하자면 삼광주를 얻는다면, 삼각원형을 이뤄서 밝게 돌아갈 수 있다면, 즉 스스로 말입니다. 그렇다면은 우리는 대천세계(大千世界)와 중천세계(中千世界) 소천세계(小千世界)를 한 손에 넣고 한 점으로써 모든 것을 다. 닿으면 닿는 대로 태울 수 있고 닿으면 닿는 대로 소소영영하게 코치할 수 있고 같이 돌아갈 수 있으니 얼마나 다양하고 얼마나 편리한 법인가를 여러분이 잘 증득하기를 바랍니다. 오늘은 이걸로써 마치겠습니다.

참마음의 전달

86년 6월 15일

어저께도 여러분한테 간단하게 얘기를 했습니다마는 우리 인간은 물질을 세우고, 내 몸뚱이라고 세우고, 말을 세우고, 이름을 세우고 이러기 때문에 자기 참마음의 전달이 되지 않는 겁니다. 참마음의 전달이 속속히 될 수만 있다면 참으로 이렇게 좋은 법이 없을 겁니다.

이렇게 좋은 법이 없건만 '어쩌면 이렇게 좋은 법을 모를까?' 하는 안타까움에서 어저께 잠깐 일체 만물에 대한 문제를 생각해봤습니다. 모든 무정물이나 생물이나 또는 날짐승들이나 낮은 동물들은 다, 일년에 지나가는 모든 것을 알고 생활을 하고, 또는 어떠한 무리가 닥쳐오는 것을 알고 지내고 있고, 기상이 나쁘다는 걸 알고 있고, 갖가지로 모두 알고 지내고 있는데 우리는 인간으로서 자유스런 마음을 가지고 있으면서도 마음대로 제대로 전달을 못 하는 원인은, 바로 몸뚱이와 말과 물질에 대한 욕심과 착을 떼버리지 못해서 일이 벌어진다는 생각이 들었습니다.

그렇다고 떼버리라고 해서 쉽게 떼버려지는 게 아니라 우리 마음 밖에서는 절대로 내 자성불을 찾을 수가 없으며, 자성불을 찾지 못한다면 일체 만물의 마음을 모르는 것입니다. 모르기 때문에 전달을 못

하고 또 일체 만물의 마음을 전달받지 못하는 것입니다. 그럼으로써 사는 데 얼마나 복잡다단하고 괴롭습니까? 한 가정에서도 마음이 맞지 않으면은 지옥이라고 했는데 우리는 전체 만물과 더불어 같이 응용하고 서로 마음을 주고 받는다면 얼마나 좋을까 하는 생각이 듭니다.

여러분은 때에 따라서 내 생각의 범위 내에서 내 생각만 해서 남 생각을 안 하고 남의 속에 들어가보지도 못하면서 내 생각대로 말을 해버리고 맙니다. 또 내 생각의 차원에 따라서 옳다고 주장하고, 또 내가 아니면은 이런 건 못 한다고 하는 자만심, 이런 것 때문에 그르치는 겁니다, 모든 게. 벌레 하나도 허투루 볼 수가 없다는 사실을 알아야 합니다.

예전에 운문스님이 그런 말씀을 하셨답니다. 어느 날 대중을 모아 놓고 "이 세상에 모든 게 활가왈부하는데", 다시 말하면 '광활한데' 하는 소립니다. 그러니깐 복잡다단하다는 얘기라고도 볼 수 있겠죠. 종이 울리니 어째서 너희들은 칠조가사를 입느냐고 하셨답니다. 종소리를 듣고 어째 칠조가사를 입느냐는, 뭣 때문에 그 칠조가사를 입느냐, 이런 말이죠. 거기에는 참 심중 깊은 의미가 들어 있다고 봅니다. 그 소리를 듣고 대중들은 제각기 달리 들은 겁니다. 똑같이 들은 사람이 하나도 없어요. 아주 심중 깊이 생각하고 그 말씀을 한 마디 간단하게 하셨건만도 그건 말씀이 아닌 말씀이겠지요?

가사에는 칠조가사, 구조가사, 오조가사가 있는데 최초로 가사를 두를 때 어떻게 생각을 하느냐 하면은 한 폭이면 한 폭, 두 폭이면 두 폭, 한 오락지면 한 오락지 이렇게 시주를 한 거니까, 오조는 조그만 오락지들 모아서 한 거고, 칠 폭을 얻으면 칠조로 하고 또 구 폭을 얻으면 구조로 하고 이렇게 한 걸로 알아듣는 사람이 있고, 어떤 사람은 심중 깊이 들었겠죠. 우리가 그 뜻을 한번 음미해 본다면 대답을 가벼이 할 수는 없습니다. 여러분 마음대로 생각하십시오.

예전에 여러분이 질문을 하고 말을 했습니다. 나는 또 대답을 했습니다. 이렇게 지금처럼 말입니다. 그러면 듣는 마음이나 대답하는 마음이나, 마음과 마음을 전달을 하는 겁니다. 말로 전달을 한 게 아니라 마음으로 전달이 된 겁니다. 여러분이 볼 때에 마음 밖에서는 부처를 찾을 수가 없거니와 마음 밖에서 나를 어떻게 찾으며, 마음 밖에서 어떻게 부처님의 배짱을 알 수 있겠느냐는 얘깁니다. 수천 수만의 조사들의 그 배짱을 어떻게 알겠느냐? 그 말씀 한 마디, 의미 깊은 말씀 한 마디를 내던졌건만도 그것을 모른다면은 내 소견만 소견이라고 하지, 남의 소견을 모르니까 그거는 바로 귀머거리나 똑같은 얘기죠.

예전에 내가 이런 말을 했죠? 어느 스님이 탁발을 하러 가서, 보리쌀 뜨물 한 그릇을, 가난한 집에서 바리때에 담아주는 거를 먹고서 너무 가엾어서 나무 한 짐을 해다 주러 갔노라고요. 나무 한 짐을 잔뜩 해가지고 내려오니까 은사 즉 산 부처가 있다 하는 소리가 "이놈아, 어쩌면 그렇게 좁으냐?" 이거죠. 너는 어째 그렇게 좁으냐? 너의 몸뚱이를 등을 받쳐놓는 등대라 한다면 네 등잔은 마음이니라. 그런데 마음으로 말하면 거기엔 또 기름도 있어야 하고 심지도 있어야 된다는 얘깁니다. 심지도 있고 다 있는데도 불구하고 성냥으로 불을 당기지 못하는 사람은 사람 값에 못 가. 무주상 보시(無住相布施)를 할 줄 모르는 사람은, 나무를 한 짐 해 줘봤자야 한 번 태워버리면 그뿐일 것을, 그렇게 마음이 옹졸해서야 나무 한 짐 한 본의가 어디 있겠느냐 하면서 작대기로 정강이를 때렸다고 합니다. 그러니깐 나뭇짐째 그냥 디굴디굴 굴러서 낭떠러지로 떨어지자 거기서 '아차!' 하고선 그 도리를 깨우쳤다 합니다.

그런 거나 마찬가지로 우리가 한마디 들으면 가정에서나 도량에서나 자기 범위 내에서 생각을 하고, 자기 차원에서 생각을 하지 남의 차원에서는 좀체 생각하지 못합니다. 그러기 때문에 사고가 벌어지는 거죠. 내가 좀더 그 도리를 이해를 하고 그쪽 방면으로 한번 서보는, 잘못됐든지 잘됐든지 내가 서보는 그런 마음이 돼야 하고 그 마음이 됐다면은 남들과 서로 마음과 마음이 전달을 하게 되는 자비심이 생겨서 가정도 조화를 이루고 또 생활 속에서 조화를 이루죠. 인간이 살아나가는 데, 부부가 만나서 사는 데도 간단하게 생각이 되지마는 사람 사는 게 그렇게 간단하지는 않습니다. 가다 보면은 그것이 너무도 복잡하고 다단합니다.

그러고도 생활에 의해서, 자기 인연에 의해서 천차만별로 자기한테 주어진 대로 생활을 하게 돼 있죠. 장사꾼은 장사를 하고 정치인이면 정치를 하고 말입니다, 뭐든지. 내가 말씀드리고 싶은 것은 그렇게 복잡다단하게, 내 몸도 복잡다단하게 생긴 겁니다. 그래서 한쪽이 폐허가 되면 또 한쪽이, 즉 말하자면 공장장이 폐업을 하고 파업을 일으킨다면 몸 전체가 기울어지는 겁니다. 그러기 때문에 이 몸도 복잡다단하고 모든 생명들이 내 몸 안에 형성이 돼서 한 사람의 선장으로서 마음을 먹게 돼 있으니 얼마나 복잡합니까? 그런 데다가 가정도 그리 쉬운 건 아닙니다. 이 세상에 살아나가는 사회도 복잡다단합니다. 세계는 물론이거니와 우주도 마찬가지입니다.

그런데 우리가 마음과 마음을 전달한다, 마음과 마음을 서로 주고 받는다는 뜻은 우리 마음에 의해서 모든 것이 결부되어야 하는 것을 말하죠. 여섯 가지가 우리 몸 안에 있는 거를 비유를 한다면 등, 등대, 기름, 심지, 성냥, 사람이 움죽거려야 켭니다. 그래서 여섯 가지가 다 주어져 있다는 겁니다. 주어져 있는데도 불구하고 진수성찬을 차려놓고 '너는 그것을 뭣 때문에 먹느냐?' 하는 거나 똑같습니다. '지금 칠조를 뭣 때문에 입느냐? 종이 울리는 소리를 듣고 너는 뭣 때문에 칠조를 입느냐?' 이런 것도 '밥을 다 해놓고 먹을 걸 차려놓고 너는 뭣 때문에 그걸 먹느냐?' 이런 거나 똑같은 문제죠. 너는 뭣 때문에 사느냐? 이런 것도 똑같은 얘깁니다.

그런데 우리가 그 마음 하나로 인해서, 이 말은 참 심사숙고하고 들어야 하는 문제입니다. 여러분의 마음이 체가 없으면서 듣고 있고,

나도 체가 없는 마음이 지금 움죽거려서 이 말을 하고 있는 겁니다. 그 듣는 마음과 하는 마음이 둘이 아닌 것입니다. 이것을 잘 생각해 보십시오.

마음 밖에서는 찾을 수가 없으니 마음 안에서 일체 만법의 활용을, 자기의 환경에 따라서 자기 주어진 데에 따라서, 자기 차원에 따라서 말입니다. 지금은 예전과 같이 등잔과 등대가 있는 게 아니고 코드만 가지면 되는 세상입니다. 지금 이렇게 발전이 됐다는 얘깁니다. 예전에는 그렇게 여섯 가지 방편을 썼지마는 지금은 여섯 가지가 한 가지가 될 수 있고 한 가지가 여섯 가지가 될 수가 있는 거죠. 여섯 가지만 여섯 가지라고 볼 수 없는 거죠. 한생각에, 코드 하나에 끼웠다 뺐다 할 수만 있다면 안에서 끼고 바깥에서 끼고 할 수 있다면, 안에서 끼면은 바깥에서 벌써 환하게 비치는 거 아닙니까? 가설은 본래 돼 있는 거고. 우리 인간이 살아 있다 하면은 벌써 이 세상 가설은 다 돼 있는 겁니다.

여러분이 그대로 마음과 마음을 전달해서 즉 끊임없는 옛부터 지금 여기 나오기까지, 마음을 전달해서 이날까지 나온 것이지 마음을 전달해서 나오지 않은 것은 하나도 없습니다. 그래서 '끊어지지 않는 옛부터' 하는 소리는 억겁을 거슬러 올라가서 얘긴데, 그때서부터 마음과 마음을 전달하고 마음을 계발하고 마음의 계발이 됨으로써 진화가 되고, 진화가 됨으로써 몸이 바뀌지고 바뀜짐으로써 옮겨놓고, 옮겨놓음으로써 우리는 예까지 온 것인데, 지금 옮겨진 몸만 몸인 줄 알고 있죠. 어저께 굼벵인 줄 모르고 오늘 매미인 줄만 아는 그러한 속줍은 마음이죠. 과거심도 현재심도 미래심도 한데 뭉쳐서, 일심(一心)도 고정된 게 없다는 걸 알 때에 비로소 우리는 생수 맛을 볼 수가 있다는 겁니다. 그러니 전자에는 전자대로 끊어지지 않고 옛부터 오는 마음과 마음이 전달되는 이 마음을 '옛부터' 했단 말입니다. 옛 자리나 지금 자리나 똑같습니다.

우리는 인간이 돼가지고 일체 만물의 선장인 부처라는 말을 들으면서도 왜 그렇게 폭이 넓지 못하고, 팔이 넓지 못하고 마음이 넓지 못해서 우주의 근본과 일체 만물의 근본을 한마음에 넣고 굴리지 못합니까? 물론 새들도 재잘거리고 입으로만 말을 하지, 도대체 마음으로 말을 하지를 않아요. 그 말소리를 들을 수는 있죠. 그러나 듣는 것도 도가 아니라고 한 것은, 다섯 가지 오신통(五神通)이 도가 아니라고 한 것은, 듣고 보고 해도 내가 이것을 옮겨놓을 줄 모르고 자유자재 못 한다면은 그것은 도가 아니다라는 얘깁니다. 보기만 하면 뭘 하고 듣기만 하면 뭘 합니까?

　　만약에 백 명이든 십만 명이든 딱 마주쳤을 때, 즉 말하자면 내 앞에 딱 다가왔을 때는 내가 급하니까 그것을 옮겨놓을 수밖에는 없는 거, 즉 말하자면 어떠한 폭풍이 왔을 때 '폭풍을 이쪽으로 조금 옮겨놓고 분배를 하면은 여기도 무너지지 않고, 저기도 무너지지 않을 것을…' 할 때, 이것은 자기 자성의 근본적인 자비요, 바로 자비의 원력입니다. 무너지면 살려고 하기 이전에 내 몸뚱이도 그 몸뚱이도 모두가 다 중생의 몸입니다. 그렇다면은 내 한마음이 그렇게 넓은 자비 원력이 있다면 폭풍이 올 것을 흩어지게 해서 무너지지 않는다면 수백 명에 달하는 인명이 죽지 않게 할 수도 있지 않느냐 이런 것도 있습니다.

　　그러나 또 한편은 무너지는 걸 무너지지 않게 하는 것만이 도가 아니지 않느냐? 그게 용이 아니지 않느냐? 이런 것도 있는데 이게 바로 잘못됐다 이겁니다. 잘못들 생각하고 있다 이겁니다. 그건 왜? 가는 것 잡지 말고 오는 것 막지 말라 그랬습니다. 가정에서 살면서도 내 앞에 닥치는 거 남 일 보듯 그냥 돌아설 겁니까? 닥친 겁니다. 그러기 때문에 생각이 스스로 나는 겁니다. '야, 이거 참 저녁거리가 없는데.' 이런 생각은 스스로 나는 거 아닙니까? 누가 하라 해서 하고 말라 해서 마는 게 아닙니다. 스스로 나기 때문에 그걸 마다하지 않고 피해서 달아나가지 않습니다. 가정이 다 굶어죽어도 내가 귀찮다고 '에잇, 나나 먹으면 됐지.' 그러고 그냥 달아나가진 못합니다. 그러기 때문에 내 몸 아님이 없고 내 마음 아님이 없는 것입니다.

그러니 그러한 문제를 놓고 볼 때 날아다니는 새도, '엄매 엄매' 하고 우는 소도 심중 깊이 마음으로서 말을 했다면 그건 말이 아닌 마음입니다. 마음을 전달한 겁니다. 아마 운문스님도 마음을 전달해서 말을 했는데 하나도 듣는 사람이 없다면 그것은 무효가 되는 것입니다. 그 말씀이 무효가 되는 거죠. 그걸 한 사람이라도 들었다면은 정말이지 이것은 마음을 전달한 겁니다.

그래서 우리가 그 마음의 보배를, 우리가 싱그럽게 공부할 수 있는 그 마음을 가질 때는 언제나 나를 세우지 말고 남의 참견하지 말고 주변의 어떠한 문제가 있더라도 남을 탓을 하지 말고. '남이 이렇게 해서 이렇다.' 이러지 마세요. 남의 탓이 절대 없습니다. 자기가 모든 것을 봤을 때, 주인공에다 모든 거를 봤을 때는 스스로 돌아갑니다. 자기가 생각한 대로 스스로 돌아갑니다. 완화되고 그것이 아주 스무드하게 돌아가는데, 말로 이게 틀리다 저게 틀리다, 이 사람이 틀리고 저 사람이 틀렸다고 이런다면은 공부하는 거는 틀려버렸고, 또 한 가지는 자기가 생각한 대로 돌아가질 않습니다. 그리고 오히려 말만 벌어져가지고 싸움만 납니다. 이것이 바로 우리 공부하는 데 심중 깊이 생각해야 할 점이라고 봅니다. 자기 생각대로 말하고 자기 생각대로 하는 그러한 관습적인 습을 몽땅 떼야 되겠습니다.

한 가지 끝으로 얘기해드릴 것은 우리는 지금 마음의 근본을 가지고 있으니 주변을 둘로 보지도 마시고, 원망하지도 마시고 모든 것을 나로 보세요. 그리고 깨달은 사람이 말하는 거는 깨달은 대로의 법이 될 수 있는데 이런 게 있습니다. 사람을 죽여도 자비다, 이런 거 말입니다. 왜? 그건 무명을 치고 옷만 벗겼지 사람을 죽인 게 아니다라는 얘깁니다. 그러기 때문에 아무리 욕을 했다 하더라도 그것은 욕이 아니라 자비가 될 수도 있거든요. 답답하면 욕을 한마디 해놓고선 그 사람

마음의 근본을 건지려고 무척 애를 쓰는 그런 자비가 있습니다, 그 속에는. 그런데 남의 속을 하나도 모르면서 자기 생각대로 막 해버리는 그런 습이, 여러분이 다는 아니겠지만 어떤 때는 그 습관이 나온다고 봅니다. 다른 때는 아무 일도 없다가도 급작히 닥쳤을 때 그게 나오는 겁니다. 그래서 급작히 닥칠 때에 한번 찔러보면은 영락없이 예전의 습 그대로 나오는 겁니다.

그러니 너무나 좋은 법이 돼서 한번, 어저께도 조금 얘기를 했지마는 우리가 일체 만법에 의해서 마음의 보배가 쓰입니다. 예를 들어 하나의 코드라면은 큰 거를 쓰려면 큰 코드 하나에, 마음을 먹을 때 '나는 모터를 돌리겠다.' 하고 코드를 꽂으면 모터가 돌아지고, '난 냄비에 찌개를 끓이겠다.' 하고 코드를 꽂으면 찌개가 끓여지는 것이 바로 보배입니다. 이 세상에 우주의 섭리나 이 세계의 섭리나 나라의 섭리나 가정의 섭리나 복잡한 몸의 섭리나 모두 똑같이 행할 수 있는 그 자력이 여러분한테 다 주어져 있기 때문에 '그대로 여여하니 부처니라.' 하는 말을 한 겁니다.

그런데도 불구하고 여러분은 색에 끄달리지, 욕심에 끄달리지, 말에 끄달리지, 나에 끄달리지 모두 끄달리다 보니깐 아예 그냥 철통같이 막힌 겁니다. 그리고도 우리는 항상 마음에 의해서 용을 하고 있으면서도 용을 먼저 하는 것은 사법이고 정법이 아니다, 이렇게 말하는 사람도 있습니다. 그러나 정법이든 사법이든 어떤 거를 막론하고 다 놔버려야 됩니다. 놔버리고서 자기가 한생각을, 한생각을 하기 이전에 그냥 무심히 생각하면서 무심히 밥 먹고 똥누고 잠자고 편리하게 살아나가듯이 큰일이든 나쁜 일이든 좋은 일이든 스스로의 자기 한생각에 좋게 돌아올 수 있는, 좋게 해줄 수 있는 그런 마음이어야 합니다.

그저 오다 가다가도 한생각 좋게 탁 내던질 때도 있고, 오다 가다가도 한생각을 좋게 내주기 위해서 한 번 찔러볼 수도 있고, 오다 가다가도 한 번 말을 푹 찔러서 남의 부아를 홀랑 뒤집어놨을 때 그 사람의 행동이 어땠을까, 하는 것도 한 번 해봄으로써 거기에선 한마음의 도리에 큰 공덕이 갈 수 있다고 봅니다. 그랬을 때에 속이 뒤집어지지 않으면서도 속이 뒤집어지게 남한테 말을 해주는 거는 그것도 자비다 이겁니다. 그 왜? 모르는 사람이 뒤집어지게 한다면은 그것은 악으로 돌아가지만 이 도리를 아는 사람이 속을 뒤집어놓는 거는 그건, 즉 말하자면 그 사람의 뜻을 보기 위해서 그런 것이기 때문에 그건 자비입니다.

　　누가 나에게 "저 사람은 이렇게도 굴러가고 저렇게도 굴러가고 두루뭉수리 같애. 뭐 끊고 맺는 게 없어." 이러고 욕을 한다 해도 나는 그걸 웃으면서 받아들일 수 있고 또는 저 사람은 못났다 해도 받아들일 수 있습니다. 왜? 나는 수시로 이런 말 하죠. 부처님의 뜻이란 개를 건지려면 개가 되고, 벌레를 건지려면 벌레로 들어가야 하고, 부처 자리에 같이 앉았으려면 부처 자리에 같이 하고, 보살이 되려면 한 발, 한 계단 내려딛고서 보살이 돼야 하고, 여러분 집에 가려면은 여러분이 나하고 동등해야 가는 겁니다. 그러기 때문에 나는 뭣이 잘나고 뭣이 부처고 뭣이 중생이고 그런 거 다 모릅니다.

　　엊그저께도 그런 일이 있었습니다마는 미국에서 어떤 아이가 학교를 3학년까지 다니다가 정신이 이상해졌다고 전화가 왔습니다. "정신이 이상해져서 학교를 다니다가 휴학을 했으니 어떡하면 좋겠습니까?" 하고…. 그 최씨는 미국에서 살면서도 항상 편지를 하면서 자기네 가정을 지켜나가고 공부를 해나가는 사람입니다.

　　여러분이 만약에 그런 전화를 받았다면 어떡하시겠습니까? 모든 데에 끄달리지 않고 세상의 일체 만법을 마음대로 응용할 수 있는 보배가 바로 각자에게 있다는 걸 실감하고 알 때 비로소 "그거, 그래요!", "그래요." 하고 대답이 끝나기도 전에 벌써 거기 갈 겁니다. 이 마음이라는 건 체가 없기 때문에 마음이 전달해서 거기 받는 사람, 거기서 그렇게 말하는 사람과 이쪽에서 대답하는 사람이 벌써 동일해지는 겁니다. 그럼 내가 걱정할 필요가 뭐 있습니까? 그걸 위해서 안달복달할 필요도 없잖습니까? 순간 찰나 아닙니까?

그런데 3일 만에 300불을 보내면서 하는 소리가 "고맙습니다. 고맙습니다. 고맙습니다. 고맙습니다. 고맙습니다. 고맙습니다." 하는 거를 열 다섯 개를 그려놨어요. 그건 왜 그랬느냐? 그리고 그림 위에다가 한마디 '버리게 된 자식을 살려주셔서 감사합니다.' 이렇게 써 놨어요. 그럼 도대체 '감사합니다, 감사합니다, 감사합니다, 감사합니다.' 이것이 뭡니까? 마음입니다. 우리가 마음을 주고 받는다 하는 것이죠. 마음은 체가 없기 때문에 이렇게 좋은 법인데도 불구하고 우리는 그걸 실감하지 못하고 그저 남 탓을 하느라고 볼 일 못 보는 거야. '공부했다는 사람이 용으로 들어가? 공부했다는 사람이 이렇게 해?' 하고 말입니다. 도대체 남의 탓을 해서 뭘 합니까? 남이 이렇게 가든지 저렇게 가든지 무슨 상관 있습니까?

천칠백 공안이 다 문이야. 문이 하나도 없으면서도 문이 그렇게 많아요. 근데 목적지는 한 목적지인데도 문이 그렇게 많으니 자기 차원대로 다 가는 거라! 주판을 놓을 때 십 원을 놓고 만 원 놓는 걸 알았든지, 만 원 놓고 만 원 놓는 걸 알았든지, 백 원을 놓고 만 원 놓는 걸 알았든지 십억 놓는 걸 알았든지, 그건 상관없지 않습니까? 우리가 그냥 살아가면서 지금 용을 하는 것이, 그대로 용을 하고 있는 겁니다.

그런데 용이 따로 있고 생활이 따로 있고, 불법이 따로 있고 부처님 법이 따로 있고 깨우침 법이 따로 있는 것이 아닙니다. 우리가 그대로 지금 '깨우침 법' 하는 것은 안으로 굴려서 언제나 무겁게 원자력 능력을 닥치는 대로 받아서 쓰는 것뿐이지, 우정 찾지 않는 것을 일부러 말을 해가지고 내가 이렇게 잘 아니까 너를 도와주겠다 이런 말은 언급하지 않아야 합니다. 이거는 어불성설입니다.

그래서 공부하는 사람들은 남 탓 안 한다. 남을 원망 안 한다. 남을 증오 안 한다. 남의 말에 끄달려서 돌아가지 않는다. 남의 참견을 안 한다. 모든 것은 안으로 굴린다. 참견을 안 하되 참견을 할 수 있는 거는, 내 앞에 닥친 참견은 해야지요. 이 도량에서도 만약에 뭐가 잘못 돌아간다 이럴 때는 자기 생각에, 주인공에 맡겨놓고 돌아가게 해야지, 이걸 말로 발설을 하고 이 사람이 어떻고 저 사람이 어떻고 이런다면 일이 하나도 해결이 안돼요. 오히려 바깥으로 더 커지죠. 이런 건 다 놔버리고 자기한테만 오로지, 자기 주인공한테만 맡겨놓아야 합니다. 왜냐하면 자기가 있기 때문에 상대방의 소리를 들었고, 자기가 있기 때문에 상대방이 하는 걸 봤고, 내가 있기 때문에 상대방의 눈에 거슬린 거지 내가 없이 어떻게 거슬립니까?

그런 거를 놓지 않고서야 어떻게 그 끝없는 옛부터 우리가 가지고 살아온 습을 녹일 수 있으며, 어떻게 내가 그것을 항복을 받을 수 있으며, 또 항복을 할 수 있겠습니까? 내가 항복을 받고 내가 항복을 하는 건데, 항복을 받는 사람도 나요 항복을 하는 사람도 나다, 이겁니다. 육신이 따로 있는 게 아니라 '삼십이상(三十二相)이 구족(具足)하다.'는 그런 말이 있듯이 그대로 산 부처다 하는 겁니다. 산 보살이다, 산 법신이다 이거예요.

그러니 이게 정법이다, 사법이다 하기 이전에 그걸 다 놔버리고, 못났든 잘났든 문이 아니든 문이든 한번 엎드려져보고 돌아가는 거지, 이것이 큰 경험이며 보배를 크게 이루는 지름길입니다. 그러니 남의 말로 '팔만대장경에 이렇게 해놨으니까 요렇게만 가야겠다.' 이건 모두가 착이야.

예전엔 그렇게 등대가 있고 등잔이 있고, 기름이 있고 심지가 있고 성냥이 있고 손이 있어야 했어. 그런데 말입니다. 그 손도 사람의 마음이 있기 때문에 손이 들어지지 억지로 들어지나요? 그리고 또 우리가 책을 본다 하는 것도 '글자가 아니라면 어떻게 마음을 담습니까?' 이런 것도 있어요, 예전에는요. 글자를 쓸 때 마음이 있기 때문에 글을 쓴 거지 마음이 없다면 어떻게 글을 씁니까? 그래서 글을 보지 말고 그 글 속에 백지의 마음을 봐라 이겁니다, 응? 글씨가 나를 보고 내가 글씨를 보지 말라 이겁니다. 그 글씨 속에 있는 거를, 우리는 그대로 글씨 써놓은 대로 이름을 가지고 상징하지 말고 그 속에는 뭐가 있다는 거를 알아야 합니다. 그래야만이 아까 운문스님이 말씀하신 그 뜻도 알지 않겠습니까?

우리 같이 한마음 한뜻이 된다면 닥치는 대로 스스로 코드를 꽂고 스스로 코드를 빼고, 우주법계에 스스로 천체 통신력으로 이행해주고, 그대로 통신이 되면 가차없이 그대로 정돈해주고 책정해주고 이렇게 하는 이 도리를 우리는 능히 할 수 있을 것입니다.

저 스님은 만날 설법한다고 하면서 그저 부처님의 좋은 말씀은 안 해주시고 만날 저렇게 쓸데없는 말만 한다고 하지 마시고, 쓸데없는 데서 지금 쓸데있는 일을 하고 있는 걸 아십시오. 그리고 사람이 준비를 하는 겁니다. 지금 여러분이 죽으면 혼이 얼마동안 있다가 윤회한다고 하지마는 여러분이 이 도리를 알면은 그저 몸 떨어지자마자 다시 새 옷을 갈아입기도 하고 내 몸 없이도 수만 개가 바로 내 몸이 아님이 없고, 몸 하나가 수만 개의 내가 될 수가 있는 겁니다.

그러면 예를 들어서 미국에서 전화가 오고, 여기서도 여러분이 해결할 것이 있고 그러는데, 그럼 그 마음이 체가 있어서 어떠한 한계가 있다면은 모르지만 체가 없기 때문에 한생각 내면 그냥 그게 내가 내는 거 아닙니까? 그래서 여러분이 어떠한 병에 걸리더라도 여러분의 마음이 이 도리를 이렇게라도 알아서 카바해주는 사람은 쉽습니다. 병이 아무리 위독하다 할지라도 옆에서 아는 사람이 카바해주는 사람이 있다면 아주 쉽습니다. 아무것도 모르는 사람이 붙들고 애를 쓰면은 그만치 더딥니다. 그리고 죽기까지 하는 거죠. 마음이라는 게 그렇게 묘한 것입니다. 묘법입니다.

그러니 여러분이 공부하는 데에 조금도 애착이 없이 남의 걱정하기 이전에 나부터 아시라는 얘깁니다. 그리고 남의 걱정이 있걸랑은 내 마음에다가 맡겨놓으시라는 얘기지 걱정 안 하라는 게 아닙니다. 진짜로 사랑하고 진짜로 자비한 마음이 있걸랑은 안에다가 굴려놓으십시오. 거기에 맡겨놓으신다면 오히려 내가 뛰어다니면서 일을 해주는 것보다 백곱쟁이 천곱쟁이 아마 좋은 결과를, 씨를 거둘 겁니다. 그러니 여러분이 가정에서 살면서도 좀더 사는 데에 괴로움이 없이 사시라고 이러는 겁니다.

여러분을 보면서 저는 때로는 가다가도 눈물이 나고 오다가도 눈물이 나는데 못나서 그런지 모르겠습니다. 그런데 그것도 아마 마음에서 말입니다. 남은 이 소리를 했는데 나는 엉뚱한 생각을 하고 눈물이 날 때가 있거든요. 그 뜻을 보고 말입니다. 어떤 사람은 병이 들어서 왔다고 그러는데 그 아버지가 울고 있어요. 아버지가 울고 있을 때 어떻게 해서 그 생명이 앗아졌는가를 볼 때 너무도 무참해서 그 사람은 비켜놓고 그 아버지하고, 아버지의 마음과 내 마음이 동일하게 돼가지고 눈물이 흐르는 거 있죠. 그럴 때가 있습니다. 조실부모한 사람들도 많은데, 조실부모했다 하면은 고통이 조금 많은 것 같애요, 가만히 볼 때요.

그러니 모든 게 우리 그 마음들은 변치 않고 있으나, 그분이 바로 여러분이거든요. 마음은 체가 없어서 몸이 없어지면은 바로 자식이 그분이지, 즉 과거 그분이란 말입니다. 그러니까 연방 마음을 전달해서 나오고 생기고 이렇게 떴다 가라앉았다 하는 이 인생살이가 다 엊그저께가 따로 없고 내일이 따로 없고 오늘이 따로 없는 겁니다. 오늘은 이걸로써 마치겠습니다.

단계 없는 세 단계의 공부 방법

86년 6월 21일

오늘은 이 땅에서 모든 것이 이루어지는 것을 얘기해봅시다. 지구에 관한 건도 옛부터 활동하고 시각적으로 움죽거리던 장소가 지금 장소와 둘이 아니라는 거, 예전에도 우리가 있었고 지금도 우리가 이렇게 있노라고 말을 하고 싶습니다.

여러분이 공부를 할 때, 재차 말씀드리지마는 모든 것을 놓는다, 모든 것을 맡기고 산다 하는 그것이 방하착(放下着)이라면 첫째, 모든 잡념과 전자에서부터 얻은 그 습성을 다 녹여버리고 자기의 그 참 생수맛을 봐서 자기가 자기를 알아야 합니다. 또 이차적으로 자기를 다시 한 번 체험하면서 상대방과 나와 다시 죽는 법을 또 배워야 된다. 다음에 세번째, 상대방과 나와 더불어 같이 나툴 줄 알아야 한다. 만약에 상대방과 나와 죽지 않는다면 상대방과 나와 같이 나툴 수가 없는 겁니다. 그러기 때문에 이런 말을 재차 하는 겁니다.

우리는 이러한 경험 저러한 경험을 살림살이에서 다 하고 돌아갑니다. 그런데 때에 따라서는 아주 놔 버리는 데, 맡겨놓고 사는 데에 여념이 없어야 하는 것이, 온갖 작동을 하면서도 그 작동하는 것이 바로 자기 주인공에서 다 하기 때문에, 예를 들어서 운전수가 차를 몰고 다니는데 그 운전수에 모든 것이 달려있듯이 모든 걸 거기에 맡겨놓음으로써 전자부터의 자기 종문서를 몰락 태워버릴 수 있다는 이런 문제가 있습니다.

그런데 내가 탄생했을 때 내가 나를 가르치기 위해서 엉뚱하게 이 세상에 걸맞지 않는 말과 행이 솟아나올 때도 있거든요. 그럴 때는 오관을 통해서 내가 보고 이것이 걸맞지 않는다면 자기가 제재해서 거기다 다시 봐야 되는 법입니다. 밖에서 보는 대로 듣는 대로 해야 되는 것도 잘못이지만 안팎이 다 그렇겠죠? 그래서 양면을 다 쥐고 갈피를 잡고 즉각적으로, 이게 잘못됐다는 거 잘됐다는 걸 번연히 안다면은 이것을 믿고 들어가라. 믿지 않는다면은 상대가 걸리고 상대가 걸리면 불평이 나옵니다. 믿고 상대가 없다면 불평이 없습니다.

예를 들어서 우리가 여기에서 만약에 이 소릴 들었다 저기에서 저 소릴 들었다, 저걸 봤다 이걸 봤다 했을 때에 믿지 못하면 나는 어떠한 말을 한다, 행을 한다 이렇게 나옵니다. 그런데 내가 만약에 저 사람이 나라면, 둘로 보지 않았다면, 믿는다면 '아, 그렇기도 하겠지. 고정됨이 없으니까 때에 따라서는 이럴 수도 있고 저럴 수도 있겠지.' 하는 믿음이 있다면 거기에 한마디 할 것도 없고 안 할 것도 없는 거죠.

자기 안에다 모든 것을 굴려서 '아, 어찌 저렇게, 내가 지금 생각할 때는 이러한데, 전에는 안 그랬는데 어찌 이렇게 될까?' 하고 안으로 굴려서 자기가 자신의 소리를 들어야 하는 겁니다. 그것이 바로 내가 지금 세 단계가 없는 세 단계에 대해서 말씀드리는 겁니다. 그 도리를 거기에서 넘기지 못한다면은 같이 죽어서 같이 나툴 수가 없어요. 그러기 때문에 그것은 심사숙고해야 된다는 얘깁니다. 공부하는 사람일수록 더 이건 심사숙고해야 된다.

여러분이 선원에 오시는데 만약에 여기 오시는 분들만 구제를 하는 부처님이 계시다면, 그게 부처님이 아닙니다. 때에 따라서 어디 앉았는 거나 섰는 거나 고정되지 않습니다. 때에 따라서는 여러분의 살림살이처럼 남편이 급하면은 급한 대로 나가서 뛰다가 사흘도 못 들어오고 나흘도 못 들어올 때가 있습니다. 그럴 때에, 남은 바빠서 돌아치는데 불평불만 하겠습니까? 그걸 안다면 말입니다. 제때에 밥도 못 먹고, 제때에 잠도 못 자고, 참, 피로한 몸을 끌고 이리저리 돌아다니다 들어온 사람더러 말하겠습니까?

그걸 모르기 때문에 말을 하는 겁니다. 그걸 모르기 때문에 "당신 어디 갔다 왔어?" 하고, "나는 죽도록 가정을 위해서 했는데, 당신이 좀더 집에서 잘 해줬으면 자식들과 모든 것이 평안할 거를 왜 당신은 나가서 그렇게 돌보지 않느냐? 전에는 안 그러더니 맘 변했다." 이거거든. 그러나 남편은 그게 아니라 제 속을, 나가서 일하는 걸 일일이 말할 수는 없고, 또 만약에 말을 해서 어떠한 불리한 조건이 생길 수 있는 말이라면 말을 못 하는 거라. 그렇다면은 말을 못 하고 나를 믿어라, 믿으면은 모든 것이 잘 될 거다 이러겠죠. 이렇게 하는 것도 믿어지고 저렇게 하는 것도 믿어진다면 아무 말 대상이 없는 거야.

아, 그러고 우리가 지혜를 넓혀서 한번 생각해 보자고요. 여러분이 세상 돌아가는 거 다 잘 알죠. 세상 돌아가는 것도 알고, 국내 돌아가는 것도 알고, 모든 거를 보고 알죠. 그러면서 답답하게 마음을 좁게 생각하면서 내 생활이나 가정적으로나 국내적으로나 결리는 일들이 오죽이나 많겠습니까. 우리가 여기 선원에서 공부하는 것도 마음으로 하는 일이니까 몸뚱이는 나와도 좋고 안 나와도 좋고 뭐 괜찮지 않느냐 이런 말도 하지 말아야 하고, 일할 때에는 말도 그렇고 몸뚱이도 그렇고 그것은 가만히 있어야 돼.

때에 따라서, 그냥 순간순간 급하게 돌아가면서도 여러분을 만나주는 이 마음들을 좀더 생각해 본다면 어떠할까? 좀 지혜를 넓힌다면 어떠할까? 하나만 생각하는 게 아니라 둘을 생각하고 셋을 생각하고 넷을 생각하고 백을 생각할 때 얼마나 그것이 유리할까? 여러분을 위해서지 여러분을 위하지 않는다면 그렇게 할 필요도 없죠. 누구나가 목탁이나 쳐주고 염불이나 해주고 얼굴이나 봐주고 말이나 조금 해준다면 그것으로 만족하고 나도 편안하겠죠. 그러나 이러한 문제들을 알지 못하고, 이 공부를 열심히 해야만 그걸 알 텐데 그걸 모르고 좁게 생각한다면 아니 됩니다. 그래서 또 스님네들, 보살님들, 보살행하는 분들도 여러 분 계시면서 처음에 오시는 분들을 인도해가면서 그러한 문제들을 카버해 가면서, 한마음으로 갈 수 있는 그 마음이 있다면 오죽이나 아쉽지 않고 좋을까 하는 생각입니다.

여러분 내가 항상 말해서 알고 계시죠. 지금 시대가 바뀌어져서 호국불교나 세계적으로나 국내적으로나 일을 하려고 해도 몸은 가만히 놔두고도 할 수 있다라는 얘기를요. 그러면 지금 시점에 봐서 어떠한 것이 제일 문제일까요? 그걸로 말미암아 '저 스님은 뭐를 하길래 그러나?' 하고 의정을 가지고 한번 관(觀)해볼 수 있는 거죠. 그 마음을 안으로 굴려봐야지 이게 이렇고 저게 이렇고, 돌아오면은 더 커질 수가 없습니다. 한 발을 한 번 뛰어넘을 수가 없이 거기에서 멈춰지는 그런 경향이 있으니 참 지혜를 넓히도록 하시기를 바라고요.

예전에 얘기했듯이 지수화풍(地水火風)으로 그 마음과 모습과 이 뜻이, 장소와 모든 것이 전달이 돼서 지구가 생겼고 이 땅에서 나는 모든 것에 의해서 인간들이 어떻게 하고 있는가 하는 것을 얘기를 하는 겁니다. 지난번에 지수화풍 네 친구가 동업을 해서 회사와 같이 형성을 해가지고 그걸 나누었다고 했습니다. 그래서 쪽쪽이 나누다 보니까는 대천세계(大千世界)니 중천세계(中千世界)니 소천세계(小千世界)니 이런 문제가 나왔고, 오늘날에 수많은 별들과 수많은 행성이 생겼고 은하계가 생겼고 또 우주라는 이름이 생겼고 지구라는 이름도 가지고 있는 겁니다.

우리가 지구의 모든 형태나 모든 작동하는 것을 생각해 볼 때, 지난번에 삼각원형을 이루고 있다는 얘기를 했습니다만 원자력으로써 돌아갈 때는 무전자력, 즉 말하자면 보이지 않는 세계의 어떠한 생명의 근원을 말하는 겁니다. 그러면 무전자력과 전자력, 또는 유전자력 그것이 한데 합쳐지니까 원자력으로 통하게 돼 있죠. 그래서 그 원자력에서 나가는 그 자체로 인간이 형성된 거와 같이, 좀 다르지마는 말을 하자면 그와 똑같다고 해도 과언이 아닌 겁니다.

그런데 원자력에서 그 힘으로써 작동하는 데는 삼단계가 있다, 인간에게도 있고…. 우린 그 원자력에서 나오는 작동하는 분비물에 지나지 않는다, 분비물에 지나지 않는 그 물이, 액체가, 찬 물의 액체나 더운 가스의 액체가 한데 어우러져서 나올 때는 1키로에 한 점 빠지는 그런 거리마다 이렇게 사이가 벌어져 있으면서 자동적으로 벌어졌다 오무러졌다 합니다. 이 지구 자체의 그 내막이 말입니다.

그러기 때문에 그것이 저절로 돌아가면서, 우리는 지금 차가 돌아가는데 차 안에 그냥 섰듯이, 아무 지장이 없습니다. 그런데 밑으로는 지금 돌아가고 있습니다. 한없이 지금, 시간과 공간도 초월해서 돌아가고 있습니다. 너무 빠릅니다. 그래서 우리가 이렇게 지금 가만히 앉았어도 어디로 가는지 어디에서부터 왔는지 우리 인간은 도대체 감지할 수 없는 것입니다. 그런데 그렇게 해서 그것이 내고 들이고 내고 들이고 하는 까닭에 이 지금 땅에서나 물에서나 지진이 일어나고 또는 파워가 일어나고 가스가 일어나고, 즉 말하자면 화산이 일어나죠. 이러는 문제가 일어나는 것 중에 거기에서 그렇게 나지 않는다면, 돌아가면서 그게 나지 않는다면 그것이 언급되지가 않습니다.

그러면 인간이 어디에서부터 그렇게 생겼는가를 얘기해 봅시다. 바로 그 분비물입니다. 그 분비물에서 물과 흙이 조화가 되지 않는다면 생명이란 건 생길 수가 없습니다. 그러면 우리 뛰어넘읍시다, 그전에도 얘기했으니까. 그 생물에서부터 억겁을 거쳐서 넘어온 걸 뛰어넘어서 말입니다.

아까 얘기했죠? 원자력으로 그렇게 돌아온 얘기? 그런데 거기에는 또 해줄 받침이 있다 이거야. 촉각·지각·시각·미각 또는 청각·

감각이 전부 거기에 뒷받침이 돼줘야 된단 말입니다. 그 뒷받침이 돼줌으로써 어떻게 활용을 할 수 있는 작동을 하느냐? 줄창 말했죠. 오신통에 관한 건. 천안통·천이통·숙명통·타심통·신족통·누진통 여섯 가지에 대한 말을 했습니다. 시체말로 하자면, 즉 콤퓨타나 탐지기나 책정기나 또는 망원경이나 통신기 또는 영사기 이것이 바로 우리에게 다 첨부된 겁니다. 그래서 열여덟 가지에 관한 건이 첨부돼서 같이 돌아가면서 이것이 활동을 하는 겁니다. 활용을 하는 거죠.

인간에게도 그렇게 주어져 있단 말입니다. 인간에게도 그렇게 주어져 있기 때문에 가만히 생각해본다면, 아무 생명이 없다고 하지만 지구가 작동을 하고 돌아가는데 생명이 없으면 어떻게 그렇게 작동을 하고 돌아가느냐는 얘깁니다. 만약에 바람신이 아니라면, 바람이 생명이 없다면 어떻게 그렇게 불고 돌아가느냐 이겁니다. 흙도 생명이 있고 흙신이 있고…. 목신이 있고, 바람신이 있고, 불신이 있고, 모두 신이야. 인간들도 다 각종 신이란 말입니다, 자신(自神). 그런데 다 자신인데 차원에 따라서 자신이 악신이냐, 귀신이냐, 선신이냐, 선신도 악신도 아닌 부처냐, 이게 문제인 것입니다.

참 묘한 거는 우리가 이 미생물이 되기 이전에도 우린 그때도 거기 있었다는 얘깁니다. 우린 그때도 그렇게 작동을 하고 있었다 이겁니다. 지구가 생기기 이전에도 우리는 작동을 하고 있었다는 겁니다. 그런데 오늘 우리가 비교를 해서 얘길 하는데 끝없는 전자의 작동이, 그 장소가 다른 게 아니라 오늘의 장소고 오늘의 모습이고 끝없는 그 진리가 오늘이라는 겁니다.

그렇다면은 우리가 비교를 할 때에 자식을 낳았는데 부모가 있고 자식이 있다. 부모의 얼굴 생긴 거 성격 같은 모든 거를 다 자식이 알아, 알고 있다고요. 어떻게 하고 지내는 거를 알고 있어. 그래서 윗물이 맑아야 아랫물도 맑다는 생각입니다. 그렇게 다 알고 있다 이거야. 자식이 하는 일도 또 다 알고 있고, 그 자식이 부모가 하는 일도 또 다 알고 있어. 상세히는 몰라도 항상 안에 있던 게 겉으로 나오게 돼 있거든, 숨길 수는 없어.

속에서 불화가 나면 욕을 한마디 해대니까 그것도 알게 된 거다 이거야. 네 속을 알고 있는 거야, 다. 또 한마디 따뜻하게 해주는 것도 그 속을 알 수 있는 거고, 그런데 어떤 사람은 속 다르고 겉 다른 사람도 있거든. 그러나 겉 다르고 속 다르다 할지라도 그것을 고쳐서 그렇게 하지 말고, 말이 차마 안 나오걸랑 안으로 굴리고서 차라리 말을 안 하는 게 좋다. 얼굴 표정을 좋게 해라. 참, 종교라든가 심리학자라든가 종교를 믿는 사람들은 우리가 천체물리학이라고 말할 거는 없지마는 우리 하나하나 살아나가는 데도 과학적인 문제가 거론되지 않는 게 하나도 없습니다.

그러면서 그렇게 알고 있기 때문에 연방 마음과 마음으로 전달이 됩니다. 마음과 마음으로 전달이 되고, 모습과 모습으로 전달이 되고, 물건과 물건으로 전달이 돼요. 예를 들어서 옛날 원시 시절에 만약에 그릇이 없어서 뭘 끓여먹지 못했다 할 때 어딘가가 마음에서 이걸 이렇게라도 해보자 해서, 흙을 개서 뚱그렇게 해서 말려서 불에다 놓으니까 그것이 익었다 했을 때, 그 사람은 그걸 몰라서 그렇게 해서 거기다 끓여 먹었는데, 그 사람이 없어지고 그 그릇이 부서졌어도 부서진 그 쪼가리는 있었더라는 얘깁니다.

그런데 지금은 우리가 먹는 야쿠르트나 뭐 이런 것도 그렇고 그냥 먹습니다. 석유로도 그릇을 만들어서 쓰고, 수많은 일들이 그렇게 발전이 된 것이 어디에서 비롯됐느냐는 얘깁니다. 우리는 흙에서 와서 흙에서 발전을 했고 흙으로 가는 겁니다. 그런데 꼭 흙에서 와서 흙으로 발전이 되고 흙으로 가는데도 불구하고 거기선 천만 가지 만만 가지가 다양하게 나왔습니다. 보석도, 모든 게 말입니다. 그러면서 그보다 더 근본적인 문제는 바로 나의 원형을 이룬 이 원자력의 한 점의 마음에서 그 큰 성을 이루었다는 겁니다.

그런데 지금 모든 게 허망하다, 이 몸뚱이는 허망하다 그러죠? 그런데 그 몸뚱이는 없어졌어도, 만약에 이 물건을 하나 해놨다 합시다. 그런데 이게 몇천 년이 가면 없어진다고 합시다. 그런데 모든 사람들이 자라가면서 이걸 보고 바탕을 삼아서 바로 연구를 하고 또 개발을 해내고 그러니까 이것은 여전히 살아있는 겁니다. 이게 없어진 게 아닙니다. 없어진다 하더라도 그거를 벌써 마음으로, 벌써 눈으로 오관을 통해서 보고 자기가 물건을 만들면서 딴 물건을 만들면서 바로 진화시키면서 자기는 발전하면서 자기 마음으로 벌써 받아들였던 말입니다. 그랬는데 왜 죽은 겁니까? 산 겁니다. 이 물질은 남이 볼 땐 이것이 망그러지고 다 없어졌지만, 목이 떨어지고 쪽이 다 떨어졌지만 그것은 바로 마음으로 마음을 전달해서 벌써 그건 발전이 돼서 딴 걸로 생산이 된 겁니다.

　　그러면 우리 인간도 죽는다. 몸뚱이 이건 다 늙어빠졌으니 허무하다 이러죠. 그러나 허무하다는 생각은 마세요. 이것이 없어진다고 해도 마음과 마음으로 벌써 전달을 한 겁니다. 모습도 전달을 했고 마음도 전달을 했습니다. 그래놓고 자기는 옷을 싹 벗고선 전달이 된 자기의 생산처로 또 준비를 한 거니까요. 그렇게 가고 오고 한 찰나에 가고 오는데 무엇을 죽었다고 하고 무엇을 살았다고 하겠습니까?

　　여러분은 부처님이 말씀하신 걸 왜 얘기 안 해주고 이런 말을 하냐고 하겠지만 세상을 밝게 보십시오. 귀를 열고 눈으로 밝게 보신다면 이 세상 돌아가는 이 자체가 바로 팔만대장경이요, 부처님이 말씀하신 거요. 그때 그 시절의 방편을 써서 말씀하신 그 언어가 오늘날 시절이 바뀌어서 지금 젊은 사람들한테 시체(時體)의 언어로 말을 해줘야 알아들을 만한 문제이기 때문에 나도 잘 모르지만 그렇게 좀더 애를 쓰고 하는 거죠. 나도 지금 시대의 사람이니까.

　　그런데도 지금 시대의 젊은이들보다 또 구태연하게 나이를 먹었지 않습니까? 그러나 나이가 들었어도 난 이렇게 생각합니다. 천년 만년 수억년이 간다 하더라도 죽지 않는다. 이 모습은 작동하는 대로, 시공간이 없이 돌아가는 이 작동을 따라가지 못하기 때문에 이 몸은 늙는다. 이 몸은 늙으나 육신은 벗어버리고 다시 갈아입으면 될 것이고, 언제나 죽는다 산다 하는 건 전혀 없는 것입니다. 우리가 아까 얘기하듯 그렇게만 본다 하더라도 우리는 마음과 마음으로 전달이 됐고, 벌써 이거를 보고서 이거보다 저게 좀 낫겠다 해서 저걸로 발전을 해서 바로 다른 걸로 생산이 됐고 발전이 됐고, 그러고 여러분 생각해 보세요.

어느 절이나 어느 곳에 믿음을 가진 데나 또는 위대한 사람을 사람의 모습으로 해놨지 다른 걸로 해놓지 않았죠? 요거 한마디만 하고 끝내렵니다. 그리고 내일 그거는 이어서 하고요. 글쎄 사람도 이런 게 있죠. 아까도 얘기했듯이 죽은 사람, 보이지 않는 데에 마음도 그렇지만 보이는 데 마음도, 사람이 악하냐 선하냐에 따라서 무엇을 맡겨도, 악한 사람한테 맡겨지면은 아주 고통스러울 거고 선한 사람에게 맡겨지면은 좀 유할 테고 이렇습니다. 그러기 때문에 자기가 짓고 자기가 받아서 악한 대로 돌아가고, 자기가 짓고 자기가 한 선한 일은 자기가 한 것만치, 자기가 하는 것대로 끼리끼리 이렇게 맞상대가 되고 모이게 되고 거론이 되고 전달이 되고 이러니 그걸 가지고 업보다, 업보다 하는 겁니다. 유전이다, 업보다, 인과응보다 이런 문제가 돌아가는 겁니다.

저는요, 예전에 이런 걸 봤어요. 아주 가난한 어느 여인이 어린애 하나를 데리고 죽었습니다. 아주 가난하고 아무것도 모르고 죽었어도 그렇게 마음이 착할 수가 없었습니다. 남한테 요만큼도 생명에 언짢음을 주려고 하지 않고, 남의 거를 거저 먹으려고 하지도 않고, 자기 것 그대로 가지고 갔기 때문에 그만 죽어버리기까지 했죠. 그래서 저는요, 그 사람은 보이지 않는 데 사람이라고 합시다. 또 보이는 사람이라고 그래도 좋습니다. 그 사람을 저는 항상 믿고 열쇠를 맡기고 일을 하게 했습니다. 조금도 깔축은 없는데 융통성이 조금 없어, 좀더 지혜가 있고 그러면은 좋을 걸! 이런 게 조금 아쉽긴 해도 너무나 착하니까,

우주의 법망에 어디든지 통과가 안 되는 게 없거든. 아까도 얘기했듯이 그게 전부 있기 때문에, 응!

아까 단계 단계 얘기했죠? 원자력으로부터 전자력 또는 그 무전 자로부터 무전력, 이게 한데 있었는가 하면 지각이나 촉각이나 이런 문제를 얘기했고 그 다음 또 우리가 탐지기나 천안통, 이런 얘기를 했죠? 그래 단계 단계 단계, 이것이 인간에게도 다 주어져 있고 이 지구에도 주어져 있고 어떠한 물체에도 주어져 있습니다. 어떠한 별성에도 그렇게 주어져 있기 때문에 통신이 되는 겁니다. 천체 통신이 가능하죠. 그런 거와 같이 우리가 그렇게 착한 사람은 어디서 돌보든지 돌봐.

그러니까 공부를 하는 분들은 누가 어떠한 잘못을 했다 하더라도 그건 보지 마라 이거야. 지금 나 가기도 바쁜데 왜 거길 보느냐 이거야, 응? 왜 거길 봐? 그거부터 배워야지, 만약에 그거부터 배우지 못한다면 이건 만날 작은 그릇에 엎드려져서 그 그릇에서 만날 헤어나질 못해! 그게 습이거든. 그래서 잘못되는 거를 그대로 '보지 마라' 하는 게 아니라 그대로 보면서 보지 말고 안에다 놔버려라 이거야. 예를 들어서 잘못된 물건은 용광로에 넣어서 다시 물건을 생산을 해서 내도록 자비를 가져라 이 소립니다. 허허허. 물건이 잘못되고 녹이 슬었으면 용광로에 넣어서 다시 좀더 좋게 해서 내면은 좋을 거 아니냐 이거야. 언젠가는 그렇게 거기다 넣으면 다시 생산이 돼서 나오게 될 수 있는 그 기간이 있을 거다 이거야.

그런데도 불구하고 그걸 참지 못해서 '이거는 이 접시의 쪽이 떨어졌어!' 이럭하면서 말을 하게 된다 이거야. 쪽이 떨어졌으면은 쪽이 안 떨어지게 용광로에 넣어라 이거야. 용광로에 넣어서 다시금 쪽이 안 떨어진 것이 나오도록만 용광로에 넣고 말로 하지 말아라 이거야. 왜, 지금 내가 바빠서 죽겠어, 응! 지금 다시 자꾸 용광로에 넣어서 다시 생산을 해내야 될 텐데, 생산하는 거는 나중이라도 자꾸 넣어야 될 텐데, 그러면 스스로 넣게 되면 스스로 용광로에서 새로 또 발견이 되면 아, 그때는 그렇더니 새로이 이게 나오는구나! 또 달리 보일 때가 있고 달리 생각이 들 때가 있다 이거야. 물건이 다르니까, 달라졌으니까. 그러니까 고정되지 않다는 얘기야. 고정되게만 보지 마라 이거야. 하루에도 몇 번씩 마음이 달라지고 하루에도 몇 번씩 다른 행을 하고 고정된 게 하나도 없는데, 어떻게 한 가지를 보고 고정되게 말을 집어낼 수 있느냐 이거야. 내일 다르고 모레 다르고 일년 후에 다르고 몇 달 후에 달라질 그런 문제들을 가지고. 그러나 고질 병자들은, 고질병이라는 거는 그 습을 놓지 못한다면 고질병이다 이거야.

오늘은 이걸로써 끝마치고 내일은 땅에서 나는 물건들과 사람들이 얼마나 이익을 보고, 또는 하자를 보고 또 우리가 이렇게 개발을 했는지를 몇 마디 해드리죠. 그럼 감사합니다.

항상 같이 하는 마음

86년 7월 27일

우리 오늘은 우스운 애기라고도 볼 수 있는, 사람 살아나가는 동기를 한 번 생각해볼 수 있는 기회를 이 자리에서 가져봅시다.

내가 생각하는 바로 봐서는 인간이 태어나서 철도 모르고 스무살이 넘도록 천방지축 삽니다. 그것을 빼고 난 뒤에 50살 먹도록 살아나가는데 50살까지 근 한 30년 동안밖에 의미를 가지고 산다고 볼 수 없겠습니다. 생각과 모든 것을 합류화할 수 있는, 철이 들었다고는 할 수 없지마는 인간의 의미로서 좋고 나쁜 것을 생각할 수 있는 그런 기회의 기간이라고 볼 수 있겠습니다.

그런데 제가 생각할 때는 짧다고 생각하면 너무도 짧고, 길다고 생각하면은 무진히 길기도 합니다. 그런데도 불구하고 잠자는 시간과 사는 시간, 일하는 시간을 빼고 기쁘고 호화롭고 즐겁고 한 시간은 그저 24시간 동안에 몇 시간 몇 분 되지 않는다는 점입니다. 그거를 다 빼고 본다면 5년으로 줄일까요? 5년으로 줄인다면 그 5년 동안에 우리는 얼마나 즐거웠겠습니까? 바른 대로 얘기지.

사람이 남녀를 막론해놓고 20살이 넘어서 결혼을 한다 해도 아마 30%는 이혼한다고 봐야 되겠죠? 3, 40% 이혼한다고 보는 이유는 왜냐

하면은 이혼율도 그렇지만은 살면서도 법적으로만 이혼을 안 했지 실지로는 이혼을 당하고 사는 사람도 많습니다. 배신을 당하지 않는 것처럼 하면서도 배신을 당하고 사는 사람도 많거니와 삶의 보람을 극히 느끼지 못한 채 법적으로만 애를 기르면서 의무적으로 사는 사람들이 또 많다고 봅니다.

그럼, 거기에서 30% 40% 빼고나면 뭐 있겠습니까? 이것 저것을 다 빼고나니까 남는 거라곤 내가 나를 사랑하는 것밖에는 없어요. 삼심(三心)이 화합이 돼서 일심(一心)으로서 우리가 모든 일을 해나가는 데에 근본, 그것이 '참'이라고 볼 수 있겠죠. 참이라고 하는 그런 문제에 의해서 우리가 어차피 그렇게 살 거라면 인간이 되기가 극히, 전에도 얘기했지만 천년이 무색할 정도로 어려운데, 미생물에서 따지고 본다면은 수십억 년이 된다고 봐도 과언이 아닐 겁니다, 인간으로 등장한 지가. 그러면은 인간으로 등장하기 이전에 한 번을 뒤집어 엎었고 또 한 번을 뒤집어 엎었고 세 번째 가서 인간이 되고 난 뒤에 또 한 번 뒤집어 엎은 이 세계적인 문제에 관한 건은 공부한 사람이면 다 아시리라고 믿습니다.

그럼으로써 우리 인간은 자신의 지배를 받고 사는 사람이기 때문에, 우리 인간 하나에 기준을 두어서 본다 하더라도 자기 '자신(自神)'의 지배를 받고 사는 겁니다. 그것을 믿지 않고 자기가 자기 마음대로 살 수 있는 그런 자유권을 갖는다는 것은 그렇게 쉽지 않습니다. 여러 가지로 인간이 살아나가면서 생각을 해본다면은 참으로 참혹한 일이 한두 건이 아니어서 어떤 때는 여러분이 울면은 나도 울고 여러분이 웃을 때는 그저 씁쓸히 웃습니다. 왜 웃는 것도 즐겁게 웃지 못하고 왜 씁쓸히 웃어야 하나? 그것이 짧기 때문입니다. 웃는 것은 짧고 우는 것은 길었습니다. 그랬기 때문에 나는 씁쓰름하게 웃어야만 하는 입장이 돼버리고 우는 것은 여러분과 같이 길어야 했습니다.

여러분에게 어떡하면 좀더 이익을 줄 수 있는가 하는 생각에서 나는 다른 생각할 여지가 없었습니다. 그러나 내가 잘 되게 해달라고 한 번도 손을 꼽고 빌어본 예는 없습니다. 그것은 내 양심이 더 잘 알죠. 누구에게 알아달라고 하기 이전에 내 마음이, 내가 아는 것을 하늘 법계에서 전체 안다고 봅니다. 누가 알아주길 바라면서, 남이 알아주길 바래서 이런 일을 하고 또 자기가 윗사람이 되기 위해서 이런 일을 하는 건 아닙니다. 난 그런 걸 원치 않습니다.

그런데 우리가 사람 되기도 그렇게 어려울 뿐만 아니라 사람 살기도 그렇게 어려운데 그렇다면 우리는 지금 어떠한 것을 해나가야 되느냐. 우리가 인간이 되기까지 그 수많은 겁을 거쳐오면서 인간이 됐는데 무엇을 해야만, 인간의 '고(苦)'라고 할까, 과정이라고 할까? 그것을 뛰어넘느냐? 그 과정을 고라고 생각하지 말고 공부하는 과정이라고 생각했을 때에 우리는 지수화풍을 근거지로 해서 우주의 섭리와 대천세계의 섭리, 또 인간의 삶의 섭리, 대자연의 섭리를 파악할 수 있겠지요.

그렇다면은 우리가 거기에서 한 가지 두 가지를 배워나가려면 인간의 탈을 어느만큼 써야 되는가. 인간으로 태어나서 이런 인연으로 만나기가 또 어려워. 우리가 이런 마음공부 할 수 있는 기회가 주어지는 것이 어렵다 이겁니다. 그건 왜? 여러분의 마음이 제각기 이리 변동이 되고 저리 변동이 되고 일치하지 못하기 때문에, 일념으로 가지 못하기 때문에, 살아가면서 변동이 돼서 이런 인연을 또 만나기 어려운 문제도 많습니다. 인연 만나기가 어려우니 우리가 이 몸 받아가지고 이렇게 만났을 때 이 공부를 하지 않으면 안 된다는 얘깁니다.

그래서 인간으로 태어나서 이 공부를 하는 데도 내 경험으로 봐서는 생각해볼 게 좀 있습니다. 테레비에서 중국 무술 영화도 나오죠? 여러분도 많이 봤으리라고 믿습니다. 아주 격렬하니까 여러분은 좋았겠지마는 내가 볼 때는 좀 달랐습니다. 여러분도 나와 똑같은 생각을 할지도 모른다고 생각을 했는데 요즘은 확실히 나와 똑같이 생각을 할 거라고 믿습니다. 여러분이 공부를 하려고 애쓰시는 그 마음이 갸륵하니 스스로 그렇게 알 거라고 생각이 됩니다.

거기에서 무술이 나오는데 몇백 년 전 몇천 년 전에 익히던 그 무술을 오늘날에 써먹을 수 있을까요? 오늘날은 그 무술을 가지고는 도저히 써먹을 수가 없습니다. 또 칼을 들고 하는 것도 지금에 와서는 써먹을 수가 없습니다. 육신법으로서 축지법을 한다 하더라도 그건 써먹을 수가 없습니다. 그거를 한번 홀렁 뒤집어서 생각을 해보십시다, 무위로. 육신무예를 닦는 게 아니라 육신무예가 아닌 바로 마음의, 무의 자재법으로서 물질이 아닌 마음이 그렇게 자재할 수 있다면 하고 한번 뒤집어 생각을 해보라 이겁니다.

또 한 가지는 육신 자재로서가 아니라 마음의 자재로서, 즉 흑광주를 하나 얻어가지고서 무엇을 하려고 그러니깐 '넌 이것을 가지고는 도저히 저 사람을 당해낼 수가 없다.' 하는 수도 있고, 흑광주 하나를 얻어가지고 뺏기는 수도 있고 다시 뺏는 수도 있는 거 보셨죠? 그러나 우리가 공부할 때, 지금 저 말 하고서 이 말 하는 걸 잘 들으셔야 합니다. 비유를 하자니 그렇습니다.

학생들이 과목을 선택합니다. 나는 정치할 수 있는 과목을 택한다, 난 의사하는 과목을 택한다, 또 나는 심리학을 택한다, 철학을 택한다, 공업을 택한다. 이렇게 많은 과목이 있듯이 우리는 지수화풍으로 합쳤기 때문에 반드시 물의 사연을 전체 공부에서 알아야 하는 이치가 있죠. 불의 이치를 알아야 하고, 즉 보이지 않는 야광의 이치를 알아야 하고, 빛의 이치를 알아야 하고 흙의 이치를 알아야 해. 그러기 때문에 중도(中道)! 청정한, 어디고 걸리지 않는 그 법의 중도 즉 청광주라고 해도 과언이 아닌 그 근본을 주장자라고 한다면 그것을 얻어야만이 공부할 수가 있는 것이죠.

그러기 때문에 내가 말하는 것은 다섯 개를 다 얻어도, '백', 즉 합친 백광주가 아니라면 즉 해광주와 더불어 같이 한데 합쳐진, 귀합된 백광주가 아니라면은 이 우주의 근본을 다룰 수가 없다는 얘깁니다. 그러니 차원대로 어떠한 사람은 하나 가진 사람, 두 개 가진 사람, 세 개 가진 사람이 있는가 하면, 다섯 개를 다 가진 사람은 다섯 개를 다 굴릴 줄 아는 자유권을 가졌기 때문에 하나 가진 사람, 둘 가진 사람, 셋 가진 사람을 이끌 수 있는 겁니다.

그러기 때문에 완벽히 얻어질 때까지는 배웠다고 선언하고 "내가 이만큼 배웠으니까 됐다라는 그런 말을 하지 마십시오." 하는 겁니다. 기는 사람이 있으면 뛰는 사람이 있고 뛰는 사람이 있으면 또 나는 사람이 있어. 그러기 때문에 누설을 하고 자기가 이만하면 됐다고 자부하는 사람에게는 반드시 목이 달아날 문제가 생겨. 그러니 겸손하라는 겁니다. 어디까지나 알면 아는 대로 안다고 주장하지 말고 모든 것을 평등하게 두면서 나라는 이름을 높게 두지 말고 마음을 높게 두지 말고 항상 겸손하고 항상 같이 할 수 있는 그 마음이 아주 제일인 것입니다.

그러기 때문에 이 공부하는 데는 여러분한테 항상 말씀드리는 거와 같이 좋은 거든지 나쁜 거든지 안 되는 거든지 되는 거든지, 되는 것은 감사하게 놓고 겸손하게, 안 되는 것은 안 되는 대로 믿고 놔라. 패기가 없다면 믿는 것이 다 무효로 돌아갈 수도 있고, 바깥으로 믿는다면은 허황된 미신에 불과해. 안으로 믿고 안으로 굴릴 수 있고 도도하게 패기를 가지면서 언제나 겉으로는 겸손하게 굴려야 된다 이거죠. 그렇다고 마음이 떳떳하다고 해서 나를 세우는 떳떳함을 말하는 게 아니라 그 힘을 말하는 겁니다.

여러분 중에 어떤 분들은 이사를 가는데 '북쪽으로 삼살방이 들어서 계약은 해놓고 못 갔다.' 이런 분들도 있습니다. 처음 오는 분들이 그러겠지마는 '삼살방으로 가면은 집안이 잘 안 되니까 죽는다.'고 누가 그랬답니다. 또 '삼살방이 들기 이전에 이사를 가면은 가환이 떠나질 않는다. 너는 내년에 꼭 죽을 사주팔자고 삼재가 들었으니까 잘못될 거다. 그러니까 조심해라.' 이런 말을 듣습니다. 여러분이 얼마나 약

했으면은 자기가 인간이 되기 위해서 그토록 애를 쓰고 고귀한 자기의 생명을 그렇게 형성시켜가지고 이렇게 나왔는데도 불구하고 그런 어줍지 않은 말에 흔들리고 거기에 따라서 자기가 자기로 살지 못하고선 남의 말에 그냥 휘휘휘휘 돌아가느냐 이겁니다. 그건 그런 사람들의 노예지 자신이 사는 참사람이 못 된다 이겁니다.

그렇게 일상생활을 살아왔기 때문에 오늘날에 가난을 면치 못하고 우환을 면치 못하고 생사윤회를 면치 못하고 끄달리기에 급급하고 그럽니다. 그러니까 지혜가 넓어질 수도 없고 물리가 터질 수도 없어. 집안은 가난하고 항상 오락가락 융합이 되지 않고 한마음으로 돌아가질 않고, 자식은 자식대로 부인은 부인대로 남편은 남편대로 친척은 친척대로 돌아가는 이 문제가 어디에 있느냐? 모든 거는 자기가 지어놓고 자기가 받는 것이 아니겠느냐는 겁니다.

어느 사람이 농촌에서 농사를 지었습니다. 그런데 남편이 술을 먹고 들어오면 아무거나 팽개치고 마누라 때리는 습관이 있어서 술만 먹었다 하면 자기 세상이야, 응. 그런데 또 그뿐인가. 농사를 짓느라고 소를 기르는데 소한테도 그냥 우악해. 그래서 소도 질색을 하는 거지. 한 번만 부렸다 하면은 소 몸뚱이가 뭐 쳐놓은 거 같애, 멍이 들어서. 아내가 아침에 쇠죽을 쑤어주면서 보면은 그게 가시질 않아.

자기도 그러한 경험을 하고 그런 아픔을 겪기 때문에 소가 그렇게 겪는 걸 보니 소하고 마음이 항상 통하는 거야. 소더러 하는 소리가 '너나 나나 얼마나 죄가 많기에 저런 사람을 만나서 이렇게 맞아야만 할꼬!' 이렇게 울어야만 했고 '그렇다고 해서 살지 않을 수도 없고 어떡하면 좋으냐?' 하면서 쇠죽을 쑤어주면서 같이 운 예가 한두 번이 아니야. 그것이 마음에 잠재해 있었기 때문에 이 사람이 죽어서 바로 남편이 되고, 그 남편은 여자가 돼버렸어. 소는 그 집에 아들이 돼버렸단 말이야.

그런데 그 횡포를 부렸던 남자는 부인이 돼버렸는데, 아들은 아버지하고는 잘 맞는데 어머니하고는 도대체 맞지 않아. 이거를 누가 알 겠습니까? 전자에 자기가 그랬다는 거를 생각이나 하겠습니까? 이건 자연의 법칙이면서 자기의 잠재의식에 들어 있던 거기 때문입니다. 자기 잠재의식에 항상 잠재해있고 그게 아파서 울었기 때문에 그것이 없어지질 않고 지워지질 않아서 문제는 일어난 겁니다. 만약에 진짜 그 도리를 지금 공부하면서 알았다면은 그것조차 지워버릴 것을 그래서 또다시 인연을 짓지 말 것을, 안 그렇겠습니까?

그런데 우리가 그거를 모르기 때문에, 항상 '우리가 무슨 죄를 져서 저 사람한테 저렇게 맞아야 하고, 밥 세 끼니 얻어먹는 건 마찬가지건만 하루 종일 일을 하고도 때에 따라서는 주정을 받아야 하고 맞아야 하고 애들도 꼼짝 못 하고 이렇게 모두 살아야 하나. 이런 인생은 살아 뭣 하나!' 하고 양잿물을 갖다 놓고도 몇 번 죽으려고도 했지만 그것이 바로 잠재해 있기 때문에 또다시 인간으로 태어나서 인연이 돼가지곤 거기에 또 뭉쳐진단 말이야. 그래서 그렇게 해가지고 그 아들은 "아버지, 오늘 얼마나 수고 많으셨습니까?" 하면서 그렇게 둘이는 깔깔 대고 웃고 그러는데, 소외 당하는 부인은 바깥에서 들으면 그냥 화가 치밀어. 그리고 때에 따라서 남편이 들어오면은 막 그냥 자기를 때리고 그러거든? 아들도 들어와서는 괜히 투정을 하고 괜히 심통을 부리고 팽개치고 나가고, 그렇게 어머니를 못살게 굴 수가 없어.

그랬는데 그 부인이 하루는 너무 괴로워서 절에 갔어요. 절에 가서 그런 사실 얘기를 쫙 하면서 슬피 울고 있었어요. 그러니까 그 스님이 하는 소리가 당신은 예전에 남편이었고, 당신 지금 남편이 당신의 부인이었을 때 몇 곱쟁이 때렸고, 지금 아들인 소를 몇 곱쟁이 때렸어. 그렇게 아프게 때렸고 못 살게 한 그 인연으로 인해서 오늘날에 당신이 이렇게 맞는 거고, 속상하고 불이 일어나고 살 수가 없고 구박을 받는데 아직 백분지 일도 받지를 못했다 이거야. 그러니 저 사람하고 인연이 돼가지고 세 번을 다시 죽었다 태어나야 다 갚는다는 거라. 이건 정말 너무했죠?

그랬는데 그 소릴 듣고 말입니다. "어떻게 해야 세 번 인연을 안 맺고 그 고생을 안 합니까?" 하면서 믿고 기댔습니다, 그 스님한테. "면할 길을 가르쳐주십시오." 했습니다. 그러니까 하는 소리가 때리면 때리는 대로 아무 소리 하지 말고 안에 자부처를 찾으면서 '모든 것은 내 탓이니 그저 모든 것을 당신께서, 제가 열 번을 죽어도 할 말이 없으니 열 번을 죽는다 하더라도 감수하고 받겠습니다.' 하고선 내 탓으로 돌리라고 가르쳐 주었습니다. 이름만 달랐다 뿐이지 주인공에 다 맡기라는 얘기죠. 그리고 아들이 그러더라도 맡기고 조금이라도 다른 사람들의 탓을 하지 말고 한 번 때리걸랑은 더 때려달라는 식으로다가 그저 존경하고 섬겨라. 그런다면은 세 번 죽어서 다시 인연이 돼서 그렇게 고통을 받을 것이 당대에 없어질 수도 있다. 자꾸 그렇게 해서 네 스스로서 마음을 깨닫는다면 그것이 당대뿐만 아니라 그냥 없어질 수도 있다는 말씀을 해주셨답니다.

그러한 말을 듣고선 그때서부터 지금 우리가 공부하듯이 때려도 '참으로 감사합니다.' 하고 맞고, 아들이 팽개치고 해도 '그저 감사합니다.' 하고 속으로 염원을 하고, 먹을 걸 갖다주지 않고 자기네들끼리만 나가서 사먹고 들어와도 '그저 감사합니다.' 항상 이렇게 감사했다 이거야. 그러니까 석 달이 못 가서 아들과 남편이 차츰차츰 착해지더랍니다. 그래서 스님한테 가서 말씀을 드리니까 '네가 그렇게 때린 업이 녹느라고 그러는 것이다.' 라는 말씀을 하시더랍니다.

그러니 누가 갖다준 것도 아니고 누가 뺏아가지도 못합니다. 당신네들이 지어놓은 것들은 당신네들이 그렇게 녹여야 된다는 뜻입니다. 누구나 제가끔들 살아나가는데, 그래서 혼자 왔다 혼자 간다고 하죠. 서까래 공덕으로써 자기의 뿌리, 씨! 씨가 있기 때문에, 영혼이 있기 때문에 아버지의 뼈를 빌고 어머니의 살을 빌려서 이 세상에 탄생을 했으니 인간의 됨됨이를 어떻게 갖추고 살아나가느냐의 문제에 달렸습니다. 그러한 모든 문제가 말입니다. 얽히고설켜서 돌아가는 그 인연을 어떻게 끊어야만 하겠습니까? 이거는 물질로도 안 되고 돈으로도 안 됩니다. 마음으로써 지은 거니까 마음으로써 녹일 수밖에 없습니다. 그러기 때문에 마음공부를 해라, 기복으로 나가지 마라, 바깥에서 이름을 찾지 말라고 하는 겁니다.

당신네들 한 사람이 세상에 태어났으면 이름 없는 이름이 많다. 하루에도 엄마로도 이름이 쓰여지고 형님으로도 쓰여지고 며느리로도 쓰여지고 딸로도 쓰여지고 또 아내로도 쓰여지고 동생으로도 쓰여지고 누이로도 쓰여지고 가지각색으로 이름이 쓰여지는데, 어찌 그 이름을 다 부를 수 있겠느냐. 예를 들어서 얘깁니다. 신장이다 부처님이다 관세음보살이다 미륵보살이다 용왕이다 조왕이다 하고 이건 다 부처님 한마음 속에서 나온 이름일 뿐인데 어찌 그 이름을 다 부르면서 타의에서 구해야만 되겠습니까?

생활 불교이면서 생활 진리로서 이것은 어디까지나 이 세상에 우리가 태어났다면 과학적인 인간의 삶이기도 합니다. 우리가 연구하면서, 개발하면서 나가는 이것이 진실한 과학이라고도 볼 수 있겠습니다. 과학이라고 누가 이름을 지어놨는지 이름을 지어놨기 때문에 그 이름이 과학이지, 우리가 지금 살아나가는 것도 바로 마음에서 계발을 하고 마음으로서 생활을 융통성 있게 자유스럽게 해나갈 수 있다면 그것은 무루(無漏)와 유루(有漏)가 한데 합쳐진 과학적인 으뜸가는 살림살이일 겁니다.

그러면서도 우리는 인간의, 아까도 오광주 문제를 얘기했지마는, 우리가 보이지 않는 데서도 그것을 닦는 데에 천년에 한 번, 하나 얻기가 어렵다고 했습니다. 우리 공부하는 사람들은 깨달아가지고 공부할 때는 천년이 일 초가 될 수가 있지만 깨닫지 못한 사람에게는 천년은 그냥 천년이에요. 만약에 천년의 징역을 받았으면은 그대로입니다. 만약에 자기가 권리가 있고 빽이 있는 사람은 뭐 거기 갈 리도 없고, 빽이 있다고 해서 갈 일이 없는 게 아니라 잘못하지도 않았는데 오진을 받고 죽게 됐다 이럴 적에도 자기는 떳떳하게 나올 수가 있다는 겁니다. 그래서 우리는 자기가 해놓고 자기가 스스로 나올 수 있는 능력을 길러야 된다는 얘깁니다.

그래서 말인데 여러분이 자식을 낳아보지 않았다면은 그 자식이라는 진미, 안타까운 사랑 또는 아주 극치스러운 사랑을 느끼지 못하죠. 자식에 대한 애정을 느껴보지 못하면 부모를 생각하지도 못합니다. 자식을 낳아봄으로써 부모를 생각할 수 있고 또 딴 집 애들도 내 자식같이 생각할 수 있는 그런 여유가 생기죠. 그러기에 예전에 조사님들도 말씀하시기를 산골에서만 공부를 해서 아무것도 모를 수 있기 때문에 얼마만치 공부가 되면은 시장바닥에 데리고 갔습니다. 왜? 그런 거를 다 보게 하고 듣게 하고 가르치기 위해서 말입니다.

아무튼 사람으로서 근본 도리를 모르면 아예 반쪽짜리밖에 못 되니까 말입니다. 그래서 우리가 인간다웁게 여유 있게 살려면 자유권을, 이게 쉽지 않겠지만 이 마음공부하는 분들은 지금 겨우 싹이 바깥에 나와서 너불너불하는 사람도 있고, 겨우 태어나서 한 발짝 한 발짝 떼는 사람도 있고, 막 뛰어가다 넘어지더라도 그냥 뛰어가는 사람도 있습니다. 그런데 그렇게 하면서 다시 거기에 넣으면서 엎드러지면서도 뛰어볼 수 있는 그런 패기가 필요한 것이죠. 두번째는 그렇게 하면서도 내 속에서 하고 있는 것을 믿고 그렇게 패기가 일어나야죠. 그리고 활용을 해야죠. 또 믿고 지켜봐야죠? 체험을 해야죠. 이렇게 해서 그런 야광주를 하나 얻을 수 있는 것입니다. 그것을 하나 얻어가지고도 얻었단 말을 못 하고 또 안으로 굴리면서 또 하나를 얻기 위해서 굴리고 공부를 하는 거죠.

조금만 알았다 싶으면 무슨 '이거면 고만이지, 한 찰나에.' 하는 이런 말들을 잘들 하시는데 그것은 오산일 거예요. 몰락 깨우쳤다, 둘도 아니고 갖다 붙일 자리도 없는데 뭐가 붙을 자리가 있어서 그러냐고 그러는데, 붙을 게 너무 많기 때문에, 붙은 게 많기 때문에 붙은 게 없다는 거지, 붙은 게 없다면 붙은 게 없다는 소리도 하지 않았을 겁니다, 아마.

그래서 공부하면서 체험하고 돌아가는 사람들이 명상을 하고 참선을 하고 '이렇게 이렇게 여여하다.' 이러는데 천만의 말씀입니다. 여여하면 여여한 대로, 보면 보는 대로, 들으면 듣는 대로 그것이 도가 아닌 관계상 그것이 과정이라는 걸 알아야 합니다. 그 과정을 거치면서 자꾸자꾸 거쳐서 자기가 왜 그런 걸 놓으라고 하느냐. 꿰뚫어 볼 수 있는데 왜 놓으라고 하느냐? 볼 수 없는 건 볼 수 없는 거고 볼 수 있는 건 볼 수 있는 거지, 왜 그러냐? 이러지만 내가 생각할 때는 그렇게 어리석을 수가 없어요. '볼 수 있다 볼 수 없다' 이 양면이 '볼 수 없다'에 볼 수 있는 게 쫓아가고, '볼 수 있다'에 볼 수 없는 게 쫓아가기 때문에 양면이 항상 두절이 되고 항상 둘이 되고 항상 분분하고 항상 상대가 얽히죠.

이 도(道) 공부는 얽혔든지 안 얽혔든지, 죄가 있든지 없든지 또는 잘 됐든지 못 됐든지, 공부를 했든지 안 했든지, 과거도 끊어지고 앞도 끊어지고 뒤도 끊어지고 지금 현실도 내세울 게 없다는 결론이야. 현실도 내세울 게 없다는 결론은 찰나찰나 돌아가기 때문이지. '수건이 요기 있었구나!' 손을 씻고 여기 수건을 놨어, 이건 역력해. 자유스럽단 말입니다. 이 수건으로 닦고 여기 놓는 게 자유스럽다 이거야. 그 무슨 소리냐. "팔자 운명이, 이렇게 가난한데 어떡하면 살겠습니까?" 할 때 "너는 전자에 그런 죄를 지었으니까 안 된다. 몇 번 사람으로 죽었다 태어나서 그걸 다 갚아야 되니깐 너는 면하지 못해." 이래야만 되겠습니까? 그렇게 공부를 하는 게 아니라 참다웁게 공부하는 사람에게는 한마음으로 돌아가니까 '알았어.' 한마음이라 이거야. 알았어. 너와 나와 둘이 아니니까 죄가 산더미처럼 쌓였다 할지라도 이것은 없다면 없는 거지, 있다고 할 것도 없고 없다고 할 것도 없고, 없다고 하면 없는 거고 있다고 하면 있는 거니 이것이 자유자재권이다 이거야.

이것은 무(無)의 법이기 때문에 체가 없는 마음의 법이에요. 그런데도 반드시 현실로 나와요. 그래서 '얘는 5년을 징역을 지워라.' 이런다면은 5년을 꼭 살아야 돼. 여러분이 죽어서 재판관한테 가면 '너는 뭐를 했느냐, 너는 얼마나 죄를 지었느냐?' 책장을 넘기면서 그런다고 그랬죠? 그것이 바로 여러분이 해놓은 것이니까, 여러분이 해놓고 여러분이 앉아서 여러분이 책정을 하는 겁니다. 그러면 죄 지은 대로야.

겉으로 산 부처님 같이 겸손한 것 같아도 속으로 착하지 못하고 한마음으로 돌아가지 못하고 남을 악하게 생각을 하고 자꾸 바깥으로만 꿰돌고 이러는 사람은 가차없이 말 안 해도 그건 죄가 지워져, 하나하나. 그걸 누가 어쩌겠나. 그러니깐 누구한테 전가할 게 없다 이거야.

당신이 그렇게 잘 알면은 그렇게 되지 않게 하면 될 것 아니냐? 그러겠지만 여기 갖다 놓을 때는, 개천을 건너 놔줘요. 한 번이고 두 번이고 열 번이고 건너 놔준다고요. 그런데 건너 놔줄 때만 건너지 자기가 자발적으로 건너갈 줄 모른단 말이야. 그러기 때문에 어쩔 수 없지. 인연이 닿았을 때만이 이걸 건너다 주지 어떻게 나하고 인연이 닿지 않았는데 또, 자기가 살아가다가 엎드러지면 일어날 수 없을 때 그때 가서는 어디 가서 항거를 해?

그러니까 자신들이 세세생생 산다 하더라도 끄달리지 말고 자신들이 공부를 해서 모든 사람들을 다스리면서 개천을 못 건너뛰는 사람은 개천을 건너뛰어 주고 짐승의 차원에서 허덕거리고 지배를 받고 수없이 거듭거듭 죽어가는 사람은 무주상 보시(無住相布施)로 건져주기도 하고, 물에서도 건지고 흙에서도 건지고 허공에서도 건지고 모든 걸 건질 수 있는 그 마음의 태세가 돼 있다면 여러분은 몸을 받아가지고 나오지 않아도 되죠. 여기 지금 몸을 받아가지고 있는 그 자체가 바로 자기가 된다는 뜻입니다. 그러니까 하나 둘이겠습니까? 자기가.

우리는 이렇게 좋은 무한의 진리와 무한의 능력을 가졌으면서도 무한으로 계발하지 못하고, 무한으로 물건을 가지고 쓸 수도 있는 그러한 계발이 필요한데도 불구하고 여러분은 능력이 모자라서 모두 못 한다고 하니 이 얼마나 답답합니까. 모자라는 건 하나도 없어요. 왜냐? 우리는 두뇌가 있고 또 마음의 심봉의 능력으로서 대뇌를 통해서 오관을 거쳐 나오는 무한의 능력을 가지고 있거든.

그러기 때문에 지금도 물질 문명이 발달돼서 모든 것에서 생존 경쟁을 하고 있죠. 세계적으로 그렇게 돼 가고 있잖아요? 그런데 가만히 생각을 하니깐 '야, 이걸 만들어놨더니 말이야. 이걸로 죽일 수는 있는데 저놈들도 그거를 알고 있으니 이걸 눌렀다간 나도 죽고 너도 죽고 다 죽을 테니 이거 쓸모가 없지 않나.' 이런 생각까지 가야 돼요. 이런 생각까지 가는 거는 뭐냐. 이것이 아무리 위대하다 할지라도 인간의 마음의 불씨 하나보다 못한 겁니다. 세상을 다 죽이고 풀 하나 안 남게 만든다 하더라도 인간의 마음의 불씨만은 못하다 이 소립니다.

이것을 잘 검토하고 연구해 보십시오. 얼마나 위대한 보물인지. 삼천대천세계의 근본이면서 원자력이죠. 지금 핵으로 이 세상을 다 죽인다 하고 단추 하나만 누르면 된다 하더라도 그것은 사람의 마음으로 계발을 해서 물질로 만들어놓은 거기 때문에 근본 한 티끌에서는 용서가 없는 겁니다. 아무리 위대하다 할지라도 티끌에 갖다가 대기만 하면 이 티끌의 원자력, 조그맣지만 우주 삼천대천세계를 다 삼킬 수 있는 그런 능력을 가졌기 때문에 거기 닿기만 하면 없어진다는 얘깁니다.

그 원자력의 물 세 방울이면은 핵의 능력이 상실될 수도 있는 그런 문제도 있습니다. 능력을 잃어요. 사람이 그렇게 젊음을 가지고 능력 있고 배움도 있고 총명하고 그래도 한 번 어느 귀퉁이가 병이 들면 그건 다 상실이 됩니다. 마음도 약해지고 그렇게 능력 있던 사람이 그만 송장으로 변해버리죠. 이런 거와 같다 이겁니다.

그러니까 제일 위대한 게 어떤 것이냐. 티끌 같은 내 마음이다. 내 마음 속에 그 원자력의 근본은 자나깨나 인등을 켜고 있기 때문에 육신은 진화돼서, 즉 말하자면 육신은 화(化)해서 딴 모습으로 나올지 언정 그 티끌 같은 원자력은 그대로, 원소는 그대로 옮겨갈 뿐입니다. 모습도 옮겨가고 그러니 죽고 산다가 없죠. 생사가 있다고 봅니까, 없다고 봅니까?

그래서 옛날에 내가 이런 말 한 예도 있죠? 친구 하나가 스님이 되었는데 어머니가 돌아가셔서 친구 스님을 불러왔습니다. "우리 어머니 천도 좀 시켜달라."고 그랬더니 척, 문간에 들어오면서 하는 소리가 "하하, 이 세상에 태어나지나 않았더라면 죽지나 않을 것을." 아, 이 소리 한마디 하곤 훌쩍 가버린단 말입니다. 그 무슨 소리냐. 그 도리를 알았더라면 죽었다 태어났다 무슨 천도할 것도 없었을 텐데, 그 도리를 모르기 때문에 태어났다 죽는다 이 소리가 나온다 이 소리야. 불교를 믿는 사람들이 허무맹랑하게 잘못 가는 일들이 얼마나 많으냐 이거야. 잘못 일러준 사람도 엄벌에 처하겠지만 잘못 배우는 사람의 그 죄는 어떡하느냐 이거야.

우리가 지금 여기에서 잘 배워야 지구의 한 권리자로서 주인으로서 다른 혹성하고도 교류를 할 수 있고 어떠한 데도 두렵지 않게 떳떳하게 갈 수 있습니다. 개발이라기보다는 불국토를 이룰 수 있는 그런 문제가 생기지만 만약에 그렇지 않는다면 지구가 수성처럼 될 겁니다. 수성에도 그러한 문제가 생겼다가 한 번 뒤집히고 나니까 저렇게 다시는 인간의 체를 가지고서 살 수 없거든요. 생명은 있되 보이지 않고 보이지 않으니까 내놓을 것이 없지 않습니까? 삼합(三合)이 맞아야 되거든.

아까도 얘기했지만 사람이 분별이 없으면 공부 못해요. 여러분이 '왜 이렇게 망상이 생기나, 나는 망상만 떠올라.' 하는데 그게 정상이에요. 울고불고 화가 나는 것도 정상입니다. 그걸 망상이라고 하지 마세요. 인간이라면 그것이 아주 정상입니다. 정상인데 내가 자율적으로 바람이 일어나는 거를 어떻게 물로 지혜롭게 할 수 있겠느냐. 바람이 일어나면 불이 일어난다. 지·수·화·풍이 따로따로 일어나는 거를 한데 합쳐서 지혜롭게 재우는 데에 목적이 있는 겁니다.

그러니 우리가 각각 놀지 말고 한마음으로서 지혜롭게 그걸 재울 수 있는 자재력을 기르는 것이 우리가 연구하고 공부하는 데에 진짜 앞장 설 수 있는 길입니다. 그러니까 이름을 가지고 전부 부처인 줄 알고 바깥으로 찾지 말고, 모습을 가지고 전부 찾지 말고 안으로만이 우주의 전체 그 모두를, 티끌같이 밝은 내 원자력에 다 맡겨놓는 거죠.

우리는 그때도 있었고 지금도 있고 후일에도 있을 겁니다. 죽고 사는 것이 이름인 거지 우리는 발전해서 자꾸 나가는 겁니다. 사업을 하다가도 망하는 수가 있듯이 조금만 잘못하고 해이하게 하면은 좌천하게 돼 있습니다. 그럴 수도 있죠. 그러듯이 우리가 형성을 시켜놓고 계발을 해서 나가는데 앞으로 무의 세계에서나 유의 세계에서나, 보이지 않는 데서도 활동을 해야 하고 보이는 데서도 활동을 해야 합니다.

어떤 사람이 구름을 타고 막 가는데 남의 걸 자꾸 훔치거든. 왜 훔쳤느냐? 자기가 태어난 나라는 좀 약했습니다. 또 군부의 문제도 소홀했고 모든 것이 그랬죠. 그 도법으로서의 모든 것을 제외해버리고 율법으로써 즉 말하자면 유교로써 해나가면서 도법은 신통치 않게 생각을 했습니다. 그러니까 보이는 것만 가지고 학술적으로 이론으로만 따지고 예의만 지키고 도덕, 의리, 사랑 이런 것만 가지고 얘기했지 무(無)의, 즉 말하자면 근본을 몰랐다 이겁니다. 근본을 모른다면은 우리는 소생하기가 어렵습니다. 근본을 모르니까 근본을 가르쳐주려고 해도 그 근본을 아는 사람은 아예 죽였습니다. 죽였어! 우리가 앞으로도 무의 세계에서 한생각으로서 우주를 싹, 일 초에 싹 돌아올 수 있어야만이 되겠다라는 얘깁니다.

저 달나라에 가는데 빛으로 가도 몇 초가 걸린다고 하더군요. 달나라를 갔다가 여분만 보고 오는데도 그런데, 만약에 한생각에 가서 전체를 볼 수 있고 땅 속 깊이까지 볼 수 있다면 우리의 마음이라는 이 자체가 얼마나 위대한 겁니까? 여러분이 가지고 있는 보물이 그렇게 위대하다는 걸 여러분은 잘 아셔야 할 겁니다.

여러분은 턱밑에다가 위대한 자기의 보물을 두고도 항상 남이 잘 된 거, 남이 위대한 거를 찾으려고 애쓰지 마십시오. 석존이 여기 계신다 하더라도 그것을 탐내고 위대하게 생각지 마십시오. 왜? 석존의 위대한 그 마음도, 그 보물도 내 위대한 보물과 같이, 혼합이 돼서 염주알 돌아가듯 하는 거니까요. 그럼 오늘은 이걸로써 마칠까요?

세상을 이끌 수 있는 내 마음의 주장자

86년 8월 24일

　　오늘은 우리가 지나내려온 역사로부터 현재의 불교는 어떠하며 앞으로 어떻게 해나가야 한다는 거, 우리는 살면서 어떻게 해야 한다는 거, 부처님 법이 따로 있지 않고 생활이라는 거를 조금 말씀 드리겠습니다.

　　우리가 유구한 역사라고 모두들 말을 합니다. 그러나 유구한 역사라기보다는 그 역사 속에서 얼마나 피를 흘렸으며 아픔의 길을 걸어왔는가를 볼 때에 아주 슬픔의 역사라고 볼 수 있겠습니다. 그렇다면 그 역사는 누가 가져왔던가? 여러분이 잘 생각해 보셔도 아시겠지만, 옛날에는 도교를 받아들이지 않고 즉 유교로만 나갔기 때문에 도교를 하는 사람들의 말과 그 법을 따르지 않았던 것입니다. 그 법을 따르지 않아서 국력도 대처 못 했고, 반면에 무기도 개발하지 못 했던 겁니다. 무기는 그때 말마따나 창이나 칼이나 활을, 그나마도 여유 있게 대처를 못 했던 겁니다. 승군(僧軍)이 일어났다 할지라도 승군도 그러하지마는 우리 백성들도 역시 무기가 모자랐고, 무기도 모자랐지만 반면에 한마음 한뜻으로 뭉쳐지지도 않았던 것입니다. 그러나 그때 당시에는 그럴 수밖에 없었습니다. 몸으로 대처를 하지 않으면 안 되는 시대였기 때문입니다.

그런데 지금은 어떻습니까? 지금은 몸으로 대처를 하는 시대가 아니라 앉아서 버튼으로 대처를 하고 있습니다. 여러 가지로 생각해 볼 때에, 지금 불교가 따로 있고 우리 생활이 따로 있고 어느 종교든지 따로 있다고 봐서는 절대 안 된다는 것만은 여러분이 더 잘 아시리라고 믿습니다. 우리 생활법이, 생활행이 그냥 유(有)의 행이라고 볼 때 우리가 부처님 법을 잘 배워서 증득한다면 무(無)의 행과 유의 행이 첨보돼서 대처할 수 있는 그런 여건이 생긴다 이 소립니다. 그 여건이 생기지 못할 때 우린 뭘로 대처를 하겠습니까? 예전과 같이 그렇게 대처를 못 하는 거나 똑같습니다.

국력이 아무리 튼튼하다 할지라도 그것은 유의 행으로써 유의 법으로써 대처를 해야만 하는 문제가 거기에서 생기는데 지금은 어떠한가. 꼭 기계로써 물질로써 해결을 해야만이 100% 가능성이 있는 건 아닙니다. 그러기 때문에 로케트를 쏴올리고 인공위성을 쏴올린다 할지라도 그것은 100%가 될 수 없는 것입니다. 역시 70%, 80%밖에는 되지 않을 테죠. 100%는 가능하지 않습니다. 100%를 가능하게 하는 것은 우리 국민들이 어떠한 일에도 대처할 수 있는 능력을 기르는 것뿐입니다.

이렇게 생각을 하는 사람들이 많겠지마는 한 가정에서도 그렇습니다. 모든 사람들이 내 몸을 병원에 맡기면 의사가 나를 고쳐주겠지 하고 밀어던지는, 자기의 고귀한 생명을 아무 데나 내맡기는 그런 습관이 많고, 또 이차적으로는 내 가정이 가난하고 어떠한 문제가 생기면 누가 나를 좀 도와주겠지 하는 그런 바람을 갖고 삽니다. 그러나 그뿐인 줄 아십니까? 국가가 어떻게 되든지 간에 누가 어떻게 다 대처하겠지 하고 전부들 그렇게 생각하거든요.

그러나 바로 여러분이 주인이며, 여러분이 생각해야 합니다. 우리가 몸을 끌고다니는 것도 자기 자신이 아니라면 끌고다닐 수가 없습니다. 자기 자신을 사랑한 것은 내 마음이지 부부지간이라 할지라도 부모

자식지간이다 할지라도 그렇게 참사랑을 줄 수는 없습니다. 끊어짐이 없이 말입니다. 그럼으로써 사회로나 국가적으로나 우리가 대처해 나갈 수 있는 문제를 거론할 때에, 우리는 육안으로 눈을 뜨고 보고 귀로 듣는 것보다는 바로 내 한마음 한눈이라면 세계를 똑바로 볼 수 있고, 똑바로 들을 수 있고, 일체 전력에 의해서 마음대로 조정을 할 수 있으니 그것이 바로 대처인 것입니다.

여러분이 생각할 때는 우스울지 모르지마는 '부처님 법'이러면은 그저 부처님한테 가서 빌고, 기복으로서 내가 잘 되게 해달라고 하고, 또는 물건을 갖다 놓고 잘 되게 해달라고 빌고, 물건으로 이렇게 공을 들였으니깐 해주실 테지 하는 의지심, 그런 것도 여기에는 붙지 않습니다. 자기가 이 세상에, 지난번에도 얘기했지만 억겁을 거쳐서, 광년을 거쳐서 모습을 바꿔 나퉈가면서 진화돼서 이날까지 끌어온 자기의 주인공의 뜻을 배신 아닌 배신을 하면서 바깥에서 찾으려고 한다면 그것이 찾아질까 모르겠습니다.

지금 국가적으로 볼 때 정치적으로나 경제적으로 일어나는 모든 일을 극복하는 데 있어, 나 아닌 누가 하겠지라고 미루면 안 됩니다. 불법에서는 나와 사회가 한치도 따로 떨어져 있는 것이 아닙니다. 우리 국민의 일이요, 그것이 다 사람이 하는 노릇입니다. 역사를 태평성대로 끌고 오는 것도 바로 사람들입니다. 그 여건이 부족하다면 예전보다도 더 처참한 역사를 가져올지도 모르죠. 그러니까 인간이 천부적으로 천연적으로 만법의 근원을 모두 가지고 있다는 것을 깊이 생각해야 할 것입니다.

부처님이 사십구년 동안 그렇게 행을 보여주셨고 법을 설해주셨는데도 불구하고, 우리가 그 뜻을 몰라서 행을 제대로 못 한대서야 어떻게 불제자라고 하며, 어떻게 국민이라고 하며, 어떻게 사람이라고 하겠습니까? 우리는 부처님의 뜻과 더불어 둘이 아닐 때, 또 불(佛)과 법(法)이 둘이 아닐 때 승보(僧寶)는 그렇게 부지런히, 죽을래야 죽을 시간도 없고 살래야 살 시간도 없다 하게 되지요. 생사가 둘이 아니라는 그 뜻은 몰락 놓고 뛰어넘어라 하는 문제를 잘 생각해 보면 아실 겁니다.

왜 죽을래야 죽을 시간도 없고 살래야 살 시간도 없다고 하나? 이 시대와 더불어 우주의 근본 삼천대천세계는 조금도 쉬지 않고 활발하게 돌아가고 있습니다. 그런 것을 우리는 마음으로 항상 끄달리고 쉬고 있는 것입니다. 그럼으로써 걸리면 걸리는 대로 몸이 병들고, 마음이 병들고, 한 치도 던져보지도 못하고 들이지도 못하는 그러한 사람이 될 수밖엔 없는데, 그러면 이 도리를 모르는 사람은 좌천이 되고, 짐승이 되고, 짐승이 또 승진해서 사람으로 되고, 이렇게 오르락내리락하는 고통은 영원히 벗을 수가 없습니다.

우리가 이 도리를, 부처님의 그 뜻을 잘 알아서 자성(自性)을 깨우쳐서 유의 법, 무의 법을 한 손에 쥐고서 행할 수 있다면 우리는 과학적인 문명과 문화, 정치, 사회가 다 붙어 돌아갈 수 있는 문제를 너무나 역력하게 알게 되는 겁니다. 만약에 그 도리를 알면은 국력이 튼튼치 못하다거나 수효가 적다거나, 마음이 부족하다 할 때 주장자 하나를 던져서 그 수효대로 수만 개의 주장자를 만들 수가 있는 것입니다. 들일 수 있고 낼 수 있는 그 자유자재권은 여러분에게 다 달린 것입니다. 그러나 그뿐입니까?

우리는 조그마한 손가락 하나 같은 나라에 살면서 그나마 또 반을 쪼개서 사는 형편입니다. 이러한 문제를 놓고 우리가 지금 이 시대 이 땅에 태어나서 자기 자리도 지키지 못한대서야 어디 자기 몸 하나인들 지킬 수 있겠습니까? 자기 몸을 지키지 못함으로써 자기 자리를 지키지 못하고, 자기 자리를 지키지 못함으로써 대인은 될 수가 없고, 대인보다도 자유인이 될 수 없을 뿐만 아니라 부처님이 그렇게 몸을 불사르면서까지 가르치신 본의가 하나도 없고 인간 될 자격도 없습니다.

그러니 우리가 그 도리를 좀더 역력히 음미하고 좀더 생각해서 완벽하게 터득하신다면 바로 자기 스승이 생겨서 자기를 이끌어줄 것입니다. 여러분이 짐작할 수 있으리라고 믿습니다. 다는 모르지만 말입니다. 그러면 자기 스승이 생겨서 자기를 이끌 때에 보임(保任)하면서 체험하면서 돌아갈 때 완벽하게 보임이 되어서 그 보임 자체도 없어야 할 때, 바로 주장자는 이름은 붙이지 않겠습니다마는 물론 이름을 붙여도 좋습니다.

소련에서도 그렇고 미국에서도 그렇고 어느 강대국에서는 지금 설치를 세 군데 네 군데씩 해놓고, 물가에도 물을 견주어서 해놓고, 과학이 발전이 돼서 이미 그렇게 대처를 하고 있는 것입니다. 그건 당연하겠죠. 그 대처 위에 또 누가 대처를 하느냐 하는 문제입니다. 그러나 그건 어쨌든 기계화기 때문에 100%가 아니 되고 70%, 80%밖에는 갈 수가 없다는 얘깁니다. 그러면 보세요. 칼도 사람을 죽이는 칼이 있고 살리는 칼이 있죠. 칼은 하나지마는 사람 마음먹기에 달렸다 이겁니다. 죽이느냐 살리느냐도 마음먹기에 달린 것입니다. 칼은 하나입니다. 칼 하나에 죽이는 법도 있고 살리는 법도 있거든요.

그러기 때문에 대처를 하는 것도 인공위성을 띄운다 하더라도 100%를 할 수 없습니다. 어차피 70%, 80%뿐이 안 되죠. 내가 이렇게 말을 하면은 과학자들이 어떻게 생각할지들 모르겠지만, 아주 톡 꼬집어서 말한다면 70% 안심할 수 있는 그런 문제입니다. 그건 왜냐? 허공에도 생명들이 많아서 나투기 때문입니다. 또는 그 생명들이 한데 합쳐져서 만약에 그 궤도를 제대로 돌지 못한 채 왕래한다면, 줄창 그러는 거는 아니겠지만 때에 따라서 그렇게 된다면 인공위성은 똑바로 어떠한 궤도에 오를 때에 제대로 정리를 못 하고 딴 데로 회전을 해야 되니깐요. 또 부딪칠 수도 있는 법이 있구요.

이러한 문제들은 바로 우리 인간 자체의 능력이 아니라 부처님의 뜻을 받아서 깨닫는다면 주장자는 아무 데고, 인공위성에도 급하면 뛰어들게 돼 있습니다. 그러고 또 그 생명들이 한데 합쳐져서 돌아가는 그 속에도 둘 아니게 뛰어들 수 있는 것입니다. 지난번에도 얘기했지만 요것은 거론하고 넘어가야 되겠어서 하는 건데, 인공위성을 띄운다 하더라도 어떠한 방편에 의해서 위협을 주기 위한 문제가 붙어돌아갈 때는 심각한 문제가 붙어돌아가지 않을 수가 없는 겁니다.

천지개벽이라는 말이 어떻게 나왔겠습니까? 인간의 생명체가 다 부서지고 없어지고 할지언정 집은 남는다 하더라도 그럴 수도 있고, 여러분이 왜 벼락을 맞거나 전기에 붙으면은 사람 껍데기만 남고 몽땅 빨아들이고 말라버리는 거 있죠? 그런 형국이 될 수도 있는가 하면 부서질 수도 있는 거죠. 우리 집은, '우리 집' 하는 건 지구를 말합니다. 우리 집은 튼튼히 궤도를 돌게끔 어느 여건에 안치돼 있는 것입니다. 하지만 사람의 일은 모르죠. 그것을 언제나 안일하게 생각하기보다 항상 대처를 하고 있는 것이, 우리가 영원히 보람 있게 생동력 있게 살 수 있는 근거를 만들어 놓는 것입니다.

그러나 그것은 어떠한 조그마한 나라를 지키기 위함이요, 조그만 나라를 지키기 위함보다는 전체 생명들이 둘이 아니기 때문입니다. 생명들뿐만 아니라 몸도 둘이 아니게 공용(共用)을 하고 돌아가기 때문입니다. 독불로서 돌아가는 게 하나도 없습니다. 그러기 때문에 어떠한 경제난을 극복하지 못할 때는 경제난을 극복할 수 있는 주장자를 던지는 그러한 묘법이 우리들에게 주어져 있습니다. 당연히 주어져 있습니다. 예를 들어 정치를 하는 사람들을 둘이라고 볼 때에는 조화를 이루지 못하고 화합을 이루지 못하지만, 역시 던졌다 거뒀다 할 수 있는 능력만 있다면 앞으로는 조화가 잘 이루어질 거라고 믿습니다.

여러분이 다 그렇게 할 수 있다는 것을 전제하고 얘기합니다. 우리는 절대 이 공부를 게을리해서는 안 되고, 정진을 게을리해서도 안 됩니다. 정진을 게을리해서 세세생생에 끄달리는 고(苦)에서 헤어나지 못하는 사람이 돼서는 안 된다는 얘깁니다. 사람이라고 다 사람의 모습을 가지고 있는 것은 아닙니다. 지난번에도 얘기했지만 사람의 허물을 썼어도 하루가 모자라서 짐승으로 도로 돌아갔다는 얘기도 있습니다.

진실한 마음, 기대지 않는 마음, 남을 헐뜯지 않는 마음, 남을 증오하고 업신여기고 둘로 보고 앙심을 먹고 이러한 마음이 몰락 없어져야 이름해서 도에 이를 수 있는 것이지 내가 둘로 보고 항상 증오하고 이것 끄달리고 저것 끄달리고 한대서야 어찌 도에 이를 수 있겠습니까? 이 세상의 색(色)을 보고서 물질 50%만 가지고 이게 다라고 하면서 살 수밖에 없죠.

무(無)의 진지한 세계에 찰나찰나 나투면서, 온 누리를 가고 옴도 없이 가고 오며, 찰나에 내 아님이 없이 그렇게 묘한 도리가 우리에게 다 주어져 있는데도 그것을 모를 때에는 무전통신기를 내가 가지고 있으면서도 쓸 수가 없어. 수레바퀴 다섯 개가 그냥 한데 합쳐서 돌아가는 그 이치를 정돈해서 내가 책정을 한다면 이것은 만년묵이로서 영원히 굴려도 굴려도 줄지 않고, 굴려도 굴려도 늘지 않는, 바로 이러한 대도의 뜻이 거기에 서려 있는 것입니다.

이 마음이 얼마나 중요합니까? 여러분은 마음이 얼마나 중요한지도 생각 안 하고 함부로 말을 해버리고 함부로 생각해 버리시는 분들이 많습니다. 하지만 개미 한 마리를 보더라도 절대 업신여기면 안 됩니다. 개미의 생명도 개미의 살림도 개미의 자식도 개미의 부모도 친척도 다 있습니다. 크고 작을 뿐이지요.

그런데 우리가 지금 넘기지 못하는 아주 중요한 문제가 있습니다. 예전에는 우리가 그것을 몰라서 의정을 냈지만 지금은 의정을 낼 필요도 없습니다. 세상이 공(空)했고, 내 자체가 공했는데, 공했다는 걸 번연히 알면서도 거기에 끄달린다는 것은 도저히 이해가 안 갑니다. 고정된 관념이 없고, 고정된 말이 없고, 고정되게 보는 게 없고, 고정되게 듣는 게 없고, 다니는 것도 고정된 게 없고, 만남도 고정된 게 없어요. 그렇게 고정된 게 없기 때문에 공이라고 했는데, 그게 없어서 공한 것이 아니거든. 너무도 철두철명하게 너무도 역력하게 찰나찰나 나투고 돌아가기 때문에 공이라고 했고 무라고 했지 그게 없어서 그런 건 아닙니다, 절대.

생사라는 것도 생과 사가 그렇게 쉴 사이 없이 돌아가기 때문에 어느 곳에 생이라고 붙이고 어느 곳에 사라고 붙일 수가 없는 겁니다. 그러기 때문에 "생사에도 걸림 없다. 생사도 둘이 아니다. 윤회도 둘이 아니다." 이렇게 말씀하신 것입니다. 여러분이 24시간 사시면서도 어떤 분들은 이런 말을 합니다. "아이, 죽어도 죽은 사이가 없어. 그러니깐 생사가 없다는 거지." 이렇게 말했습니다. 참 좋은 말씀 많이 하거든요. 그런데 문제는 좋은 말씀을 하시면서도 정작 그 뜻은 모른다 이겁니다.

지금 시대에 얘기하는 거를 그대로 반영하겠습니다. 우리가 공부하는 것은 하나의 국가와 민족을 위해서만도 아니고 나를 위해서만도 아닙니다. 그도 나와 둘이 아니기 때문입니다. 나를 위함도 아니고 그를 위함도 아닙니다. 그대로 살아나가는 우리 인간의 도리가 그러하기 때문입니다. 인간으로서 이 도리를 모르면 아니 되죠. 무의 법의 그 묘한 도리가, 광대무변한 그 도리가, 만법의 무의 도가 지금 생활에 바로 접근해서 돌아가고 있다는 점을 여러분은 잘 아셔야 합니다. 또 어떠한 문제든 우리가 무심(無心)으로써 모든 걸 몰락 놓고서 나를 깨우쳤을 때는, 물론 여러분이 한 번쯤 아니면 몇 번쯤 체험을 해보고 가시는 분들은 아마 이 도리를 아실 겁니다.

그러나 급하다고 한생각에 아무 데나 칼을 빼는 게 아닙니다. 만약에 타신이 들려서 아는 소리나 하고, 환상이나 보고 이게 도라고 하는 그런 사람의 뜻을 말하는 게 아닙니다. 그런 거는 몰락 놔버려서 녹여버려야 되겠지마는, 이 뜻을 완벽하게 알아서 주장자를 하나 탁 던질 때에는 어디고 적응이 돼. 전체 우주에도 적응이 되지만, 정치에도 적응이 되고, 모든 과학적으로도 전부 거론이 되고, 전체가 거기 적응이 되죠. 그러니까 전체가 내 아님이 없고, 전체가 내가 하지 않는 것이 없을 때에 비로소 우리 나라를 지킬 수 있는 그런 여건이 생겨요. 그리고 세계를 조화롭게 화합을 이루게 하는 마음을 낼 수 있다면 또 그렇게 되죠.

언젠가 그런 말을 했습니다. 몇 해 전 일입니다마는 중공이나 세계 다른 나라들과 무역이나 상업의 거론이 있었을 때에 정치도 거론이 되고, 마음이 한마음 한뜻으로 융화돼서 돌아가고 부처님 법으로서 돌아간다면 우리가 좋은 불국토를 이룰 수도 있으며, 마음들이 제대로 돼서 인의롭게 순리적으로 평화스러운 역사를 가져올 거라고.

지금 우리에게 시급한 문제는 정진하는 일입니다. 시급한 문제가 정진하는 겁니다. 정진을 해야만이 그것이 성립이 되니까. 정진을 하되 정진이라는 그 자체까지도 놓으라고 했습니다. 앉으나 서나, 자나 깨나, 변소엘 가나 법당엘 가나 참선이라고요. 이름을 지어서 와선(臥禪)이니 좌선(坐禪)이니 행선(行禪)이니 또는 입선(立禪)이니 하지만 모두가 참선 아님이 없습니다. 또 간화선(看話禪)이니 묵조선(默照禪)이니 하고 나누어 왔지만 우리가 움죽거리고 살아나가는 것이 그대로 참선이에요.

그러니 정진하면서 물러서지 않고, 믿고 안으로 굴리고, 남을 원망하지 않고 남한테 물으려 하기보다 자기 주인공에 놓으세요. 그리고 남한테 듣는 거는 거름삼고 주춧돌 삼아서 내거를 만들고, 또 내거를 만들고 나서도 붙들고 있으면 아니 됩니다. 느꼈으면 느낀 대로 그냥 놔버려야 되겠죠. 그래서 "당기는 거는 먹고 놓고, 안 당기는 거는 믿고 놔라." 이런 말을 했죠. 당기는 거는 먹을 때에 맛있으니 감사하게 먹고, 안 당기는 거는 믿고 놔라! 그 뜻이 뭐냐 하면은 안 되는 것은 믿고 놓고, 되는 것은 감사하게 놔라 이 말입니다. 이렇게만 한다면 참선 못 할 분이 없고, 성성한 몸을 가지고 나를 끌고다니면서 조금도 허탕한 일이 없이, 또 안 되는 일도 되는 일도 다 버린다면 안 되는 일은 없습니다. 지난번에도 얘기했지만 날이 궂었다고 해서 항상 궂어 있는 게 아닙니다. 금방 볕이 듭니다. 그러니 볕이 들어서 좋다고 붙들고 있고, 날이 궂었다 해서 또 붙들고 있고 이런다면은 얼마나 공부에 지장이 가겠습니까?

우리가 만약 바깥에서 받은 화두를 잡고 늘어진다면, 공(空)한 것을, 아니 구멍 뚫린 그릇에 불과한 거를 구멍을 막아놓고선 또 의정을 내거든요. 그러니 이젠 예전과 지금 시대가 다르다는 거를 알고 순응하고 시대가 바뀌는 대로 좇아가야 될 텐데, 그렇게 고집불통이 없습니다. 우리가 지금 유의 법 50%를 의정하고 돌아갈 때가 아닙니다. 50%를 그냥 넘어뛰어야 합니다. 우리가 다 알고 있는 거니까. 아는 거를 아무리 의정을 내봐도 겉돌기입니다, 맷돌 겉돌기. 20년, 30년을 공부해도 안 됩니다.

정말 몰락 놔서 참나를 알았을 때, 갓 태어난 어린애 같아서, 자기가 자기를 기르는 데 보임하면서 체험해야 됩니다. 한 발 한 발 떼어놓는 공부가, 그 공부 아닌 공부가 얼마나 귀중한 겁니까? 그럴 때에 미지수의 무의 세계의, 그 미지수의 묘법이 나올 때에 그때에 진짜 의정을 내는 겁니다. 아니 내가 태어나지도 않았는데 무슨 의정을 냅니까? 이렇게 말한다면 어폐가 있는 말 같지마는 모든 사람이 공부를 할 때에 길을 인도하는 사람도 진실해야 하겠거니와, 길을 인도받는 사람도 믿고 따라야 하는 것입니다.

여러분은 법당에 들어오면 그 법당의 부처님과 둘이 아니요, 전체가 둘이 아닌 것입니다. 한자리에 있기 때문에 그렇습니다. 이 색신은 색신대로 이게 둘이지만 헤아릴 수 없는 이 세상의 많은 물질이 역력하게 돼 있고 역력하게 쓰고 있습니다. 돌아가고 있습니다. 그렇게 고정됨이 하나도 없으니 바로 둘이 아니라는 뜻입니다. 이것을 강조하고 또 강조해서 말씀해 드리는 것은 여러분이 이해를 하고, 또 이론으로만 알아서 되는 게 아니기 때문입니다.

만약에 남의 소리를 듣고서 흉내를 내는 그러한 문제, 그러한 법을 가지고 거론한다면 그건 정말이지 부처님 법에 아니, 진리에 어긋나 참 엄벌에 처해질 것입니다. 자기가 체험을 안 해보고는 절대 거론도 못 할 뿐만 아니라, 자기가 진짜 해보지 않고는 한마디 말도 할 수가 없습니다. 그리고 천지에 함부로 누설해서도 아니 됩니다. 다만 말을 아니 해서도 안 될 때에 비로소 이렇게 길을, 뻐스 탈 때까지 길을 인도할 뿐입니다. 간혹 이렇게 거론만 해봤어도 여러분이 만약에 깨우쳤다 할 때는 그것이 다 나옵니다. 이것은 이렇게 되는구나! 하고. 남들이 원하는 대로 그릇이 돼줄 수 있는 그런 여건이 될 수도 있습니다. 작으면 작은 대로 담아주고 크면 큰 대로 담아주고, 크면 큰 대로 같이 되고 작으면 작은 대로 같이 되고, 벌레면 벌레대로 내가 벌레가 되고, 그가 또 내가 되는 참 좋은 법이죠.

사람의 잠재의식이나 혼을 가지고서 도라고 하는, 참나라고 하는 그런 분들도 있을는지 모르나 그 잠재의식 안에 뭉쳐 있는 그것은 내가 억겁을 통해서 거쳐오면서 얽히고설켜서 뭉쳐 있는 습입니다. 그 습을 몽땅 녹이고 항복을 받아야 한다는 거는 자기가 항복을 받고, 자기가 항복을 해야 한다는 뜻입니다. 이것은 겉에서 이루어지는 게 아닙니다. 심봉에서 이루어지는 겁니다.

여러분이 공부하시려고 이렇게 첫째 일요일 셋째 일요일 많은 분들이 나오시고 허구장천 날마다 이렇게 여념이 없으신데, 변소간에 갔을 때 무심(無心)으로 생각이 나면 죄송해서 죽겠다고 그러는 분들도 있습니다. 허나 그거는 죄송한 게 아닙니다. 변소간에 갔을 때 만약에 무심으로 나오는 그 생각도 역시 자기가 변소에 있기 때문에 자기는 법당이 되고, 자기 부처는 자기 법당 안에 있는 것입니다. 그러니 그런 데에도 끄달리지 마시고, 마음 깊이깊이 생각하셔서 관(觀)하고 정진할 수 있는 그런 여건을 투철히 가져야 하는 것입니다. 내가 나를 발견함으로써 나는 거기에서 계발할 수 있고 아주 떳떳하게 도도하게 흐를 수 있는 끊임없는 물과 같아집니다.

어떤 분들은 이렇게 와서 질문합니다. "스님! 지금 당장 몸이 아파서 죽겠고 가환이 들끓는데 무슨 공부를 하라고 그러십니까? 그리고 주인공에 맡기라고 그러십니까?" 이럽니다. 주인공에 맡기는 일이 바로 그런 고통을 없애는 일이라고 수없이 말을 해줬는데도 말입니다. 자기가 엎드러졌으면 자기에게 일어날 힘도 있는 거지 일어날 힘이 없다면 엎드러지지도 않았을 겁니다. 그러기 때문에 항상 마음으로 사랑·의리·도의 이런 것을 벗어나지 않으면서 항상 같이 해주는 그 마음, 어찌 그것을 여러분이 모르십니까?

여러분 중에는 지금 그 참된 도리를 의심하고 계시는 분들이 많겠죠. '당신은 그렇게 했으니까 그럴 테지만…' 하는 사람도 있겠고 '당신은 그렇게 하면서, 정말 그러면서 저런 말을 하는 건가?' 하고 의심을 하는 사람도 있겠고, 무조건 알지 못하면서 믿는 사람도 있겠고, 아주 다양할 겁니다.

그러나 이것은 단호히 거짓이 아닙니다. 일가친척이나 동네 사람이 만약에 극단에 처해서 고통을 받고 있을 때에도 스스로 한생각을 낼 수 있다면 그대로 그 사람을 구원해줄 수 있는, 무주상보시(無住相布施)를 해줄 수 있는 여건이 됩니다. 여러분이 깨우치면 무주상 보시를 할 수 있지만 깨우치지 못하는 사람들은 무주상을 보시를 못 합니다. 무주상 보시란 한생각에 보시가 되는 것이죠. 굶는다 할 때 쌀 한 됫박 쌀 한 가마 갖다 주는 것보다 무주상 보시를 해준다면 그 집이 저절로 펴져서 밥을 먹게 될 때 영원히 삶의 보람을 느끼게 해주는 것입니다. 그것이 바로 무주상 보시입니다.

그러고 내가 지금 할 말을 다 못 하는 아쉬움이 있는데 그건 왜냐하면 여러분이 그 도리를 다 믿지 않기 때문입니다. 물론 믿는 분들도 계시겠지마는 그렇지 않은 분들도 계시리라 생각됩니다. 우리가 지금 어떠한 곤경에 처해 있다는 거 여러분이 아시죠? 경제난에 허덕이고 가정도 그렇고 나라도 그렇고, 하지만 그렇게 걱정하고만 있을 게 아닙니다. 걱정할 게 없어요. 왜? 여러분이 여러분의 참주인공을 믿기 때문에 거기다가 다 놔버리고 '여기에서는 진정코 할 수 있다' 라는 것을 믿고 들어갈 때 비로소 해결이 될 테니까요. 각자 걱정할 게 없고 한생각 던지면 던지는 대로 그대로 물바퀴 돌아가듯 슬슬 돌아가면서 그것이 다 자연스럽게 된단 말입니다.

그러니 가정과 사회와 내 몸, 내 아들, 딸 다 이끌어나갈 수 있는 겁니다. 그렇지만 산 사람만 이끌어나가는 게 아닙니다. 보이지 않는 사람들도, 생명들도, 지옥에 있는 것도 다 건질 수 있는 그런 여건을 여러분이 충분히 가지고 있는 것입니다. 없는 사람이 돈을 많이 들여서 잘 차려놓는다고 해서 영혼들이 잘 차려놔서 잘 먹었다고 그러는 줄 아십니까? 아닙니다. 이 물 한 컵 (물컵을 들어 보이시며) 가지고도 우주 삼라만상을 대처하고도 남을 수 있는 것입니다. 떡 하나 가지고 유생(有生)·무생(無生)을 다 먹이고도 또 그 떡 하나는 되남을 수가 있다는 사실을 아셔야 합니다.

난 언제부턴가 그런 소리를 합니다. 누가 물건을 많이 사왔습니다. "이거 왜 이렇게, 돈 없는데 사가지고 왔어? 이거 사가지고 올 돈이 있었으면, 그 돈 가지고 정말 동태라도 사다가 보글보글 지져놓고 어른 애들 모아놓고 같이 앉아서 오순도순 좀 먹지 그래? 당신네들이 구애받지 않고, 어려움이 없이 먹는 것이 바로 내 기쁨이야. 나는 단돈 천원도 없지만, 당신네들 살림이 바로 내 살림이요, 당신네 생명이 내 생명이요, 당신네 몸이 내 몸인 것이야. 당신이 아프면 나도 아프고 당신이 울면 나도 울게 돼." 만약에 이것이 말뿐이라면 그것은 엄벌에 처할 것입니다.

진실이 없다면 모두가 부처님의 뜻, 부처님의 배짱 속을 모릅니다. 역대 조사들의 배짱 속도 모를 겁니다. 그러고 역대 유생, 무생의 속을 몰라서 천도도 못 하지 않습니까? 속을 모르는데 어떻게 천도를 시킵니까? 뼉이 없는데 어떻게 천도를 시킵니까?

그래 어느 사람이 그랬대요. 길을 가다가 문득 보니깐 자기 형제가 소가 돼서 있더래요. 그래서 할 수 없이 자기 가죽주머니에다가 훌떡 소를 집어넣고선 갔죠. 훌떡 집어넣는 그 찰나에 그 형제는 바로 자기가 됐더랍니다. 요리를 빨리 했죠? 허허허. 얼마나 빨리 요리를 했습니까? 그러니까 그 소는 금방 무명만 벗고 자기로 화(化)해진 겁니다. 그러니 그 속에다가 대천세계의 모든 것을, 지금 여기 앉았는 분들을 그 속에다 다 넣어도 넣은 사이가 없고, 나 하나를 여러분이 다 갖다 넣어도 넣은 사이가 없는 것입니다.

정말 얼마나 좋으며 얼마나 멋있으며 얼마나 삶의 보람을 느끼면서 앞으로 대처해 나갈 수 있는 여건을 가지셨습니까? 여러분은 창살 없는 감옥에서 이끌려가는 셈이나 똑같습니다. 죽는 길을 따라서 지금 한 발 한 발 딛고 가는 것입니다. 죽으러 말입니다. 삶은 죽으러 가는 겁니다. 죽음은 살러 나오는 거고. 그런데 그 양면을 다 놔버린다면 우리는 살 것도 없고 죽을 것도 없이 이렇게 현실에, 영원한 오늘에 한 발 한 발 옮겨 디디면서 바꿔가면서 나투니 얼마나 영원한 것입니까? 끊임없는 그 길이.

아까도 얘기했듯이 정치를 하는데도 그와 내가 둘이 아니라면, 만약에 모순된 일이 있다거나 잘못 돌아간다 할 때 내 주장자를 던지면 그가 내가 되는 것입니다. 모든 것이 그가 내가 될 때에 잘 둥글려서 해나갈 수 있는 여건이 생겨서 나라를 구원할 수도 있는 거죠. 어떤 때 애들이 천진난만하게 싸울 때는 싸우게 내버려두는 일도 있죠. 싸우지 않으면 발전이 되지 않으니까. 자기가 엎드러져보지 않은 사람은 엎드러져서 다친 그 아픔을 모릅니다.

여러분이 고(苦)에서 헤어나지 못하고 이렇게 고통을 받는다 생각하지 마시고, 이 고통이 자기의 양식이라고 생각하시고 공부하는 과정이라고 생각하신다면 죽을 먹어도 웃으면서 먹을 겁니다. 내일 아침 쌀이 없으면 어떻습니까? 내일 아침 쌀이 없어도 "주인공이 나를 이끌고 다니는 거니까, 자기가 먹여주든지 굶기든지 마음대로 할 거니깐."

하고 믿는다면 역시 밥은 먹여주거든요. 여러분이 해보지 않아서 그래요. 한 번 한 번 실천에 옮겨나가면서 그냥 뛰어넘으세요.

즉 찰나찰나 나투기 때문에 주인공이라고 했습니다. 그러니 그것이 바로 주인공, 이름도 없고 어떤 것을 내세울 수 없는 것을 주인공이라 했다면 그 주인공에서 나오는 것을 주인공에다 몰락 되놓으세요. 그런다면은 지금 사회에서 돌아가는 모든 나쁜 일들이 아마도 삼분의 이는 줄어들 수도 있습니다. 이거는 공부시키기 위해서 벌어지는 일이죠. 새도 날게 하기 위해서 깃을 다듬고 고통을 받아도 그냥 에미가 두듯이. 사자도 새끼를 맹수가 되게 하려면은 낭떠러지로 떨어뜨려서 기어오르는 놈만 키운다 했습니다.

오늘 넷째 일요일날도 이렇게 여러분이 오셔서 같이 흉허물 없이 토론할 수 있어서 참 기쁩니다. 아까도 당부했지만 쓸데없는 욕심이나 거짓은 공부하는 데에 지장이 있게 만듭니다. 다시 말하자면 크게 이루려면 증오심, 욕심, 남이 나한테 어떠한 야단을 치고 칼을 쥐고 들어오더라도 그것은 바로 내 주인공으로 인해서 오는 것이니 내 주인공 근본자리에다 몰락 놔야 합니다. 내가 없다면 뭐가 옵니까? 내 탓이지, 왜 칼 들고 오는 그 사람의 탓입니까? 내가 없었더라면 칼 들고 들어오는 사람의 죄도 없을 거 아닙니까? 왜 내가 생겨서 칼을 들고 들어오게 만듭니까?

그러니깐 모든 것은 자기의 탓이요, 자기의 능력이요, 모든 잘 되고 못 되는 것은 이름 없는 이름의 주인공 탓이라 이겁니다. 그러니 우리가 정진하면서 꼭 그렇게만 해나가실 수 있다면 홀연히 참자기의 성스러운 생명수가 졸졸졸졸 흘러나오다가 확 터질 겁니다. 처음부터 확 터지는 사람도 있고 졸졸졸졸 나오는 사람도 있습니다.

돈오(頓悟)니 점수(漸修)니 이렇게 말들을 하는데 돈오나 점수가 따로 붙을 자리가 없어요. 그냥 뛰어넘으세요. 저 흘러가는 강을 보십시오. 흘러가는 강에 멈춰 있는 물 한 그릇을 갖다 부어보십시오. 돈오,

점수가 거기 붙습니까? 지난번에도 얘기했습니다만 두 번씩이나 말씀
드리는 이유는 공부하는 데 지장이 많기 때문입니다. 그럼, 오늘은 이
것으로써 마치겠습니다.

문도 없고 벽도 없다

(어느 스님께서 성불했느냐고 물으매 말씀하심) 석존이 계실 당시에도 석존의 제자나 석존이 어디 가시면은 돌팔매질을 하고 머리를 깨뜨리고 제자를 죽이기까지 했답니다. 그것은 너무 질투가 심하다 보니깐 그런 것 같습니다. 우리는 모르고 알고 이것을 논의할 때가 못 됩니다. 또 우리가 잘나고 못나고 이걸 따지기 이전에 모두가 둘이 아님을 안다면 그 또한 나인 것을 왜 질투가 생기는 겁니까? 여자고 남자고 우리 한 집안의 가족이라고 한다면 누구라도, 저 딸이든 이 아들이든 한가족입니다. 누구라도 좀더 잘 해서 잘 되기를 바라는 어버이의 마음은 아마 누구나가 다름없으리라고 생각됩니다. 그런데 예전이나 지금이나 말로서 하는 사람들이 있는 것 같습니다. 그러니 저는 한갓 웃음밖에 안 나는군요.

예절을 똑바로 지켰든 안 지켰든 나이기 때문에 그 참 억설로 나오는 말이지만 공손히 대답을 해줬는데도 불구하고, 그 뜻을 모릅니다. 가르쳐줘도 모르는 걸 어떡합니까? 우리가 행동 하나하나, 말이 있기 이전이 있다면 말을 하게 되고, 말이 있기 이전에는 반드시 행동이 있는 겁니다. 여러분이 말을 하고 여기 오셨습니까? 걸어올 때 말을 하고 걸어오는 게 아닙니다. 행동입니다. 한 사람 한 사람 만났을 때, 일을 할 게 있을 때 그때에 이제 찰나찰나 나투면서 말을 하고 넘어가는 거죠.

그래서 여러분이 배우는 입장에서, 배우기보다도 나를 알라는 그런 뜻에서 얘깁니다. 나를 먼저 알라는 얘깁니다. 나를 먼저 모르면 저런 행동이 나오고 무리한 일이 나오고, 생활에 보탬이 없고, 공덕과 복덕을 얻지 못한다는 뜻입니다. 그러기 때문에 우리는 지금 시대에 이 도리를 알지 못하고는 앞으로 살아나가기가 힘들다는 거를 내내 강조하고 있습니다. 지금 그 사람이 나한테 설법을 하게끔 만들어주고 가는군요. 그것도 고맙군요. 또, 허허허. 참 뭘로 보나, 이걸 봐도 설법이 되고 저걸 붙여도 설법이 됩니다. 그것은 우리 사는 생활이기 때문이죠.

초발심에서 우리가 이 도리를 감응을 하고 또 감을 잡아서 나가려면은 내가 항상 주인공에다가, 요 말을 하고 넘어가야 되겠어서 하는 겁니다. 새로 오신 분들도 있으실 테고 또 그냥 여러분이 매일 들어도 그것이 알쏭달쏭한 문제가 많기 때문에 항상 그 말은 하고 넘어갑니다. 우리가 주인공에다가 맡겨놔라 했습니다. 그런데 어떤 분들은 "주인공에 맡겨놓으니깐 잘 됩디다." 하고 얘기를 했습니다. "생활하는 데 그렇게 좋고 편안함이 없습니다." 그리곤 나가다가 어느 땐가 또 와서 이렇게 말을 합니다. "그전엔 잘 되더니 지금은 안 됩니다." 이겁니다. 그래 나는 그랬습니다. "안 되는 것도 배워야지 되는 것만 안다면은, 안 되는 걸 모르기 때문에 양면을 걷어잡고 굴릴 수가 없다." 이런 말을 했습니다. 그건 왜냐하면은 안 되는 것도 법, 되는 것도 법이기 때문입니다. 이해가 안 가시겠죠?

요렇게 표현을 하면은 좋겠습니다. 어린애가 부모에게 모든 것을 일임하고 사는데 어린애가 철모르고 덤벙덤벙 지금 서너 살짜리가 뛰어갑니다. 그런데 가면은 구덩이에 빠진단 말입니다. 그 어린애는 가고 싶어 갑니다. 그런데 어른은 구덩이에 빠지겠으니까 붙들어서 안전한 곳으로 끌어다 놨습니다. 그렇다면은 여러분이 이것도 부처님 법이 아니라고 하겠습니까? 안 되는 일이라고 하겠습니까?

여러분은 지금 깨달아야 할 과정을 거쳐야 할 분인데 즉 말하자면은 어른이 다 된 것처럼 "왜 아버지는 내가 하고 싶은 거 그냥 놔두지 않고 그러나!" 이렇게 말씀하실는지도 모르지마는 그게 아닙니다. 그러니 안 되는 것도 법, 되는 것도 법입니다. 안 되는 것도 되는 것입니다. 죽인 것도 무명을 쳤다고 해서 죽인 게 아니라 그것도 살린 거라 이 소립니다. 살리는 것도 살리는 거고 죽이는 것도 살리는 겁니다. 이 도리를 우리가 알아야 되겠기에 이런 말을 드리는 겁니다. 그래서 안 되는 거 되는 거를 놓는, 맡겨놔라 하는 그 도리가 바로 그런 뜻에서 안 되는 것도 법, 되는 것도 법이니 몰락 놔라 하는 이치가 거기에 있는 것입니다. 여러분 잘 알아들으시겠죠.

그러니 모든 것을 몰락 놓을 때는, 지난번에도 얘기했지만 우리가 미생물에서부터 수억겁 광년을 거쳐서 진화돼서 지금 여기까지 왔습니다. 그랬는데 그렇게 나오면서 살던, 자꾸 몸을 바꿔가면서 살던 습이 그냥 잠재의식에 얽히고설켜서 뭉쳐 있으니 그건 종문서와 다름없다 이겁니다, 양반집의 종문서. 만약에 그 종문서를 불살라버리지 않는다면 반드시 그 양반집의 종으로 대대손손이 그건 떠날 수가 없습니다. 벗어날 수가 없습니다.

그와 마찬가지로 우리는 항상 그것을 닥치는 대로 놔라. 우리 지금 요것이 알쏭달쏭한 문제가 되겠죠. 그것을 판단을 잘 하실 것 같으면은 가늠이 되고 그것이 감응이 오게 되면, 바로 나를 내가 발견하는 그런 뜻입니다. 내가 본래 빈 그릇을 본래 빈 그릇이라고 알았을 때, 빈 그릇이 아니라 꽉 찬 그릇입니다.

왜 비었다고 했고, 왜 무(無)라고 했는가? 우리는 한 발짝 뗄 때 쉬지 않고 떼어왔습니다, 지금. 걸어왔습니다. 쉬지 않고 걸어올 때 가만히 생각해 보십시오. 앞발은 아직 떼어놓지 않았으니까 없고, 뒷발은 떼어났기 때문에 없습니다. 그러면 시공이 없다는 뜻도 알게 되고, 우리는 꽉 찼는데 이렇게 나투어서 하루살이로 이렇게 떼고 가니까 발이 붙지를 않는 겁니다. 고정되게 붙지를 않는다.

왜, 눈이 왔는데 미끄러져서 아주 유리알 같을 때에 발을 오래도록 거기 붙인다면은 미끄러지고 맙니다. 그러나 자주자주 떼어서 발이 그 얼음판에 딱 붙질 않는다면은 그건 넘어질 리가 없습니다. 제가 그거 경험을 해봤는데요. 아주 가파른 미끄러운 얼음판에 언젠가 한번 제가 뛰었습니다. '야, 이거 발이 붙으면은 미끄러지겠구나!' 해서 거기를 그냥 뛰었습니다. 막 뛰니까 발이 미끄러질 새가 없다는 얘깁니다. 미끄러질 새가 없어요. 그와 같이 우리는 지금 돌아가고 있는 겁니다, 미끄러질 새가 없이. 고정되게 거기 못박히듯 그냥 박혀 있는 거 그것이 아니라, 그렇게 되지 않고 그럴 사이가 없이 지금 한 발 한 발 떼어놓고 돌아가고 있습니다.

그러니 그게 빈 그릇이 아니라 꽉 찬 그릇입니다. 꽉 찼는데 한 발 한 발 떼어놓고 돌아가서 이렇게, 그전에도 말했지만 애들 만날 때는 그냥 스스로 마음이 달라지고 말도 달라지고 행도 달라지고 또 아버질 만날 땐 딸로서 생각나고 아들로서 생각나고 행도 나오고 말도 나오고 스스로 누가 그렇게 하지 말래도. 그건 왜? 나한테 그 오관을 통해서 수레바퀴가 돌아가기 때문입니다. 스스로 그렇게 돌아가기 때문에 우리는 거기에서 묘법이 나온다는 겁니다.

그러니까 붙을 사이 없이 한 발 한 발 떼어놓는 거와 마찬가지로 우리는 그 보배를 그렇게, 수레바퀴가 돌아가는 오관을 통해서, 오신통을 수레바퀴라고 한다면 그것을 굴리면서, 또 내 마음의 운전수를 만약에 누진통이라고 한다면, 그것이 책정을 하면서 굴러갈 땐 굴러가고 참견할 땐 참견하고 이렇게 올바르게 구르고 있단 말이야. 그래 이거는 굴러가지 않는 건가? 그것도 굴러가는 거, 이것도 굴러가는 거, 잠자는 것도 굴러가는 거, 모든 게 전부…. 일 초도 쉬는 게 없습니다. 그렇게 떼어놓으면서도 찰나찰나 나투어 돌아가는 이치죠. 그러기 때문에 그 보배를 누구나가 지니고 있다는 겁니다.

우리가 그 보배를 가지고 있는 거, 거기까지만 얘기하고 어디로 넘어가야 하느냐? 지금 우리 지수화풍으로서, 끈을 잇기 위해서 그 말을 또 합니다. 지수화풍이 전체 가늠할 수가 없이 헤어져서 생명만 이렇게 돌아다니다가 한데 합쳐지니깐 어떠한 거를 조성해서 형성시켰습니까? 생명을 형성시켰습니다. 아주 위대한 생명을 형성시켰죠. 바로 지수화풍이 형성을 시켰습니다, 이 몸을. 일체 만물에 대한 그것을 형성시켰다 이겁니다. 그건 어디로부터? 그것이 바로 자기의 마음으로부터, 위대한 마음으로부터 한생각에 의해서 그 모든 미생물이 났다는 얘깁니다. 미생물만 난 게 아니라 무정물도 식물도 다 났단 말입니다. 다 났는데 그것이 지수화풍이 아니면은 그렇게 생명이 날 수가 없습니다, 그게 규합이 안 됐다면. 그래서 그 위대한 생명을 발견했고 조성해서 참, 그 몸을 형성시켰는데 미생물이 거기서 탄생을 한 것도 우연히가 아니라 그건 자성(自性)으로서의 한생각입니다.

그러니 그것이 그렇게 태어나서 수없이 거듭거듭 해오다가 보니까 우리가 무엇을 하나 연구할 때, 처음에 물건을 하나 만들었을 때 처음 물건을 만들었기 때문에 찌그러질 수도 있고 잘못될 수도 있습니다, 처음에 만들었기 때문에. 그래서 우리는 처음에 그 생명의 모체를 조화를 이뤄서 형성시키는데, 물질을 형성시키는데 많은 실패를 했단 얘깁니다. 실패라기보다는 잘 못 만들었다고 볼 수 있겠죠. 그래서 시공이 없이 방치해뒀단 얘기야. 우리 인간들의 생명이 살아나가는 데는 시공이 있어서 이것이 차곡차곡 순서가 있어야 하는데 이건 순서가 없이 시공이 없이 놔뒀기 때문에 물씬물씬 그냥 자랄 대로 자라는 거고 악할 대로 악하고 이렇게 되니까 그 물질이 상당히, 그 생명을 생명들끼리 잡아먹게 되고 또 형성시켰으나 모든 그 모습이 흉하고 그래서 실패작이 됐습니다.

이게 거듭거듭 서너 차례 실패를 하고 보니까 여기까지 이렇게 오게 되는데 우리 이 조선으로선 단군이 한 가정의 어버이로서 그 길을 일러줬다고 봅니다. 그런다면 두번째의 대의적인 문제를 일러주신 건 석가라고 본다면, 우리가 석가나 단군 할아버지가 아니 계셨다면…, 지금 안 계신다 하더라도 그 단군이나 석존이 안 계신 게 아닙니다. 지금 여러분이 바로 그 자손이기 때문에, 그 나무가 하나 이렇게 섰으면 씨앗이 거기 열려서 수많은 씨앗이 나왔다는 그 조건밖에 되지 않습니다. 그럼 바로 여러분이 단군도 되고 석존도 되고 다 되는 것입니다. 일체제불이 다 되시는 겁니다.

그런데 누가 낮고 누가 높고 누가 깨닫고 누가 깨닫지 못하고 이런 것을 따지겠습니까? 참, 그런 분은 어리석은 분이라고 볼 수밖엔 없습니다. 왜 저렇게 어리석은가? 자기로서는 어리석은 게 아닙니다. 그분으로서는 어리석지 않다고 생각을 하고 한번 이렇게 하는 바람에 힘이 없어서 주저앉는다. 또 방해를 놓는다면은 입도 떼지 못할 거다, 이러한 자기의 생각으로써 여기에 온 것이죠.

아무튼지 여러분은 참, 다 부처고 법신(法身)이고 다 보신(報身)입니다. 여러분의 마음이 내 몸을 보호하고 이렇게 나가는 그 보신, 또 여러분의 생각이 현실로 나오니 법신! 예. 그러니 그 얼마나 교묘하고 광대무변한 여러분이시겠습니까? 그런데 그렇게 천차만별로 차원이 있기에 그런 분도 있고 저런 분도 있습니다. 그거를 원망은 안 합니다. 이것도 바로 내가 있기 때문에 그분이 오셨지 내가 없었더라면 어떻게 그분이 오셨겠습니까? 망했든지 좋았든지 간에 말입니다. 그러기 때문에 그분이 오신 것을 바로 나는 이렇게 생각합니다. 그분이 오셨기에 내가 한번 나를 돌아볼 수 있는 그런 기회가 있지 않은가, 고맙다. 이렇게 내용적으로는 생각하고 있습니다.

또 한 가지는 우리가 무방비 상태로 됐기 때문에 그렇게 세 번이나, 참 두 번이나 그랬고 적게 한 번이 돌아갔으니 세 번이라고 볼 때,

우리가 생각하기엔 천지개벽이라고 해도 과언이 아니겠죠. 천지개벽! 그렇게 실패를 하고 보니 인간으로 태어났고 우리 인간이 됐습니다. 인간이 됐으니만큼 인간으로서 허무하다, 죽는다 이런 걸 떠나서 우리는 자유자재권을 스스로 가지고 있는 거고 가지고 있을 수 있는 겁니다. 그러면 천지의 신이 따로 있고 사람들이 따로 있는 게 아니라, 우리를 보십시오. 얼마나 위대한가?

전자에 단군 할아버지가 길을 가리킬 때에 다르고, 지금 개발된 이 시점에서 또 다릅니다. 내일 또 다르고 모레 또 다른 겁니다. 앞으로는 우리가 떡 어딜 가려고 섰기만 하면은 그냥 드르르르 가게끔도 될 수 있는 거죠, 자력에 의해서. 그만큼 과학적으로다 발달이 되고, 지금 시점에서도 발달이 많이 됐지마는 한계가 있는 거죠. 그것도 한계가 있는데, 또 더 발전이 된다면 더 과학적으로 놀 때에 우리는 이 발바닥에 흙을 안 묻히고 떠서 다닌다는 얘깁니다. 또 물 속으로도 그냥, 물 속으로 다닌다는 얘깁니다. 이렇게 발전이 된다 하더라도 이것은 뭐 300Km나, 400Km나, 500Km로 이렇게 달리는 그런 멋진 시대가 오는데 인간 자체가 그렇게 될 수 있는 보배를 가지고 있고 수레를 굴리기 때문에 그러한 물건도 나온단 얘깁니다. 그렇게 발전을 이룬다 이겁니다.

그러면 누가 했습니까? 사람들이 했죠. 모두가 사람들이 하는 거 아닙니까? 연료도 참, 로케트 연료로써 충분히 쓸 수 있는 그런 문제, 전기화도 되고 전자력으로서 일들을 하고 모든 게 이렇게 나가는데…, 그런데 말입니다. 앉아계신 저 부처님은 창이 없고, 벽이 없고, 문이 없습니다. 과학이 아무리 발달이 된다 하더라도 문이 있어서 들어올 문이 있고 나갈 문이 있고 그렇지만은 저 부처님께서는 가만히 앉아서 드나드십니다. 가만히 앉아서. 저 부처님이, 어떤 분은 '저거 형상인데 뭘.' 하죠? 처음에 배울 때는 형상으로 봐야 하고 나중에 진짜 알았을 땐 스스로서 부처인 줄 알게 된다 이겁니다.

자기도 그렇게 허무하다 그러지만 이 몸뚱이는, 지난번에도 얘기했지만 소라 껍데기, 껍데기가 소라가 아니고 소라 알맹이가 소라다. 소라라는 것도 이름이기에 그 살 속에는 또 마음이라는 것이 있어서 그 영원한 생명이라는 게 있다. 그런데 우리도 그와 똑같은 문제니까 말하기 이전, 생각하기 이전 나를 진짜로 믿고 그렇게 맡겨주신다면 여러분은 참, 이 세상에 어디다 내세워도 정말 창살 없는 감옥에서 벗어난 대인이실 것입니다. 대인입니다. 대인이 되시는 겁니다. 그걸 부처라고도 하고 여러 가지 이름을 가지고 있는 겁니다.

그런데 우리가 아까도 얘기하던 끝이, 그렇게 과학이 발전이 돼서 그렇게 앞으로 물 속으로 떠다니고 아무리 그런다 할지라도 요 묘한 말을 어떻게 해야 여러분이 잘 알아들으실 수 있는지 모르겠습니다. 그렇게 지수화풍으로서의 위대한 생명을 조성해서 형성시켰고 육신을 형성시켰고, 그렇게 작업을 해서 수없이 실패를 하면서도 또 발전을 해서 이날까지 계발을 해가지고 여기까지 올라온 겁니다. 그러면 무(無)의 세계의 무전자·유전자 또는 지금 현재의 형성된 이 모습! 이런 문제가 바로 유전자의 그 미지수의 일들이 바로 우리를 이렇게 해놓기 때문에 우리는 유전자로서 형성이 되고 형성이 됨으로써 발전을 이루어서 우리들은 주인으로서 하는 겁니다. 우리는 최초의 지수화풍이 그렇게 위대한 생명을 참, 방대하게 그렇게 조성했을 때 바로 그때도 있는 겁니다. 그때에 우리도 있었고 지금도 바로 그분들이, 바로 그것들이 우리가 된 셈이죠.

그러면 왜 부처님 따로 있고 신이 따로 있고 우리가 따로 있습니까? 이거를 세밀하게 아신다면 우리는 지금 온 누리에 어떠한 육해공군이 있다 하더라도, 정치를 하는 사람이나 모든 면에 있어서 모든 걸 지시할 수 있는 겁니다. 왜? 모든 것이 내가 될 수 있고, 내 모습 없는 바로 나는 그 사람이 돼서 그 모습으로써 그 마음이 한마음이 돼줌으로써 그것은 경제난에도, 육군에서도 공군에서도 해군에서도, 정치하는 사람들도 모두가, 경제발전도 그렇고 공업의 발전도 그렇고 사람이 마음을 조절해서 잘 되는 이치도 바로 내가 돼주기 때문입니다.

그래서 옛날에도 말했지만 나쁜 마음을 먹고 나쁜 행동을 하다가 좋은 사람의 마음이 거기 합세를 해주니까 좋은 일을 하고 다니거든요. 이 몸뚱이는 마음에 따라서, 운전수에 따라서 차가 끌려다니는 거나 마찬가지니까. 아, 구덩이에 빠지지 않고 남을 치지도 않고 좋게 다니고 그러는 거와 같이, 사람도 좋은 일만 하고 그렇게 돌아다니다 보니까 나중에 그렇게 잘된 연에, 마음이 좋게 된 연에, 행동도 그렇게 하는 연에 그 마음을 도로 쑥 빼와도 그 마음이 그 마음으로 그냥 서 있단 애깁니다.

그래서 밀물 썰물이 있듯이 물이 고였다가 좀더 부자연할 때는 밀물이 돼주고, 더 좀 할 땐 썰물이 돼주고 이러는 활용! 이러한 문제가 지금 여러분이 알아서 시급하게 지금 써야 할 일이 아닌가 봅니다. 앞으로는 여러분이 이 도리를 모른다면 점점 살기는 희박해집니다.

여러분이 참, 여러분 가정에 조화를 이루면서 향내를 내면서, 만 가지 꽃이 피어 만 가지 향내를 내면서, 열매를 맺으면서, 열매를 또 다시 심으면서, 끊임없이 그 서원이 있기를 기대하면서, 이 도리를 알아야만이 우리가 불국토를 이루지 않나. 불국토가 뭐 다른 게 불국토입니까? 우리가 천차만별로 차원이 되는 거, 차원이 높아짐으로써 우리는 그렇게 오관을 통해서 그 수레바퀴가 스스로 돈다는 걸 알고 자기가 자발적으로 책정을 해가면서 자기가 그 단추를 누를 줄 안다면 바로 불국토입니다.

지금도 개발을 해서 로케트가 올라가고 이렇게 하지만, 앞으로는 전자력 원료를 쓰고 원자력을 다 발동해서 또는 전자나 원자나 다 써서, 우리는 갈 때도 올 때도 사는 것이 풍부하게 살 수 있는 그런 시대가 올 수 있는 것입니다. 그럼으로써 지금 우리 인간이 이렇게 멋진 인간으로서 이 혹성의 주인으로서 또 혹성의 주인만 되는 게 아니라 온 우주 전체의 주인이 된다 이겁니다. 그거 왜? 우리는 지금 국내의 주인이지만, 우리 국내를 위해서는 전 세계를 조절할 줄 알아야 국내를 위할 수 있다는 얘깁니다. 국내를 잘 리드해 나갈 수 있는 문제입니다. 그러고 참, 안전한 방석을 가질 수 있다 이런 문제도 되죠. 그럼으로써 전 세계를 도우려면은 우주를 또 서로 상응하면서 이심전심으로써 돌아갈 줄 알아야 된다는 얘깁니다. 우주의 주인이 돼야 되겠죠?

그러니 여기뿐만 아니라 딴 동네도 있고, 저 동네도 있고, 은하계의 동네도 있고 참, 금성 동네도 있고 여러 동네가, 아주 은하계도 동네가 많습니다. 허공에도 지금 수많은 생명들이 많습니다. 그러니 우리는 한생각에 그것이 모아지고 펼쳐지고 한다는 거, 그 얼마나 위대한 주인이시며 얼마나 그게 묘법입니까? 난 자부합니다. 어떤 스님이 "당신 깨달았느냐?" 당신이라, "너 깨달았느냐?" 이러지마는 난 깨달았단 말은 하고 싶지 않습니다. 난 그냥 할 수 있다라는 얘기만 하는 겁니다. 왜? 내가 한마음이라 함은, 전 우주에 그 생명체들의 마음이 한데 모였다가 흩어졌다 하는데 누가 감히 혼자 내가 했다 이러나요. 어림도 없어요.

그러니 내 이 모습이 있기에 내가 그렇게 그것을 발전하고 깨닫고 계발하고 이랬기 때문에 지금 여기에서 이렇게 얘기하는 거다 이겁니다. 얘기 안 할 수도 없고 할 수도 없는 것이 바로 이런 얘깁니다. 하지만 우리가 얘기를 했어도 얘기한 사이가 없습니다. 여러분의 마음도 내놓을 게 없는 마음이요, 나도 내놓을 게 없는 마음이니 어찌 둘이겠습니까? 그리고 어찌 말을 했다 하며 어찌 들었다 하겠습니까? 그러면서도 역력하게 말은 했고 역력하게 들었잖습니까? 한 사이가 없습니다.

요다음에 그것에 대해서도 얘기해 드리겠습니다마는 이 부분 부분 참, 이렇게 얘기를 하고 있습니다마는 수많은 생명의 그 주인들이 수많은 혹성들에 다 있고 행성에 다 있고 그런데 왜 우리만 여기 살고 있는지. 그렇게 나, 나, 나, 나 하다간 고만 저 이웃에도 가보지 못하고는 그냥 옷을 벗는단 말입니다.

그러니 여러분은 그렇게 옹졸하게 생각 마시고 넓혀서 오늘 저녁거리가 없다 하더라도 '당신이 억겁을 통해서 형성시켜서 조화를 시켜서 살아왔으니 당신이 더 잘 알 거 아닌가! 내가 뭘 아나!' 하고선 맡기는 즉 말하자면 심부름꾼, 시봉자, 시봉자가 돼서 그렇게 다, 조그만 아이가 어머니나 아버지 믿듯 그렇게 믿고 모두 맡겨놓는다면 어머니 아버지가 어련히 잘해줄까봐. 그거와 같다 이 소립니다. 아버지가 오죽이나 잘해주겠습니까?

이걸로써 그치고 옛날 얘기 하나 할까요? 이거는 지금 있는 얘긴지도 모릅니다. 이걸 잘 판가름을 해서 들으신다면 아마도 이해가 되시리라고 믿습니다. 어느 동산이 있습니다. 그런데 청개미들이, 지금 개미들도 종류가 많습니다. 허! 불개미도 있고, 백개미도 있고, 청개미도 있고 말입니다. 검은 개미도 있고 뭐 오색 개미도 있고, 뭐 말도 못합니다. 허나 청개미가 살고 있었습니다. 그런데 청개미들은 맴을 돌면서 먹을 거를 갖다가 굴에다가 쌓고 그렇게 아주 극난히 고생을 하면서 갖다 쌓고 쌓고 하면서 살아나가는데, 그러면서도 아주 볕이 짱짱이 드는 남향으로 집을 짓고 새끼들을 낳아서 참 잘 살았습니다. 그러니깐 이웃 전체가 다 그집 가족이에요.

그런데 두더쥐는 산등성이 너머로 응달이 져 추우니까 남이 먹으려고 해놓은 거, 남이 따뜻하게 집 지어놓은 거, 그걸 훔쳐갔습니다. 그래서 개미들이 회의를 했습니다. 회의를 하기를 이젠 그냥 있을 수 없고 참을 수가 없다. 기운은 없고 모습은 조그맣지만, 우리는 이렇게 지성이 있고 진실이 있고 인내가 있고 그러니깐 우리는 아니 되는 게 없다. 못 할 게 뭐 있겠느냐 이렇게 다짐을 했습니다, 모두 회의들을 해서.

그랬는데 어느 날, 두더쥐가 또 훔치러 험한 땅 속으로 오다가 상처가 났습니다. 피가 흘렀습니다. 입에도 상처가 나고 발에도 상처가 나고. 순찰을 도는 개미가 가서 얘기했습니다. "야- 지금 적이 들어온다." 이러면서 두더쥐가 온다고 했습니다. "저렇게 덩치가 크고 그러니 어떡하면 좋으냐?" 그런데 보니깐 "큰 돌을 굴리고 온다." 이러거든. 구멍을 뚫어놓고는 돌을 굴리고 온대거든. 그러니까 이 개미들이 칠흡은 죽었지 어떡합니까, 응? 그냥 거기 한 번 눌리면 작살이 나는데 어떡합니까?

그래서 그 개미들은 다시 급한 대로 회의들을 했습니다. 우리가 어떡하면은 살 수 있겠나 하니까 한 놈이 나섰습니다. "야- 우리가 전체 피 냄새를 맡으니깐 그냥 있을 수 없다. 우리 조그맣다고 깔보는 거 그냥 둘 수 없다." 하고선 그냥 몰려갔습니다. 그러니까 그 피 냄새를 맡고 피를 그냥 빨아먹기 시작을 하는데 덤비니깐 뭐 아무리 큰 짐승도 어떻게 해볼 수 없어서 돌멩이는 돌멩이대로 그냥 안고 동그라졌습니다. 동그라진 놈을 개미떼들이 가서 다 덤비니 용을 쓰고 아무리 해도 도대체 어떻게 할 수가 없었습니다. 너무 떼가 많으니까. 그러니까 속절없이 고만 그 돌을 안고 죽었답니다. 이거는 옛날 얘기면서도 지금 얘기도 되죠. 옛날 얘기가 따로 있나요.

여러분 우리가 이런 것을 좀더 안다면 마음의 이 도리를, 남 보기에는 우스꽝스럽고 믿지 않을 테지마는 이 한마음이라는, 한생각이라는 건 악한 데도 쓰고 선한 데도 쓸 수 있는 칼, 석장, 그렇게 위대하다는 문제를 여러분이 좀더 아셨으면 불쌍한 개미도 살려줄 수 있는 그런 문제가 있지 않을까 생각됩니다. 오늘 이걸로써 마치겠습니다.

자기를 알자

86년 12월 21일

여러분과 같이 이렇게 앉아서 토론하면서 이 세상의 진리, 인간이 살아나가는 데 어떻게 해야만이 우리가 마음의 발전을 하고, 어떻게 해야만 이 몸을 내 자신이 이끌어갈 수 있는 이익이, 또는 도움이 있을까 하는 마음에서 서로가 이렇게 앉아있게 됐습니다.

십년, 이십년 근 삼십년을 두고 여러분을 접해왔으나 여러분을 가만히 볼 때마다 참, 내 몸과 같이 아프고, 그 아픈 말은 다 할 수가 없습니다. 우리가 옛날에는 의학적으로도 발전이 되지 않아서, 모든 사람들이 기도를 해서 나을 수 있게끔 하는 그런 도리가 있었고 그 후에도 그런 도리가 많이 있었지마는, 지금은 의학적으로 발전이 돼서 잘하고 있다고 하는데 나는 이런 말을 하고 싶습니다.

그전에도 얘기했지만, 지수화풍으로써 형성돼서 미생물이 생겨서 그 모든 미생물로 하여금, 그 생명으로 하여금 수없이 모습을 바꾸면서 나투어서 화(化)했습니다. 진화돼서 이렇게 인간이 될 때까지 얼마나 그 쓰라림을 겪어왔나 하는 거, 그 발전을 위해서 얼마나 싸워왔나 하는 거, 이런 것들을 가만히 생각해 보세요. 우리만 있는 게 아니라 수만 가지의 짐승들과 생물, 무정물 또는 식물이 많이 있습니다. 그러면 모든 걸 다 거쳐왔다는 그런 이치가 되죠.

그런데 우리는 그렇게 거쳐와서 지금 인간이 돼서 이렇게 나가고 있는데, 가만히 연구를 하고 본다면은 예전부터 과학자가 생기고 철학자가 생기고 수많은 공업자가 생기고, 말로는 헤아릴 수 없이 많은 사람들이 생겼습니다. 시대에 따라서 못 할 때도 있고 시대에 따라서 잘 할 때도 있고, 발전을 능숙하게 해나갈 때도 있었고 또 못 해나갈 때도 있었습니다. 끊긴 때도 있었고 성장할 때도 있었고. 그러나 우리가 지금 인간이 돼서 이렇게 아무리 물질적 발전을 해나간다 하더라도 우리 인간의 심성(心性)의 그 능력은 앞설 수 없었습니다. 우리 심성에 의해서만이 연구가 됐던 거고 일체 만법의 근원이 됐던 거지, 심성을 빼놓고서 했던 건 아닙니다.

그러기 때문에 천차만별로 이름은 많겠지만 심성으로 인해서 일체가 다 발전이 되는 것이니 우리가 목표를 하나로 해서 심성과학이라고 하든가 심성의학이라고 하든가, 이 심성을 붙이지 않으면 의학과 과학은 없을 것입니다. 그런데 그 심성으로 하여금 우리가 무(無)의 활용으로써 발전을 한다면 어떨까?

그래서 의학적으로도, 그 자연 법계의 근원이 우리 심성 근원에 연결돼 있다는 걸 우리는 입증해야 할 겁니다. 과학이 따로 있는 게 아니라 우리가 마음을 먹고 있으니깐 이 자리에서 여러분을 만나게 된 것이 입증입니다. 이것이 심성과학이라고 해도, 생활이 과학이라고 해도 과언이 아닐 겁니다. 어디에서 입증을 꼭 해야 한다지만 우리는 항상 입증을 해가면서도 그걸 입증이 아니라고 합니다. 왜 그것이 아닙니까? 한 발 떼놓는 대로, 생각 하나 하는 대로 겉으로 나오는데 어째서 그것이 입증하지 않는 겁니까? 증명하는 겁니다. 우린 증명해가면서 자기가 하는 일을 자기가 지켜봐가면서 입증하는 겁니다.

과학자들이 생각할 때에, 의학자들도 그렇고 그 미생물을 보기 위해서 현미경이니 뭐, 여러 가지 물질을 과학적으로 연구해 냈습니다.

병 증세도 그렇고 어떠한 세균에 대해서도 그렇고 여러 가지로 말입니다. 왜 내가 이런 말을 하게 됐느냐 하면은, 이건 내 생각인지 모르지만 여러분하고 같은지 우리 한번 여기서 생각해 볼 점이 있다고 봅니다. 사람이 몸이 아프면은 삶이 보람되기보다는 의욕을 다 잃어버리는 폭이 됩니다. 상실되지 않을까 생각합니다. 무슨 행복이라든가, 무슨 돈이 많다고 행복하다든가, 무슨 또 보람을 느낀다거나 이런 거를 아주 상실해 버립니다. 그럴 때 무슨 의욕이 나서 살 마음이 생기겠습니까? 허무한 마음만 앞서고 말입니다. 그래서 이 몸이 허무하다고 그러지만 이 몸이 허무한 게 아닙니다. 우리가 잘 알고 본다면 아주 실질적이고도 실천적이고 생동력 있게 판단할 수 있는 그런 보람 있는 우리의 삶입니다.

그래서 의학적으로나 과학적으로 입증을 할 수 있는 기계화를 연구해서 현미경이니 뭐 콤퓨타니 탐지기니 하는 모든 걸 해냈습니다. 그런데 지난번에도 얘기했지만 불가에서 말하는 건 오신통이라고 왜 피대가 돌면은 베아링이라고 구슬 같은 거 안에서 돌죠? 그런 구슬알처럼 생긴 다섯 가지가 있다고 표현을 하겠습니다. 그것이 걸림 없이 구릅니다. 그건 뭘 뜻하느냐? 천체망원경으로 하나는 구슬을 만듭시다. 탐지기로 만듭시다. 콤퓨타로 만들고, 또는 영사기로 만들고, 그러면 그것을 뭐라고 불가에서는 이름하느냐 하면은, 천체통신기 말입니다. 무전통신기 그거하고, 구슬을 만들려면 다섯 가지가 되고 책정기까지 여섯 가지가 되겠죠. 책정기는 즉 누진통이라고 합니다. 이걸 이렇게 비유할 수밖엔 없습니다, 시체말로.

옛날에는 타심통, 숙명통 또 천이통, 신족통, 천안통 이 다섯 가지를 오신통이라고 했습니다. 그런데 자연적으로 우리 인간 한 사람 한 사람에게 주어져 있다는 그 사실 말입니다. 자연적으로 주어진, 기계 아닌 기계가 우리한테 주어져 있다는 얘깁니다. 그 구슬같이, 베아링이 기계 속에서 돌아가는데, 피대가 돌아가야 그게 돌아가죠. 그래서 우리가 정맥 동맥을 피대줄로 비유한다면 똑같은 얘깁니다. 그 자연법칙에 의해서, 우리가 자연법칙에 의해서 한다면 어폐가 있겠지만 자연의 법칙 그 자체가 바로 보이지 않는, 내놓을 수 없는 베아링 다섯 개가 그냥 돌아가고 있는 것이나 같다 이 말입니다. 어떻습니까? 이것이 사실이 아닙니까? 우리가 자연으로 그렇게 돌아가기 때문에 과학자들이 연구할 수 있었고, 의학자들이 연구할 수 있었다는 사실입니다. 그러기 때문에 무(無)의 심성과학이라는 건 무에서 유(有)로 나오기까지 이 인간이 입증을 안 하면 할 데가 없다는 걸 말합니다.

그런데 의학적으로 생각한대도 그렇고 과학적으로 생각하는데, 이 물질 하나를 갖다가 (손수건을 들어 보이시며) 연구해서 발명을 했다면, 만약에 개구리알을 했다고 합시다. 그런데 알은 셀 수 있는 입증을 했는데, 이 무(無)의 심성과학은 입증을 할 수 없으리만큼 수효가 헤아릴 수 없단 말입니다. 무한개란 말입니다. 그러기 때문에 얼마나 어마어마한 일입니까? 그러나 참 묘한 법이, 불가사의한 법이라고 하지만 묘한 법이면서도 현실에 우리가 입증할 수 있는 건 우리 인간이 가지고 있다는 사실입니다. 일체를 다 둘이 아니게 한마음으로서 자기가 깨달았다기보다는 즉 말하자면 자기 자신을 아는 사람은 한생각에 이 우주 공간에 꽉차게 만들 수도 있고, 하나도 없게 만들 수 있는 그런 묘법을 가지고 있다는 사실입니다.

여러분이 아파서 "스님, 이것을 어떻게 하면 살겠습니까?" 하는데 그런 일이 천차만별로 말도 못 했습니다, 십년, 이십년, 삼십년 두고. 그랬으니 겪어나온 그 얘기를 어떻게 말로 다하리까? 남들은 목탁이나 치고 밥이나 내려 먹으면 그뿐으로 스님네 할 일 다 했다고 끝났다고 생각하는 사람들도 있겠지만, 중 노릇하기가 상당히 어렵습니다. 인간 중에도 중 노릇하기가 어렵다고 전 판단하고 있습니다. 그래서 과학자들이 말입니다. 의학자들도 한 가지를 연구하기 위해서 생을 바치는 사람도 있는데, 여러분은 살림을 해가면서 이 공부하시라는데 왜 못 하겠습니까? 예를 들어서 우리가 아파서 그렇게 애를 쓰는데, 지금 얘기한 거 말입니다, 그 오신통을 스스로 굴리고 있다는 사실! 스스로 굴리고 있는 무(無)의 법에 의해서 유(有)의 법과 둘이 아닌 까닭이 바로 바깥으로 나오는데 말입니다. 그걸 응용 못 한대서야 될 노릇입니까? 그 것도 과학인데요.

어떠한 병자가 척추를 못 쓰고 움죽거리질 못하는데 병원에선 도저히 할 수 없다고 그래서 십년이나 걸렸답니다. 그렇다면은 무의 진리에서 의학도 한 부분! 한 부분인데 그 한 부분 때문에 전체가 다 보람을 잃는 겁니다, 빛을 잃어요. 그러니 여러분 어떻게 생각하십니까? 그래서 저는 거기에서 한번 연구를 했습니다. 부처님 법도 바로 연구입니다. 내가 나를 계발하는 연구! 내가 나를 탄생하게 해서 계발하고, 연구하고 그래서 능력을 가져오는 거지 누가 가만히 있는데 갖다주는 게 아닙니다. 피나는 노력이 필요합니다.

아무튼 그때 그 사람, 애는 일곱이나 됐습니다. 그런데 남편이 그렇게 됐을 때는 참 그건 애 어머니로서 아내로서 그걸 어떻게 볼 수 없으니까 허구한날 울었습니다. 이건 보기가 지겨우리만큼 진저리가 나도록 말입니다. 그 반면에 나를 그 사람이 공부를 시켰습니다. 그건 왜냐? 진저리가 나다 못해 나중에는요, 이런 생각이 들더군요. 처음에는 불쌍하더니 그 다음에는 뭐가 생각이 드느냐면 '어휴, 중 노릇 하기 어렵구나!' 피해서 도망갈 수 있으면 도망갈 만큼 피하고 싶더니 '아, 이건 피해서 되는 일이 아니구나!' 하는 걸 생각하구선 다시 한 번 검토를 해서 연구를 했습니다.

그래서 보니까 사람이라는 게 우리가 스스로 다섯 개가 지금 구르고 있느니만큼…. 지금 현미경으로 미생물을 본다, 크게 본다, 현미경으로 그렇게 봐도 그것은 기계를 갖다놓고 봐야만이 되기 때문에 시간도 걸리고 그거는 너무나 희박합니다. 그래서 그때에 그랬습니다. '아하, 현미경도 바로 내 눈에 있는 것을, 내 마음의 눈에 있는 것을 그랬구나!' 하는 그 느낌이 들었습니다.

그래서 보니 이 척추 골수에 노란 액체가 배부돼야 하고, 진득진득한 맑은 물도 돼야 하고, 역시 벌건 물도 조달이 돼야 되겠죠. 그러니깐 겉으로 발라주는 게 있고 안으로 발라주는 게 있고 조달하는 게 있고, 순환 공급을 해줘야 된다는 얘깁니다. 그것을 이렇게 싸고 있는 보호망이, 눈도 없고 코도 없고 귀도 없는 그 세포의 모든 걸 지키고 있는 걸 보호망이라고 한다면, 이 거죽의 세포가 아니라 안세포입니다. 그렇게 망이 돼 있더라는 이야깁니다.

내가 만약에 파리를 건지려면 파리 속으로 들어가야 파리를 건질 수 있다는 결론이 나왔습니다. 그런다면은 어떻게 하겠는가? 내가 그 벌레가 돼야 어떻게 하지 않겠느냐는 얘깁니다. 응? 세 가지 종류의 벌레가 돼야 내가 그것을 운영해 나가죠. 그래서 그 액체를 발라주고 피를 공급하면서, 또는 안팎에다 발라주면서 보호망을 튼튼하게 해나가니까, 그 보호망에도 베아링처럼 그렇게 전부 슬기롭게 돌아가거든요.

그러니까 겨우 거기에서 생각을 하고 얻은 것이, 그 사람 사니 좋고 나 공부했으니 좋고, 그 모두를 둘로 보지 않아야죠. 내 몸을 끌고 다닌 게, 여러분이 생각할 때 '야! 이렇게 큰 덩어리의 사람이 저까짓 것 미생물 하나…' 이렇게 생각하시지만 그게 아닙니다. 그 미생물로 인해서 그 세균으로 인해서 벌레가 지금 우글우글합니다. 우글우글하는 거를 마음이 한데 합쳐서 돌아가기 때문에, 서로 주고 받고 하기 때문에 내 몸이 이렇게 지금 탈을 쓰고 갑니다. 인간탈이라고 그러죠, 이걸. 이건 탈바가집니다, 어디까지나! 조그만 탈바가지고 큰 탈바가지죠.

그래서 옛날부터 난 이런 말도 잘했습니다. '자신을 아십시오. 자신을 아신다면 전체의 근원이 그 자신의 근원이 될 겁니다. 천지의 근원도 바로 마음의 근원이 될 것이고, 이 우주의 근원도 바로 마음의 근원이 될 것이니 그 어찌 보람 있지 않겠느냐' 구요. 그럼으로써 내 몸을 내가 끌고다니는 데도 유유히 끌고다닐 거라고요.

물론 죽을 것도 영 죽지 않게 살릴 수 있겠느냐 한다면 그건 아니 됩니다. 탈을 썼다가 버릴 때가 오면 버리는 것은 당연지사입니다. 하지만 우리가 그 고통을 받아가면서 자기가 할 일을 다 못 하고 그냥 애를 쓰면서 고통을 받는 거는 면할 수 있지 않겠느냐는 얘깁니다.

　　세상에 한생각으로서 보이지 않는 그 세균이 벌집처럼 일어날 수도 있고 그 세균이 벌집처럼 일어나는 걸 내 한마음에 집어넣어서 녹일 수도 있고, 그 한마음에서 벌집처럼 일어나게도 할 수 있는 거는 인간의 다섯 가지의 오신통이라고 할까요? 그걸 수레바퀴라고 해도 됩니다. 그것을 굴릴 수 있는 사람이라면, 근본을 아는, 자기 자신을 아는 사람이라면 바로 거기에서 그 수레바퀴는 어디에든 쓸모가 있는 보배인 것입니다.

　　그래서 오늘날 의학적으로도 말입니다. 병균을 집어내기는 했는데 이 병균이 어디서 온 걸 모릅니다. 그러면은 요거 한 가질 연구해냈다 해서 다가 아닙니다. 한 가지를 죽이기 위해서 약을 만든다 하면 다른 생명이 죽습니다. 그런다면은 이 연구는 하나마나죠. 그러기 때문에 연구 하나 하는데 인체의 다른 생명들에게, 세포에나 모든 것에 지장이 없이 하나만 죽이는 연구에 생을 다 바치는 사람들도 있습니다.

　　그런데 얼마나 좋습니까? 이거는 더하고 덜함이 없으면서도 내 주인공의 한마음의 베아링은 스스로 굴러가면서 그냥 여지없이, 무슨 부작용이 없이 말입니다. 파워를 일으킬래도 일으킬 수 있고, 일으켜서 그쪽 부분을 좋게 하려면 좋게 하고 이쪽 부분을 좋게 하려면 좋게 하고, 나쁘게 할 수도 있고 좋게 할 수도 있는 이런 원력이 여러분에게 주어져 있다는 그 사실! 얼마나 좋습니까?

　　이것이 부처님 법이라기 이전에 우리들의 법이 이렇기 때문에 부처님께서 그런 말씀을 하신 겁니다. 이것을 우리 현대에 알아듣기 쉽게 한다고 하는 말인데도 용어를 잘 몰라서, 그런 걸 공부 안 했기 때문에 말입니다. 그냥 하는 대로 하는 겁니다. 내 못난 대로 말입니다.

그러니까 아는 분들이 이해를 잘 해서 연구를 잘 하시기 바랍니다. '내가 만약에 학식이 많았더라면 어쩔 뻔했나' 하고 요즘은 참 생각을 많이 합니다. 내가 학식이 많았더라면, 거기에 변동이 얼마나 가소롭게 들어갔을까? 또는 요동을 떨고 잘났다고 그러고 말입니다.

그래서 사람은 어디까지나 자기 자신을 안다면, 이렇게 생각이 됩니다. 애 적엔 애가 돼서 말을 잘 들어야 하고, 어른이 됐기 때문에 말을 잘 들어야 하고, 애이기 때문에 겸손해야 하고, 어른이 됐기 때문에 겸손해야 하고, 애가 모르기 때문에 배워야 하고, 알았기 때문에 해야 한다는 점입니다. 그런다면은 모든 게, 고개 바짝 들고 '나'라고 할 게 하나도 없습니다. 그래서 자신을 안다면, 모두가 풍부하게 돌아갈 수 있는 이 마음의 물리가 그대로 천차만별로 다 터지지 않을까? 이걸 말로는 어떻게 할 수 없습니다.

옛날에 부처님께서도 말씀하시기를 사계절로 나누었고, 대의적으로 넷으로 나눈 게, 태로 낳고 알로 낳고, 화(化)해서 낳고, 질척질척한 데서 낳는다. 이게 넷으로 나누었지마는 우리가 태로 낳는 거, 물에서 사는 거나 들에서 사는 거나, 우리 지금 인간으로 사는 동물이나 적든 크든 태로 낳는 거는 사람 될 수 있는 여건을 100% 가지고 있다는 점입니다. 우린 태로 나지만 어떤 건 알에서 나옵니다. 알에서 나오는가 하면 그냥 질척질척한 데서 생기는 것도 있습니다. 그런가 하면 그것이 화해서 생기는 것도 있습니다. 우리가 좀더 생각을 해보면 우리 마음이 하루에도 열두 가지로 변화가 옵니다. 그것도 화함입니다. 순간순간 화해서 나는 것도 있으니, 이 공중에 화해서 생기는 물질들이 얼마나 많겠습니까?

그러니까 지금 이 몸에 어떠한 병이 들었다 한다면 파워를 일으키는 생명들이 있기 때문입니다. 바깥에서 들어오는 세균도 있지마는 안에서 파워를 일으켜서 생기는 세균도 있습니다. 그러면 마비가 됩니다. 세포에서 순환이 되지 않는가 하면 속세포에서 순환이 안되고, 이

껍데기가 정말 하나, 둘, 셋, 넷, 다섯, 여섯 개나 될 수 있는 그런 갈피가 있습니다. 그러면 그 세포의 모든 게 돌아가는 이 속껍데기까지 우리가 생각한다면 모두가 생명체예요! 모두가. 이 세포 하나하나가 구멍이 뚫렸는데 힘이 없다면, 여기서 내밀 수 있는 그 힘이 없으면은 안 되고, 우리가 공부한 사람이라면 내밀기 이전에 하나로 그냥 녹여라 이겁니다.

이 마음이라는 거는, 심성이라는 거는, 생명이라는 그 존재가 바로 생각이 있기 때문입니다. 생각이 없으면서도 내가 생각할 수 있기 때문에 그것도 생각을 하고 돌아갑니다. 내가 있기 때문에, 각자. 내가 모든 거를 생각할 수 있는 기능을 가졌기 때문에 이 세균들도 따라서 그렇게 발휘합니다. 그러한 모든 것을 내가 둘로 보지 않는다면, 바로 둘로 보지 않는다는 소리가 아까 얘기했듯이, 그게 내가 된다면 순간 뚫고 그리로 들어가는 거죠? 그래서 가까와도 멀고, 그 마음 모르면 가까와도 멀고 마음을 알면 멀어도 아주 가깝다 이 소립니다. 이거를 말해서 초월했다고 하는 거죠. 시간과 공간을 초월한다, 이런 문제가 나옵니다.

할 줄 모르는 말을 이렇게 하더라도, 이해를 잘 하시면 아주 체계 있는 소리보다 나을 겁니다. 그러니 잘 생각해 보세요. 여러분에게 이익이 있게 하느라고 그럽니다. 그렇게 해서 내가 된다면, 순간 그리로 즉 말하자면 의사가 돼서 들어가듯이 말입니다. 내 마음의 도리가 거기에 연결이 되기 때문에 그건 내가 되는 겁니다. 그러니 내가 아픈 걸 내가 모르겠습니까? 자기가 더 잘 압니다. 딴 의사보다도, 박사가 아무리 잘 안다 하더라도 내가 아픈 건 내가 더 잘 압니다. 그러기 때문에 치료는 자기가 자기 몸을 치료하는 게 제일입니다. 여러분이 아픈 것이 한 부분이라고 그러지마는 이것이 전체 삶의 보람을 앗아가는 겁니다. 그러니 우리 그, 어떤 때는 말하다가도 이렇게 잊어버립니다마는 이 세균이 못 쓸 건 쓸 거에다가 하나로 뭉쳐버리고 쓸 건 남겨놓고, 못 쓸 건 그렇게 하는 동시에 물로 흘려버리면 그냥 물체가 없어지는 거죠.

그러니까 뭐냐 하면, 마음공부 한 사람, 자신을 아는 사람의 한생각의 눈이라면 그것이 빛과 같은, 광선이나 같은 겁니다. 빛의 에너지와 같은 거기 때문에 그냥 쏜살같이, 한생각에 그냥 즉시에 녹아버리는 문제가 생깁니다. 마음은 물론 내놓을 수도 없고 체도 없습니다마는, 내가 알고 있는 일을 우주간 법계에서 안다면… 이것을 못 믿겠죠? 그래서 거짓말을 하고 사람을 죽인 사람이 '딴사람은 하나도 모르는데…' 하니까, 다른 사람이 그러더랍니다. '아, 이 사람아 네가 알고 있는데 하나도 몰라?' '네가 알고 있으면 전체가 아는 거지. 이 사람아, 네가 알고 있는 걸 어떻게 모른다고 해?' 하더랍니다. 그거를 잘 생각해 보십시오.

우리가 알고 있는 거, 그래서 지난번에도 말하듯이 의학적으로 지금 생태의 모든 것을 파악해서 고친다고 하더라도 30%밖에는 확정적인 문제가 나오지 않는다. 그럼 70%는 어디서 나오느냐? 이거는 보이지 않는 그런 거를, 보이는 걸 아무리 집어내도 자꾸 새삼스럽게 알지 못하는 문제가 나와요. 그러기 때문에 예전에도 얼마나 폐병환자가 그냥 죽어갔습니까? 지금도 폐병환자를 고치는 게 아니라, 그저 초기에 고치는 것은 결국은 더 심하지 않게끔 보호해 나갈 수 있는 그 약일 뿐이죠.

여러분의 정신에 달렸습니다. 모든 병증세는 어디에다가 맡기지 말고, 병뿐만 아니라 우리 살림살이 해나가는 것도 역시 그렇습니다. 여러분이 절에 다니면서 '공부한다' 하는 건 좀 어폐가 있겠지만요, 학술적인 공부나 이론적인 공부, 철학 이런 거 다 필요 없는 게 아니라 거기에 다 붙어 돌아가는 겁니다. 근본에 붙어 돌아가는 거예요.

그러니까 이 근본을 아시면, 자신을 안다면 바로 상대에도, 상대성을 나의 그 원형에다가 바로 넣어서 하나로 굴리기 때문에 이것은 걸림이 없습니다. 어디에도 걸림이 없기 때문에, 여기에서 미국이든지 어디든지 내 몸은 여기 두고도 내 몸이 수없이 나투면서 그 사람에게 좋은, 그 사람이 좋아하는 모습으로써 내가 등장할 수 있는 것입니다. 그리고 그렇게 빠를 수가 없습니다. 여러분은 이렇게 공부해 가면서 그 것을 자꾸 체험하면서 '내가 지금 어떻게 하고 있나?' 하고 우리 생활 속에서 실험하는 것도 좋을 것 같습니다. 그리고 그렇게 빛보다 더 빠른 것은 아마 마음일 겁니다.

엊그저께 일입니다. 미국에서 어떤 사람이 그런 말을 했어요. "우리 아들이 지금 공부를 못 하고 있는데 뭐 호흡법인가 뭔가 무슨 그런 거를 하는데, 어떻게 잘못해가지고선 지금 머리가 돌았습니다." 이겁니다. 그래서 "내가 그걸 어떡합니까?" 하니까 "그래도 스님은 하실 수 있지 않겠습니까?" 그래요. 그 '하실 수 있지 않겠습니까.' 하는 믿어주는 그 마음이 얼마나 좋습니까? 믿어주는, 응! 아무것도 보잘것 없는 사람을 믿어주는 그 마음이 갸륵해서 내 힘을 다한 것도 아니지마는 그 마음으로는 그 사람 못지않게 다했습니다.

그렇다고 해서 내가 손을 꼽고 그 사람 낫게 해달라고 한 번도, 이렇게 해본 예가 없고, 나를 살려달라고 한 번도 해본 예가 없습니다. 공부하게 해달라고 절대로 해본 예도 없습니다. 그것은 내 생각이, 나를 믿었으면 믿는 거지 구태여 손을 (손바닥을 서로 붙여 보이시며)이렇게 한다면 내가 나를 믿지 못하는 게 되지 않습니까?

그래서 "네, 알았습니다." 그리고 끊었습니다. '알았습니다' 가 어떠한 생각으로 '알았습니다' 했느냐에 문제가 있습니다만 그런 대답도 안 할 수는 없거든. 어떤 때는 길에 가다가도, 여러분이 이걸 잘 들으셔서 실험하고 체험해 보세요. 아파트에서 사시는 분들은 자주 목욕을 하시죠? 목욕을 하시는데 한 번 하고 두 번 하고 하기 싫은 때도 있는데, 하기 싫을 땐 안 할 때도 있고 하기 싫어도 할 때가 있습니다. 그런데 어떤 때는 이런 예가 있죠. 좀 피곤하면 몸에서 습기를 자꾸 달랩니다, 내 몸 세포에서. 역력히 달랍니다. '물 좀 줬으면….' 합니다. 여러 분은 그거 느껴보셨는지요? 그렇게 자기가 느끼고 알고 거기에서 달라 면은 배고플 때 밥을 주듯이 목욕을 합니다. 그렇게 주다보면 그때가 되면은 꼭 달랩니다. 참 묘한 겁니다. 이게 아무것도 아닌 것 같지만 말입니다. 그거 한 번 연구 잘 하면요, 일상 생활에서 한 번 못 해보던 걸 하실 거예요.

깨우치고 안 깨우치고 그걸 떠나서 우리가 진짜로 '나를 믿느냐? 내가 나를 믿느냐?'의 문제입니다. 딴사람은 그렇게 잘 믿으면서 자기 를 자기가 믿으라면 못 믿습니까? 진짜로 믿는다면 둘로 보지도 말아 야죠. 진짜로 믿는다면 '당신은 이렇게 모두 하고 나가니까 이런 것도 당신은 다 할 거다.' 하고 믿고 나간다면은 '아이구, 이것 좀 해주십시 오, 이것 좀 잘 가게 해주십시오.' 이런 말 할 것도 없지 않습니까? 진 짜입니다. 가짜가 아니에요. (대중 웃음)

그래서 어느 분들은 부인이 나가서 안 들어오고, 그냥 뭐 춤바람 이 났다나요? 그것도 있지만 남편이 사랑 안 해주는 때도 있죠. 그러니 깐 갈라져서 사람이 말을 안 하고 한 달 두 달 이렇게 나가면 그 사람 말라죽지 않겠습니까? 그런 것도 주인공에 녹인다면 바로, 참 묘한 겁 니다. 어느 순간에 벌써 에너지가 그렇게, 마음이 돌아서 자기가 자기 안 보고 말 안 할 수는 없거든요. 서로 화목해지고 사랑하게 됩니다.

그러면은 그 사랑할 수 있는 나의 큰 덩어리가 어디에서 왔느냐? 이 속에 조그마한 벌레들이 한데 합쳐서 운영을 해주기 때문에 내가 운영을 하는 겁니다. 껍데기가 덜렁덜렁 그냥 따라가고 있습니다. 지금 속에서 탈바가지를 쓰고…, 왜 학생들이 호랑이 탈바가지 쓰고선 놀죠? 속에서 그 사람이 뛰니까 바깥의 그 탈바가지는 덩달아 따라서 뛰듯이 그렇게 살고 있는 겁니다, 지금.

그런데 벌레 미생물, 짐승을 보면은 '아이구, 저거는 그냥 밟아 죽여서 아무렇게나 먹어도 된다.'는 조건에서 먹는 사람들도 많죠. 아주 독채 있는 뱀을 갖다 놓고 탕을 시켜서 먹고 이러거든요. 그러한 문제 등등을 볼 때에 말입니다. 제가 생각할 때는 뱀이라든가 고양이라든가 이 모두가 알로 낳는 거든, 태로 낳는 거든 그렇게 야박하게 죽일 필요는 없습니다. 또 그냥 안락사를 시켜서 껍데기를 벗게 하면은 좋지 않겠습니까? 구태여 살을 아프게 해가면서 그렇게 껍데길 벗게 하는 것도 좀 안됐다고 생각이 되구요.

그러니 우리가 이 공부를 했다면, 의학자들도 많은 실험을 통해서 많은 생물들을 죽이고 동물들을 죽이는데 말입니다. 좀 이 도리를 공부해서 업보가 되지 않도록 했으면 좋지 않겠습니까? 또 거기에 따라서 그 연구가 보이지 않는 무(無)에서 유(有)로 회전이 될 수 있다면, 그 마음이 회전이 될 수 있다면 바로 오신통의 굴림을 그대로 가지고 있으니 바로 구슬은 다섯 가지의 보배의 구슬이 됨으로써 우리 육신, 즉 말하자면 칠보(七寶)의 근원이 보배로써 이 세상을 이루고도 남음이 있으리라고 믿습니다.

'왜 저 스님은 만날 부처님 법의 얘기를 안 하고 저런 얘기만 해?' 이러겠지만요, 여러분! 여러분을 이렇게 만나보면서 병신 자식들 두는 사람, 아주 그냥 속썩이는 아들 딸들 둔 사람, 또는 복이 없어서 자식들 사랑도 못 보고 홀로이 고독해서 애쓰는 사람, 뭐 그건 천차만별로 볼 수가 없습니다. 그렇게 보아 왔으니 얘기할 수밖엔 없지 않습니까? 뭐 그런 것만 봤으니 어쩝니까? 하하하.

그러니 여러분이 훌륭하게 해나갈 수 있는 묘법은, 바로 보이지 않는 데에 빛보다 더 빨리 드나든다는 거, 인간의 몸뚱이도 드나들 수 있고 어떠한 생물의 몸뚱이도, 식물 동물 어떠한 것도 가리지 않고, 무정물 무생명에도 들 수 있다는 것에 있습니다. 그러면 본래 지수화풍의 생명이 한데 합쳐졌기 때문에 이렇게 형성시켰으니까, 그 묘법은 수억 겁 광년을 거쳤더라도 오늘입니다. 오늘에 그것이 있다면은, 바로 예전 그때에 내가 바로 그거고 그게 나니까. 여러분이 다 그렇습니다.

그러니 얼마나 좋습니까? 그것뿐입니까? 지금 의학계의 한 부분을 말한 겁니다마는, 그것도 자세히 의학자들처럼 이건 이렇고 저건 저렇고 얘길 못 해드리고 못난이처럼 이렇게 하는 거, 잘 좀 이해해 주시기 바랍니다. 왜냐하면은 이거는 말로 어떻게 할 수가 없습니다. 이거를 이렇게 갔다고 해도 보일 수가 없고, 이렇게 왔다고 해도 보일 수가 없고… 여러분 가슴 속에 들어가서 그렇게 낫게 해줬어도 나은 것만 알지 어떻게 해서 낫게 해줬는지 모른단 말이에요. 이러니 여러분이 이것을 한번 알아가지고 여러분이 해야 그 차원을 뛰어넘을 수가 있다는 얘깁니다.

우리 인간이 창살 없는 게임 속에서 벗어나지 못한다면, 세세생생에 벗어나지 못할 겁니다. 그러니 인간으로서 이 세상에 이렇게 탈을 쓰고 나와서 세세생생에 끄달리지 않고, 모든 불쌍한 사람들을 한생각으로 한눈으로 보고 한생각으로 거둬줄 수 있는 그 능력이 있다면 여러분이 다 법신(法身)이요, 부처님이시요, 바로 그 불쌍한 영령들이나 불쌍한 사람들, 몸이 아파서 애를 쓰는 사람들도 모두 포함해서 고쳐줄 수 있는 문제가 바로 여기에 있다고 생각합니다.

그러면 오늘은 이것으로써 마치겠습니다마는 여러분이 질문할 게 있으면 우리 한번 토론해 볼까요? (잠시 말씀을 멈추시고) 재차 한 마디 해드리는 것은 보이지 않는 데 한생각은 생명을 벌집 일어나듯 하게 만들 수도 있고, 벌집 일어나듯 한 거를 가라앉혀서 없앨 수도 있다. 이것은 인간이 가지고 있습니다. 인간 그 자신이 가지고 있다는 얘깁니다. 자신입니다. 이것이 바로 무궁무진하게 모든 걸 헤아릴 수 있습니다. 어떠한 거든지 해낼 수 있는 그런 여건을 가지고 있다는 말입니다. 우리가 병의 세균만 그런 게 아니라, 업보로 인해서, 인과응보로 인해서, 유전성으로 인해서 또는 어떠한 영령으로 인해서 오는 그 영계성, 이런 것도 해결할 수 있는 문제입니다. 이것이 제일 요새 무섭습니다. 아주 그냥 애나 어른이나 전부 머리가 돌았다고 하니 이걸 어떡합니까?

보이지 않는 데서 생긴 거는 보이지 않는 데서 해결을 해야 합니다. 보이지 않는 마음으로서 병난 것은 보이지 않는 마음이 해결을 해야지, 그것은 약으로도 될 수가 없고 누가 이끌어준다고 되는 것도 아닙니다. 그건 자체 내에서 일어난 것이기 때문에 자체 내에서 해결해야 합니다. 또 타의에서 들어온 것도 여러분이 타의에서 만날 잘해달라고 빌기 때문에 유전성이다, 영계성이다 하는 문제가 생기고, 타의에서 구원을 받으려고 하기 때문입니다. 우리는 이 공부를 끄달리지 말고 자의에서만이 해결할 수 있다면, 모든 일체 만물만법이 다 이 자신에서 나오고 든다는 걸 알게 된다면, 그런 미치광이는 되지 않을 겁니다. 그렇지 않으면 부모가 얼마나 속이 썩고 또 자식이 얼마나 걱정이 되고 이렇습니까?

그러니 수많은 사람, 제주도에도 신도들이 계신데, 제주도에 그런 병이 난 사람들이 있는데요. 이리로 전화를 합니다. '알았습니다' 하고 무슨 생각을 하느냐 하면 '제주도는 멉니다' 이거예요. 내 생각에 머니깐 그 사람네들이 자주 올 수가 없고 어려우니깐 한 번 오려고 해도 차비가 얼마가 드나? 그러니까 무조건이야, 이건 그냥. 이러거든요. 이렇게 무조건 생각을 하니깐 제주도에서 오는 사람들은 무조건 그냥 괜찮은 거예요. 그러니까 좋다고 할 수밖에요. 그러나 스스로 공부할 수는 없죠. 그런데 거기에서 그걸 재료 삼아 끄집어내서 여건을 만들어가지고 공부하거든요, 참 기절할 노릇이에요. 자기가 스스로 해나가는 사람이 있거든요, 또. 그러니 얼마나 좋습니까?

여러분도 가까운 데서 공부하시고 이렇게 다니시는 분, 먼데서 오는 분들은 그저 얘기만 하고 가면 되는 줄 알고 그러지 마세요. 어떤 때는 난처한 때가 있습니다. 그럴 때 이제 먼데서 와서 그냥 무주상(無住相)으로 그렇게 하는 게 따로 있고, 또 그렇게 하지 못할 게 있단 말입니다. 자주 오셔야 그걸 말을 듣고 자기가 새겨야만 될 텐데도, 그것이 그렇게 못 올 때는 그냥 갖다주는 건 줄 아시고, 그러는 걸로 생각을 하시거든요.

그러니까 여러분이 이 공부를 열심히 해서 부처님의 뜻을 받아서 부처님이 전자에 사시던, 또 깨우친 그 속이 같이 내 주인공 한마음 속에 바로 들어 있다는 걸 사실대로 안다면, 앞으로 어떠한 일이 닥친다 해도 우리는 지금 같은 이러한 시대가 아니라 더 훌륭한 시대에서, 저기 가면 저기 가고 먹고 싶으면 먹고 이렇게 되는 세상에서 살 수 있지 않은가 생각됩니다. 우린 꼭 그렇게 살 겁니다. 딴 데서 그렇게 살고 있는 데도 있거든요.

그러니 여러분 눈에 띄지 않아도, 눈에 띌 수도 있고 띄지 않을 수도 있는 그런 시대가 오지 않을까 생각됩니다. 그건 사실이니까 믿으셔야 돼요. 지금도 여러분의 눈에 띄지 않게 오고 가고 그러는 게 꽉 차 있는데 여러분은 못 보시죠? 허허허. 그러니까 보지 못하는 한탄을 할 때, 그게 눈 뜨고도 장님 아닙니까. 그러니 지금 마음의 눈을 뜨기 위해서 우리는 이렇게 노력하고 있으니 그 마음의 눈을 뜬다면 자신을 아는 겁니다. 그래서 '자신을 알라'고 하는 겁니다. 그럼, 오늘 이걸로써 마치겠습니다.

알면 행하라

87년 1월 18일

오늘 여러분과 같이 이렇게 또 한자리를 하면서 서로가 둘이 아니라는 것을 이 자리에서 밝히기 위해 자리를 갖췄습니다. 지금 시체말로 공부하는 과정을 시(詩)로 한마디 읊겠습니다. 잘 파악해서 들으시고 또 이날까지 가르쳐드린, 가르쳐줬다고도 할 수 없지만, 우리 자가 발전하는 데에 노력을 기울이고 숭상하던 그 과정을 말하는 겁니다.

    내가 죽은
    이름 없는 이름이여,

    나와 남이 두루 같이 죽은
    이름 없는 이름이여,

    나와 남이 같이 두루 나투는
    이름 없는 이름이여,

    해산봉은 화산 터져 두루불이 진동하여

이름 없는 이름이
그대로 여여하더라.

　이것은 누가 가르쳐줘서 하는 말도 아니요, 누가 지어서 하는 말도 아닙니다. 우리 스스로 이 세상을 두루 살피고 또 살핌 없이, 자기가 스스로 한 티끌만도 못하고 깨알쪽만도 못한데…, 다 실은 뜻입니다. '또 한 말 다시 하나.' 이렇게 생각하지 마세요. 지금 읊은 그것은 우리가 제일 첫번에, 들고 나는 모든 것을 주인공(主人空)에 놔라, 맡겨놔라, 이래서 내 마음이 편안해질 때 결국은 그때에 진짜 관(觀)해야 됩니다. 편안해졌을 때, '주인공 당신이 있다면 대답해봐.', '당신은 무엇인가?', 하는 것을 관하는 것입니다.

　이것은 왜 이렇게 하느냐? 사람은 가만히 앉아서 좌선을 하고 편안해졌다고 해서 가만히 있으면, 편안한 것이 공부라면 이것은 영 발전이 없습니다. 좌선을 해서 편안하다고 해서 그것을 그냥 묵인하고 '이만하면 족한 것을…' 한다면 그걸로써 족하다고 생각하게 됩니다. 또 공(空)에 빠지고. 그 다음에 내 마음을 발견했을 때, 내 대답을 내가 들었을 때, 그때는 앞서의 그 습을 다 놨기 때문에 미비한 점이 없어. 그래서 일단계는 다 놔야 된다. 그 다음에 편안해지면 나를 발견해야 한다.

　그 다음에 발견해가지고 진짜 공부를 하는 겁니다. 그때는 다시 체험하고 실험을 통해서 생활에 조금도 걸림 없이 하나서부터 열까지 다시 보임(保任)을 하면서 다시 굴리면서, 안으로만이…. 네 탓이니 내 탓이니 하고 남 볼 겨를이 없습니다. 아니, 볼 겨를이 없는 게 아니라 남의 잘못, 잘된 것을 말할 사이가 없다 이겁니다. 그러면 "그건 바보가 아니냐?" 이러겠지만, 그래서 아까 얘기한 겁니다. '나와 남이 더불어 같이 죽은 이름 없는 이름이여.' 했습니다. '두루 같이' 입니다.

　가정이나 사회에서나 모든 게 두루, '두루 같이 죽는 이름이여.'

했습니다. 더불어 둘이 아님을 알면서 체험하면서, 남한테 잘못했다 잘했다 말할 수 있는 겨를이 없이 안으로 굴려서 안에다 놓고 말을 하면서, 안에다 놓으면서 말을 했어도 말을 한 사이 없이 해야 합니다. 그럼 스스로 그렇게 됩니다. 나를 발견하게 되면 스스로 그렇게 됩니다. 발견했어도 만약에 그 습이 앞을 가린다면 자꾸 내가 잘났다고 하게 됩니다. '내가 제일이다.', '나는 깨달았다'. 이렇게 나옵니다.

그런다면 그 '깨달았다'는 거기에서 그만 더 진전을 못 하고, 더 계발을 못 하고, 두루 물리가 터지지 못한 채 그냥 멈춰버리고 말고 미(迷)해집니다. 해산을 해서 어린애를 낳았는데 갓 태어난 아이가 자라지 않고 어떻게 어른 노릇을 하겠습니까? 그와 마찬가지로 육조 스님이 십육년 동안을 그렇게, 깨달아서 바리때를 이어받아 가지고도 그만큼 노력을 했다는 걸 아셔야 합니다. 달마대사 역시 면벽을 했고, 깨달았어도 그렇게 했다는 얘깁니다. 그것은 같이 두루 나투는 방법을, 둘이 아니게 할 수 있는 그것을 아주 정열적으로 확고히 알려고 했던 거죠.

생활이 불법이자 진리이자 과학이기도 합니다. 안에서 생각했으면 반드시 바깥으로 나오니깐요. 여러분은 생활 속에서 그렇게 살아보시지 않았습니까? 그래서 깨달아가지고도 내가 '나'라는 게 없는 공부가 바로 진짜입니다. 자기가 자기 스승을 따라가면서 자기가 배우는 거죠. 자기는 시자로서, 공부하는 사람으로서, 공부 가르치는 자기로서, 자기는 공부를 가르치고 또 배워야 합니다. 자기는 봐야 하고 자기는 바로 항복을 받아야 합니다. 그러기 때문에 이 공부하는 데는 역시 각오가 튼튼해야만 합니다. 앞서 그 '같이 나투고 두루불이, 이름 없는 이름이여.' 했습니다. 그런 것은 여러분이 스스로 공부를 하게 되면 스스로 깨닫게 됩니다. 돈오(頓悟)나 점수(漸修)나 물 흐르는 데 붙지 않듯이 다 아시게 될 것입니다.

그리고 또, 생활과 부처님 법이 따로 있다고 생각하시는 분이 있다면 이건 정말 오산입니다. 보이지 않는 세계의 생명들과 보이는 세계의 생명들이 둘이 아닌 까닭에 여러분이 있는 것처럼 그렇게 있습니다. 아니, 여러분이 두 분이서 어린애를 다섯을 낳을 수도 있고 한 명을 낳을 수도 있지만 저 짐승들이나 저 바다의 모든 생물들이 낳는 알 수효를 보십시오. 그와 같이 보이지 않는 데서도 한생각에 그렇게 수효가 많은, 모습 없는 모습들이 그렇게 많습니다. 그거를 어떻게 산 사람들이 감당해나갈지, 그것도 모르는데다가 함부로 생각을 해서는 아니 된다 이겁니다.

사람이 귀신짓을 하기 때문에 귀신이 있는 거지 귀신짓을 안 한다면은 귀신이 없는 것입니다. 여러분이 공부하는 과정에도 여러 가지가 있습니다마는 그거 한 가지는 꼭 짚고 넘어가야죠. 지난번에도 그렇게 얘기했는데 또 잊어버리시지는 않았는지, 그래서 다시 한 번 말을 하겠습니다. 깨달았어도 타의에서, 여러분이 바깥에서 산기도를 간다 또는 법당에서 부처님을 찾는다 또는 무엇을 바깥에서 찾는다고 할 때, 관세음보살이든지 뭐든지, 이름은 상관이 없습니다. 바깥에서 찾기만 하면 잘못 되는 수가 많습니다.

정신질환이 생기는 원인이 어디에서 나오는 줄 아십니까? 세 가지 여건이 있죠. 바깥에서 찾는 데서 오는 게 있고, 유전성으로 오는 게 있고, 내 마음 속에서 어떠한 쇼크를 받아서 오는 게 있습니다. 이것을 어떻게 다 처리를 하시렵니까, 이겁니다. 바깥에서 찾는 것은 그렇게 타의에서 와가지고 "얘, 난 아무개다." "난 아무개야." "난 네 할아버진데." "난 네 아버지야." "나는 아무 때 죽은 누구다." 이러구 달려든다 이겁니다. 그러면 그게 다냐 하면 그게 아니거든요. 이건 미쳐 죽을, 환장해 죽을 노릇이죠. 내가 여러분을 접해가면서 수없이 겪어왔던 일입니다.

너무 지겨워서 뭐라고 했느냐 하면은, 그것을 딱 뒤집어서 말입니다. '이건 바로 너니까 너한테다 너가 장난을 하는 거니까, 이건 장난하는 그 이름들이 너를 떠보기 위해서 이름을 이거다 저거다 들고 나오는 거다. 바로 그것이 타의에서 그렇게 나오는 게 아니고 조상도 아니고 아무것도 아니다. 너다, 바로.' 이렇게 얘길 하죠. 그러면 다행히 그걸 들으면 즉시 낫고 그걸 안 듣고 고집을 부리면 낫지도 않죠. 타의 에서 온 거는 참 빼득빼득하니 이런 말을 해 줘도 듣지도 않아요. 그런 사람들은 사실은 더뎠습니다. 그 사람이 그러든지 말든지 무조건 심부 름을 해줘야 하는 입장이기 때문에, 무거운 것도 같이 들면은 쉬울 것 을, 들지 않을 때는 같이 들지 못해서 쉽지가 않더라는 얘깁니다. 그래 서 우리가 공부하는 데에 그런 걸 조심해야 한다는 문제입니다.

가정에서 살면서 여러 자녀들을 기르시고 또는 부모들을 모시고 살면서 병에 휘둘리는 게 아주 한두 건이 아닙니다. 그런데 말입니다. 나는 이날까지 살아오면서 "야, 네가 얼만치 남한테 이익을 줬느냐?"고 항상 반문합니다. 남한테 말하기 이전에 자기를 한번 돌아보고서 한번 생각해볼 점이 있지 않겠습니까? 너는 말보다도 행이 그렇게 됐느냐? 말로는 이론적인 말은 아주 쉽습니다. 그러나 행 한 번 그대로 하기가 얼마나 어려운지 여러분은 참작해보셨습니까? 한번 옷깃을 여미고. 우 리가 기복으로 나갈 때엔 이득이 없고, 내 몸에도 이득이 없고 내 가정 에도 이득이 없고, 나라에도 이득이 없고, 사회에도 이득이 없어요. 이 건 하나가 잘못됨으로써 여러 가지가 무너지는 겁니다.

지금 현실에 앞장을 서야 할 지도자들이 과학자들 뒤에 서서 따 라가지도 못한 채 근근히 있는 사람도 있고, 따라가는 분들도 있고, 생 활로서 "어차피 선은 어려우니까 그냥 생활불교로서 나가자." 이러는 분들도 있습니다. 우리가 선(禪)이 따로 있다고 생각하기 때문입니다. 생활입니다! 참선은 생활이지, 불법이 따로 있고 참선이 따로 있는 게 아닙니다. 와선(臥禪)이니, 입선(立禪)이니, 무슨 좌선(坐禪)이니, 이런 것이 이름이지 그 이름조차 없어야 합니다. 뭐 정법(正法)이니, 사법 (邪法)이니, 이단이니 이런 것도 전체 몰락 다 버리고 자유권을 얻어야 된다 이 소립니다. 자유권을 얻는다면 계율을 지키는 사람보다도, 지킨다고 지키는 사람보다도 지킨다 안 지킨다를 다 버린 사람이 계율은 더 잘 지켜요. 그리고 행을, 그대로 행을 하고 나갑니다.

이렇게 말을 하는 것은 우리가 지금 이득이 있네 없네, 이득이 있기 위해서 하는 거냐? 이러겠지마는 그럼 뭣 때문에 이력하고 공부하려고 애를 씁니까? 나오지 않는 거 무엇 때문에 합니까? 나는 그전부터 천당에 가려고, 아니 그런 데 가려고 하지 않겠다고 생각했습니다. 그때부터도 이렇게 생각했죠. 구더기도 구더기 살림이 있고, 파리도 파리 살림이 있고, 또 개구리는 개구리 살림이 있고, 부처는 부처 살림이 있고, 살림은 크고 작을 뿐이고 미(迷)하고 미하지 않을 뿐이지 똑같아요. 그것도 부모가 있고 자식이 있는 걸. 그래서 나는 살고 죽는 데는 절대 개의치 않았습니다. 또 무슨 승천을 한다 천당엘 간다, 잘 된다 못 된다, 나를 잘 해주시오 못 해주시오 이걸 떠나서 말입니다. 인간은 어디서 왔는지, 어디로 가는지, 무엇 때문에 이렇게 사는지, 지금 어디를 보고서 이렇게 걷고 있는지 이것을 알려고 했던 겁니다.

그래서 이 몸 하나를 크게 생각하면 은하계라고도 볼 수 있고 작게 생각하면 어느 혹성 하나라고도 볼 수 있지마는, 석존(釋尊)께서 새벽 샛별을 보시고 깨달았다고 한 말씀이 여러분한테 이해가 갈는지 모르겠습니다마는 인간도 저 별을 볼 때, 별 하나 나 하나라고 할 때, 하나뿐이 아니라 이 속에 (배를 가리키시며) 은하계처럼 수없는 생명들이 지금 돌고 있습니다. 작동을 하고 있습니다, 반짝거리면서. 그런데 선장은 누구인 것입니까? 여러분이 한생각을 잘 하면 구덩이에서 빠져나올 수도 있지마는, 한생각을 잘못하면 구덩이에 빠질 수도 있다는 얘깁니다.

그러면 이 몸뚱이는 누가 끌고다닙니까? 여러분이 끌고다니시는 겁니다. 여러분이 여러분 몸뚱이를 지금 끌고다니는 겁니다. 선장이 배에다가 지금 자기 중생들을, 자기 부처가 자기 중생들을 배에다 싣고, 지금 여러분도 배에다 싣고 지금 오셨습니다. 오고 간 사이 없이 말입니다. 이건 자동적으로 생각을 하니까 움죽거린 것뿐입니다.

그러면 우리 이 몸 안에서 어떤 병이 났든지 가난하든지 일이 안 되든지 그 모든 일체를 막론하고 내가 여기에서 (가슴을 짚어 보이시며) 한생각으로 주인공을 잡았을 때, 깨달았든지 못 깨달았든지 우선적으로 자기 참주인공을 들고 나갈 때에, 거기다가 모든 거를 맡겨놓고 나갈 때에, 가정의 문제부터 시작해서 잘 이끌어나갈 때 이 몸뚱이에 어떠한 병이 있어도 두렵지 않습니다. 왜냐하면 그 병이라는 놈도 바로 '나' 기 때문입니다. 자기가 자기 죽이는 법은 없거든.

그러기 때문에 병도 잘 생각하니깐 자기가 죽겠거든. 전자에 둘로 볼 때는 "내가 너를 이렇게 하면은 파워를 일으키지." 하는데, 하나로 볼 때는 "아하! 이거 파워를 일으키면 내 가정이 다 없어지니까, 이거 안 되겠구나!" 하고선 파워를 일으키지 않습니다. 그러니 그걸 전제하고 믿기 때문에 걱정이 하나도 없죠. 어디 옆구리가 쑤셔? "어허, 신호가 왔구나. 네가 끌고다니는 네 시자를 네가 고쳐! 고쳐가지고 끌고다녀! 나는 알 바 없다. 너 알아서 해라!" 이러거든. 자기가 형성시킨 것 자기가 끌고다녀야지 누가 끌고다니느냐 이거야.

수억겁 광년을 거쳐오면서 미생물에서부터 지수화풍으로 뭉쳐서 이날까지 끌고 여기까지 왔는데, 그 주인이 바로 누구인 것입니까? 참자기인 것입니다. 수없이 겁을 거쳐오면서, 모습을 바꿔가면서 진화해가면서 나온 그 역사를 볼 때에는 정말이지 보배입니다. 실험을 통해서, 너무 아프고 좋고 즐겁고 이런 것을 수차에 걸쳐서 경험을 했기 때문에 그 뜻이란 말로 형용할 수도 없고 이 세상을 다 준대도 바꿀 수 없는 그러한 보배인 것입니다.

그 보배가 그렇게 능동력 있게 생동력 있게 과학적으로, 지금 내가 생각하면 바깥으로 반드시 나오게 돼 있는데도 불구하고 인정을 안 합니다. 왜 인정을 안 합니까? 여러분이 배고프다 하는 생각을 했다면 바로 밥을 먹으면서도 그것이 과학이 아니라고요? 인정이 안 된다고요? 똥이 마려우면 얼른 가서 똥을 누면서도 인정을 안 하는 겁니다. 왜? 왜 인정을 안 합니까? 부처님이 가르쳐주신 이 뜻이, 팔만사천 법문이 다, 이것은 과학이기보다 진리이지만 이름을 그렇게 지어놓았기 때문에 지금 과학이라고 부르는 겁니다. 그러면 그 말씀을 벌써 삼천년 전에 해놨지 않습니까? 이것이 이렇게 좋은 법이니 너희는 너희 자신을 알라. 자신을 알지 못한다면 남을 알지 못하느니라. 병 자체뿐이 아니라 병으로 꼬집어 비유를 들어 말했지마는, 일체 만법이 다 거기에서 나오고 든다는 것을 여러분은 아셔야 됩니다.

여러분이 기복으로 하면 어째서 공덕이 없다는 건지, 왜 양무제더러 달마대사가 그렇게 말했는지 그것도 생각해 보셨습니까? 지금 우리가 배우는 것이 저 뒤에 계신 부처님, 여러분은 자꾸 내가 이렇게 십년, 이십년, 근 삼십년 가깝게 여러분을 접해 오니까, '아하! 이래서 부처님을 조성해서 모셔놨구나.' 하는 생각을 합니다. 또 한마디 한다면 처음에는 '그거는 형상이니까' 이러고 무시할지 모르지만 나중에는 그것도 생각하지 말고 둘로 보지 말라는 애깁니다. 여기서 (가슴을 가리키시며) 부처님을 볼 때는 부처님과 자기와 둘이 아니에요. 자기가 여기 있기 때문이에요. 타의에서 어떠한 상대를 만났을 때도 둘이 아니죠. 그러니까 나툰다는 말이 거기에 들어갑니다.

그런데 부처님은 가만히 있으면 부처고 생각을 하면 법신(法身)이고 움죽거렸다 하면 화신(化身)이에요. 물리가 터진다면 보신(報身)이고, 문수보살도 있고, 보현보살도 있거든. 자기한테 모든 게 있는 거라. 그런다면은 산신(山神)이 따로 없고, 신중단(神衆壇)이 따로 없고, 용왕(龍王)이 따로 없고, 지신(地神)이 따로 없고, 약사(藥師)가 따로 없고, 칠성(七星)이 따로 없고 모두가 따로 있는 게 아니어서 나투면서 찰나찰나 칠성이 될 수도 있고 부처가 될 수도 있고 법신이 될 수도 있고 약사가 될 수도 있죠.

모두가 그렇게 될 수 있는 그 광대무변한 보배를 여러분이 다 가지고 있으면서도 그것을 활용 못 합니다. 이 도리를 가르칠 때 여러분이 편안하게 이 도리를 알아서 잘 살라고 그랬지 방황하라고 가르친 건 아닙니다. 여러분이 사랑할 때 사랑하고 자녀들을 돌볼 때 돌보고 애정을 느끼되 착은 두지 말고 찰나찰나 그렇게 하라고 했던 겁니다. 그렇게 해서 우리가 하루하루 살아나가는 데에 끊임없는 그 날을, 이렇게 살아나가는 데에 조금도 어김없고 걸림 없이 우리가 해나간다면 얼마나 좋겠습니까?

그런데 요기 놓으면은 요기서 걱정이고, '우리 남편이 명이 짧다는데, 어디 가보니까. 칠성에다 놓지 않으면 이거 큰 걱정이야. 그러니까 요기다가 놔야 하고 또 어디 가서 보니깐 독성(獨聖)에다 놓지 않으면 무슨 일이 생기게 돼….' 그러니깐 내가 또 독성한테다, 산신한테다 놔야 돼. 명이 짧다니까 칠성 찾고, 좋은 데로 가려고 또 지장 찾지, 병이 났으니까 약사 찾아야지?

또 요새 어떻게 하느냐 하면은 방생(放生) 가재요, 방생! 방생이 도무지 뭐냐 이겁니다, 방생이. 예전에 저도 산에서 있어 봤지만 비가 오면 물이 올라갔다 내려왔다 하는 것이 정맥 동맥이 오르고 내리고 하듯이 합니다. 물이 올라갔다가 뚝 떨어질 때에 그때 미꾸라지니 자라니 뭐 아니 떨어지는 게 없습니다, 붕어도 그렇고. 그렇게 마당에 죽 떨어져서 펄펄 뜁니다. 그때에 그릇에다가 그걸 주워담아서 물에다 갖다 넣어주는 거를 방생이라고 그랬습니다. 그런데 지금은 어떠한 것이 방생이 됐느냐 하면은, 산 거를 잡아왔다가 여러분이 다시 강에다 갖다가 넣는 거예요. 이게 방생입니까? 놀부 잘 아시죠? 하하하. (대중 웃음)

그전에도 그런 말은 했지만, 얼마나 고달프고 얼마나 살림하는 데 괴로움이 많겠습니까? 예전에 8·15 해방 되고 그런 문제가 있었죠. 탄광으로 끌려가고 뭐로 끌려가고 그랬다가 8·15 해방 되니까 탁 놔줬어요. 사람들이 전부 이리저리 자기네집 찾아가느라고 애를 쓰다가 죽은 사람이 삼분의 이는 됐다는 말입니다. 그럼 어떻게 됐겠습니까?

그와 똑같은 형상이지.

여러분이 남의 생명도 아끼는 마음을 한번 가져보십시오. 그걸 한번, 이 꽃 송이 생명도 한번 침착하게 생각해보신다면 그게 다 나옵니다, 연구해본다면. 그 고기들은 진흙에서 사는 게 있고 모래에 들어가서 휴식을 취하는 고기도 있고, 남생이도 자기가 살던 고장이 있어요, 여러 가지가 다. 고기들에게 물이면 다 같은 물이라고 생각하시죠? 그러는 분들도 있겠지마는 그렇지 않다고 봅니다. 여러분이 그렇지 않다는 건 아시리라 믿습니다. 제 집을 찾아가느라고 그렇게 애를 쓰고들 그러다가 지쳐서 삼분의 이는 죽어요, 넣어도. 또 잡을 때 죽고, 잡아다 갖다 났을 때 죽고, 가져갔을 때 죽고, 넣었을 때 죽고 그럼 뭐 남는 게 있어서 방생입니까? 여러분이 그런 놀부짓 하고도 그것이 흥부 방생이라고 말씀하실 수 있겠습니까?

또 한 가지 지적할 것은 여러분이 가정에 살면서 남편과 자녀들과 재밌게 살면서도 때로는 아침 새벽이면, 도대체 자기 있는 데가 부처님 자리인 것을 가지고, 또 생활이 그냥 부처님 법이거늘 어찌 그저 앉아서, 참선한다고 앉았고 또 염불한다고 앉았고 절을 삼천배나 백팔배 한다고 하고, 또 때로는 뭐 비린 것도 안 먹고 누린 것도 안 먹고 목욕재계하고, 애가 어떻게 되든 남편이 어떻게 되든 그냥 기도하러 간단 말입니다. 불교 신도만 말하는 게 아닙니다, 모두가. 자기 앞도 못 가리는 사람들이 무엇을 어떻게 하겠다는 겁니까? 하나하나 정돈하면서 해나가는 대로 그러한…. 그래 어떠한 사람이 이런 말을 했죠. 어쩌다가 방에 들었더니, 벌이 말입니다. 반사된 창문을 문인 줄 알고, 입으로 쪼다보니 몸 떨어지고 입도 떨어지고 입 떨어지니 말도 떨어지더라. 여러분이 아무리 염불을 하고 경을 읽고 온통 야단을 해도, 몸으로써 말로써 그렇게 하는 거는 아무 이득이 없어요.

첫째 이득이 없거니와 둘째, 남편이 하루 종일 나가서 일하는데 아침에 마나님들이 좀 재밌게 좀 따뜻하게 해줘야 할 텐데도 불구하고,

'넌 시간 되면 이렇게 하겠지.' 밥이나 해놓으면 그저 그뿐으로 알고 이렇게 하는데, 사람이 오고 가는 말 한마디에 천냥 빚을 갚는다는 속담의 말도 있습니다. 사람이 고달프고 외롭고 바깥에서 어떠한 속상하는 일이 있다 할지라도, 말 한마디 아내가 슬기롭게 싹 해주는 데 사는 보람을 느끼고 마음을 턱 놓고 나가요.

여러분 이것을 잘 생각해야 합니다. 한편으로 생각하면 머슴이면서도, 한편으로 생각하면 식모입니다. 또 한편으로 생각하면 여자의 아버지이기도 하고, 여자는 또 남자의 어머니이기도 합니다. 여러분이 아내의 행동만 해서는 아니 됩니다. 어머니의 행도 해야 하고 또 아내의 행도 해야 하고, 나중엔 딸의 행동까지도, 동생의 행동까지도, 친구의 행동까지도 해줘야만이 다복하고 융합이 되는 겁니다. 이게 조화를 이루는, 이것이 바로 포근한 살림이요 포근한 삶이요 생동력 있는 삶이요 의지력 있는 삶이요 진실한 삶이란 말입니다. 이것저것 빼놓고 불법이 어딨습니까? 여러분이 없으면 불법이라는 것도 없는데요.

제가 차근차근히 애기는 못 해드려도 알아들으시겠죠, 뜹니다, 저는. 뭐 체계도 없습니다. 여기 갔다 저기 갔다 합니다. 그렇지만 듣는 분들이 체계 있게 잘 들으세요. 이건 듣기에 달린 겁니다. 한 마디에 열마디가 거기 포함했다는 걸 아시고, 한 마디 한 뜻에 일체가 거기 다 달려서 돌아간다는 걸 아셔야 합니다. 무우로 표현을 한다면, 무우 맛은 한 맛입니다. 그런데 거기 깍두기를 만들어 놓으면, 양념을 했기 때문에 깍두기라고 이름이 붙었습니다. 무우라고 안 그럽니다. 그럼 이 깍두기 한 가지 가지고 착을 둘 겁니까? 무우는 숫장아찌도 하고 장아찌도 하고 채장아찌도 하고 깍두기도 하고 김치속도 넣고 무우국도 끓이고 그런다는 걸 안다면. 이 깍두기 하나 가지고 착을 두지 않으시겠죠.

지금 이 소리는 무슨 소리냐 하면 부처님 이름들을 죽 놓고 찾지 말라는 얘기죠. 절할 때도 그렇습니다. 생각을 한 번 착 둥글리면 그냥 하나입니다. (주먹을 쥐어 보이시면서) 하나를 딱 쥐고선 한 번 탁 절하면 그걸로써 족한 겁니다. 거기 조상도 부처도 중생도 없이 몽땅입니다.

좀 간편하게 살라고 부처님께서 가르쳐주셨는데, 공부하다가 좀 어려운 것 같으면 '그분이 그때 그렇게 가르치지 않았으면 우리가 편안할 걸 그랬다.'고 그러는 사람이 있거든요. 아니 그럼, 먹어 보지도 않고? 하하, 아니 맛도 모르는 사람이 어떻게 생각을 합니까? 단군이나, 또는 석존이 그렇게 가르쳤고 사대 성인들이 다 그렇게 가르쳤고, 과학자들이 연구를 하고 그랬으니까 우리가 그것을 거름으로 삼아서 생각하게 되지 않았습니까? 그런데도 여러분이 그렇게 무시하겠습니까?

우리가 또 제일 무시하지 못할 것은, 자기 몸뚱이가 허무하다는 겁니다, 지수화풍이. 근본적으로 지수화풍으로 인해서 모두가 이루어진 겁니다. 그런데도 불구하고 지수화풍이 허무하다? 물질들은 전부 허무하다고 합니다. 그러나 허무한 게 아닙니다. 바로 우리는 죽지 않고 영원한 겁니다.

우리 몸 속에 지금 미생물이, '예전에 나는 이렇게 됐었다.' 하기 이전에 '지수화풍이 이렇게 돼 있구나!', 그 다음에 '미생물이 있구나!' 이거죠. 미생물은 어디 있습니까? 여러분 몸속에 있습니다. 가지각색의 모습을 해가지고 다 여러분 속에 있습니다, 지금. 그게 태초예요, 자기 생의 태초. 자기 오장육부를, 이 세포를 전부, 살이든지 뼈든지 세포든지. 그 모두가 겹겹이 돼 있으면서 생명들이 살고 있는 것이 바로 당신들의 태초예요.

그러니까 그 마음들이 수억겁을 거쳐오면서 그렇게 살면서 물리가 터져가지고 지혜가 나온 것이 바로 자꾸자꾸 형성을 시켜가는 겁니다. 요만한 벌레 하나가 날아다니는 벌레가 되지 않나, 요만한 벌레가 매미가 되질 않나, 응? 이렇게 진화된 것을 여러분이 지금 얼마나 잘 아시고 계십니까? 죽는 것이 아니라, 때가 되면 옷을 벗는 겁니다. 옷을 벗는 거예요. 왜 죽습니까? 더 차원을 높여서 자기 몸을 형성시키면서 다리가 짧으면 길게 만들고 길면 짧게 만들고 아주 자유자재로 하고 있거든요. 그대로 부처님 법이죠. 얼마나 무변한 법을 여러분이 가지셨습니까? 그러니까 다 법신(法身)이고 화신(化身)이고 보신(報身)이고 부처고, 여러분이 다 가지고 계신 거예요.

그러니까 고통스럽지 않게, 즉 말하자면 부적을 써서 베갯속에 넣거나 어디 붙이거나 하는 이런 미신 짓들을 한다면 죽어서도 그 차원이니 어떡하죠? 요다음에 태어나서 그 차원끼리 또 만나는 거죠. 콩 심은 데 콩 나고 팥 심은 데 팥 나지 다른 게 나올 게 없거든. 지금 세상을 살펴보세요. 백봉거사 말했듯이 끼리끼리들 모이지 않았나? 사람도 끼리끼리 모이고, 물건도 끼리끼리 모이고 또 물건을 갖다 쏟아놓으면 골라요, 끼리끼리. 골라서 놔요. 얼마나 역력하고 에누리가 없는지 철두철명한 게 이 부처님 법이에요.

그림도 여러분이 다 그려서 이렇게 나오셨지만 말입니다. 잘나고 못났든지 마음이 아름다워야 돼요. 이 공부하는 사람들은 간판이 좋은 거를 그렇게 원하지 않아요. 왜냐하면 꼬임에 빠져서 공부에 지장이 있을까봐 일부러 아주 험악하게 해가지고 나오는 수도 있어요, 각오가 있다면.

우리가 지금 이렇게 공부를 하면 사회나 국가적으로 참 이득이 있다는 것을 한번 생각해 보세요. 예전에 춘보선사라고 계셨는데 그 춘보선사는 원효대사처럼 만날 남한테, 뭡니까? 파계중이라고 만날 돌림을 받았어. 그런데 이 스님은 그런 걸 생각지도 않아요. 그런 거 탓하지 않고 여기 가도 "아이구", 저기 가도 "아이구" (고개를 숙여 보이시면서) 하고 그렇게 겸손하게 그러니까 사람같지도 않지. 그랬지마는 그분은 국가적으로나 사회적으로나 인간적으로나 원효대사보다도 더 능력을 참 많이 발휘했다고 봐요. 한 가지를 예를 들어서 얘기한다면 그때에 참, 국난에 빠져서 어려웠을 때 조선에 이익을 주었다는 얘깁니다. 나라가 국난에 빠지니까 스스로 일을 벌인 겁니다. 어떻게 벌인 건가? 청국으로 하여금, 무슨 일로 이쪽으로 청하게 만들어서 자기가 해놓고 자기가 대책을 세운 겁니다. 그건 무슨 소리냐 하면은, 참작하시라고 미리 이렇게 얘기해놓고 하는 겁니다.

어느 때 정승을 지냈던 친구가 있었는데 아주 가난했습니다. 옛날에 양반은 나가서 막일을 못 했습니다. 어느날 춘보선사가 그 집엘 들렀더니 사랑방에 앉아서 글쎄 짚세기를 꼬고 있지 않습니까? 호피를 깔고 앉아서 발을 치고서, 그렇게 당당하던 그 정승이 하루 아침에 정승을 그만두고 나오니까 그렇게 됐단 말입니다. 살림은 가난하고, 마음은 꼿꼿하고, 돌림성은 하나도 없고, 지혜라는 게 있어야 돌림성이 있지. 그래서 종들은 다 나가고 그러니깐 호피를 깔고 앉아서 짚세기를 꼬는데, 호피가 때가 꼬질꼬질하고 볼 수가 없거든요.

그래 춘보선사가 그런 말을 했습니다. "여보게, 자네…." 그 춘보선사라는 분이 나라에까지도 알려져 있는 분이에요. 왜냐하면 예전에는 지금처럼 이렇게 사람이 많지 않고 그랬으니까 어디 고을 하면 벌써 빠삭하지 않습니까? 고을 고을에 다니면서 원효대사처럼 많이 구제를 했기 때문에 상당히 나라에서도 인정을 해준단 말입니다. 인정을 하고만 있었지, 뭐 불러다가 어떻게 한 건 없지만 말입니다. 그래도 행을 그렇게 잘하셨으니까 인정을 받고 있는 처지라. 그 친구를 쳐다만 보고 있다가 밤을 새우고 이튿날 아침에 "여보게, 자네가 깔고 앉았던 거 나 좀 주게." 그러니까 "뭘 하려고 그러나?" "새까맣고 때가 묻은 거를 갖다 바깥에 나가서 털어다가 날 좀 주게. 내가 정승한테 가서 팔아다 줌세." 그러니까 그냥 자지러지게 놀라는 거 아닙니까? 그래 "놀라지 말고 내 뜻을 잘 생각을 해보게, 부처님 법이란 이렇게 좋은 걸세." 하고선 그걸 싸서 달라고 그랬습니다.

싸서 달래가지고 가서 정승, 지금으로 치면 뭐라고 그럴까? 그냥 정승이라고 합시다. 정승한테 가서 뭐라 그랬느냐 하면, "앞으로 9년이 있으면은 청국에서 이 나라 보물을 청해 와. 그때 보물로 쓸 테니까 이것을 잘 싸되, 백지로다가 싸고 또 싸고 일곱 번을 싸고 여덟 번째 싸되 공단(貢緞)으로 싸라. 공단으로 싸고 난 다음에는 상자를 만들되 아주 튼튼히 삼겹으로 상자를 만들어서 거기다 넣어라." 지금으로 치면 도끼로 쳐도 영 쪼개지지도 않게 해서 잘 모셔놔라 그랬거든요. 그러니깐 그 정승이 가만히 생각할 때 믿지 않을 수가 없었습니다. 그분이 그렇게 훌륭하셨으니까. 그래서 그거를 오백 냥을 받고, 그때 오백 냥이면 달구지에다 실어야 돼요. 무거워서요. 그래서 달구지에다 실어다가 갖다주곤 산으로 올라갔습니다.

삼년 후에 또 내려왔습니다. 내려와 보니깐 또 짚세기를 꼬고 있어요. 그걸로 빚진 거 다 갚고 그러니까 물 퍼붓기죠 밑 빠진 독에. 그래서 가만히 보니까 어떻게 보물을 만들 수가 없어요. 그래서, 그 집을 한 바퀴 휘 도니까, 글쎄 찌그러진 질요강이 있지 않습니까? 밭동구리에 오줌이 담겨 있는 누렇게 된 질요강이 하나 있단 말입니다. 그거를 좀 북북 닦아서 달라고 그랬습니다. "그래, 그건 뭘 하느냐?" 그래서, 이것도 내가 팔아다 줄 테니까 그런 줄 알라고 그래서 그것을 우물우물 쌌습니다.

싸가지고서는 가서 또 그 정승한테 그랬습니다. "육년만 있으면 이것이 큰 보물로 다 쓰일 테니까 오백 냥만 내게." 이렇게 했단 말입니다. 그분은 절대로 지금으로 치면 임금을 봐도 그렇게 호락호락 안 해요. 그게 한 가지 흠이라면 흠이겠지마는 그래서 그 정승은 그 말을 또 믿었어요. 그것을 또 그렇게 싸고 싸서 상자에다 넣어서 지금으로 치면 그냥 튼튼하게 그렇게 넣어놨죠. 또 이제 실어다 주고…, 간단간단하게 얘기하죠. 실어다주곤 또 올라갔다 삼년 만에 내려오니깐 또 그 타령이에요.

그러니까 사람은 물질로다가 보태주는 것은 참 어려운가 봅니다. 그래 내려오니깐 또 그 지경을 하고 있어서 할 수 없이 안팎을 다 돌았습니다. 돌아보니깐 삿갓 쓰던 거요, 그분이 정승으로 계실 때에 낚시질을 하느라고 삿갓을 썼었는데 추녀 밑에다가 걸어놓은 것이 아주 사그러져서요, 새똥 뭔 똥 하고 그냥 사그러져서 바슬바슬하거든요. 그러니깐 할 수 없이 "여기다가 물 좀 뿌려주게. 물 좀 뿌려서 누굴누굴하게 해서 이것 좀 싸주게." 그러니까 "여보게, 그건 내다버리거나 아궁이에다 넣어도 시원찮은데 그걸 가지고 가면 뭘 하나?" "글쎄 걱정 말고, 우리 나라를 구하는 일도 되네. 이것이 지혜일세." 하거든요. 그래서 그거를 또 가져가서, 삼정승한테 얘기를 하고 삼년만 있으면 그렇게 보배로 쓰일 것이니 돈 오백 냥만 더 내라고 그래가지곤…, 하하.

지금 아마 제가 그렇게 한다면은, 제가 여러분한테 "삼백 냥…, 오백 냥 내놓으시오." 이렇게 하면 아마 욕 많이 할 겁니다. 하여튼 어떻게 되었든지, 그래서 오백 냥을 또 갖다주고 갔는데, 삼년 뒤에 청국에서 사신이 와서 뭐라고 그러느냐 하면은 '여기 조선의 보물을 내놓으라'고 그런 겁니다. "보물을 내놔라." 이런 겁니다. "보물을 안 가져온다면 여기 조선에 어떠한 벌을 행하겠다." 이렇게 됐습니다. 아주 나라도 살기가 어려웠던 때인데도, 그렇게 또 당하니 말입니다. 이게 한두 번째 당하는 것이 아니고, 그렇게 당하니까 참 살기가 고통스러웠습니다.

그러자 그때 서춘보스님이 생각났습니다. 임금이 머리를 싸고 그냥 걱정을 하지만 아무리 그래도 조선의 보물이, 청국에 들어갈 보물이 어디 있나요? 아무리 생각해도 아니 되고 춘보선사가 갖다준 그것이 생각이 났단 말입니다. 그래서 그 춘보선사를 찾느라고 온통 산을, 사람을 풀어서 헤맸는데도 찾지 못했습니다. 그랬는데 그 춘보선사는 벌써 그것을 알고 하산하셨습니다. 내려와서 "나를 그래서…" 번연히 알면서도 묻는 겁니다. "왜 찾으셨습니까?" 하고요. 그러니깐 그러그러해서 이렇게 스님 생각이 나서 찾았노라고 해요. "지금 밥을 못 먹고 싸매고 있습니다. 이러니 이 노릇을 어떻게 합니까? 만약에 이걸 해드리지 못한다면 우린 다 죽습니다." 이렇게 나왔습니다. 그래서 그때에

'그러면 그거 싸놓았던 거를 해드린다.' 하면서 여기 사신과 거기 사신과 모든 의식을 다 갖추어서 춘보선사가 앞장을 서고 그렇게 해서 길을 떠났습니다.

이 춘보선사는 아주 뭐 그렇게 당당할 수가 없는데 정승들은 그냥 밥을 못 먹고 혓바닥이 죄 해지고요, 밥을 넣으면 그냥 모래알 같은 거라요. 글쎄 찌그러진 그거, 정승이 쓰던 그 삿갓 그걸 가지고 뭐라고 대답을 해야 조선의 보물이 됩니까, 글쎄? 그러니까 뭐 입도 쓰고 죽을 맛이죠. 저- 춘보선사는 앞장을 서서, 내일 죽더라도 먹을 건 먹고 돌아가시라고 그러는 거예요. 그리고 아주 죽으라고 그랬어요. 아주 죽으면 사는 길이 있다구요. 그래도 못 알아듣거든요, 유교로만 나가서.

그래서 강을 건너자 청국에서 마중을 나와서 그냥 쫙 둘러섰거든요. 그러니까 춘보선사가 하는 소리가, 커다랗게 소리를 질렀습니다. "이 보물은 어디에도 없는 보물이니 밤새도록 잘 지켜라." "누구 하나 손대지 못하게 지켜라." 거기서 나온 군졸들, 여기서 나간 군졸들이 그냥 쫙 둘러서서 화톳불을 놓고 그냥 지킨 거예요, 아주 겹겹이 선 거예요. 그렇게 위엄 있게 해가지곤 턱- 당도했어요.

청국 천자가 턱 나오는데, 당장 그렇게 풀 수는 없지 않습니까? 춘보선사가 말했습니다. "이 귀중한 보물을 단번에 이 자리에서 어떻게 풉니까?" "깊이깊이 기도하는 마음으로써, 부처님의 그 뜻을 찬양하면서 조선국의 그 고마움을 음미하면서 삼일을 기도를 하고 난 뒤에 이거를 뜯어야 합니다." 이러거든. 그러니 글쎄 얼마나 충격을 주었습니까? 삼일 동안을, 그러니까 거기 사람들이 전부 기도한 겁니다.

기도하고 나서, 천자가 하는 소리가 그랬습니다. "도대체 뭐길래 그런가?" 했습니다. 아주 이 세상에서 없는 걸 가져와서 그러는 줄 알았거든요. 그래 삼일 있다가 모두 위에 앉았고 밑으로 죽 앉았고 그러는데, 정승들은 삼 일을 그냥 못 먹어서요, 빌빌빌빌 하거든. '저거를 어떻게 해서…' 죽느냐 사느냐 기로에 놓여 있어요. 그런데 춘보선사는 그렇게 당당하게 있으니, 그걸 알아야 뭐 자기네들도 좀 믿고 좀 안도할 텐데 믿지 못하겠거든, 도무지. 그러니까 그냥 입이 지지리 지지리 타고 죽겠으니까 춘보선사 뒤로다가 물러섰고, 정작 말할 사람은 뒤로 물러섰고 춘보선사가 앞에 앉은 겁니다.

앞에 앉아서 하나를 뜯는데, 그러니까 지금으로 치면 몇 시간을 뜯은 거죠. 하하하. (대중 웃음) 전부 합장을 시키면서 뜯은 겁니다. 뜯으니까 웬 걸요. (대중 웃음) 그냥 때가 쪼절쪼절 붙은 거, 새까만 거, 털도 하나도 없는 것이 나오지 않습니까? 그러니깐 그 중국 천자가 도대체 이게 어떻게 보물이 되느냐는 겁니다. "너희들, 너희들 이것이…." 그냥 천둥같이 호령을 하는 겁니다. 그러니깐 이 춘보선사는 당당히 "이것은 공자님이 삼천 제자를 가르칠 때 깔고 있던 호피다." 이거야. 하하하. (대중 웃음) 공자님이 제자들을 가르치면서 한번도 바꾸지 않고 앉아있던 걸 우리 조선국에서 이거를 간직해야 하느냐 이겁니다. "여기 청국에 있느냐." 이겁니다. 조선국에서 이걸 간직하게끔 되어 있으니 이 나라도 나라냐고, 이거 사람이 없는 나라 아니냐고 말이야. 이렇게 당당하게 하니까 그만 천자가 그냥 기가 탁 죽었다. (대중 웃음) 그래가지고 무릎을 탁 치면서 "우리가 우리 나라 의인의 방석 하나 간직하지 못했으니, 이게 참 죄송하기 짝이 없다."고 아주 그냥 고개 숙였죠, 춘보선사한테.

아, 그랬는데 말입니다. 그 다음에 또 푼 것이 뭐냐 하면 아니 사글사글한 삿갓 아닙니까, 글쎄. 사글사글한 삿갓인데 새똥이 앉고 그냥 푸는 것도 금방금방 이렇게 푸는 겁니까, 어디? 한 시간을 내리 풀어가지고 턱 놓으니까 사글사글한 그런 거를, 그래도 물을 뿌려서 좀 누글누글해져서 괜찮지만. 이제는 기가 죽어서 그냥 "이건 뭔데 그러냐?"고 그러더라는 거예요. 이거는 강태공이, (대중 웃음) 강태공이 시절을 낚시질할 때 쓰던 삿갓이라 이거야. "그런데 이것도 조선국에서 이렇게 간직해야 되느냐?" 하고 큰소리로 탕 울리니까 거기에 그냥 기가 팍 죽는 거야. 기가 탁 죽으니까 사신으로 왔던 사람이며 모두 다 고개를 숙이고선 그냥 땅으로 눈을 떨어뜨리거든요. 그 위력이 너무나 당당하니까.

또 하나를 풀어서 놓으니까, 그때는 그냥 모두 눈을 땅에 떨어뜨리고 있는 거야. 뭐 더디든지 말든지 합장을 하고 말입니다. 춘보선사가 시키는 대로 그냥 그럭하구. 그러니 그 꼴이 뭡니까? 그래서 또 풀어놓으니까는 그때 버캐가 누렇게 앉은 (대중 웃음) 찌그러진 참, 그 질요강이지 않습니까? "질요강이? 이건 그래 뭐, 뭐, 뭐가 보물이 되겠소?" 하니까 그때 춘보선사가 당당히 말했습니다. "앞에 두 가지는 청국 보물이지마는 이건 우리 나라 최초로 연구해서 (대중 웃음) 최초에 구운 거기 때문에 이렇게 간직했습니다. 그러니 이것이 조선국에 제일 가는 유물이 됩니다." 하니까 고개를 끄덕끄덕하면서 "참, 이거는 잘 보관해 두어야 될 거라."고 하면서 그대로 명을 내리는 겁니다. 이거는 상자를 셋으로 속 상자, 그 다음에 두번째 상자, 세번째는 아주 철망으로 상자를 만들어서 잘 간직하라 이렇게요.

그렇게 하고 거기에서 단번에 명을 내리기를 조선국에 공단 필, 금은 보화 돈 이런 거를 수없이 배에다 실으라고 했어요. 배에다 실어서 조선국으로, 그 수없는 배에다 실었으니 그때 한참 죽을 판에 말이야. 우리네 살림이 죽을 판국에 그렇게 많은 보물과 그 모든 걸 보내왔으니 나라가 궁색하던 때에 오죽이나 잘 썼겠습니까? 요긴하게. 그런데서 춘보선사는 가져온 보물을 좀 드리니까 그거를 받아가지고 싫다는 말도 안 하고. 허허허, 받아가지곤 나왔어요. 나와가지고는 골골이 다니면서 없는 사람을 도와주면서 또 그 친구 있죠, 못사는 친구. 거기 또 한 덩어리 쥐어주고요, 다 풀어놓고 산으로 올라갔다는 얘기가 있습니다.

내가 이러한 얘기를 왜 하느냐 하면은, 지금이나 그때나 물리가 터져서 지혜로운 일들을 할 때에, 내 얘기했죠. 춘보선사가 일을 해놓고 춘보선사가 감당을 했다고요. 왜 그런 소리를 하느냐 하면 지금은 몸으로 다녀서 물질로 해서는 호국불교를 할 수가 없습니다. 그렇게 행할 수가 없어요. 그렇기 때문에 지금은 스스로 자동적으로 되게끔 굴리는 그런 무(無)의 과학이 있다는 애깁니다, 무(無)의 과학!

그러니까 그때 춘보선사는 그쪽 청국의 천자가 그런 생각을 하게끔 해놓고, 조선이 살 수가 없으니깐 그렇게 생각을 하게 해놓고, 즉 그런 걸 찾게 해놓고 미리 대책을 세운 겁니다, 미리미리. 지금 우리나라도 그렇지마는, 사회적인 문제도 그렇고 가정적인 문제도 그렇고, 우리가 끌고다니는 이 몸도 벌써 자기가 힘이 있다면 몸으로 다녀서 불교를 그렇게 믿게 하는 게 아니라 이 온 누리에 두루하기 때문에, 둘이 아니기 때문에, 항상 같이 하고 있다는 걸 알게 할 겁니다.

그러기 때문에 앞으로 이런 일 저런 일이 있을 때 대책을 세우는 것도 다 그렇게 돼 돌아가게끔 대책을 세워서 해가되 먼저 능력을 길러야 합니다. 이런 걸로 비유할까요? 어떤 스님이 부스럼이 크게 다리에 났거든요. 부스럼이 잔뜩 났는데 아침 새벽에도 그냥 이게 아프니까는 "아무개야!" 하고 시자를 부릅니다. 그러면 "예!" 그러고 대답할 거 아닙니까? 대답을 했다 하면 뚝 끊어지고 안 시켜요. 또 대답하면은 아무 일도 시키질 않아요. 그러기 때문에 시자가 가만히 생각을 하니까 대답은 해놓았는데 영 일을 시키지 않거든요. 그래서 나중엔 화딱지가 나서 말입니다. "아무개야!" 부르면 대답 안 하고, "에잇!" 그냥 속상해서 한다는 게 그만 아침에 부르면 세숫물 떠다주고, 대답이 없이. 또 아침에 구멍 눈으로 그냥 보니까 아파서 그러고 있으면서 "아무개야!" 부르면 아무 소리 없이 그냥 수건 빨아가지고 가서 씻겨드리고선 나오고 하다 보니 이게 숙달이 되었습니다, 이제.

그렇듯이 우리가 지금 이 나라에 뭐든지 돌아가는 것을 볼 때 스스로 자기가 알게끔 만들어주기 위한 어떠한 방책으로써 뭐가 잘못돼 돌아가도 그냥 내버려두는 거예요. 그렇게 내버려두는 까닭에 발전을 한다 이겁니다. 잘못됐다 잘됐다 이걸 알게 되고, 남들이 막 얘기를 하고 반란을 일으키고 이럼으로써 그걸 깨닫고 또 발전을 잘 해나가고,

그것은 바로 우리의 발전성이라고, 발전을 이루는 데 쓰는 거라고 하는 거죠. 난리가 나지 않으면 또 부자 노릇 할 수도 없고 상인들이 상업을 할 수도 없는 거니깐요. 이렇게 서로서로에 해나가되 다 대책을 세워놓고, 능력이 있다면은 그렇게 해나갈 수 있는 겁니다.

전자의 선사들은 그렇게 가르치셨습니다. 대답이 없이 그렇게 했는데, 대답을 해도 때려주고 대답을 안 해도 때려줬습니다. 그러니 얼마나 고통스러웠겠습니까? "아무개야!" 불러서 대답을 "예." 했으면 시켜야 할 텐데, 안 시키고 했으니 몇 녀석이나 붙어 있겠습니까? 그거. 아마 지금 그러면 미쳤다고 돈 거라고 그럴 겁니다. 뭐를 해가지고 오면 그거를 받지를 않았습니다. 세숫물을 갖다줘도 그 물로 씻지 않고 절룩절룩하고 나가서 세숫물을 떠서 자기가 했습니다. 그러니 글쎄 시자가 생각할 땐 얼마나 기가 막혔겠습니까? 시자가 스승의 뜻을 알지 못하고 그냥 떠다 준 것은 안 썼다는 말입니다. 알고 떠다 주었다면은 그건 썼을 텐데. 그래서 그 물을 안 썼기 때문에 그 시자한테는 오히려 화두가 된 거죠. '도대체 이거 무엇인가?' 하고 그냥 관(觀)했기 때문에 자기를 발견해가지고 스승이 세숫물을 떠다 드려도 안 쓴 거, 불러서 대답을 해도 대답을 들은 척 만 척 한 거, 이런 것을 다 알게 되고 물리가 터졌답니다.

그래서 나중에 공부하러 들어왔던 사람이 다 떨어지고, 몇 안 남은 가운데 공부를 해가지고 무르팍에 엎드려 울면서 "누워 있는 부처님, 앉아 있는 부처님, 서 있는 부처님이 다 당신이시군요." 하고선 울었답니다. 그러나 지금 아마 그런다면은 다 도망갔을 테죠. 지금은 지금대로의 시대에 맞게 이렇게 해나가기 위해서, 어떤 때는 하기 싫은 말도 있겠지만, 하기 좋은 말도 하기 싫은 말도 없이 그저 생각도 없이 여러분 만나면 말을 이렇게 하게 되는군요. 우리가 이렇게 앉아서 나라 얘기도 하고 또 우리 공부하는 얘기도 하는 것이, (시계를 보시고) 참, 너무나 길게 얘기한 것 같습니다.

하여튼 오늘 이렇게 서로 앉아서 토론한 것을, 설법했다기 이전에 우리 서로가 둘이 아닌 한자리에서 이런 얘기 저런 얘기 같이 이렇게 나누었다고 생각하시고, 앞으로 나가면서 내 얘기를 잘 참작하시기 바랍니다. 이 불교를 숭상하는 데는 미신의 법을 조금도 따르지 말라는 게 아니라, 융통성 있게 그것도, 자식이든지 부모든지 남편이든지 아내든지 기복으로 믿는다 하더라도 "이건 틀렸어." 하지 말고, 스스로 유유히 융통성 있게 지혜 있게 어머니 마음을 상하지 않도록 하면서 안으로 굴리세요. 어머니도 이러한 뜻을 아시게끔 주인공에 모든 걸 놓고 가다보면 스스로 그 에너지가 어머님의 마음 속에서도 같이 돌아가게 되죠. 내가 행으로도 자꾸자꾸 달라지면은 '아, 우리 며느리가 이렇게 달라지는데, 거기가 옳은가봐.' 그 생각이 들 때에 "어머님 이러고 저러고……." 든지, "오늘은 거기 가니까 이런 말을 하시더군요." 하고서 "그런 것 같애요. 생활에 이렇게 이렇게 하는 것 같애요." 하고 얘기를, 무슨 불법이 이렇다 저렇다 하는 것을 얘기하지 말고, 그냥 얘기하듯이 하다 보면은 어머님도 좋아져서 마음이 흐뭇해지시고, 자식도 흐뭇하고 좋겠죠. 급하게 그냥 확 부러뜨리면 꺾어져요. 모든 게 불화가 일어나고 아버지든 어머니든 마음이 불편해지고, 또 자식을 이끄는 데도 역시 똑같고….

그러니까 우리가 앞으로 침착하게 생각해가면서 연구하는 것이 천체 물리를 연구하는 거와 같은 겁니다. 우리는 뭐든지 할 수 있다는 걸 전제하고, 이날까지 이렇게 짧으면 길게 하고 길면 짧게 하고, 이렇게 창살 없는 감옥에서 우리는 벗어나야 되지 않나. 이 창살 없는 인간 게임 속에서 우리는 벗어나야 되지 않나, 이런 걸 한번 생각해보시고요. 오늘은 이만 마치겠습니다.

12인연을 넘어선 단계

87년 2월 15일

　　항상 우리가 이렇게 한자리에 앉아서 토론하고 음미하고, 마음 도리를 연구하는 데에 몰두하는 도반으로서 만남을 기쁘게 생각합니다. 우리는 인간으로 태어나서 완전한 사람이 아니라 중반기에 들어섰다고 봅니다. 우리 개별적인 의의는 낳을 수 있을지언정 포괄적인 의의는 낳지 못했다고 생각하면서, 중반기에 들어서서 세계와 더불어, 우주와 더불어 같이 포괄적인 인생을 즐길 수 있는 대인이 될 수 있으면 좋으련만 그런 일이 드물었다고 생각합니다. 우리 전체가 다 그렇게 대인이 되었으면 하는 사랑의 마음에서 조금도 쉬지 않고 이렇게 흘러가고 있습니다.

　　그런데 전자에는 우리가 전체적으로는 연구할 단계가 못 돼서 개별적으로 연구했을는지도 모릅니다. 그러나 지난번에도 얘기했듯이 과학이라는 것도 어느 한계점에 도달하고 있으니, 어디로 빠져나갈 구멍과 어디로 돌아서 회전을 해서 나올 수 있는 길을 찾는 연구를 하고 있는 것입니다.

　　나의 근본 마음에 길이 있고 진리가 있고 심성의 활용이 있듯이, 우리는 절대적으로 마음 떠나서는 아무것도 없는 것입니다. 그러기 때문에 마음으로 하여금, 과학적인 문제도 광대무변하게 이끌어갈 수 있고, 포괄적인 진리를 탐구할 수 있는 것입니다. 우린 광대무변한 마음이 되기 때문에 가고 옴이 없이 가고 올 수 있는 이 진리가 툭 터져서 지구 바깥으로도 나갈 수 있고 우주 전체를 보는 것 없이 보고, 듣는 것 없이 들을 수 있는 그런 능력이 제가끔 모두에게 주어져 있다는 사실을 명백히 생각해야 됩니다.

이제는 기복적인 신앙을 절대적으로 떠나지 않으면 안 된다는 그 점을 깊이 생각해 봐야 되는 시대가 됐다고 봅니다. 지금 외국의 강대국에서 또는 약소국에서도 그런 문제를 들고 나옵니다. 그건 뭐냐 하면은 우리가 과학적으로 이렇게 발전이 됐지만 한계가 있다. 어디로 인해서 이렇게 빠져야 되느냐? 유전과 무전, 즉 말하자면 유(有)와 무(無), 유개체와 무개체, 무생(無生)과 유생(有生), 이 모두가 어떻게 해야 회전을 할 수 있으며, 광대무변한 연구를 할 수 있겠느냐는 문젭니다.

그런 데에 도달해서 있느니만큼, 지난번에도 얘기했듯이 탐지기나 콤퓨타 등 다섯 가지 문제를 이야기했고, 여섯 가지 중에 책정기가 누진통이라고 했죠. 그것은 이름으로써 얘기했을 뿐인데 활용하고 빛을 내고 여여하게 회전할 수 있는 문제를 가지고, 예전에 뭐라고 이름을 지었느냐 하면은 화광주니 야광주니 하는 구슬로 말했습니다. 걸림 없이 굴리는 데에 아주 여여하다는 뜻으로서의 빛광주 또는 원광주, 해광주를 금강주에서 다룬다고 했습니다. 그것은 다섯 가지를 책정기 즉 누진통이 그렇게 다룬다는 것만 얘기했지, 금강주라는 것은, 그 다섯 가지 구슬을 굴릴 줄 알아야 된다고 하는 활용입니다, 활용! 활용을 하는 데는 그 구슬을 얻지 못하고는 아니 된다. 그래서 용(龍)이 줄을 타고 오를 때에 구슬이 없으면 오르지 못한다 이겁니다.

인간도 무의 법, 유의 법을 회전하는데 법망에 걸리지 않고 걸림이 없을 때에 비로소 다섯 가지 구슬을 얻을 수 있는데 가지고 있어야만 되는 게 아니라 그거를 굴릴 줄도 알아야 되는데 이름해서 금강주입니다. 이것을 대충 그냥 이렇게 얘기합니다마는, 나는 무슨 책을 봐서 이런 얘길 하는 게 아니라 그냥 그냥 얘기하는 겁니다, 그냥. 허허허. 그러니 이해해주시기 바랍니다.

그래서 금강주 하면은 이름해서 육바라밀에 속합니다. 보살행으로서 들어가는 활용이라고 볼 수 있겠습니다. 그렇다면은 거기에서 또 '금강주에서 그렇게 굴릴 줄 알고 여여하고 걸림이 없다면 삼라만상 대천세계에 칠보가 가득 차 있다.' 이런 건, 여러분이 주인공의 뜻을 알아서 굴릴 수 있다면 바로 칠보라는 것입니다. 칠보! 전체가 둘이 아닌 칠보로 가득 차 있는 겁니다. 모습 없는 모습들, 생명체가 전부 움죽거리고 있는 자체는 바로 진화력도 되지만 생존의 경쟁도 되고 생존의 부활도 되고 생존의 개발도 되는 것입니다. 우리가 여러 가지로 생각해 보고 음미해 본다면은 아주 묘한 도리라고 생각할 수 있습니다.

우리가 이러한 문제를 다루고 지금 시공이 없이 돌고 있는데도 불구하고, 그 미약한 생각 또는 미신의 생각으로서 아주 차원이 낮은 그런 행만 해서야 되겠느냐 하는 겁니다. '한생각이 얼마나 무서운데 아주 얕은 생각에 빠져서 허덕이고 있어야만 하나!' 이런 겁니다. 칠보가 가득 차 있으면은 거기에서 다 지혜가 나올 텐데 말입니다. 요거는 내 의견으로 그냥 얘기하는 거니까 잘 파악해서 들으시리라고 믿습니다. 우리가 그것을 이해를 잘 하려면은, 한 발 떼어놓으면 한 발 떼어놓은 거는 없어지고 한 발이 또 되듯이, 우리가 지금 칠보 하면은 벌써 육바라밀은 칠보가 집어먹은 겁니다. 알겠습니까? 포함해서 있으니까. 포괄적인 칠보입니다. 그래서 그렇게 여여하고 보배로운 자가발전소에서, 물론 가설이 그대로 돼 있는 겁니다. 그러니깐 자가발전소는 본래 내 안에 있으니까, 스위치만 누르면은 불이 들어오게끔 돼 있는 게 아니라 본래 들어오게 돼 있는데 모르니깐 그걸 발견을 못 해서 쓰지 못하는 것뿐입니다.

그래서 간혹, 이건 이거고, 저건 저거고, 요렇게 아주 쉴 사이 없이 다가오는 그 나툼을 우리가 작게 생각을 하면 나툼이라고도 하고 윤회라고도 할 수 있습니다. 그렇게 나투어서 역력하게 돌아가는데 우리가 그것을 음미해볼 수 있는 문제는, 바로 그것이 그 안에 들어서 무수히 돌아가고 있으니, 이 돌아가고 있는 나툼을, 무(無)와 유(有)를 한데 가르치기 위해서 부처님께서 그렇게 말씀을 하셨습니다. 사무사유(四無四有)를 한데 합치면 팔(八)입니다. 시방세계에 무와 유를 한데 합치니까 팔이 된다. 팔이 되니까 이게 여여하게 돌아가기 때문에 칠보가 거기 또 팔에 포함된 겁니다. 팔정도(八正道)에 포함이 된 겁니다, 수레바퀴 돌아가듯이. 그걸 표현해 놓은 겁니다, 팔정도라는 것이.

그렇게 해서 그것이 팔정도로 돌아가는 데에는 언제나 포함해서 하나로 구성되어 있는 게 이 심성입니다. 그래서 그 심성을 포함해서 구정토(九淨土), 즉 말하자면 구경계(究竟界), 구경계로 하여금 시방세계에 두루 회전이 될 때 불이(不二), 불이법(不二法)이 거기에서 조성됨으로써 십이인연법을 넘어선 단계로서 오는 것입니다. 우리가 말로 이렇게 하기보다도 여러분이 연구를 해보면은, 말은 조금 다를지언정 뜻은 똑같습니다.

내가 아까 얘기한 거와 마찬가지로 지금은 판도가 달라지고 있습니다. 지금 세계적으로 사람 사는 이 자체가 달라지고 있는 겁니다. 변천해가고 있는 겁니다. 우린 계발이 되고 있는 겁니다. 우린 사람이 살 양으로만, 먹고 살려고만 하는 게 아니라 자연의 섭리로써 우린 계발이 되고 있는 겁니다. 경쟁이 아니라 계발입니다.

지난번에 경쟁이라고 그랬죠? 여러분이 모르면 경쟁이고, 넘어서면 계발입니다. 우리는 남을 죽이려고 해서 죽이는 것도 아니고, 밀치려고 해서 밀치는 것도 아닙니다. 자기가 힘이 부족하면 스스로 밀리는 거죠. 누가 나쁘게 만들려고 그래서 만드는 게 아닙니다. 자기가 스스로 환경에 따라서 나빠지는 거죠. 그러니 본래부터 나쁜 사람은 없다 이 소립니다. 환경에 따라서 나빠질 수도 있고 좋아질 수도 있는 겁니다. 그러기 때문에 한생각이 자기를 부유하게 할 수도 있고, 한생각이 자기에게 막대한 지장을 가져오게 할 수도 있는 겁니다. 마음 한생각이라는 게 얼마나 중요한지 모릅니다.

이조 시대 어느 때라고 봅니다. 이조 시대 때 스님네들이 탄압을 받고 그러니까는 삿갓을 쓰고 결국은 머리를 기르고선, 어느 산골에다 토굴을 파고 도반들과 거지처럼 얻어먹어 가면서 살았습니다. 그러면서도 공부를 게을리 하지 않고 열심히 하고들 있는데, 항상 탁발을 하러 나가면서도, 한 고비를 넘기고 산을 넘고 이러다보면은…, 이걸 잘 음미하셔야 됩니다. 과학적으로도 지금 연구할 수 있는 문제가 바로 그런 데 있는 겁니다.

산을 넘고 가다보면은 아주 깊은 웅덩이가 있어서 사람도 빠져서 나오지 못하고 뱀도 그 웅덩이에 빠지기만 하면 나오지 못해, 캄캄한 암흑 같은 곳이니까. 그래 가는 데마다 발을 옮겨놓는 대로 살려달라고 아우성이에요. 가다가 또 건져주고 "얘야! 너희들을 건져주면 나중에 또 나를 못살게 굴지는 않겠는가?" "절대, 생명의 은인이신데, 날 건져줬는데 어떻게 해하리까?" 그래서 건져주고 건져주고. 그런데 다 건져주고 나니까 전부 자기의 부하가 된 겁니다. 사람도 마지막에 건져주고, 사자도 건지고, 호랑이도 건지고, 뱀도 건지고 원숭이도 건지고, 다 건진다 말이야. 그렇게 건지다보니깐 전부 자기 군사가 된 겁니다.

그런데 구덩이에 사람이 있는데 구덩이에서 아우성을 치는 걸 건지려고 하니까 뱀이 있다 하는 소리가, 사자도 하는 소리가 뭐냐 하면 "머리 검은 짐승은 도대체 남의 은공을 몰라! 그러니 저렇게 빠질 때는 다 어떠한 죄상으로 빠진 거다." 이러는 거야. "우리도 그렇지마는 사람은 나오기만 하면 꼭 당신에게 해를 줄 겁니다." 이러거든. "그렇지만 아우성을 치고 그러는데 어떻게 그냥 갈 수 있겠는가? 인간으로서…." 하면서 하는 말이 "언제적에 죄로서 나를 해할까봐 무서워서 건져주지 못한다는 건 말이 안 되지 않느냐? 만약에 저 생명이나 내 생명이나, 저 모습이나 내 모습이 둘이 아니라는 걸 안다면 건져주고 가야 하지 않느냐?" 하고 말을 하면서 "너도 예전에 그러했지 않느냐?" 하고서 말을 하니까 "그렇습니다." 하고선 참, 울었답니다.

그렇게 건져주고 나서 휘적휘적 바가지에 조금 얻어가지고 왔죠. 어느 날 또 얻으러 나갔는데 한 집도 못 얻었습니다. 그래서 전자에 자기 은사를 찾아다니며 기도를 드리고 불공드리던 대감네 집을 찾아갔습니다. 도저히 그 많은 식구들을 얻어서 연명하게 할 수가 없어서. 그 대감네 집을 찾아가니까 그 집에서 패물을 줬습니다. 그 패물을 가지고 가서 지금으로 치면 금세공 집에 가서 팔겠다 했겠죠. 그런데 마침 가 보니까 그 세공하는 아버지가 바로 언젠가 건져준 적이 있는 그 집이에요. 그러나 그런 얘길 해도 그 아들은 들은 둥 만 둥 했습니다. 그러면서 금을 보니까 눈이 휘번덕거려졌죠. "내가 물어봐서 이거 살 사람을 구해서 팔아주겠소." 해놓고는 바로 원님한테 찾아갔어요. 원님한테 찾아가서 고자질을 했죠. "이러이러해서 이것이 나라에서나 나오는 건데, 묘(墓) 도둑질한 건지 모르니까 이것을 잘 처리해 주십시오." 하면서 뭐 상금이나 받을 줄 알고 그랬죠. 그랬더니 원님이 너는 요다음에 내가 무슨 일이 있을 때 상금을 내리겠다 하고선 보냈단 말입니다.

그리고선 그 스님은 붙잡아다 가둬놓고 원님은 그 패물을 들고 한양엘 왔습니다. 임금한테 와서 이러한 얘기를 다 하니까 노발대발했습니다. "이것은 대궐에나 있던 패물인데 어째서 그 사람 손에 들어갔느냐. 필시에 이건 도둑놈이 아니고는 절대 그럴 수가 없다." 했습니다. 그래서 한양으로 데려다가 감옥에 가뒀죠. 이제 참(斬)할 날만 기다리고 있는 겁니다. 그러나 나라에서는 그 사람이 스님인 줄 모릅니다. 머리도 기른 데다 몰골이 말이 아니거든요. 형편이 어려워 살 수가 없어서, 상놈인데 살 수가 없어서 그냥 돌아다니는 줄 알겠죠. 그래 인제 들어가서 있으려니깐 아, 밥을 주는데 입맛이 없어서 영 먹을 수가 없는데 거기 사람들이 죄 굶어죽을 생각을 하니 기가 막히단 말입니다.

입맛도 없고 들어가지도 않아서 목이 메어서 눈물을 줄줄 흘리고 있으니까 "야, 언제 죽을지 모르는데, 죽을 날이 이제 가까와 올 텐데 밥이나 배불리 먹어둬!" 하거든요.

그 소리를 듣고 귀가 번쩍 뜬 겁니다. '어떡하면 여기서 벗어나지?' 하고선 생각을 하던 중 뱀 생각이 났습니다. "야, 뱀아!" 불렀습니다. 그러니까 뱀이 즉시 달려왔습니다. 즉시 달려와서는 "부르셨습니까?" "내가 이만저만하여 꼼짝없이 이거는 묘 도둑놈으로 몰려서 죽게 됐어, 참한다고 한다. 그러니 어떡하면 여기서 벗어날 수 있겠냐?" 하고 물었습니다. "걱정하지 마십시오. 벌써 스님이 날 알고 부르시지 않았습니까?" 뱀은 뱀으로 살던 습이 있어, 독이 있고, 그 습이 있어서 능수능란합니다 이거야. "그러니 걱정 마시고 나는 보이지도 않으니까 들어가서 대비마마를 꽉 물어뜯어서 독이 올라서 정신상태가 흐려지고 살이 전부 시퍼렇도록 만들어 놓겠습니다. 그리고 대비마마 눈에만 내가 뱀으로 보일 거고 방방곡곡에서 고치려고 해도 아무도 못 고칠 겁니다. 그때 당신이 들어가서 이마에다가 손만 얹는다면은 그 독이 전부 다 빠질 테니 그 후에는 알아서 하십시오." 그랬거든.

그리고는 뱀은 쏜살같이 대비전으로 들어갔어요. 대비 눈에만 보였지 딴사람 눈에는 안 보이죠. 그래서 얼른 물고선 달아나갔죠. 달아나가나 마나죠. 알고 본다면 달아나갈 것도 없고 들어갈 것도 없는, 그 모습 없는 모습이 그렇게 했으니까요. 그러면 그게 누군가? 바로 그 스님이란 말입니다, 둘이 아니기에. 급한 거를 면할 때는 어쩔 수가 없는 거 아니겠습니까?

그래서 이걸 잘 음미해 보시면 우리가 이 세상 살아나가기가 그렇게 편리하다는 것을 알 수 있는 겁니다. 그래서 참, 옥 안에 들어있으니까 온통 난리가 났습니다. 그냥 여기서 쑤석쑤석 저기서 쑤석쑤석 야단났고, 온 방방곡곡의 의사가 들어왔다 나갔다 해도 뭐, 까딱없거든요. 그래서 울고불고, 참하고 말고 그거는 뒷전이고, 하여튼 야단이 났어요. 그때쯤 임금한테 고해달라고 그랬습니다. "제가 한 번 고쳐볼 수는 없겠는지요?" 하고 청하니까는 "그러면 들여와 봐라." 그랬습니다.

그래서 지금으로 치면 재판도 해보지 않고 남의 소리만 듣고 감옥에 가뒀는데 "그러면 목욕을 시켜가지고 데리고 들어오너라." 그래서 목욕을 시키고 그 방엘 들여보내졌죠. 들어가서 손을 대비마마의 이마에 짚으니까 아, 얼마 안 있어서 깨어나거든요. 깨어나면서 그 시퍼렇던 게 차차차차 위서부터 아래로 다 삭아버리는 겁니다. 그러니 임금이 깜짝 놀란 겁니다. 전국에서 한다 하는 의사가 다 들어와서 봐도 영 가망도 없더니 이렇게 나을 줄이야. 참, 미처 몰랐다고 하면서 보물 얻은 그 사유를 다 물어봤습니다, 그때서야.

그래서 그 사유를 죽- 얘길 했습니다. 그랬는데 그 금세공 아버지가 덫에 걸려서 있는 거를 살려주었다는 얘기도 했지마는 그거는 아랑곳없죠, 그걸 모르니까. 그랬는데 스님이란 소리는 안 하고 그 대감님이 그렇게 주셨다 하니까, 그쪽으로 연락을 취해봤겠죠? 보니깐 사실 이거든요. 그러면은 이건 도둑질이 아니지 않습니까? 그래서 고자질한 그 금세공하는 사람을 붙들어다가 옥에 가두라고 하고, 그 스님을 임금이 아주 믿고, 국가에 어떠한 문제가 있어도 서로 상의할 수 있는 그런 대상이 돼버렸죠, 너무 믿으니까. 그러자 이분은 그때에 그런 말씀을 했습니다. 국방도 튼튼해야 하고 국가의 재정도 그렇고 모든 문제, 지금이나 그때나 뭐 다를 바가 있겠습니까? 그런 얘기를 하니까 그래도 임금은 다 듣고 그대로 하려고 애를 썼습니다.

이것이 보이는 물질만 가지고 얘기가 아니라, 어떻게 해야 빨리 알아들으실지 모르겠지만, 아까 뱀 얘기 했죠? 그 얘기처럼, 잘 생각해 보신다면은 우리가 그때나 지금이나 국방에 참, 나라에 대책을 세우는 데도 문제가 있다. 무슨 문제냐? 우리는 이 물질적인, 어떠한 수효의 사람들만 채워놓는 게 보통 경우라고 봅니다. 그러나 사람보다도 사람 아닌 사람이 더 많단 얘깁니다. 그럼으로써 군인 한 명에다가 군인 마음의 그 마음 근본을 넣어준다면은, 즉 말하자면 잠재해 있던 의식 자체를, 유명한 사람들을 다 넣어준다면은 열 배나 위력이 있다는 얘깁니다. 그 래서 손자병법에도 '마음을 휘어잡지 않고는 싸움을 할 수가 없고, 마음 을 휘어잡아서 이겨야지, 마음을 휘어잡지 않고 마음을 조절하지 못한 채 그 마음을 회전하지 못하고야 어찌 싸움을 해서 이길 수 있겠느냐. 죽이기만 하면서 싸워야 되는 것이 아니다.' 하는 이런 문제가 있죠.

그러듯이 앞으로 이러한 도리의 공부를 하지 않으면 점점 살기 가 어려운 세태가 다가온다는 문제가 대두됩니다. 우리가 지금 앉아서 국민이라든가 자기 나라를 위해서나 또는 경제를 위해서라든가 공업을 위해서라든가 국방을 위해서라든가, 그 모두를 위해서 일을 할 수 있는 모체의 근본이 되어야 한다는 이야깁니다. 이것은 여러분이 먹어보고 맛을 알지 못하는 이상, 내가 말로 해서 확확 나갈 수가 없는 문제입니 다. 예. 그러니까 한생각이 그렇게 귀중하다. 한생각이 일체 만법을 다 들이고 낼 수 있는 회전의 근본 원력이 되는데, 여러분은 여러분의 자 신, 최초의 나 자신의 태초를 모르니 어찌 그것을 해결할 수 있겠는가 이겁니다.

여러분이 최초에 생길 때에, 사람으로 그냥 생긴 게 아니지 않습 니까? 그러면 어디 있는가? 내 뱃속에 내 태초의 모습이 있지. 보세요, 없나? 그걸 역력히 보세요. 우리는 그것이 모여서 인간 한 덩어리가 된 겁니다. 그게 커져서 자꾸 진화되고, 그것이 자꾸자꾸 늘어서 우리는 지금 얼마나 커졌습니까? 인간으로서 고등동물로서. 그리고 또 시대를 본다 하더라도 지금 얼마나 개발이 됐습니까? 전자엔 먹을 게 없어서 쩔쩔매고 인종이 그렇게 드문드문 있더니 지금은 보세요. 얼마나 많고, 또 전자에 내 모습으로 살았던 짐승들을 보라구요. 짐승들이 사람이 되 고 기어다니다가 서서 다니고 이런 거지, 꼭 처음부터 이렇게 서서 나 온 게 아니지 않습니까? 그냥 떨어진 게 아니에요. 이만큼 진화되고 이 렇게 발전이 된 것도 그 중세계에 우리는, 이런 중점에 와있지 않나 이렇게 보는 거죠.

우리가 불국토를 이룬다 할 때는, 회전을 다 할 수 있는 그런 능력을 가졌을 때입니다. 우리가 인간으로서 한생각을 해서 회전을 할 수 있는 그런 멋진 대인이 됐을 때에, 그것이 바로 우리에게는 불국토다 하는 문제입니다.

우리 인간이 앞으로는 점점 어려운 문제, 예를 들어서 얘기합니다. 우리가 지금 그 뭡니까? 남의 힘이 있는지 없는지 그것도 모르고 남을 때립니다. 그러면 오히려 화를 입죠? 그거와 마찬가지로 무(無)의 세계의 어떠한 문제를 연구한다고 그러고, 계발한다고 그러고 과학적으로 하다가 잘못 건드려 놓으면 오히려 화를 입는다는 얘깁니다. 그러나 둘로 보지 않고 언제나 선의적으로 우리가 계발을 한다면은, 그것도 둘이 아니기 때문에 모습을 악하게 가지고 나오는 게 아니라 선신으로서 잘 나와서 자기의 길을 인도합니다. 자기기 때문입니다. 그런데 둘로 보고 상대적으로 보고 우리가 그 도리를 모르고서 그쪽의 능력도 모르고서 뚜껑을 열었다가는 패배를 당합니다.

그건 뭐냐? 나만 죽는 게 아닙니다. 전체가 다 이건 깨지는 겁니다. 한 모퉁이가 깨질 수도 있고, 물로 그냥 팡! 칠 수도 있고, 불로 다 타 죽을 수도 있는 겁니다. 그건 마치 맛을 봐야 맛을 알지 하는 식입니다. 몇 수억 천년을 살아온, 모습 없는 모습들이 지금 살고 있습니다. 그냥 표면적으로 우리처럼 이렇게 다니는 건 아닙니다마는 모습 없는 모습이 온 누리에 아니 다니는 데가 없이 살고 있다는 얘깁니다. 허공에도 살고 있고, 또 혹성에도 살고 있는데, 우리 육안으로 볼 수 없는 것뿐입니다.

그러면 연구한다고 거기까지 파헤쳤을 때는, 다는 파헤치지 못하고 한 부분만 파헤쳤을 때는 그때는 참 위험한 결과도 가져올 수 있는 문제입니다. 그러기 때문에 이러한 공부를 해서 만약에 과학자들이 위험 지경에까지 도달했을 때는, 탁 이렇게 안아서 잘 길을 인도해 줄 수 있는, 스스로의 마음에서 그렇게 이끌어 줘야 된다는 얘깁니다.

여러분, 이거를 잘 음미해서 생각하십시오. 여러분이 생각할 때, 어떤 때 피곤할 때는 피곤하다는 생각을 하게끔 하죠, 이 안에서. 몸이 피곤하면 '아휴! 내가 왜 이렇게 피곤해?' 하고 알게 해주죠. 또 피곤하면 '아! 조금 쉬어야지!' 하는 생각을 갖게 합니다. 자기 몸을 위해서 자기가 얼마나 아름답게 즐겁게 해줍니까? 그렇게 '내가 피곤하지!' 그러면 벌써 알게끔 해서, '좀 쉬어야지!' 하고, 쉬게끔 마음이 들게 하고, '아휴, 좀 개운한데!' 하게끔 만들고, 그러고서 또 피곤하면 '목욕 좀 해야지!' 요런 마음이 들게 하고. 일일이 여러분을 위해서 그렇게 아름답게 건건(件件)이 자기를 생각나게 해줄 수 있는 것이 바로 자기 주인공입니다. 참자기 주인공인데 이름을 주인공이라고 붙였을 뿐입니다.

그것이 자연적으로 자연의 섭리로서 그렇다면은, 누구한테나 마음은 갈 수가 있는 겁니다. 마음은 체가 없어. 마음은 하나지만 마음내는 건 수천 수억이 될 수도 있는 거니까. 응! 마음은 하나야. 그러나 마음내는 거는 수억, 우주 삼라대천세계에 꽉 찰 수 있어. 그러기 때문에 어느 누구도 내가 될 수 있다는 겁니다. 뱀도 내가 될 수 있고, 개구리도 내가 될 수 있고, 새도 내가 될 수 있고, 대통령도 내가 될 수 있고 모두가 내가 될 수 있기 때문에 그 '위대하다' '위대치 않다'라는 말이 붙을 수가 없습니다.

그러니까 그러한 문제를 갖고 있기 때문에, 그런 내용들을 어떻게 하면 여러분에게 알게 하고, 순간 자기가 자기를 알게 될까 하는 생각에서, '모든 걸 놔라, 놔라' 이럽니다. 놓지 않고는 도저히 해결이 안 납니다. 사는 자체가 다 바로 그놈이 하는 거라고 믿고 놓아야 합니다. 만약 그놈임을 믿지 않고 그놈한테 다 맡겨놓질 않는다면은 그놈은 절대 나오질 않아. 회사에서도 어느 믿을 만한 직원한테다 딱 맡기면은 도둑질도 못 해, 맡겼기 때문에. 그리고 더 잘해요. 그런데 맡기질 않으면은 그게 참 나오려고도 안 해요. 왜? 막아져 있으니까. 제 잘났다고 턱 하니 자기가 위로 올라앉았으니, 참자기는 나오지 못하는 거죠.

그래서 참자기를 탄생시키기 위해서는 자기가 자기한테 머리 숙여 숭배해야 해요. 자기 조상이니까, 자기 애비라고. 겸손하게 보필하면서 자기는 믿어야 된다 이거야, 마음적으로. 그래서 믿어서 그것이 완전히 둘이 아니었을 때에, 애비가 자식이고 자식이 애비이고 말이야. 이거 왜 이렇게 되느냐? 애비면 그냥 애비지, 왜 애비이자 자식이고 자식이자 애비라고 그러느냐? 불이법(不二法)이 그러하다는 얘깁니다.

그건 왜? 그렇지 않으면 연속해서 길이 될 수가 없거든. 즉 예를 들어서 높은 일도 있고 낮은 일도 있고 아주 하(下)의 일도 있기 때문에, 우리가 진리라고 하고 우리가 지금 이렇게 해나가고 있지 않습니까? 아버지가 없고 어머니가 없고 자식이 없다면은, 이건 뭐 진리라고 볼 수도 없지 않습니까? 나라의 일도 그렇고, 모든 게 삼위일체로써 돌아가는 것이기 때문에 그렇지 않을 수가 없다는 얘깁니다. 그럴 때 아버지가 아들이 되고 아들이 아버지가 되고 이러는 법은, 즉 말하자면 아버지가 일을 할 때는 아들이 아버지로 돼주고, 아들이 일할 때는 아버지가 아들로 하나가 돼주고, 아버지와 아들이 둘이 될지언정 결국 하나다 이겁니다. 뱀이 일할 때는 스님도 뱀이 돼버리고 또 스님이 일할 땐 뱀이 바로 스님이 돼버리고, 사자가 스님이 돼버리고 스님이 사자가 돼버리고, 코끼리가 사람이 돼버리고 사람이 코끼리가 돼버리고, 그게 마음은 하난데 마음이 수천 수만 가지로 생각을 낼 수 있으니 그 모습조차도 바꿔지더라 이런 겁니다.

우리가 수없이 거듭거듭 거쳐나오면서 모습을 바꿔가지고 나온 그 자체가 바로 우리의 길입니다. 우리가 계발하고 연구하고 그러는 자연의 섭리 그 자체가 바로 우리의 스승이라고 볼 수 있겠죠. 자연의 이 토대가 바로 어디에서부터 온 겁니까? 모두들 지수화풍이 허무하다고 그러지만, 지금 지수화풍이 실질적으로 우리의 생명의 근원입니다. 지수화풍이 없으면은 지금 우린 꼼짝도 아니, 생겨나지도 못했죠, 응.

지금 다른 혹성에도 이런 게 있죠. 우리 지구에도 그렇지만 법망이 있다고 봅니다. 우리 지구에도 망사처럼 이렇게 큰 둘레로 돼 있는 법망이 있습니다. 그 법망으로 인해서 전체가 같이 이렇게 돌아가고, 바깥으로 표시가 돼 있는 것도 있다는 얘깁니다. 즉 말하자면 핏줄처럼 돼 있다는 얘깁니다. 그런데 과학자들은 이것이 어디로 해서 어떻게 나가는지 다 알지 못합니다. 법망이 보이지 않는 데 법망이거든요. 조금이나마 바깥으로 표현된 것도 천체망원경으로 봤기 때문에 표현된 거지 육안으로 그렇게 보이는 게 아니죠.

　　그러면은 육안으로는 볼 수 없는 그것을 바로 우리가 현세에 이렇게라도 볼 수 있게끔 나온 것이 어찌 과학이 아니겠느냐는 얘깁니다. 우리는 볼 수 없는 그 자체 속에서 분자에 의해서 생명이 되고, 그 생명에 의해서 진화가 되고, 이렇게 자꾸자꾸 나투면서 우리는 지금 한시도 머물러 있지 않고 빛을 발하면서 활발하게 시간과 공간을 초월해서 돌아가고 있다는 얘깁니다. 그러면서도 자기가 그런 생각을 못 하고 있습니다. 그러면 지구가 시간과 공간을 초월해서 끊임없이 돌고 있는데, 지금 이 안에서는 우리가 지금 그렇게 가고 있다는 걸 전혀 생각지도 못하고 있습니다. 아니 전혀 생각지 못하는 게 아니라 그렇게 하고 있다는 것만 알았지 그것이 지금 어디로 어떻게 돌고 있는지 그런 것은 모릅니다.

　　그러면 지금 가만히 생각해보세요. 그전에도 얘기했지만 이 몸뚱이 속에 생명들은 지금 내가 저기 갔는지 여기 왔는지 모릅니다. 그런데 어떻게 해서 알고 있나. 내가 알고 있기 때문에 이 뱃속의 오장육부 세포에서도 다 알고 있는 겁니다. 여기까지 왔다고 알고 있는 겁니다. 그러니 묘법이 아니겠습니까?

　　아무도 없는데 내가 도둑질을 했어도 누가 알겠느냐 하겠지만은 이 뱃속의 생명들이 오죽이나 많습니까? 다 알고 있습니다. 내가 알고 있기 때문에 죄 알고 있으니, 우주간 법계에 다 이건 그냥 파다하게 알게 됩니다. 그러니 이거 거짓을 할 수가 있습니까? 거짓을 하더라도 '거짓 아닌 거짓을 해라.' 이겁니다. 즉 말하자면 남을 위한 거짓이라면, 부모를 위한 거짓이라면, 자식을 위한 거짓이라면 거짓이 아닙니다. 그건 지혜입니다.

그러니까 여러분이 좀더 이것을 잘 음미해 본다면은 이 보이지 않는 데에 진출하는 이런 마음은 부처님 법의 경을 읽고 또 이론으로 알고 또 물리를 안다고 해서 이것이 다가 아닙니다. 제 아무리 잘 안다고 하더라도 한번 내가 집어먹을 줄 모른다면 그건 아무 소용 없는 겁니다. 한번 집어먹을 줄 알고 남을 줄 줄 안다면, 그것은 자기 죽는 거, 이 옷 벗는 거를 그렇게 뭐 대단하게 생각 안 합니다. 이 자리 저 자리를 육신으로 다니며 하려면 그게 얼마나 하겠습니까? 옛날에는 사람이 몇 안 되고, 칼이나 창이나 활이나 또는 대포를 가지고 해도 싸움이 됐지만, 지금은 안 됩니다. 시대가 시대니만큼 사람도 많이 생겼을 뿐 아니라, 사람의 머리도 그만큼 깨었고, 그만큼 과학적으로 발달이 됐고, 문명으로나 모든 걸로 봐서는 지금 절대 그렇게 해서는 아니 되죠. 그런데 이 공부하는 사람은 한 술 더 떠서 공중에서 싸운다 하더라도 그것마저도 카바할 수 있고 앞장 설 수 있는 대인이 되시라 이겁니다. 이 파리 하나 가지고도 군사를 몇백 명이라도 만들 수 있는 능력을 기르라 이 소립니다.

그런데 뭐가 언짢고 귀찮을 게 있겠습니까? 여러분은 너무 소극적으로 생각하고 너무나 인간살이를 어렵게만 생각해서 그런데, 고통을 아무리 받는다 하더라도 이것은 내 주인으로부터 나를 형성시켜서 여기까지 끌고 왔으니 부와 자가 하나가 된다면 무엇인들 못하겠습니까. 아까 이야기한 것처럼 마음은 하나인데 마음내는 거는 수억만 가지입니다. 수억만 가지가 한마음으로 들고, 한마음에서 수억만 가지가 난다 이겁니다. 그러니 얼마나 묘법이고 광대무변한 자신의 보배를 자신들이 가졌습니까? 그러니 그렇게 수억만 명을 만들어서, 이 우주를 덮게끔 할 수도 있어. 지금 모습 없는 모습들이 각 혹성에서도 바라고 있으니까! 모습 있는 생명들도 많지만, 모습 없는 생명들이 얼마나 많은지 아마 헤아릴 수가 없을 거예요. 그거 헤아릴 수 없을 거예요, 아마. 그것이 다 친구라면, 무서울 게 뭐 있고 두려울 게 뭐 있겠습니까?

그리고 소도 사람을 처음 봐서 아무것도 모를 때도 사람 마음을 거기 줬을 때에는 그 소가 '아하! 이 마음이 이러니까…' 하고 그냥 마음에 따라서 같이 알게 돼요. 전체를 아는 게 아니라 그 범위 내에서만. 그러기 때문에 길을 따라준다 이겁니다. 그러니까 인간이 위대하죠. 사람은 전체를 알고 있는데, 짐승은 부분적으로 자기가 생각해서 알고 있는 거 그것뿐이거든요.

그러니 나라에 어떠한 문제가 있다면, 예를 들어 공산주의 나라가 독재로 다스려서 이익이 뭐 있느냐 하는 것도 있지마는 우리가 앞으로 계발을 한다면, 또 모든 에너지를 같이 이렇게 평등하게 만든다면, 어떤 문제라도 뛰어넘을 수 있고 해결할 수 있다고 봅니다. 아마 3, 4년 전 얘기일 겁니다. 나는 중공이든지 소련이든지 어디든지, 민주화로 좀 이렇게 같이, 물을 좀 갖다 섞었으면 좋겠다고 생각했습니다. 왜 그런가? 앞으로도 우리가 마음을 그렇게 섞지 않는다면 살기가 희박하다는 문제입니다. 전부 계발하기도 희박하고, 또 불국토를 가져오는 것도 희박하고, 또 앞으로 연구하는 데도 큰 절망이 따르고 있습니다. 또 생명체들이 잘 살 수도 없고요.

언젠가는 우리가 멸망할 수도 있는 문제들이 마음이 너그럽지 못해서 생길지도 모른다. 그러니 마음이 너그러워야, 썰물 밀물이 같이 혼합을 해야 살 수 있는 기대를 품을 수 있고 또 지혜가 나오고 물리가 터지고, 불국토도 이룰 수 있는 거죠. 과학도 더 나가서 연구할 수 있는 문제가 생긴다 이런 겁니다. 그래서 죽이는 것이 원력이 아니라, 서로 둘이 아니게 교류를 맺게 하고 인연을 맺어주고, 좋은 방향으로 끌고나가는 이것이 진짜 능력이다라는 얘깁니다. 원력이 있다고 해서 어느 나라를 죽이고, 어느 나라를 살리고 이러는 게 문제가 아니다 이 겁니다.

그러나 자기 앉은 자리 딱 지키는 것만은 사실입니다. 누구나가 자기네 집 지키지 않는 사람 여기에 한 분이나 계신 거 보셨습니까? 하루 종일 다니다가도 자기네 집으로 들어갑디다, 모두. 거기는 꼭 지키더군요. 어디 나가서 여관에 가 자도 내 집이 있다는 건 꼭 지키더군요. 그러니까 여러분이 앞으로 살아나가는 데 있어서 이러한 공부, 이러한 도리를 배우지 않으면은 절대로 살기가 어렵다는 사실을 명심해야 합니다.

자식들을 낳고 키워도 그 애가 스스로 밝은 길을 걷도록 가르칠 때, 말로 하고 때리고 욕하고 그래서 가르치는 게 아니라, 스스로 내 전화통이 있고 그 애 전화통이 있는 이상, 내가 그 애 번호를 자식이라고 알고 있는 이상, 그거는 억만년이 지난다 할지라도 둘이 아니기 때문에 길을 인도할 수 있다는 얘깁니다. 그 뿌리에다가 많은 에너지를 다 넣어도 넣은 사이가 없이 스스로서 밝아서 스스로서 길을 올바르게 갈 수 있다는 얘기죠. 누가 일부러 그 손을 끌고, 욕을 하고 때리고 그래서 갑니까?

각본대로 여러분 사시죠? 여러분이 그 게임 속에서 벗어나질 못하고 창살 없는 감옥에서 벗어날 수 없으니깐, 어쩔 수 없이 각본대로 자기 주어진 대로 사는 거 아닙니까? 자기 주어진 대로 각본대로 돼 있는 거를 벗어나려면은 그만한 고초가 없이 어찌 벗어날 수 있겠습니까?

어떤 분들은 "어어! 이 절은 뭐 이상해." 그러죠? "뭘 놓으래? 사랑도 돈도 다 놓으면 어떻게 살라고?" 이렇게 미거한 소린 하지 마세요. 사랑도 돈도 다 그 속에 있는 건데 누가 하지 말라나요? 하되, 내것이 아니라 내것이다 이 소립니다. 자기 게 아니라 자기 거다 이겁니다. 여러분이 똑바로 그것을 잘 아신다면은 자기는 관리인으로서 시봉자로서, 자기의 시봉자로서 올바르게 함으로써, 또는 시봉자는 주인에게

"너는 차가 고장났으면 올바로 고쳐서 끌고다녀라!" 이렇게 하라 이 소립니다. 둘이 아니기 때문입니다.

운전수가 없어도 안 되고, 차가 없어도 안 되고 기름이 없어도 안 돼요. 하나라도 없어선 안 돼. 생명이 없어도 안 되고, 분별이 없어도 안 되고, 마음내는 게 없어도 안 돼. 또 마음내는 게 없어도 안 되지만, 육신이 없어도 안 돼. 그러니 세 개 중에 내가 높다고, 어떤 게 높다고 하겠습니까? 높은 게 하나도 없어. 통틀어서 그냥 일심(一心)이야. 일심이 들고 나는데, 삼세심(三世心)이 그냥 들고 나. 삼세심이 일심이요, 일심이 삼세심이라. 과거심(過去心)도 미래심(未來心)도 현재심(現在心)도 그냥 일심이야, 통틀어서.

앞으로 우리에게 당장 시한에 닥치는 일들, 그냥 아슬아슬하게 넘어가는 일들, 어떻게 돼서 그렇게 아슬아슬하게 넘어갈 수 있었겠나? 박 대통령 당시에도 아슬아슬한 일들이 많이 있었는데 그 당시에는 왜 그렇게 됐는가? '그렇게 될려니까 그렇게 됐지!' 이러는 것보다도, '그렇게 하니깐 그렇게 됐지!' 하는 겁니다, 모두가. 그것이 둘이 아닌 까닭에 그렇게도 될 수 있는 거고 저렇게도 될 수 있는 거지마는, 우리의 마음먹기에 달렸다 이겁니다.

예를 들어서 자식도 내 자식이지마는 너무 남한테 해롭게 하고 그래서 열 번만 그렇게 끌려가 보세요. "그 새끼는 내 새끼 아냐! 가만 둬, 잡혀가거나 말거나!" 이렇게 해버립니다. 열 번을 타일렀는데도 열 번을 붙잡혀간다면 그렇게 될 겁니다. 문제가 바로 그런 데 있는 겁니다. 그래서 사람이 환경에 따라서 그렇게 주어지는 건데, 환경에 따라서 그렇게 주어지더라도 중심은 있어야 된다는 얘깁니다.

중심이 흔들리면 안 돼! 집이 비면은 남한테 채여! 환경에 따라 가다보면 그만 흔들리고, 중심이 없고 집이 비게 돼요. 그럼 그 집에 남이 들어서서는 내 집이라고 하거든? 그래서 달마대사가 "내가 잠시 어디 갔다 오니깐 내 집에 누가 들어왔더라. 그래서 나는 집이 없어서 비워놓은 딴 집에 들어가서 털보가 됐다." 이런 말이 있죠? 그거를 가리키는 말입니다.

여러분은 '그 사람이 그렇게 됐다.' 이렇게만 생각하지 마세요. 그것이 한 가지 벌어졌으면, '어! 그게 어떻게 해서 그렇게 말을 했나?' 그걸 한번 생각해보세요. 왜 달마대사가 그 사람이고, 그 사람이 달마대사로 몸이 바뀌었습니까? 왜 바뀌었느냐 이겁니다. 달마대사는 재주가 그만큼 없어서 바뀐 겁니까? 남의 집을 뺏을 줄 몰라서 뺏긴 겁니까? 그러면 그만큼 공부해가지고도 집 뺏길 정도라면, 집을 뺏기지 않으려고 발버둥을 쳤다면 그건 달마대사 자격이 없죠, 하기야. 그런데 말입니다. 그걸 가르치느라고 말씀을 그렇게 해놓으셨다는 거를 생각해보십시오. 바꿀 수도 있는 겁니다. 여러분은 그걸 들었으면 한번 음미해 보셔야 될 겁니다.

그래서 모든 것을 이 마음의 도리로, 이렇게도 이끌고 저렇게도 이끌고 할 수 있는 거, 여러분이 가난해서 아주 살 수가 없는 사람이라도 그 도리를 안다면 나물죽을 먹고도 껄껄 웃을 수 있는 그 능력, 그것이 멋있는 겁니다. 그렇게 좋을 수가 없는 겁니다. 고기 반찬에 잘 먹고선 그냥 흐드러지게 좋아하는 것보다 참 얼마나 멋있는 줄 아십니까? 그 맛이란.

여러분이 여기 스님들을 위해서 뿐만 아니라, 여러분을 위해서, 여러분이 여러분을 먹이기 위해서 여기 갖다놓습니다. 그러면 좋고 좀 더 맛있는 거는 여러분과 같이 공양을 하고, 좀더 후진 거는, 또 후진 것도 없는 사람한테는, 사실 후진 게 아닙니다. 그거는 너무나 감지덕지죠. 그래서 이것은 천차만별로 나눠 주죠. 스님네가 심부름하기가 이렇게 어려운지 미처 나는 몰랐구나 하고 생각했습니다. '너무나 어렵구나! 이렇게 중 노릇 하기가 어려운 줄은 내가 애당초에 생각을 못 했구나!' 그것도 내가 생각한 것 아니겠는가, 어렵다는 것도. 그러나 어렵다는 거는 어렵지 않기 때문에 어렵다는 거를 생각하게 됐다. 왜? 내가 그건 어렵다고 생각할 게 없어. 나 하는 대로 그냥 꾸준히 그냥 뚜벅뚜벅 가면 되는 거니까, 저 물 흐르듯이.

그런데 중요한 것은 이것을 잘 쓰느냐, 못 쓰느냐에 달려 있습니다. 어떻게? 아까도 얘기했듯이 내 마음이 아는 걸 우주법계에서 알고 있는데, 그게 무서워서 내가 마음대로 못 하는 건 아닙니다. 그것은 철칙이기 때문입니다. 남이 알든 모르든 그건 상관이 없어요. 내가 알고 있는 게 그게 괴로운 겁니다. 그러기 때문에 괴롭지 않게 살아라 하는 얘깁니다.

남이 두렵고 남이 무서워서 그런 게 아니라, 내가 알고 있는 것이 내게 괴로움을 가져오는 거고, 내가 편안하기 위해서 여러분한테 그렇게 하는 거죠. 어떤 때는 참, 부모도 없고 불쌍한 애들, 어떤 때는 등록금도 못 내고 그럴 때는 말이죠. 참 그런 거 누가 좋아합니까? 누가 주었다는 거 말해도 좋아하지 않을 겁니다. 남의 체면도 있지. 그럴 때 그냥 내주면서도, 그것은 내가 괴로우니까 내가 마음 편안하려고 주는 겁니다. 어떻습니까? 내 마음 편안하자고 나 사는 겁니다. 여러분 마음이 편안해야 내 마음이 편안하기 때문에 '중 노릇 하기 참 어렵구나!' 하는 겁니다.

어떤 때에는 빚을 내서 시주를 한다고 가져온 적도 많이 있었습니다. 도로 줄 때가 있죠. "야! 누가 빚 내가지고 오랬어!" 그러고 주면서 "네가 괴로우면 내가 괴로워! 난 괴롭기 싫어. 이게 이자 늘어가면 내가 죽겠어. 당신이 죽겠는 것보다 내가 죽겠어. 그러니까 난 이거 안 되겠어. 갖다 갚어. 심부름 좀 해!" 이럽니다. 내 심부름 좀 하라고 그래요. 그럴 때가 있습니다. 없는 사람은 절에 와서 부처님을 친견 못 하고, 없는 사람은 부자가 될 수 없다라는 조건이 붙어 있는지 그것 좀 잘 생각해보세요.

없는 사람이나 있는 사람이나, 아픈 사람이나 안 아픈 사람이나 어떤 스님네들은 "병 고치는 게 중인가?" 이러는 사람이 있고 "그건 이단이다." 그렇습니다. 이단이 아니라 일단이라도 좋다 이거야. 그거는 당장 내가 아프고 내가 귀찮으니까 하는 거지 내가 일단 되기 위해서, 정법 되기 위해서 이런 공부한 게 아니다 이거야. 내가 아픔을 겪어봤고, 내가 내 아픔과 둘이 아니기 때문에, 내가 아프지 않기 위해서 사는 사람이지, 내가 부처 되기 위해서 이 공부한 게 아니야. 하려고 해서 한 게 아니야. 자연의 섭리야, 이건. 누가 뭐래면 어때요?

내가 겪어보니까, 이렇게 살아보니까 야, 참 아픈 것도 누가 대신 아파주지 않구요. 똥이 안 나와도 대신 똥 눠줄 사람도 없구요, 허허허. 참 피곤해도 누가 대신 피곤해줄 사람도 없고, 누가 대신 울어줄 사람 없습니다. 그러기 때문에 여러분이 그렇게 내 아픔처럼 아프고 불쌍하게, 정말 뼈아프게 아픈 때가 많아요. 그런 분들이 방에 들어와서 이런 얘기 저런 얘기합니다. "알았습니다. 알았습니다. 어서 가십시오." 이럽니다. 왜? 내가 아픈 거를, 내가 빨리 어떻게 어떻게 낫게 하려고 말입니다. 아프기 때문입니다. 얘기 듣기만 하면 됐지 뭘 내가 더 말할 게 있습니까, 괴로운데. 그 사람은 그렇게 괴로워하는데. 모든 게 나 괴롭지 않기 위해서 여러분에게 빨리 나가라고 그러기도 합니다. 그러니까 뭐이 좋아서 자꾸 얘기할 맛이 나겠습니까? 어떻게, 처리를 어떻게 하나 하구선 좀 잠시라도 이렇게 쉬고 싶습니다.

그래서 어떤 때는 변소 안에 가서도, 어떤 사람은 무슨 부처가 변소 안에 있느냐고 그러더군요. 예전에 두루마기를 입고 변소에 그냥 들어갔습니다, 급하니까. 야단법석이 났습니다. 두루마기를 입고 어찌 변소 안에 들어갔느냐 이겁니다. 그때에 어린 마음에도, 지금처럼 나이나 먹었으면 그냥 픽 웃고 말았을 텐데…. 그때는 그냥, 입이 근지러워서, 허허허. 그러니깐 좀 모자랐죠. "아니, 우리가 변소 안에 드나드는데 부처가 변소 안에 없다구요?" 아, 요렇게 되받았지 뭡니까? 허허허. 그리고 그 스님한테도, 아유, 모자란 게 한두 가지가 아니에요, 저도. 그때 몰라서 그랬죠. "당신에게는 반밖에는, 반 절밖에는 못 하겠소." 허허,

이랬거든요. 그 왜 그랬나? 그때는 너무 삐죽하고 빳빳하고 아주 눈에 불이 펄펄 날 때니까. 그때는 그렇게 너그럽게 벼이삭이 숙여질 수가 없었기 때문입니다. 내가 알면서도, 그렇게 하지 말아야 하는데도 불구하고 그렇게 했다 이겁니다.

또 무슨 표창장을 주면은, "뭐 잘했다고 상장 줍니까?" 이러고, 아, 내가 하고 싶어서 한 건데 뭐 스님네들이 날 뭘 주느냐? 이거야. 그리곤 그 자리에서 박박 찢어버리는 그런 행태, 그러니깐 몹시 나빴다고 생각을 하면서도, 그러나 그런 과정 없이 어떻게 벼이삭이 첫번부터 익을 수 있느냐는 얘깁니다. 그러니까 모르는 사람이 있어도 "저게 바로 내 모습이야!", "저게 바로 나야!" 이렇게 됩니다. 내가 만약에 그렇게 안 해보고 그렇게 겪어보지 않았더라면…. 그분들이 다 스승이야, 내 밑거름이고. 그러니까 그걸 받아줬지. 안 받아줬어도 거름이요, 받아줬어도 거름이에요.

어떤 한 큰스님은 너무 너그럽게 날 받아주시고 불쌍히 생각해주시고, 아주 나이 어리다고 그냥 남몰래 아껴 주셨습니다. 그런데 남들이 욕을 합니다. "저 노장은 도무지, 저 하치않은 애한테 저런다."고 말이야. 그러니까 누룽갱이 한 조각이라도 몰래 주느라고, 세상에! 이 마음밖에 더 무서운 게 없어요, (주먹을 쥐어 보이시면서) 마음! 아무리 거대하고 잘나도 그런 마음을 나눌 수는 없는 겁니다. 이 마음이 얼마나, 죽으나 사나 마음이라는 게 얼마나 귀중한지 모릅니다. 그랬던고로 그분들은 죽지 않았다고 봅니다. 또 여러분은 앞으로 죽는다고 보십니까? 여러분도, 사람이 진화돼서 다시 모습을 바꿔가지고 나올 뿐이지 죽지 않는다는 것을 아셔야 됩니다. 오늘의 차원이 바로 내일의 차원이요, 또 내일이 오늘입니다. 오늘은 이걸로써 마치겠습니다.

자가발전소를 계발하여 쓰자

87년 3월 15일

　　여러분과 같이 항상 한자리를 하고 있지만 또 오늘 새삼스럽게 이렇게 눈동자를 마주치면서 한자리를 하게 됐군요. 이 말은 여러분 앞에 또 한 번 되돌려서 말씀을 드리고 넘어가야 할 일이 있기 때문에 한 번 더 말씀을 드리겠습니다. 항상 할 적마다 그렇게 말씀드리고 있죠. 주인공(主人空)은, 주인공이라고 하는 이름은 고정 관념과 고정 행, 고정된 말이 없고 모든 것이 고정됨이 없기 때문에 공(空)이라고 했던 겁니다. 색(色)이면서도 공이고, 공이면서도 이렇게 보이는 색이 역력하다고 하는 뜻에서 바로 공이자 색이고 색이자 공이라는 소리를 했던 겁니다. 그 반면에 우리가 간편하게 공의 뜻을 그대로, 우리는 주인공에서 고정됨이 없는 뜻을 표현할 때 현대에 비교해서 말씀을 한 번 더 드리고자 합니다. 그리고 나중에 말씀을 또 드리죠.

　　지금 여러분이 생활을 하고 있는 이 시점에서 발전소가 있다면 그 발전소에서 용량대로 용도대로 자기가 쓰고 싶은 대로 전력을 쓰고 있지 않습니까? 누구나가 다 자기 용량대로 자기의 용도대로 지금 쓰고 있습니다. 안 그럴까요?

　　이거를 비교해 보십시오. 수천 수만 가지로 용도는 많습니다. 전력의 용도도 자기가 쓸 만큼 쓰고 있습니다. 많이 쓰는 덴 많이 쓰고, 적게 쓰는 덴 적게 쓰고, 그릇대로 쓰고 있는 것입니다. 그러면은 그 전력은 어디서 나오나요? 발전소에서 나옵니다 발전소에서 나오는 그 전력을 가지고 수많은 사람들이 자기의 용도대로 그냥 쓰는 겁니다.

그렇게 용도에 따라서 쓰는 걸로 비교해서 얘기한 겁니다. 그러기 때문에 주인공이라고 한 것입니다. 고정 관념도 없고 고정 행도 없다. 자기가 그릇대로 용도대로 쓰는 것이다. 우리가 숨을 쉴 때에 들이쉬고 내쉬는 것이 잠시도 쉬는 사이가 없고, 잠을 자도 쉬지 않고, 일을 해도 쉬지 않고, 일어나도 쉬지 않고, 앉아도 쉬지 않는 거는 바로 숨쉬는 일입니다. 이것이 바로 진리의 근본의 표현이라고 볼 수 있겠습니다.

우리 자가발전소는, 인간의 마음의 근본 자가발전소는 원자력의 자가발전소라고 할 수 있습니다. 그 원자력의 자가발전소는 광력이나 전력이나 자력 등이 합쳐서 나한테 있단 말입니다, 모두 각자 여러분한테. 그러기 때문에 용도에 따라서 빛이 나가려면 빛이 나가고, 능력이 나가려면 능력이 나가고, 모든 점에서 광선 또는 자석이, 모든 것에 의해서 밀치려면 밀치고 당기려면 당길 수 있는 그런 용도의, 모든 용량이 거기에 규합돼서 있는 겁니다. 그러니 여러분은 그 광대무변한 보배의 힘을 가지고도 자기가 지금 현재 자기 무명체를 가지고서 쓰지 못하는 것뿐입니다.

왜 무명체라고 했을까? 금(金)이 빛을 내지 않았기 때문에 광이 나오지 않으니까 무명체라고 한 것이죠. 실상이 되지 못하고 중생이라고 그랬죠. 중생은 중생이로되 금이 빛나듯이 빛이 난다면 으레히 남도 충전시켜 줄 수도 있고, 나도 언제나 용량에 따라서 충전해서 쓸 수 있는 겁니다. 자기 자성에서 그렇게 마음대로 할 수 있는 그런 힘을 여러분이 다 가지고 있습니다. 왜 재차 이런 말을 하느냐. 나는 똑같이는 못 합니다마는 항상 그 말을 하고 있습니다.

그런데 이 자성(自性)의 자가발전소는 꺼진다거나 켜진다거나 하는 언어가 붙지 않는 자립니다. 여러분이 하나하나 걸리고 가시는데 예전에 이런 점이 있죠. 무명천(無明天)이 있다면 환상천(幻相天)이 있고, 환상천이 있다면 삼중천(三重天)이 있고, 삼중천이 있다면 바로 인천(人天)이 있고, 인천이 있다면 도리천(忉利天)이 있고, 도리천이 있다면 도솔천(兜率天)이 있다고 했습니다. 그게 무슨 소리냐? 그 이름은 각각 일곱 가지의 이름이지마는 천(天), 천 했습니다.

　　즉 그것을 알고 보면 동그라미를 일곱 개를 그려놓고 어떤 것이냐 하면은 그것이 다 어떻게 될까요? 그래서 도리천이라고 한 놈이나, 환상천이라고 한 놈이나 다 한 놈이 하지마는 그래도 물맛은 물맛대로 나는 것이고, 산맛은 산맛대로 나는 것입니다. 그리고 들맛은 들맛대로 나고, 맛있는 건 맛있는 거고 맛없는 건 맛없는 거라 이 소립니다. 그러기 때문에 천은 천이로되 둥근 천이며, 한마음이며 근본입니다, 전체가.

　　그러나 '사람은 고정 관념으로써 있지 않고, 고정 행이 없으니 맛도 천 가지 만 가지 맛이 나네.' 하는 소립니다. 만 가지 맛이 나! 그럼 아까 전력을 용도에 따라서 만 가지를 쓴다고 했죠. 그와 같이 자기 그릇대로의 씀씀이를 쓰고 있는 겁니다. 가정집에서는 전기를 얼마 쓰고, 또 공장에서는 모터를 돌려야 될 테니까 얼마를 쓰고, 용량에 따라 아주 자유스럽게 여러분이 다 쓰고 있는 겁니다. 그와 같이 지금 우리도 쓰고 있습니다. 그런데 그걸 쓸 줄을 모른다는 얘깁니다. 왜냐하면은 이 무명천에서 색(色)을 보고 너무 취해. 사랑, 애정, 욕심, 착, 이건 뭐 하나서부터 열까지 끄달리는 거야, 끄달려. 그러니 그걸 볼 수가 있나요?

　　그래서 모든 것은 포함해서 '거기서 나오는 거 거기다 놔라' 하는 것입니다. 우리가 그것을 비유할 때 어떻게 놓습니까? '아니, 사람이 사는데 놓고 어떻게 삽니까? 사랑도 할 수 없고, 돈도 가질 수 없고 다 버리게 되면 뭘 가지고 삽니까?' 이러거든요. 누가 사랑을 하지 말랬나, 돈을 갖지 말랬나요? 사람이 누구나가 다 육신이 자기 실참이 아니란 뜻입니다. 자기 주인 자체가 바로 실참이요, 실상이라는 것을 우리가 분명코 안다면 우리는 바로 그 용량을 아주 맞있게 쓸 겁니다.

예를 들어서 회사를 하든지 장사를 하든지, 가정에서나 무엇이든지 그렇습니다. 요거를 했으면 요거 했다는 생각도 없이 그냥 놓고 또 딴 걸 합니다. 딴 거 할 때, 전력으로 비유를 했으니 계속 전력으로 얘기를 하겠습니다. 요거 용량의 기계를 썼으면 그 스위치는 저절로 자동적으로 꺼야 합니다. 꺼집니다, 쉬니까! 이거를 또 돌립니다. 이거를 돌려서 쓰고 저거를 돌려서 쓸 때, 안방에서 불을 켜고 쓸 때에 거기 사람이 있지 않으면은 불을 끕니다. 끄고 사람이 이쪽으로 오면 또 불을 켜고서 씁니다. 이해가 가십니까?

이것이 우리들의 생활 속에서 하나하나 놓고 가는 방법 그대로입니다. 그대로 놓고 가는데도 불구하고 놓을 수가 없다고 그러는 겁니다. 왜 여러분이 놓을 수가 없다고 그러는지 난 모르겠습니다. 하나 하고는 돌아서선 딴 거 하면서도, 그거는 놓고 벌써 딴 거 하면서도 놓을 수가 없다는 겁니다. 왜 그럴까요. 난 이상스러워요. 그것을 알게 돼야 우리가 인천도 환상천에 속해 있지 않고, 환상천도 인천에 속해 있지 않고, 모든 것이 사방이 탁 터지게끔 되는 것입니다. 여러분은 하나에서부터 열까지 다 걸려 있는 겁니다. 예를 들어서 거짓말 한 마디를 했는데 그거를 감추기 위해서 백 마디를 해야 하는 일 같은 거 말입니다. 나중엔 결국 터지게 되죠. 이렇게 해서 망하는 사람도 있고 이렇게 해서 결국은 좋은 빛을 못 보는 사람들도 많습니다.

그렇다면 우리가 어떻게 놓고 가야 하느냐? 그 용도에 따라서 아까 씀씀이를 쓴다고 했는데 거기는 얼마든지 내 그릇대로 용량대로 쓸 수가 있지 않겠습니까? 전기를 지금 쓰고 있듯이. 자기 살림의 차원대로, 생활 수준대로 씀씀이가 크면 큰 대로 작으면 작은 대로, 우리는 그대로 놓고 지금 돌아가는 겁니다. 우리 인간은 탑돌이 하는 거와 같습니다. 쉬지 않고 말입니다.

그런데 여기에 따라서 우리가 한번 옛날 애기 삼아, 그건 옛날 애기가 아니라 지금 시점에서 우리 나라를 볼 때도 그렇고, 우리가 지금 살아나가는 생활 속에서도 그렇고 모든 것이 지금 현실이라고 봅니다. 현실만이 있는 것이 아니고 미래도 현실이고 과거도 현실이니까. 삼중천이라고 하는 그 자체도 몸으로 비교해본다면 바로 그것이 예전에 '과거심 불가득(過去心不可得), 미래심 불가득(未來心不可得), 현재심 불가득(現在心不可得) 어떠한 떡을 자시렵니까?' 한 그 뜻도 거기에 있습니다. 여러분이 뭐 알아야, 어디 끈을 붙잡을 수 있어야 뭐가 어떻게 터지든지 말든지 하죠. 그러니까 여러분이 이해가 가게끔 나와 더불어서 애를 쓰는 겁니다. 참, 공부하려고 애를 쓰시는 여러분을 볼 때마다 눈물이 핑 돕니다, 감사해서요.

옛날에 아주 불여우같이 만날 남을 해롭게만 하던 사람이 하나 있었고 또 한 사람은 부처님 법을 배워서 선신으로서 아주 충만한 두 사람의 친구가 있었더랍니다. 한 사람은 아주 악으로다 공부를 했고, 한 사람은 선으로다 공부를 했습니다. 그런데 그 사람네들이 그렇게 살다가 죽어서 이 세상에 또다시 나오게 됐는데 아, 그거는 안 내보내려고 그랬는데 어떻게 빠져나갔거든요. 악으로다 쓰는 사람 말이에요. '주먹은 가깝고 법은 멀다'는 그런 속담 있죠. '한 도둑 열 놈이 지키지 못한다'는 얘기가 있듯이 말입니다. 재주가 좋아서 빠져나가서 이 세상에 몸을 받아 났거든요.

그런데 옛날의 중국에서는, 중국땅이라도 나라가 뭐, 연나라니 초나라니 제나라니 한나라니 이런 게 많지 않았습니까? 여러분은 아마 저보다 더 잘 아시리라고 믿습니다. 그런데 같이 태어났는데 여자로 태어났습니다. 하나는 부잣집에, 정말 여우로서 행동을 아주 나쁘게만 하는 그 친구는 자기가 자발적으로 부잣집으로 태어나게 됐고 하나는 가난한 집에 태어났습니다. 그런데 자기가 전자에 그렇게 나쁜 짓을 했다는 걸 이 사람은 모릅니다. 또 한 사람도 자기가 전자에 그렇게 잘 했다는 것을 또 모릅니다. 그랬는데 서로 알게 되었습니다.

가난하니까 하루는 사냥을 나갔습니다. 그 시절에는 사람이 지금처럼 많지도 않았고 귀한 때였지, 이렇게 많은 시절은 아니었던가 봅니다. 비유해서 얘기하는 겁니다. 지금 현실에 우리가 어떻게 지내고 있고, 지금 우리 나라가 어떠하며 우리는 공부를 어떻게 하고 있으며, 공부하는 사람들이 어떠한 태도를 취해야 되는지 그것을 얘기하는 겁니다. 그래서 사냥을 하러 나갔는데 나쁜 사람들이 그 왕을 죽이려고 말입니다. 즉 말하자면 딴 나라의 신하들이 그 왕을 죽이려고 말입니다. 그쪽에서도 사냥을 나왔는데 이쪽 왕을 죽이려고 달려드니까 신하들이 그냥 있겠습니까? 서로 싸움이 났는데 이쪽 착한 왕이 죽게 됐더랍니다.

그런데 그 착한 여자가 보니까 도저히, 자기가 그때 문득 생각나는 게 '아하! 저 사람은 아주 착하고 이 세상에 정말 없어서는 안 될 사람인데.' 하는 생각이 들면서 '자기는 할 수 있다' 라는 생각도 없이 그냥 그 왕의 칼을 쓱 뽑아서는 그냥 친 겁니다. 그대로 다 무찌르고 다 쫓아버린 겁니다. 그 여자는 가난하게 살았기 때문에 손도 말이 아니고 얼굴도 말이 아니었습니다. 그러나 그 왕은 자기의 생명의 은인이니만큼 어쩔 수가 없었습니다. 왕비로 맞기 위해서 데리고 갔습니다. 가서 목욕을 시키고 해서 왕비로 맞이했습니다.

그랬는데 그 나쁜 여자는, 이 왕을 죽이려고 하던 상대 나라의 왕비가 된 겁니다. 그 두 친구, 하나는 선이고 하나는 악이었던 그 친구가, 다시 여자로 태어나서 왕비가 된 겁니다. 그런데 대립이 졌습니다. 자기네들도 모르게 대립이 되는 겁니다. 시험이 되는 겁니다, 이제. 그러니 그렇게 악하게 살던 사람은 또 악하게 그렇게 하고, 선하게 살던 사람은 선하게 남을 구제하고 그러는데 나라가 위태하게 됐습니다. 예를 들어서 그쪽의 악한 나라의 왕비는 자꾸 임금을 악하게만 끌고 갑니다. 그런데 이쪽 왕비는 선하게만 끌고 갑니다.

그런데 악한 그쪽에서 백지 한 장을 활에다 매어서 보냈단 말입니다. 끌러 보니깐 글씨가 하나도 없어요. 신하에게 다 보여도 이 글자를 도저히 알 수가 없는 겁니다. 그러니 어떡합니까? 무엇이 어떻게 됐는지, 무엇을 어떻게 하라는 건지, 어느 때 쳐들어온다는 건지, 안 쳐들어온다는 건지 도대체 알 수가 없는 겁니다. 이걸 몰라가지고는 도저히 안 되겠으니까 걱정을 하면서 내실로 들어갔습니다.

그래서 왕비한테 걱정스러운 듯이 그런 얘기를 했습니다. 그러니까 "그 백지를 제게 좀 보여주셨으면 어떻겠습니까?" 했습니다. 왕비는 아주 겸손하고 뭐든지 모르는 척하고 살아요. 알지만 그러한 내색도 없이 했습니다. 남편한테도 자기가 그런 능력이 있다는 것을 영 내비치지도 않게끔 자꾸 다짐을 하고요. 사람이 값싼 데다 쓰는 게 아니라 급할 때 쓰는 것이지, 아무 때나 쓰는 게 아니다라는 얘깁니다. 그래서 신하더러 가져 들어오라고 해서 부인에게 보였죠. 그 임금은 부인의 말을 100%로 믿고 갑니다, 얼마나 착한지. 이 부인이 참, 보살이죠. 이거는 정말 누구 말마따나 관세음보살이지 보통 문제가 아니죠. 그래서 보더니 "아무개야, 물 한 그릇 떠 오너라." 그러거든요. 물 한 그릇을 넓은 데다 떠 오니까 이 물에다가 이 종이를 넣고 "아주 정성스런 대왕의 피 한 방울이 여기 들어가야만 이 글씨는 보입니다." 하거든요.

이건 무슨 뜻이냐? 피를 정말 넣어서 넣는 게 아닙니다. 그걸 아셔야 됩니다. 정성입니다. 내 마음으로 진짜로 믿고 이것을 생각을 하느냐 안 하느냐 문제입니다. 자기 나라의 임금이라면 생명을 걸고 임금 노릇을 해야 돼요. 몸을 사리면은 임금 노릇을 못 하죠. 그래서 칼을 가져오라고 해서 자기가 손수 오른손 손날 부근을 잘랐습니다. 조금 해 가지고 한 방울 떨어뜨리니까 그것이 퍼지면서 그 백지, 물 속에 넣은 백지 속에서 글씨가 나오되 '이 글자를 못 읽으면 내가 너희 나라를 쳐서 삼키겠노라.' 하고 써 있었던 거예요, 이게. 그래서 그냥 백지에다가 아무 소리 없이 그 부인이 '무(無)' 자 하나 썼는데 그것도 보이지 않는 백지예요. '무(無)' 해서 그냥 보냈어요. 그러니 그쪽에서는 쳐들어올 수가 없었던 겁니다. 이게 지금 글씨를 써서 보내도 문제인데 글씨를 쓰지 않았어도 글씨를 탁탁 알아내고 이걸 답을 했으니, 거긴 의인이 있다는 얘깁니다. 그러니 그 나라를 칠 수가 있어야지. 아무리 여우 아니라 불여우라도 어떻게 할 수가 없었단 말입니다.

그래서 참 그 나라를 잘 이끌어가고 있는 도중에, 그 악한 도술이, 그러니깐 여긴 도력이고 그쪽엔 도술입니다. 예를 들어서 지금도 영화에 많이 나오겠지마는 예전엔 도술은 육신무예, 술(術)! 또 마음을 깨달아서 도력으로써 하는 사람은 이 마음으로 하여금 머리를 굴려서 도력이라고 합니다. 정신무예! 이렇게 나옵니다. 그런데 그러한 문제들을 많이 가지고 있으나 도력으로써 그렇게 100% 무궁무진한 사람은 찾아볼래야 찾아볼 수가 없고 그 사람을 이길 사람은 없었습니다. 그런데 도술로써 임금을 죽였단 말입니다. 죽인 게 지금으로 치면 안락사, 즉 도술로다가 죽였단 말입니다.

우리가 지금도 그냥 죽을 때가 돼서 죽으면은 삼중천이나 저런 데 가서 이름이 다 통하는데, 환상천이다 하는 거는, 아직 죽을 날짜가 되지도 않았는데 죽은 사람들은 그런 데 들어가서 이름이 박히지 않고 그냥 거기 몰켜서 때를 기다리고 있는 그러한 장소라고 볼 수 있겠습니다. 죽긴 죽었는데 가만히 보니깐, 이건 도저히 안 되겠어. 그래서 신하들더러 이 앞뒤를 아주 철저하게 지키게 해놓고 자기는 "내가 이 자리에서 몸을 움죽거리지 않고 죽은 거 같이 보일 테니까 모두가 장사를 지내자고 하더라도 절대로 나를 장사 지내지 말아다오." 그러구선 혼백을, 남편의 혼백을 찾으러 가는 겁니다. 그래서 그 혼백을 찾으러 들어가서, 간단히 얘기하죠, 아까 얘기 했으니까. 우리들이 지금 사는 이런 데는 무명천이라고 합니다.

그래서 환상천을 거쳐서, 인천을 거쳐서, 삼중천을 거쳐서 보니까 거기 이름이 들어와 있질 않아. 그래서 물었더니 거기에서 일러주었습니다. 아직 여기에 들어오지 않은 사람은 거기 가보면은 알 수 있다고요. 즉 아까 얘기한 환상천을 얘기하는 거죠. 그래서 환상천에 가서 모든 것을 조사한 끝에 혼백을 찾았습니다. 모든 부처들이 사방천에서도 도와주고 참 도리천에서 도솔천에서 한마음이 돼서 도와주었기 때문에 그 혼백을 찾아서 가지고 나오는데 무엇을 생각했느냐 하면, '아하, 내가 이렇게 갔다가 나올 수 있었던 거는, 환상천도 무(無)고 이 무명천도 무다.' 이거야. '모두가 무로 돌아가서 내가 직접 이 혼백을 가져오는 것이고, 조끄마한 좁쌀 알갱이 하나만한 그 원동력이 이 세상을 싸고도 남는구나!' 하는 그런 생각을 했더랍니다.

그래서 자기가 과거생도 알았고, 자기가 어떻게 해 나온 것도 알았고, 후일에 어떻게 될 것도 알았고, 나라가 어떻게 될 것도 알았고, 모든 걸 거기에서 비춰봐서 다 알게 되고 그때에 눈도 뜨고, 즉 말하자면 불가에서 말하듯이 천안통으로 모든 걸 알았답니다. 그래서 그 남편의 혼백을 가져와서 자기도 살고 남편도 살고, 그래가지고서 나라를 일으켜 세우면서 참, 어떻게 행을 했을까?

그분은 몸으로서 그렇게 한 게 아니라 악하게 하는 사람을, 즉 말하자면은 왜, 애들 만화영화 있죠? 만화영화로만 보시면 안 돼요. 그게 현실로, 무전통신기와 광선, 레이저 광선이 있는 거를 보세요. 그게 그걸로만 돼 있는 게 아니거든요. 그러니까 앉아서 신하들은 다 놔주고 나쁜 사람들은 다 쳤답니다. 그 부인이 말입니다. 앉아서 그렇게 하고, 삼국을 통일하는 데도 역시 뒷전에서 많은 도움을 주고 나서서도 봐주었다는 얘깁니다. 나중엔 온데간데가 없어졌다고 그렇게 말은 합니다마는 절로 들어가서 고승이 됐다 합니다.

그때에는 칼이나 창으로 싸우고 했지마는 지금은 어떤 세상이 되었습니까? 공중에서 싸우지 않으면 지금 육군이나 또는 공군이나 해군이나 군부가 있다 하더라도 압도적인 문제가 있다면 우린 삽시간에 어떻게 할 수가 없습니다. 그런 논의가 지금 세계적으로도 그렇지마는 다른 어떤 혹성에서도 그럴지도 모릅니다.

　이거는 여러분이 모르기 때문에 내가 어떻게 할 수가 없습니다마는 그러기 때문에 우리는 이 도리를 알아야 앉아서도 해결할 수 있다는 점을 아셔야 됩니다. 죽겠다고 하니깐 여기서 딴 데 있는 사람을 안락사를 시켜서 그 집안이 편안해졌다는 소리 들어보셨습니까? 이런 생각을 해보세요. 이런 것은 예전에도 있었던 얘기죠. 수백 사람을 살리기 위해서 한 사람을 죽여야 할 때에 그건 죽이는 게 아니다라는 겁니다. '무명만 쳤을 뿐입니다.' 하는 겁니다. 그러면 그 마음을, 즉 혼백을 또다시 내보내서 수련을 시키는 것이 되기 때문에 부처님은 죽여도 살리는 거, 살려도 살리는 거 그렇단 말입니다.

　마음이 떠나면 인연이 없다 합니다. 마음이 떠나면 어떻게 인연이 있겠습니까? 인연 없는 중생은 어찌 할 수 없다고, 건질 수 없다고 한 것이, 마음에서 떠나면 인연이 없는 겁니다. 구제가 되지 않고요. 또 지금 현시대에 우리가 어떻게 용도에 따라서, 환경에 따라서 지배 받고 있는가 하는 문제, 지난번에도 얘기했지만 미국에서도 아주 우리 반쪽을 사이 좋게 소련과 더불어 나누어 가진 겁니다. '나는 반을 가질 테니 너도 반 가져라.' 무슨 물건처럼 말입니다. 사탕 반 조각 쪼개듯이 말입니다. 얼마나 기가 막힌 일입니까? 우리 국민으로서 생각한다면은 대의적인 생각을 떠나서 국내에서 태어난 국민으로서는 참 처참한 문제입니다. 그래서 이 도리에 대해서 열심히 공부하셔야 될 겁니다.

　또 깨우치지 않았다 하더라도 급하면은 나올 수 있다는 것은 요령만 알면 된다, 급하면 되게 돼 있습니다. 우리가 그 용도에 따라서 크면 큰 대로 쓸 수 있고 작으면 작은 대로 쓸 수 있습니다. 육지에서 쓸 거면 육지에서 쓰고, 공중에서 쓸 거면 공중에서 쓰고, 물에서 쓸 거면 물에서도 쓸 수 있습니다. 앉아서 보조를 할 수 있다는 얘깁니다. 직접 보조를 할 수 있는 내가 될 수 있다라는 얘깁니다. 여러분이 이 소리를 그냥 흘려버리지 마십시오.

우리가 살아나가려면 가시밭도 자갈밭도 아주 험한 진 구덩이도 나옵니다. 우리가 어떻게 살아왔습니까? 나는 여러분을 볼 때마다 눈물이 어리는 것은, 여러분 있을 때뿐만 아니라 가끔 눈물을 흘립니다. 왜? 저뿐이 아니라 여러분과 더불어 같이, 옛날에 수억겁 전에 사람 하나 만나기가 사람 하나 되기가 힘들었거든. 그때에 사람이 몇백 리에서 하나 났으면 또 몇백 리 건너에서 하나 나고, 여기서 나고, 저기서 나고 그렇게 수두룩하게 난 게 아니라 백년에 하나 나기 어려울 만치 그렇게 어려웠단 말입니다. 그러면 십년에 하나 나기 어려웠을 때에 사람을, 여자나 남자나 한 번 만나기가 얼마나 어려웠겠습니까? 한번 생각해보시겠습니까? 그럴 때에 여자가 남자를 만나고 남자가 여자를 만났을 때에 지금 현재에도 인간뿐만 아니라 저런 벌레들도 그렇고 모두 그렇습니다.

　　그러면 이것이 참…. 누가 이렇게 얘기를 합니까? 그렇게 만나고 지금까지 내려와서 형성된 이 인간의 밟힘이 얼만큼 아팠나, 어떻게 살아왔나? 지금까지 모습을 바꿔가면서 진화돼서 이날까지 왔던 거라면 그냥 갈 수는 없죠. 수억겁 전년으로 돌아가는 게 아니라 그것이 진화돼서 지금 젊어지고 있다는 얘깁니다. 잠재의식 테이프에 살아온 것이 다 나오게 돼 있어요. 어디서 오고 어디로 가는지가 말입니다. 그러기 때문에 그걸 알게 되면은 모두 둘이 아니고, 모두가 형제고 부모고 자식입니다.

　　우리가 인간으로서만 그렇게 된 게 아니라 미생물에서부터 말입니다. 그건 뭐 중간은 말 안 해도 여러분이 잘 아시겠죠. 지금도 피를 흘리고 수많은 짐승들이 그렇게 쫓기고 쫓고, 또 우리도 역시 쫓기고 쫓고 밀려나고 이렇게 살아나오는 이 시점에서 지금 여러분이 이 자리에, 한 자리에 지금 태어나서, 한국이라는 이 자리에 태어나서 한 국민으로서 여러분이 해야 할 일이 무엇인가? 어떻게 생각을 하고 어떻게 행을 하고 어떻게 말을 하고 어떻게 살아야만이, 우리가 참 정당하게 또 편리하게 화목하게 웃으면서 살 수 있을까? 그리고 어디서 무엇이 어떻게 쳐들어온다 하더라도 콧방귀 탁 뀌고 껄껄 웃으리만큼 돼야 되지 않겠습니까?

그러니 여러분한테 이런 말 저런 말 되풀이한다고 '난 듣기 싫어, 졸려.' 이러지 마시고 똑같은 말이라도 한번 믿어보시고 또 생각해보고 또 생각해보고 한다면, 그 생각 속에서 달리 또 생각이 나오고 또 생각이 나오고 그럴 겁니다. 모두가 둘이 아닌 그 뜻을 그냥 말로만 이론적으로만 듣지 마시고 우리 그 잠재의식 테이프에 다 감긴 그것이 착- 나오는 대로, 저 스크린 돌아가듯이 나오는 그것을 잘 생각해 보세요. 얼마나 자기가 처참하게, 나와 더불어 같이 걸어왔나를 여러분이 잘 아신다면, 누구를 보고 그냥 악하게 할 수가 없고, 누구를 보고 남이라고 할 수도 없고, 누구를 보고 때릴 수가 없고, 누구를 보고도 그렇게 할 수가 없을 겁니다.

그러면 무지렁이같이 그냥 순해 터진 양처럼 그렇게 사느냐? 아닙니다. 요만한 거 하나, 싸래기 반토막 하나 에누리가 없이 살면서도 그렇게 선명하게 살 수 있는 겁니다. 아까도 얘기했듯이 만 가지 맛이 나도록 말입니다. 과일이 만 가지 맛이 난다면은 만 가지 향내도 날 것이고 또 무르익는다면 여러분이 전부 말없이 그것을 먹을 것입니다. 제 나무에서 제 과실이 열리게 해서 무르익게 해서, 바로 자기가 맛을 본다면 그 과실 하나에서 맛이 만 가지가 나는 것을 볼 때, 우리가 산에 가면 산맛이 나고 들에 가면 들맛이 나고 꽃을 보면 꽃맛이 나고 죽은 사람하고 얘기할 수 있어야 꽃하고도 얘기할 수 있는 거죠. 나무하고도 얘기하고, 벌레하고도 얘기하고. 죽은 사람들 전체, 전부와 얘기할 수 있어야 회전이 되고 말고 할 거 아닙니까? 그래야만이 앉아서 뭘 어떻게 하든지 하죠.

그래서 모습 없는 모습들이, 수천 수만이 이 허공에 수없이 있다는 얘깁니다. 그래서 천도재도 생긴 것이죠. 날짜가 되지 않았는데도 천도재를 해서, 이를테면 재판 받는 거나 마찬가지라고 할 수 있습니다. 그래서 자식은 부모님의 예수재를 지내드리고 또 천도재도 지내드리는 것입니다. 여러분이 때에 따라서는 공부하다 조금만 뭐해도 어떤 분들은 잘못됐다고 관음시식을 지내드리고 이러는데 그것은 천부당만부당한 소립니다.

　　오늘 여러분과 이렇게 눈을 맞대고, 이마를 맞대고 같이 한자리에 앉아서, 수억겁 전년에도 이렇게 같이 있었는데 지금도 이렇게 같이 있습니다. 우리가 부처님이, 석존이 여기 계시다 할지라도…, 왜 멀리 두십니까? 내 주인공 하면은 그 속에 석존이나 일체제불이 다 계신 것을, 일체 조상들이 다 계신 것을 구태여, 왜 멀리 바깥으로 내놓고선 찾습니까? 그러니 여러분이 잘 깊이깊이 생각하셔서 기복을 떠나시면서 자성(自性), 자신을 아셔야 될 것입니다. 오늘은 이걸로써 끝마치겠습니다.

새 삶을 창조하자

87년 4월 19일

오늘 이렇게 여러분과 같이 한자리에, 항상 한자리를 하면서도 또 한자리를 한 것 같습니다. 우주의 섭리와 더불어 우리 생활이 같이 돌아가면서도 너 나가 있듯이, 너 나가 있으면서도 한자리 하고, 한자리를 하면서도 한자리가 아니고 한자리가 아니면서도 한자리를 할 수 있는 깊은 뜻, 그 깊은 뜻에 의해서 우리는 움죽거리고 있는 것입니다.

항상 여러분한테 말씀해드리는 것은 말로 그냥 떨어지게 하는 게 아니라 그 말이 법이 돼서 여러분한테 이익이 가고 여러분 생활에 지침이 될 수 있는 그러한 문제가 필요합니다. 우리가 책을 보고 어떠한 이론이나 가지고 생활에 지침이 없게 한다면, 내 행동에 지침이 없고 내 몸에 지침이 없고 내 가정에 어떠한 보람이 없다면, 삶의 뜻을 잃는다면 아무 소용 없는 것입니다. 잠시 잠깐 위로나 하기 위해서 책을 보는 게 아니라 또는 잠시 잠깐 위로를 받기 위해서 여기 오시는 게 아닙니다. 여러분이 피땀을 흘려가면서 단돈 얼마라도 벌어서 살 양으로 쫓기고 쫓는 이 시점에서 우리가 생각할 때는 너무도 딱한 일이 한두 건이 아닙니다.

그러는 반면에 여러분이 헛된 꿈을 꾸고 헛된 말을 듣고 헛되게 하지 않기를 바라면서 진심으로써 항상 말씀을 드렸지마는 또 한 번 하고 넘어가야 할 문제는 여러분이 공부하는 자세는 여러 가지가지가 있습니다. 허나 제가 길을 인도하는 방식은 세 가지가 포함돼서 한데 공존하고 있는 그 자체를 일심(一心)으로 둔다는 뜻입니다. 마음 속에 언제나 광력이나 자력이나 전력이 그대로 흐르고 있는 것입니다. 왜냐 하면은 우린 지수화풍에 의해서 그대로 거기 바탕이 되기 때문에 언제 나, 오신통(五神通)이 항상 따로따로 있는 게 아니라 바로 우리의 책정 하는 마음에, 즉 누진통(漏盡通)에 그대로 근본적인 구슬이 그냥 굴러 가고 있고 회전을 한다는 뜻입니다.

그러는 반면에 우리는 어떠한 것을 산란하게 두는가. 지난번에도 얘기했지마는 잠재의식 카셋트에 수억겁을 거쳐오면서 잠겨 있던 그것 이 솔솔 각본대로 풀려나오고 있습니다. 여러분은 그것을 모르고 그냥 '아이구, 무슨 팔자가 이래서, 무슨 운명이 이래서 이렇게 다가오는가? 너무나 가혹하지 않은가?' 이러지마는 가혹하다고 하기 이전에 여러분 이 정해놓은 겁니다. 정해놓은 거를 그대로, 한 것만치 거기서 각본대 로 나온다고 여러분한테 제가 항상 말을 했죠. 거기다가 되놓으면은 그 테이프에 앞서 녹음된 거는 없어진다고요. 여러분한테 방편을 준다 하 더라도 진실되게 방편을 드렸다고 생각합니다. 방편이자 이건 현실입 니다.

그러면 여러분이 놓는 데에 어떠한 망상과 어떠한 문제, 공부가 잘 되는지 못 되는지를 가늠을 못 하고 있노라고 하는 분들도 많이 있 었습니다. 그러나 그것이, 내가 들여놓고 내놓고 하는 그 자체가 들여 놓는 데도 한 치의 새틈이 나질 않고, 내놓는 데도 한 치의 새틈이 벌 어지지가 않습니다. 오직 거기서 나고 거기서 드는 겁니다. 그러니 어 떠한 생각을 했든지, 어떠한 행을 했든지, 어떠한 말을 했든지 자기가 중심을 잡아서 잘 해나가야만이 된다는 뜻입니다. 중심을 잡아서 잘 해 갈 수 있는 것은 인간으로 태어났기 때문이라는 얘깁니다.

예를 들어서 소나 말이나 돼지 같은 것은 세 가지의, 즉 사람이 지각이나 청각이나 감각 등 다섯 가지 여섯 가지를 충분히 가졌다면은 말이나 돼지나 소들은 세 가지 종류밖에 안 가졌다고 봅니다. 그렇다면은 우리 인간이 그 소를 보는 순간에 소는 바로 내 마음에 의해서 같이 둘이 아닐 때에 비로소 인간의 충족을 다하게 되어 있습니다. 알고 있습니다, 소뿐이 아니라. 그러기 때문에 고기가 고기로 보이는 게 아니라 소는 내 살이 되고, 바로 그 소의 마음은 내 마음이 되고, 그 생명은 내 생명이 되기 때문에 그 자리에서 그대로 요리가 돼서, 즉 말하자면 무명만 쳤을 뿐 소를 살린 것이 됩니다.

　그러기 때문에 쉬운 방법으로 여러분한테 항상 이런 얘기를 해 드렸습니다. 모든 것에 걸리지 말고 하되, 인간으로 태어났으니깐 인간의 존엄성이나 인간의 해나가는 모든 각도가 그르고 좋고 나쁘고 해로웁고 한 것을, 여러분이 너무나 잘 아시기 때문에 그것을 감안해서 잘 처리를 하시라는 얘깁니다.

　옛날에 어떤 농부가 논을 보러 나갔습니다. 위로는 부모를 모시고 아래로는 자식을 기르고 농사를 짓고 이러다 보니까 참 마음은 착했지마는 그 도리를, 물론 그 도리를 몰랐던 것은 듣지도 못했기 때문에 부처님 법을 몰랐던 거죠. 그런데 가다가 보니깐 논두렁 풀 속에 큰 구렁이가 얼기얼기 있으면서 자식을 낳아가지고선 온통 한 무더기가 있더랍니다. 그거를 그냥그냥 두고 가도 좋으련만 그걸 왜, 삽자루로 그냥 붕덩붕덩 끊어버리고 갔겠습니까. 그것이 한 가정을 다 파괴를 시켜버린 거나 똑같은 얘깁니다. 작고 클 뿐이지 또 모습이 다를 뿐이지 마음이야 어찌 사람이 자식을 생각하는 마음이나 부모를 생각하는 마음이나 다르겠습니까? 그래서 그 인연으로 인해서, 인연줄에 의해서 병신 손주들을 다섯이나 낳았습니다. 작은 아들이 낳아도 병신이 되고 큰 아들이 낳아도 병신이 되고, 이거는 자식들이 온전하게 되질 않아.

　내가 만나는 여러분 중에도 수많은 사람들이 그러한 일이, 비밀로 놔두지마는 너무 많이 있습니다. 이게 한 가정에 하나만 됐어도 좀 덜하겠습니다. 한 가정에 셋씩이나 되는 분들이 있습니다. 도저히 있을 수가 없습니다. 이거는 피 토하고 죽을 일이지 있을 수가 없습니다. 그렇다고 해서 버릴 수도 없고, 그렇다고 해서 죽일 수도 없고, 이런 문제들이 한두 건이 아닙니다. 그런 문제를 볼 때에 벌써 그것은 어떤 점에서 7대째 내려오는구나 하는 거를 알면서도 말을 못 합니다. 왜 못하느냐? 여러분한테 그 말을 하게 되면 이게 쇼크가 되고 또 그게 잠재의식에 감기기 때문입니다.

그러기 때문에 여러분 머리에서 지워주기 위해서 될 수 있으면은 그런 업덩어리가 나온다 하더라도 그게 과거로부터 쫓아나온 건데, 과거의 인연줄로 인해서 쫓아나온 건데 쫓아나온 그 자체를 우리가 다시금 거기다 놓는다면 그것이 묵살되지 않느냐고 몇 번이고 말해 줍니다.

여러분이 아무리 죄업을 많이 지었다 하더라도 반야심경에 있듯이 공즉시색(空卽是色) 색즉시공(色卽是空)이라 했습니다. 그것은 우리가 몸과 마음이 어찌 둘이겠느냐? 물질과 마음이 둘이 아니니 어떠한 문제든지 마음에서 나오는 건 마음에다 되놔라 이런 뜻입니다. 둘이 아니다. 몸이 일할 때는 마음과 몸이 둘이 아닌 것이요, 또 마음으로 생각할 때는 몸과 마음이 둘이 아닌 것입니다.

그러면 부(父)와 자(子)는 어디 있는가? 불(佛)과 법(法)이 둘이 아니라고 했는데 그것은 우리가 뭐라고 표현을 해야만 되는가? 부는 부처라고 한다면 자는 우리가 생각하는 겁니다. 그러면 부와 자가, 생각할 때는 부는 자가 돼주고 가만히 있을 때는 자는 부가 돼줍니다. 그러니깐 둘로 돌아가는 게 아니라 항상 하나로 돌아가는 겁니다. 그러면 우리가 주인공(主人空)이라고 하는 자체가, 짤막하게 우리 몸으로 비유해서 세운다 하더라도, 몸이 돌아가는 거는 마음으로 인해서 돌아가고 마음이 돌아가는 건 생명으로 인해서 돌아갑니다.

그러면 그것이 바로 부와 자, 승보인 몸뚱이, 부와 자가 움죽거리는 바람에 이 몸뚱이가 둘이 아닌 까닭에 그대로 움죽거리게 되는 것입니다. 그래서 어떤 것이 하나가 없어도 아니 되죠. 우리가 마음 내는 분별이 없어도 목석일 것이고 우리 몸뚱이가 없어도 남 보기에 보이지 않고 내가 할 수 없으니 그건 무효고, 생명이 없어도 아니 돼. 그러기 때문에 모든 게 삼위일체로 구성돼서 회전을 하니까 주인공! 어떤 거를 세워서 나라고 할 수 없으니 주인공이라고 한 거고, '공(空)이다' '없다'라고 한 겁니다. 반야심경에도 역시 꽉 차서 돌아가기 때문에 '공이다'라고 했지 없어서 '공이다'라고 허공을 가지고 그냥 말한 것은 아닙니다.

여러분이 숨 한 번 들이쉬고 내쉬고 할 때에 여러분 생명이 있기 때문에 숨을 들이쉬고 내쉬고, 그 까닭에 공기가 자발적으로 일어나는 것입니다. 인위적으로 숨쉬기를 '만든다' 하면은 벌써 그건 아닙니다. 한도가 있는 것은 인위적입니다. 그러나 우린 자연적으로 생명이 호흡을 하고 있기 때문에 자연적으로 공기가 들고 나서 우리는 호흡을 하고 있는 것입니다.

여러분이 생각할 때는 이게 뭐 별것도 아니다 이렇게 생각하시겠지마는 그게 아닙니다. 조금도 에누리가 없고 얼마나 무서운 도리면서도 자비한 도리인지 모를 겁니다. 요만큼 하나 새틈이 없다는 그 사실을 여러분이 이해를 하실는지 모르겠습니다마는 우리가 마음 씀씀이를 쓰는 데에 전체가, 작은 거든지 큰 거든지 좋은 거든지 나쁜 거든지, 거기서 다 나옵니다. 틈이 없어요.

요거를 하나 얘기를 할까요. 제가 예전에 산중에 들어가서 돌아다닐 때에 목적지도 없이 돌아다녔습니다. 이 세상에 진리는 목적지가 따로 없기 때문입니다. 시발점인가 하면은 종점이고, 종점인가 하면은 시발점이 돼서 도저히 그것은 분간을 할 수 없었습니다. 그래서 가는 대로 그냥 다리를 떼어놓은 것이죠. 떼어놓다 보니깐 어느 산중에 근근 들어갔는데 때에 따라서는 참, 장난이라고 할까요. 장난이 아니라 공부라고 할까, 진리를 배우기 위해서는 서슴지 않았습니다. 어떤 고통도 서슴지 않았습니다. 그랬기 때문에 가다가 어느 절이나 어느 집에 들어갔습니다. 하룻밤만 재워달라고 그랬습니다. 그러면은 사람 같지 않으니깐 내쫓았습니다. 내쫓아도 안 나가면은 그냥 떠다 박질러서 그냥 내쫓죠.

그러면 그 사람이 원망이 되는 게 아니라 웃음이 나는 겁니다. 왜 웃음이 나느냐? 글쎄, 왜 일부러 가서 거기서 자고 싶지도 않은 거를, 이 산울 밑에 어디 잘 데가 없어서 거기 가서 일부러 잔다고 해가지고 긁어 부스럼을 만들어서 발길로 채이고 떠다 박질리고 넘어져서 피가 나고 그러느냐 말이에요. 그걸 가만히 생각을 하니깐 말입니다. 엎드려서 가만히 생각을 하니깐 어떤 생각이 났느냐 하면은 야, 저 사람을 괜히 내가 죄를 지어주고…, 나는 나대로 우습기만 한 겁니다. 그래 어디 잘 데가 없어서 저 천막이나 쳐놓고 있는 데 가서 자자는 거냐 이겁니다. 응. 천막은 본래 쳐져 있고 본래 탁 터져 있는데, 그건 한 생각에 달려 있는 건데. 아, 그거 얼마나 편안해. 세금 달라는 소리도 없고, 와서 자란 말 자지 말란 말도 할 거 없고 그런데, 풀 속을 헤치고선 거기 가서 턱 드러누우면 만사가 편안한 것을, 글쎄 그게 무슨 짓이냐 말이야.

그리고 또 뭘 얻어먹자고 들어가는 거야, 또. 얻어먹긴 뭘 얻어먹어? 아, 맨 먹을 건데. 응. 이 세상에 먹을 게 없는 데가 어딨어. 모든 풀이 다 먹을 거라. 그런데 먹을 거를 그렇게 찾고 다니면 먹을 게 안 나와, 먹을 게 보이지도 않고 또. 먹을 걸 찾지 않고 어차피 한 번 죽을 거 해골이 있고 뼈다귀 있는 데로 가겠다 이런다면은 아예 먹을 게 나오죠. 해골들이 다 쫓아다니면서 해줘. 그러나 내가 죽지 않겠다고 살겠다고 먹을 걸 짊어지고 다니거나, 자겠다고 어디 가서 구걸을 하거나, 노비를 얻거나 이런다면은 절대 그것은 생기질 않아. 그리고 저승엘 들어갈 수도 없고, 산 몸으로 어떻게 저승엘 들어갑니까. 응? 산 몸을 가지고 산 마음을 가지고 어떻게 들어가느냐 이거야. 마음이 죽어야 들어가지.

그래서 야단을 맞고 싱그레 웃고선 본래는 그러한 마음을 굳이 가지고 갔던 게 아니기 때문에 '아하, 이것이 바로, 내가 예전에 누구한테 듣기에 이것이 바로 탁마요, 이것이 바로 탁발이요, 이것이 바로 선법의 도리를, 우리가 지혜로운 마음을 키우기 위해서 이렇게 하는 거로구나!' 하고선 스스로 나를 끌고다니는 내 참나를 고마워서 말입니다. 싱그레 웃고서 '야, 이렇게 다친 이 무르팍은 금방 낫겠지!' 하고선 그냥 갑니다. 산으로 올라갈 땐 그렇게 기분이 좋을 수가 없어요. 그렇게 기분이 좋은데 말입니다. 왜 내가 이런 말을 하느냐 하면은 그전에도 그런 말을 벌써 몇 번째 했으나 되풀이하죠.

큰 묘지에다가 등을 기대고 자려고 떡 앉았으니까 아, 거기서 머리를 풀어 산발을 하고 나와서 신발 한 짝 훔치러 왔다는 겁니다. 그게 무슨 소린 줄 아십니까? 묘지는 큰 우주의 근본 전체를 말하는 겁니다. 묘지, 묘산은. 이걸 뜻으로 배워야지 어떠한 물질로다가 배우면 안 됩니다. 그러면 엉뚱하게 그냥 물질로 가버리고 말아버려요. 뜻으로 아셔야 돼요. 응! 그래서 신발 한 짝은, 이승에 발 한 짝 저승에 발 한 짝을 디뎌야 왕래를 하죠.

그런데 그걸 처음에 듣기에는 그냥 별안간에 각중에 그렇게 일어나니까 내가 너무나 놀라서 막 뛰었습니다. 그냥 막 뒤로 가는데 그믐밤에 뒤로 가면은 어디로 가겠습니까? 그때도 어린 마음이니깐 그렇겠죠. 그래서 가다가 주저앉아 궁뎅이를 찍고 보니까는 그냥 얼마나 아프던지 눈에서 불이 번쩍 나면서, 번쩍 나는 순간에 뭔 생각이 들었느냐 하면 '어, 샐 틈이 없구나! 귀신이고 뭐고 어디 있느냐.' 이겁니다. 왜? 나한테서 나왔다 나한테로 들고, 나한테서 나왔다 나한테서 들고 그러는데 그 자리의 조작이지 딴 데서는 조작이 없어, 도저히. 그걸 아셔야 됩니다. 딴 데서 들어오는 조작이 없다는 사실을 말입니다. 그 자리입니다. 나고 드는 조작이 거기지, 나고 드는 조작이 거기라는 거를 알게 되면 속지 않습니다. 절대 속지 않습니다. 여러분은 속아서 이리 팡 치고 저리 팡 치고 하는 것입니다. 속지 마십시오. 석존께서는 속지 않았기 때문에 자기가 항복을 했고 자기가 항복을 받은 것입니다.

그래서 다시 올라가서 턱 앉아서 이런 생각을 했습니다. '샐 틈이 없이 여기에서 나고 드는데, 날 때도 샐 틈이 없고 들일 때도 샐 틈이 없는데 아니, 각중에 뭐가 나서.' 하고선 딱 앉았으니까 물리가 터지는 겁니다. 우주의 섭리라든가 이런 문제가 전부 마음으로부터 오관을 통해서 다 섭리가 터지는 겁니다. 이렇게 해야지, 머리에서 계발을 하려고 하지 마시고 마음에서 그렇게 들이고 내는 게 빈틈없다는 그 사실에, 즉 뿌리 없는 기둥이 하늘을 받치고 빙글빙글 돌릴 수 있는 그러한 능력을 내가 자꾸 길러야 합니다. 그래서 오관을 통해서 지혜로운 마음과 또는 물리가 터져서 참, 용이 됐어도 물이 없어서 헤엄을 못 치다가 물을 만나 헤엄을 마음대로 칠 수 있는 그러한 여러분이 되실 겁니다.

여러분이 가만히 생각해보십시오. 누가 정해서 여러분한테 고난을 갖다줬나, 고(苦)를 갖다줬나. 업보를 갖다줬나, 칼산지옥을 갖다줬나, 아수라지옥을 갖다줬나, 응? 여러분한테 오간지옥을 누가 갖다줬겠습니까? 여러분이 만들어서 그렇게 여러분이 각본대로 사시는 겁니다.

그래서 부처님 법에는 팔자 운명이라는 거, 삼재라는 것이 통이 없다. 고사 지내고 제사 지내고 이러는 것도 간단하게 내 마음으로 둥글려서 한 떡이라면, 떡을 하나 집어 먹었다면, 떡이랜다고 또 떡으로 알지 마시고요. 보이는 떡을 말하는 게 아니라 전체 떡을 말하는 겁니다. 전체 떡을 보이는 떡 하나로다 비유를 할 수 있다 이 소립니다.

그 떡 하나를 놓고서 내가 왜 제사를 지내라느냐 하면 뜻이 깊습니다. '주인공' 할 때는 전체가 둥글립니다. 여러분은 각자 각기 주인공 하면은 그저 나 하나의 개별적인 걸로 알지 마시고. 주인공! 하면은 벌써 전체로 돌아갑니다. 이 위력이 얼마나 당당하고 신비한지 아주 참, 무슨 말로도 할 수 없는 도도한 겁니다. 전체로 둥글리는 그 마음 하나라면은 절을 꼬박꼬박 백팔배를 안 해도 한생각에 한 번 절한 것이 한꺼번에 만 번이 될 수 있고, 천 번이 한꺼번에 될 수 있는 것입니다. 왜, 일일이 따져서 칠성각(七星閣)에 절하고, 여기 절하고, 저기 절하고…, 그 많은 중생, 이 우주에 꽉 찬 그 생명들한테다가 다 절하려면 얼마를 해야 되겠습니까? 벌어 먹지도 말고 절만 해도 다 모자라요. 그러니 그저 단 한 번에 뿌리를 뽑을 수 있는 그런 전력을 가지셔야 됩니다.

그래서 따로따로 절을 한다고 해서 되는 게 아니라, 백팔배하고 만배 할 거를 단 한 번에 둥글려서 딱 하나를 세우시란 말입니다. 그래 놓고 자기에게 급한 게 있으면 '주인공, 당신밖에는 못 해! 이걸 둘로 둬서는 아니 돼. 당신밖에는 내 몸을 고칠 수가 없어. 내 몸이 아니라 당신 몸을 당신이 고칠 수밖에는 없어, 당신이 형성시켰으니까. 그렇게 해서 시자를 끌고다니는 것도 주인이 끌고다녀야잖아.' 또 안 되는 게 있으면 '당신밖에는 할 수가 없어!' 응. 그러곤 믿어. 감사하게 된 거는 감사하다고 믿어. 얘기할 적마다, 우리가 법회 할 적마다 이걸 되풀이하고 있습니다.

이렇게 한다면 가정은 얼마나 풍부해지며 얼마나 조화를 이루며 생동력 있으며 또 자식한테는 뿌리가 튼튼하게 싱싱하게 되며 위로는 묵은 빚을 갚으며, 묵은 빚을 갚음으로써 다시금 그 부모가 햇빛으로 나올 때에 정말이지 통장을 가지고, 싱싱한 뿌리를 가지고 이 세상에 다시 나옴으로써 자기는 자기대로 또 그것이 거름이 된다 이 소립니다. 잘 이걸 음미해본다면은 우리는 남의 소리만 듣고 이러고저러고 하지 않을 겁니다. 잘 들으세요.

세 가지 여건이 있습니다. 말 보시, 말 보시도 무주상 보시(無住相布施)입니다. 내가 여러분처럼 학식을 많이 쌓아서 그걸 봐가지고 한 페이지 한 페이지 뽑아가지고선 여러분에게 해드리면 쉬워요. 그러나 여러분한테는 마음이 있습니다. 요만한 마음이 전체의 우주를 덮고 받치고 굴리면서 여러분한테 극진히 내 마음을, 내 몸을 조금도 가리지 않고 말씀해드리는 이건 무주상 보시가 아닙니까?

또 물질 보시가 있습니다. 물질 보시! 여러분한테 이렇게 하면서 때에 따라서는 참, 말은 안 합니다마는 없으면 없는 대로 물질 보시를 합니다. 여러분 알게 하지는 않습니다. 때에 따라선 물질 보시도 많이 합니다. 물질 보시도 많이 받지마는 받는 나는 없습니다. 준 것도 없고, 대신에 나는 심부름꾼이니깐요. 여러분의 심부름하는 사람이지 내가 극히 잘나서 내 돈이 있어서 여러분을 주는 것도 아니죠. 돈은 돌고 도는 것입니다. 여러분의 돈도 아니고 내 돈도 아닙니다. 우리가 소꿉장난 할 때에 놀다가 해가 지면 소꿉장난을 그만두고 집으로 들어갈 때는 종이 짝 같이 다 버리고 들어갑니다. 그렇듯이 우리는 심부름을 할 때에 어떻게 심부름을 잘 하느냐에 문제가 있는 겁니다. 진실하냐는 거죠.

또 뜻의 무주상 보시가 있습니다. 여러분 앞에 참, 한생각 내주는 그 마음이 물질로 주는 거보다 수백 배, 수만 배가 됩니다. 여러분은 지금 당장에 위안이 되고 당장에 뭐 조금 됐다고 그것만 고마워하지 마시고 앞으로 세세생생을 내다보십시오. 한번 마음 뜻을 들인 것은 세세생생에 변치 않을 겁니다. 이것이 보살의 행이요, 바로 무주상 보시인 것입니다. 자기와 둘이 아니게끔 아픔을 같이 하기 때문입니다. 만약에 둘로 본다면 상대로 보기 때문에 그것은 무주상 보시일 수가 없습니다. 그러나 둘로 보지 않기 때문에 그만큼 세세생생에 바로 나인 것입니다.

그 깊숙한 뜻을 모르셔서 그렇지 어디 거지이든, 아프든, 죽어가는 사람이든, 죽어서 지금 헤매고 도는 사람이든, 살아서 헤매고 도는 사람이든 누구를 막론해놓고 둘이 아니라고 그건 맹세할 수 있습니다. 그러기 때문에 여러분이 지금 고생하는 거는 과거로부터 좇아나온 그 업보가 여러분을 괴롭히는 겁니다. 그러기 때문에 지금 몸을 가지고 있을 때에 그걸 놓지 않으면 없어지지 않는다 이 소립니다. 몸을 가지고 있을 때에, 부딪힐 때에 그것을, 카셋트에서 나오는 걸 카셋트에다 되놓는다면 그 앞서에 감겼던 것이 다 없어짐으로써 앞으로 여러분이 능력이 생겨서 에너지가 다 자식들한테도 갈 수 있으며 부모들한테도 갈 수 있으며 또 부모는 부모대로 자식들한테 갈 수 있으며, 우리는 세세생생에 돌아가면서 금빛 나는 광력이, 자력이, 전력이 그대로 충만해서 이 우주에 어느 곳에 아니 닿는 데가 없을 것입니다.

지금 아무리 과학자들이 많다 하더라도 우리가 이 섭리에 대해서, 어디서 오는지 어디로 가는지 그걸 모르기 때문에, 의학자들도 그렇고 과학자들도 그렇고 어떠한 신비적인 일이, 신비적인 일이라고는 하지마는 신비도 신비가 아니라 본인 자신들이 알아야 신비가 있는 거고 신비가 있음으로써 타신의 모든 것을 알고 돌아갑니다. 타신의 모든 것을 앎으로써 그것을 내 자유껏 할 수 있는 것입니다.

여러분 한 집을 건지려면 세 집, 네 집을 거쳐야 됩니다. 여러분이 그냥 말하기 좋아서 "스님, 사실이 이렇게 되고 이렇게 됐습니다. 돈이 안 걷힙니다." 이러는 그거 하나만 보더라도 세 집, 네 집을 거쳐야 그 돈이 걷혀. 한 사람 건지는 데 산 사람을 이렇게 하는데도 그것이 얼마나, 만약에 몸으로 다닌다면 바빠서 못 다니고 못 해요. 그러나 여러분이 아시다시피 마음이라는 거는 체가 없어서, 반야심경에도 있듯이 수만 개로 내 모습을 각각 해가지고 그 수만 개가 여기에 들어와도 두드러지지가 않고, 수만 개로 나가서 모습을 각각 해가지고 일을 해도 바로 줄지가 않는다는 뜻입니다.

여러분이 만약에 그 뜻을 아신다면 이 몸뚱이는 여러분이 보라고 놓고 또 내가 여러분을 봐야 하니까 이것이 집중적인 하나의 모습이지마는, 모습 없는 모습들은 수없이 나가서 손 없는 손으로 발 없는 발로 길 없는 길을 다니면서 어디고 아니 들르는 데가 없다 이 소립니다, 여러분이 요구하는 대로. 여러분이 요구하는 대로 보살(菩薩)들은 그렇게 하기 때문에 '부처가 되시렵니까?' 해도 부처라고 말 못 하고, '그럼, 보살이 되시겠습니까?' 해도 보살이라고 말 못 하고, '법신(法身), 법신입니까?' 해도 법신으로 말 못 하고, '그러면 신중(神衆), 신장(神將)입니까?' 해도 신장이라고 말 못 하느니라. 갔다가도 뭐가 될는지, 요구하는 대로 가야 하기 때문에, 내가 무엇이 된다고 말 못 하느니라.

또한 내 부모를 내 부모라고 말 못 하는 원인은 사랑과 자비 때문이다. 남의 부모를 남의 부모라고 말 못 하는 것이다. 내 자식을 내 자식이라고 말 못 하며 남의 자식을 남의 자식이라고 말 못 하느니라. 이것이 바로 보살의 행이라기보다도 우리 인간이 증득(證得)한 행이다 이 소립니다. 그럼으로써 우리는 죽은 사람, 산 사람이 더불어, 우리가 쇳송을 한 번 (주먹을 내리쳐 보이시며) '개경게(開經偈) 무상심심미묘법(無上甚深微妙法)' 하고 칠 때 증득한 사람의 마음은 온 누리에 전부 퍼져. 왜 그러냐? 마음이 둘이 아니기 때문에 통하기 때문이지. 이 도리를 모르고 종성을 하는 사람은 자기밖엔 못 들어, 거기 있는 사람하고. 그 뜻도 모르고. 그러니 어찌 여러분한테 공덕이 가겠습니까?

공덕이라는 건, 복이 아니라 공덕 말입니다. 공덕 안에 복도 들어 있고 그 속에 다 들어 있는 것입니다. 그러니 여러분이 그 도리를 알아서 우리가 정녕코, 정녕코 나고 드는 것이 빈틈 없는데, 이거는 여기서 모든 것을 맡겨놓고 모든 것을 먹고 가고, 먹고 놓고, 감사하게 놓고 그저 '여기밖에는' '여기서밖에는' 하는 수가 없어. 여러분이 생각할 때는 내가 방편으로 수없이 말을 해드리건만 또 이런 말을 하게 된 것은 자꾸 문의를 하는데 그렇게 자꾸 문의를 하니깐 오늘 이렇게 또 되풀이를 하게 됐습니다.

여러분이 발전소라면은 수없는 발전소에, 이거는 꺼지고 켜지는 발전소가 아니다 이거야. 우주의 섭리와 더불어 같이 원형으로 아주 에너지가 꽉 찬, 바로 여러분의 불성이다 이겁니다. 그것이 바로 우리의 자가발전소. 에너지라면 수없는 전력이 나올 거란 말입니다. 가설이 다 돼 있습니다, 우리 세포에 다 가설이 돼 있듯. 그리고 허공에도 다 가설이 돼 있습니다. 천체 물리가 왜 생긴 겁니까? 그리고 천체 통신기가 왜 생긴 겁니까? 무전 통신기도. 그러니까 가설이 다 돼 있는데 쓰고 안 쓰는 건 여러분에 달렸다 이 소립니다. 적은 거나 큰 거나 다, 스윗치를 올리고 내리고 하는 용도에 따라서 여러분이 백만 가지라도 쓸 수 있는 겁니다. 전력은 으례히 거기서 나오니까. 전력이 없어서 못 쓰는 법은 없으니까 말입니다. 그걸 안심하고 믿어야 됩니다. 전력이 없는 건 아닙니다. 여러분이나 나나 전력이 없는 거는 전혀 아닙니다. 전력은 누구나가 다 똑같이 있습니다.

그런데 여러분이 한 가지를 '요걸 맡기고 요렇게 해라. 그러면은 병이 낫는다.' 그러면 그 병만 거기다가 놓는 겁니다. 여러분 밥 해먹는 그거 레인지인가 하는 뭡니까, 밥 해먹는 가스, 가스 레인지에다가 뭐 하십니까? 뭐 별거 별거 다 하시죠. 밥 한 가지만 하라는 게 아니지 않습니까? 벌써 가스에다가는 물도 끓일 수 있고 밥도 하고 뭐 다 할 수 있는데 '물 끓이는 한 가지만 여기다 해라.' 했어도 딴 것도 다 할 줄 알아야죠. 이거는 일일이 와서 묻는 겁니다. 목 아프게 말입니다. 응? 이거는 도무지 방에 앉았으면 일일이 와서 물으니 그걸 일일이 어떻게 오는 대로 요건 요렇게 해라 그러죠. 또 어쩔 수 없어서 말입니다. "아, 이거 하랬으면 이것도 거기다 하지, 왜 그래?" 그러죠. 또 얼마 있다가 보면은 그 사람 일이 이렇게 돼서는 쩔쩔맵니다. 뭐 지금 은행에 부채가 뭐 어쩌고…, "이거 봐, 그것도 그 가스에다 끓여." 하하하. (대중 웃음) 그렇습니다.

이 전력이라는 것이 얼마나 광대무변하고 불성(佛性)에서 다 나오는지 여러분은 모를 겁니다. 그런데 여러분 중에 어떤 사람들은 무슨 산에 올라가서 기도를 해가지고 뭘 받는다나요? 이거는 잘못되는 이치예요. 각자 나한테 충만하단 얘깁니다, 충만해. 지금 별성들이 은하계처럼 돌아가고 있어요. 싱싱하게 돌아가고 있는 거를 자기 마음들이 싱싱하게 돌아가지 못하게 막아놓는 거예요. 왜들 그러는지 난 모르겠어요. 그것이 바로 업보라는 건지 도대체 그게 뭡니까?

또 한 가지는 가만히 여러분 오시는 거 보면 속이 타서 불이 일어납니다. 하하하. 야! 한 집에 자식이나 하나 아프면 좋은데, 자식은 아프지 어른은 일 안 되지, 허허허. 딸들은 나가서 안 들어오거나 늦게 들어오지 야, 술이나 마시고 들어오는 사람도 있고 말이야. 온통 밤새도록 노름하다가 늦게 들어오지, 데모나 일으키지, 말썽부리지. 또 자식을 길러서 시집이라고 보내려고 하면은 잘못 가 가지곤 싸움을 하고 한 대 얻어 걸리고 이러곤 들어오지. 이러니 이게 하루나 편할 일이 있어야지, 도대체 이거는. 지금 애들이 예전 애들과 같습니까?

그런데 부모들이 지금 걔네들 세대와 레벨이 맞아야 됩니다. 이건 꼭 맞아야 됩니다. 시대가 바뀌는 대로 우리들 방편도 바뀌어져야 되는 이치처럼. 그러고 말로 해서 아니 됩니다. 말로 하면은 이건 점점 더 빗나가고, 욕을 해서도 아니 됩니다. 때려서도 아니 돼. 단 있다면 '미운 아기 떡 한 번 더 주랬다'고 말을 곱상하게 해줍니다. 그리고 모든 거를 안에다가 맡겨놓습니다. 그러면 그쪽으로다가 에너지가 통합니다. 내 전화통을 돌리면은 그쪽의 벨이 울리듯이. 그러면은 영락없이 착해집니다. 그건 뭐 장담합니다. 그런데 부부지간이든 자식지간이든 온통 난리가 나는 거예요. 그러니 화목이 올 수가 있어야지. 거죽으로도 화목이 오지 못하면서 속으로도 그냥 자꾸 업보만 짓는 거예요. 그러니 이것은 누가 갖다준 겁니까? 여러분의 전자로부터 좇아나온 거 아니겠습니까? 그 업보가 전자로부터 좇아나오는 건데 누구를 원망하겠습니까.

그런데 가슴에서 치올라오는 거는…, 여러분 지옥이 따로 있다고 생각하지 마십시오. 여러분이 지고 지금 다닙니다. 카셋트 하나에 감긴 거를 지금 짊어지고 다닙니다. 지금도 솔솔 풀리고 있는 겁니다. 그래서 속이 상해서 막 펄펄 뛸 때는 보살의 행으로, 보살은 지옥에 들어가도 그 펄펄 끓는 기름 도가니를 녹여버린다고 그랬습니다. 없어진다고 그랬어요. 칼산지옥이나 불탄지옥이나 그냥 다 없어진다고 그랬거든요. 오간지옥이 무너지고 말입니다.

왜 그런 소리를 했나? 여러분이 주인공에다 모든 것을 맡겨놓는다면은 그냥 딱 가라앉습니다. 전자로부터 나오는 거니까 그건 어쩔 수가 없는 거거든. 자기가 해놓고 자기가 받는 거니까 어쩔 수 없는 거니까 그냥 그 자리에다가 되놔버리는 겁니다. 그럭하면 지옥도 무너지죠, 자기는 보살이 되죠. 그러나 지옥이 한두 가집니까? 아수라지옥도 있죠. 술 먹고 들어와서 막 주정을 부리는데 그런 것도 술을 마시면 자기도 모르게 그렇게 나오는 겁니다. 자기도 어쩔 수가 없어요, 그거는. 마음에서 그렇게 분기가 일어나고 조금만 보면 그냥 속상하고 그러거든요. 그러니까 나오는 대로 그냥 발산이 되는 거죠.

그 발산이 되는 것을 부처님께서는 뭐라고 그랬느냐 하면은 "길이는 팔십 리요, 넓이는 오십 리이니라. 그렇게 큰 솥에 펄펄 끓는 기름 속에 들어가서 지옥고(地獄苦)를 받으니…" 이럭하거든요. 이렇게 얘기가 돼 돌아갑니다. 그런데 제가 생각할 때는 팔십 리라는 것은 유(有), 무(無)를 말합니다. 저승, 즉 말하자면 내가 낳기 이전으로부터 쫓아나온 사무(四無)! 쫓아나온 사유! 이렇게 해서 사(四)·사(四), 팔(八). 팔십 리. 그래 십(十)이 들어가면 이게 동일하게 묶어집니다. 같이 돌아갑니다.

그러니 같이 돌아가서 우리한테 그렇게 고가 자꾸자꾸 다가오는 거를 거기다가 놓게 되면 고가 다 없어지는 겁니다. 여러분이 고가 있다고 팔자 운명을 타령하지 말고 어떠한 지경에 이르렀다, 집안에 어떠한 자식들이 그렇다, 부부가 서로 맞지 않는다 하는 문제가 있더라도 모든 것은 거기다 맡겨놓고 생각을 깊이깊이 다잡고 '이거는 전자에서부터 쫓아나온 지옥이다. 이거를 무너뜨려야지. 이거는 내 주인공밖에는 없다.' 하곤 거기다가 놨을 때에 지옥고가 다 무너집니다. 해보십시오. 거짓말인가 정말인가.

그거는 그렇고 여러분이 생각하시리라고 믿습니다. 여러 가지 일체를 다 그렇게 하십시오. 그리고 우리가 지금 세상 살아나가는 데에 무시할 수 없는 국내의 문제들도 여러 가지가 있습니다. 대기업이든지, 소기업이든지 또는 경제면에서라든가 또는 남북이 갈려져서 있는 거라든가 또는 우리가 마음을 어떻게 가지고 해야만 앞으로 자라나는 자식들한테 그 보배를 맡겨줄 수 있고, 길을 인도해줄 수 있고, 뿌리를 싱싱하게 잘 해줘서 역사를 좋게 가져올 수 있게끔 만들어줄 수 있을까 하는 것도 여러분한테 달려 있는 것입니다. 그럼으로써 이것은 지금 세상에 앉아서 할 수 있는 무역도 될 수 있고, 앉아서 호국불교도 할 수 있고, 앉아서 마음의 조절도 할 수 있고, 앉아서 모든 스윗치를 올릴 수 있습니다. 여러분이 아무렇게나 생각하고 스윗치를 올리지 마시고, 중두난발을 해서는 아니 됩니다.

　　오직 여러분이 잘 되고 못 되는 거 사량으로 해서는 아니 되니까 주인공에 맡겨서, 주인공이 적절하게 하게끔 맡겨놓으시란 얘깁니다. 그래야 틀림없거든, 그게. 어느 것이든, 경제, 국방, 통일되는 것도 그렇고 모든 것을 우리가 마음부터 조절할 줄 알아야 합니다.

　　온 천하에, 저 하늘의 한울, '한울' 하는 거는 전체 통신이 된다는 뜻입니다. 우리가 '한마음' 하는 것도 마음입니다마는 '하늘' 하는 것은 지혜로도 돌아갑니다. '한울' 하는 거는 즉 말하자면 통신을 말하고, '하나님' 하는 거는 내가 있기 때문에 모두가 있다는 뜻입니다.

　　그러기에 우리는 마음 자체로서 세계, 우주의 섭리와 항상 하나가 될 수도 있는 겁니다.

　　내가 항상 그가 될 수 있기 때문에 어떠한 게 들어온다 하더라도 우리는 눈 하나 깜짝거리지 않습니다. 그거는 여러분이 한생각 그냥 여기다가 (가슴을 짚어 보이시고) 맡겨서 이렇게…, 그러나 맡기기만 하면 되느냐. 무조건 스윗치만 눌러도 안 돼. 스윗치 올려놓고서도 뭐 갖다놓고 하질 않으면은 그거는 빈 가스만 돌아가는 거 아니야. 그러니까 예를 들어서 무엇이 잘못돼서 돌아가니까 거기에서 다 적절히, 당신은 할 거라고 믿고 봤을 때 나라도 적절히 돌아가. 나라뿐만 아니라 우주의 근본과 더불어 섭리가 같이 돌아가거든요. 다른 혹성들도 다 같이 돌아갑니다.

우리가 단면적으로 요 부분만 생각하는데 세계가 있다면 우주가 있어요. 대천세계(大千世界)가 있고 소천세계(小千世界)가 있고 중천세계(中千世界)가 있어요. 전체가 돌아갑니다. 전체가 돌아가기 때문에 우리가 한생각 내는 게 그게 요지라 이겁니다. 보배라 이겁니다. 여러분이 깨닫고 못 깨닫고 간에 우선적으로는 여러분이 시급한 거를 막을 수 있다 이 소립니다. 아무리 강을 막아서 뭐를 한다 하더라도 그건 새 발의 피입니다. 그거는 어디로 빼든지 전체, 보이지 않는 데서 마음이 도운다면요, 그까짓 게 문제가 아닙니다.

여러분이 그 위력을, 도도하고 당당한 위력이 여러분한테 있다는 사실을 꼭 아셔야 합니다. 놓고 빌고, 나한테 그냥 묻고 이러는 이게 불법이 아니라, 해결할 수 있는 능력을 여러분이 그렇게 당당히 가지고 있다는 그 사실을 아셔야 합니다. 현실에서 적응하게 만들면서, 지금 웃고 묵묵히 가면서도 주장자 하나를 탁 들면 우주를 받쳐들 수 있는 그러한 문제가 여여하게 있음을 아셔야 합니다.

여러분은 저 오백 비구가 부처님께 오백의 일산(日傘)을 바쳤다는 얘기를 아시죠? 그게 무슨 뜻이겠습니까? 쓰면 전체가 덮어지고 제끼면 전체가 담아지고, 돌리면 전체가 돌아지고, 그게 부처님 한 발 딛는 데 달려있다 이겁니다. 한 발! 한 발이라면 이 발로만 알지 마시고요, 한 발 딱 딛는데 전체가 딱 밟아진단 말입니다. 이것이 바로 만의 근본이요, 만으로 돌아가는 근본이요, 어떤 거 하나 세워놓을 게 없는 것이지만 만 가지 향내가 나고 만 가지 열매를 맺고, 만 가지 열매가 무르익어서 여러분한테 만 가지의 맛을 알게 해준 자체의 뜻이 어디에 있습니까?

여러분이 또 오늘은 좀 공부하는 데 질문도 하실 일이 있으면 하세요. 꼭 나만 입이 있는 건 아니니까요. 여러분도 입도 있고 눈도 있고 다 있지 않습니까? 무슨 꼭이 공부가 많이 돼서 하시라는 게 아닙니다. 그래서 꿈에도 착을 두지 마라. 생시에 우리가 모든 거에도 착을 두지 않으면서도 여여하게 그냥 해나가라. 한 번 꿈을 꿔도 생각을 하고서 그냥 거기다 놔버리면은 그대로 생각하기에 달린 거야. 나쁘다면 나빠질 거고 좋다면 좋아지는데 좋은 것도 아니고 나쁜 것도 아니고 그냥 놔라 이거야, 거기서 다 해결하게. 자기가 사량으로 나빠지면 얼마나 나빠지고 좋아지면 얼마나 좋아지겠습니까? 그러니 거기다 놔라 이거야, 거기서 다 해결하게.

난 길에 가다가 어떤 때는 이런 걸 많이 봅니다. 금귀고리에 금반지에 그냥 참 삐까삐까하게 하고 갑니다. '저거 며칠이나 또 갈까?' 이럽니다. 어려우면 얼마나 오래 어려웁고 부자면 얼마나 오래 부자로 있겠습니까? 그러니까 두 가지 다 놔라 이겁니다. 두 가지 다 놓고…. 이것이 제일 빠르고 아주 편안한 일이야. 두 가지를 다 주인공에 놓되 착을 두지 말고 그대로 중심으로서 사리를 잘 세워서 이것을 쓸 일이라면 쓰고 안 쓸 일이라면 안 쓰고, (검지 손가락을 세워 보이시며) 이렇게 주장심은 언제나 가지고서….

인간은 그렇게 생각하고 살게끔 돼 있지 않습니까? 그리고 업식에서 시킨다고 그냥 도둑질이라도 하라면 하겠습니까? 여러분이 인간이기 때문에 부처님 될 수 있는 바로 금(金)인데, 금에 빛만 낸다면 부처고 빛을 내지 못하면 그건 중생입니다, 똑같은 금이지만은. 여러분이 질문하실 거 없으면 오늘은 이만 그치겠습니다. 열심히들 하십시오. 우리 같이 합시다.

심성지리학(心性地理學)

　　항상 같이하고 있지만 오늘 또 이렇게 한자리를 하게 됐습니다. 여러분께서 급한 일로 인해서 처음 오시는 분들도 있고, 이렇게 법회 때마다 오시는 분도 있습니다. 그래서 항상 나는 헛된 말과 헛된 뜻이 아닌 즉, 여러분한테 헛되게 말을 해서 땅에 떨어지지 않도록 하기 위해서 항상 자신을 되돌아다보면서 스스로서 그렇게 정립을 합니다. 나는 여러분에게 가장해서 책을 보고 뽑아서 이렇게 하는 게 아닙니다. 여기 올라와서 잠시 생각을 하고 여러분 앞에 내놓는 애깁니다. 이것을 말보다도 뜻으로 생각하고 법으로 생각해서 잘 받아들일 거라고 믿고 말씀드리겠습니다.

　　한 가지는 여러분이 여기 오실 때, 믿는 마음을 잊지 마시고, 그냥 허방지방 찾아오시지 말고 마음을 정돈을 해서 오시는 것이 좋을 것 같고, 둘째는 와서는 내가 대답할 때를 바라지 말고 얘기를 하고 그냥 가시면 됩니다. 간단하게 얘기를 하고 그냥 돌아서 가셔도, 여러분이 오셔서 절을 한 번 하는 걸 봐도 저는 짐작합니다. 제가 무슨, 제가 한다 하기보다도 심부름을 잘 해야 하니까요. 법정에서도 서류를 얼마나 잘 꾸미느냐에 따라 판결이 좋게 나느냐, 나쁘게 나느냐는 문제가 대두됩니다. 그와 같이 여러분도 그렇게 간단히 얘길 하시고 대답할 때를 바라지 말고 서로 얼굴을 바라보면서 말없이 말을 할 수 있는 그러한 여건도 가지실 수 있지 않겠습니까? 우리가 말로다가 다 해버린다면 뜻으로서의 말없이 말이 오고 가는 그것은 어찌 하시려고요. 그게 더 심각한 일입니다.

그리고 오늘은 여러분에게 이런 얘기를 하고 싶군요. 지리에 관한 건입니다. 심성지리학이라고 볼 수 있는 문제가 된다고 봅니다. 그냥 지리학이 아니라 내가 있고 지리가 있는 것입니다. 예전에 신라나 고구려 때에도 참, 질러가면 빨리 가고 돌아가면은 사흘이나 걸어야만이 돌아가고 며칠 걸려야 갔답니다.

그런데 묘지를 쓰기 위해서, 신라의 그때 당시에는 고승들을 만나보기가 참 어려웠고 또 이 불법을 숭상하기가 어려운 때였더랍니다. 그러나 고구려는 상당히 도가 높은 고승이 계셔서 신라에서 고구려를 넘어다니면서 풍수(風水)나 다른 거를 웬만한 사람들은 찾아가서 여쭈어봤더랍니다. 그랬는데 물론 잘사는 사람이고 권위가 있는 사람들은 풍수를 들여서 곳곳마다 찾아다니면서 묘지를 잘 썼습니다. 천석꾼이 나기도 하지마는 만석꾼이도 나올 수도 있는 혈이 있고 그랬기 때문에 자기네들이 앞으로 손주대에까지 권위를 잘 지키기 위해서 나라에 잘 이바지할 수 있는 그런 사람을 나게 하기 위해서도 묘지를 쓰는 데에 아주 심사숙고해서 썼더랍니다.

이 얘기를 왜 하느냐 하면 우리가 우주의 섭리와 생활의 섭리가 다 고정됨이 없다는 것을 얘기하기 위해서입니다. 신라에 한 가난한 집이 있었는데 아주 선비 중에 선비였답니다. 그랬는데 가난한데다 등과도 못 하다 보니까, 사람이 지금도 살려면은 그런 수가 많지마는 여간 힘들지 않고, 부모가 돌아가셔도 풍수(風水)를 들여서 좋은 자리를 찾을 형편이 못되었더랍니다.

가난하니깐 돈을 들여서 풍수를 살 수도 없고 그런 관계상 고구려로 넘어가서 조언을 받기 위해서 어느 스님, 예전에도 선지식 되시는 분들이 아마 몇 분이 거기서 은거하셨던 모양입니다. 거길 찾아가서 "제가 이러이러해서 부모를 모실 텐데 저희는 형제가 오형제나 되고 여자 동생들이 셋이고 그래서 팔남매나 됩니다. 그랬는데 팔남매 중에서 하나도 사람 노릇을 못하고, 각자 그저 각성(各姓)바지처럼 이리 뜯고 저리 뜯고 그러니, 부자도 싫고 권위도 싫고 단 하나 있다면 화목하게, 형제들이 화목한 거를 바라겠습니다." 하고 화목하려면 묘지를 어떻게 써야만 되겠느냐고 했습니다.

그러니 스님께서, 산 부처가 생각을 하니까 참 기특하거든요. 사람이 그렇게 기특할 수가 없어, 그 말 한마디에. 그래서 생각을 하기를 '너희 형제들이 화목하려면 관록을 가져야 되겠구나.' 하는 생각을 더 해주신 겁니다. 금에다가 빛을 내게 하고 이자를 더 붙여준 겁니다, 한 생각이. 그리고 그렇게 말씀하셨습니다. "너는 네 부모를 가매장한 것을 그냥 두고, 이 고구려에만 좋은 땅이 있는 게 아니다. 모두 눈들이 멀고 귀가 뜨질 못해서 그러한 것이다. 오혈(五血)을 쥐고 있는 관계를, 오혈이라면 오혈맥(五血脈)이 한 손에 들어 있느니라. 그러니 네가 가다가 발끝이 그냥 멈추었을 때, 즉 말하자면 멈춰서 가지 않을 때 그 자리에다 묻어라." 했거든. 가다가 발이 멈춰질 때에 그 자리가 좋은 줄 알고 묻어라 그랬거든요.

그랬으니 이 선비는 그 뜻도 모르지만은 하여튼 믿었죠. 그 당시 신라의 땅은, 저 왜 지붕 위에 있는 거 뭡니까? 곰뱅이 있죠, 곰뱅이 이렇게 둥글게 우그러진 것같이 신라 땅이 그렇게 생겼습니다. 그런데 고구려 땅은 네 각이 지면서 아래로 펑퍼짐했던 그때 당시였단 말입니다. 지금은 다 변했지만 말입니다. 아무튼 좋은 땅을 찾아서 다닐려고 했는데 그 스님께서 그렇게 말씀을 하시니까 그걸 믿고 어느 산 모퉁이를 오다가 들르려니까, 길이 있고 개골창이 있고 그러는데 아! 하필이면 말입니다. 거길 가는데 딱 멈춰졌단 말입니다. 이걸 어떡합니까? 자기가 봐서는 도무지 여기다 묻어서는 안 되겠어. 그 자리에는 바위도 있고 바위 밑에 물이 흐르고 그러는 자리인데 아, 가다가 딱 멈춰가지고는 영 발이 떼지질 않는 겁니다.

그러니 지금 여러분한테 아마 내가 그렇게 하랬으면은 그대로 하겠습니까? 물도 질척질척하고 그런 데 누가 거기다 묻습니까? 그건 말도 안 되는 얘기죠. 그러나 그분은 믿었습니다. '좋다! 스님께서 이렇게 해주셨으니까 여기다 묻자.' 그리고 거기다가 표시를 해놓곤 부지런히 가서 동생들을 모두 데리고 와서 거길 팠습니다. 파니까 웬걸요. 파니까 그 위만 질척질척하지 밑은 금빛이 나면서 그렇게 좋을 수가 없더랍니다. 그래서 묻으려고 파는데 나중엔 다각다각해서 보니까 돌로다가 아예 장식이 됐더랍니다. 밑바닥이 돌로다가 장식이 돼 있고, 옆으로는 돌이 저절로 천연적으로 아주, 그 옛날에는 하얀 돌 있죠? 그런 것이 펑퍼짐하게 자연석으로 그렇게 돼 있더랍니다. 그래서 거기다가 모시고서 그 집안을 일으켰더랍니다. 한 술 더 떠서 관운을 갖게 됐고 이름을 갖게 됐고 또 화목을 갖게 됐고 재산을 갖게 됐어. 재산은 그렇게 많은 건 아니지만 밥은 굶지 않게 됐다 이 소립니다.

그렇게 됐는데 어느 대가집에서 정승으로서의 권위가 당당한 분이 풍수를 대고 봤는데 도대체 그 산 거기밖에는 그렇게 좋은 게 없더라 이겁니다. 그 선비가 묘지 쓴 데 거기 말입니다. 그러니 그 권위 있는 사람이 몰래 돈을 많이 주고 사람을 사가지군 그걸 패버리고 말입니다. 거기다가 또 묻었단 말입니다. 유골을. 딴 산소에 있는 걸 패다가 남의 묘지에다가 묻고선, 그 묘지에 있는 뼈는 그냥 다 팽개친 겁니다.

그랬는데 선비 꿈에 말입니다. "얘들아, 너희는 내 집이 이렇게 없어진 것도 모르느냐? 모르느냐?" 하고 자꾸 와서 그래요. 그래서 형제가 가보니까 산소가 자기네들이 해놓은 것 같지가 않거든요. 그래서 스님한테 또 갔습니다. 가니까 하는 소리가 "그거를 또 뺏으려면 싸움이 나. 그러니 내버려둬라." 그러고선 "요 개천 너머로 넘어가면 너희

아버님 뼈가 전부 널려져 있느니라. 그러니 그거를 하얀 백지에다가 전부 줏어서 상자에 담아 놨다가, 네가 또 발 닿는 대로 갖다가 묻어라." 이러거든요. 그러니 싸움을 시키지 않고 그냥 했는데 그 정승은 정승의 자리도 떨어지고 집이 폭삭 망했어.

왜 그럴까요? 여러분 생각을 해보세요. 왜 그럴까요? 그 스님이 괘씸하게 생각을 했던 거지마는, 그 사람 자체가 그렇게 욕심이 많고, 나쁘니까 그 스님이 그렇게 만들려고 만든 게 아니라 그렇게 됐던 겁니다. 그러니 판사가 얄밉게 보면 한 번 더 긋는단 말입니다. 한 번 더 그어서 십년 받을 거 이십년 받게 할 수도 있는 겁니다. 죄목만 한 번 더 넣으면 되니까. 그래서 당연히 그 업을 받을 건데도 거기다 덧붙여서 스님께서 '참, 이놈 나쁜 놈이구나!' 했겠죠. 그러니 얼마나 업이 거기에 덧붙여졌겠습니까? 그래서 그 집이 망하고 나니까 거기다 묘지를 써서 그렇게 됐다고 그걸 또 다 캐갔답니다. 허허. 다 캐가니까 그 스님이 있다 하시는 소리가 "저기다가 또 써도 되느니라." 그러거든요. 허허허. "그리고 이 다음에 어머님이 돌아가시걸랑 거기다 또 묻어라. 괜찮다." 그랬거든. 그리고 삼형제가 관록을 먹고 다 잘 됐거든. 그게 왜 그러나?

이 산맥(山脈)이라는 것이, 토질에 따라서 혈맥(血脈)에 따라서 무정물이나 식물이나 생물의 생태도 변질이 됩니다. 이것이 따지고 보면은 거기 토질과 혈맥에 의해서 부패가 될 수도 있고, 참 이것이 잘 다져질 수도 있고, 즉 말하자면 알카리성, 산성이 한데 혼합이 된 땅이 있는가 하면 그것이 분산된 땅이 있단 얘깁니다. 그러기 때문에 그것이 합일돼서 혈맥이 다 돌아갈 수 있는 그런 자리에다가, 그것도 혈맥 위에다가 묻어서 안 되고 그것을 돌아가게는 하되, 그 영향이 자기한테 에너지로 오게끔 만들어서 그 묘지를 쓰는 겁니다, 그렇게 한다고 그랬습니다.

그러면은 우리가 그 백혈 즉 백호라고도 그럽니다. 또 청혈·황혈 이게 쌍방으로 돌아가고 있습니다. 홍혈·석혈 또 수혈 이런 것이,

즉 말하자면 다섯 가지의 혈을, 혈맥을 그것을 백호에서 주재하고 있는 겁니다. 이것이 우리의 마음 심(心)이 전부 이 몸을 이끌어가지고 가듯 말입니다. 그것을 한데 합친 것을, 다섯 가지가 한데 합친 것을 오혈맥(五血脈)이라고 하죠.

이것은 내가 책을 보고 얘기하는 게 아니니 이해해 주세요. 그냥 얘기하는 겁니다. 그래서 오혈(五血)이 한데, 혈이 한데 모아졌다가 다시 분산돼서 나가듯이 여러 혈이 한데 모아졌다가 다시 모아지는 반면에 다시 분산돼서 전체를 다 통하게끔, 무전통신이 통하게끔 돼 있는 혈이 있습니다. 그 혈에는 사람의 머리, 정수리, 그러니까 백두혈이라고 말을 해도 되는데 그러면 그 혈에서 모든 것이 머리로 인해 오관을 통해서 발끝까지 다 통하듯이, 여러분 이해를 잘 해서 들으세요. 발끝까지 다 통해서 그렇게 하듯이, 이 무르팍 뼈, 손목뼈 중요하죠. 팔뒤꿈치, 옆 겨드랑이 뼈, 발 이것도 다 중요한 자립니다. 그러듯이 산도 그렇게 중요한 자리가 있습니다. 없는 게 아닙니다.

그래서 그러한 오혈맥을 다 쥘 수 있어서 내가 자유권을 가졌을 때는 지리도, 우리 마음공부를 해서 자유롭게 가졌을 때는 내가 나를 자각해서 내가 마음대로 오온(五蘊)을 다, '오온' 하면은 벌써 거기는 오신통(五神通)이 들어가죠. 다섯 개의 그 주(珠)가 들어가죠. 그거를 한데 합쳐서 동시에 스스로 굴릴 수 있는 자동적인 자기 자성(自性)이라면, 그것조차도 똑같이 돌아갑니다. 그것도 똑같습니다. 그래서 왜 아까 그랬던 것처럼, 똑같은 자리에다 묻어서 잘 되는 사람이 있고 묻어서 안 되는 사람이 있었던가? 그건 여러분의 마음에 달린 겁니다. 뒤로 자빠져도 코가 깨진다는 말이 있죠. 그래서 여기에 오실 때는 "그저 그렇지." 하고 오면은 그르치고, 마음을 다지고 정돈을 잘 해서 오시면은 그분은 정돈을 잘 해서 가시는 분입니다.

요 얘기 마저 하고요. 그래서 그 혈맥도 우리 인간의 몸의 혈맥과 같이 돼 있다는 얘깁니다. 그러니 우주의 섭리나 지리나, 산, 물, 한울,

삼위일체가 다 이 손 안에서 구른다면은 오혈맥(五血脈)이 다 이 손 안에서, 한생각 안에서 다 구르고 있습니다. 그러니까 스스로 자동적으로 말입니다. 내가 가면 가는 대로, 생각하면 생각하는 대로 '여기 좋구나!' 하면 좋은 겁니다. 내가 생각하고 '아, 우리는 화목해야겠다, 또 뭐를 어떻게 해야겠다, 난 관록(官祿)을 좀 가져야 되겠다' 이런 마음을 먹고 묻는다면은 그 자리가 그대로 좋은 겁니다.

그러나 지금 우리 한국의 땅 형편으로 봐서 그런 산자리나 보러 다니게끔 돼 있질 않습니다. 또 그렇게 산자리를 봐서 좋다 하더라도 묻지 못하게끔 돼 있습니다. 예전같이 그렇게 돼 있질 않죠. 그러기 때문에 이 공부를 해서 어디에나 묻어도 좋고 또 예전부터 불가에서는 화장(火葬)을 합니다. 다비식(茶毘式)하는 것이 바로 화장이죠. 화장을 했어도 육은 즉 말하자면 구데기가 파리가 되고 난 뒤의 껍데기와 같은 겁니다. 그러니까 옷이 더러우면 옷 벗어버리듯이 우리는 영원한 겁니다. 그래서 '나오지 않았다면 갈 곳도 없는 것을' 하는 얘기가 있는 것처럼 그냥 태워버리는 거죠.

몸에다 착을 두고 그렇게 하면은 안 된다 하는 이유는 내가 옷 벗어버릴 때에 수월하게 벗어버리기 위해섭니다. 여러분 생각을 깊이 하셔야 됩니다. 콩껍질을 벗길 때 덜 익었으면은 콩 속살이 붙어가지고 까기가 상당히 나쁩니다. 그와 같은 겁니다. 그게 안 떨어지니까, 아픈지 삼년이다 오년이다 온통 고생을 하고 이렇게 죽습니다. 그게 익은 거라면은 살짝 건드리기만 해도 탁 벌어집니다. 그와 같은 겁니다. 우리는 몸에다 착을 두지 않아도 싱그럽게 실상으로서의 그대로 삼위일체로 회전하면서 행복하게 살 수 있는 그런 여여함이 있습니다.

그래서 우리 인간이 지금 이 혈(血)을 볼 때, 어디는 어떻고 어디는 어떻고 이렇게 따진다면은 우리가 지금 각본대로 운명대로 좋으면 좋은 거, 언짢으면 언짢은 거, 자기가 한 거만치 그대로 받게 됩니다. 또 토질·혈·맥(脈)이 나쁜 것만치 생태들이 나빠지고 나무들이 나빠져서 열매가 적어지는 수도 있고 커지는 수도 있습니다. 또 같은 자리에다 묘를 써도 그 마음에 따라 잘되고 잘못되고 이러듯이 그렇게 돼 있는 것처럼 인간도 그렇게 각본대로 받게 돼 있거든, 팔자운명 이런 것이 말입니다. 각본대로 나오는 걸 나오는 그 자리에다가 다시 놓아라 그 소리입니다. 다시 놓으면 공테이프에 감긴 것이 다 지워집니다. 이걸 비교해서 얘기하는 겁니다. 그러면은 과거의 업보대로 각본대로 나오지만 다 녹아서 지금 현상에서 영원토록 참 자유인이 돼서 살면 영원토록 미래 과거도 없이 자유권을 얻게 되는 겁니다.

항상 그런 말씀을 드렸지마는 여러분이 등에 잔뜩 무거운 걸 짊어지고 급해서 오시면은요, 급해서 죽겠는데 무슨 공부냐 이겁니다. 웬 그렇게 말이 많은지 모르겠습니다. 짊어지고 지금 안고 갑니다. 그런데 이 짊어진 것부터 내려놔야 숨이 막히도록 그 다가오는 것이 다 녹아버린다 이겁니다. 공부부터 해야 하니깐 자꾸, 주인공이라는 자체를 발견하기 위해서 그 자리를 쥐고 나가면은 봄이 와서 스스로 눈이 녹고 얼음이 녹듯이 슬슬 녹아버려서 그냥 줄줄줄 눈물이 비오듯 하면서 자기 자성(自性)의 발로(發露)가, 그때에 싹이 나오기 시작을 하는 겁니다. 지금 현상에 급해서 안고 가는 모든 것이 스스로 물러나게 돼 있습니다. 여러분은 그것을 모르고 그저 앞에 닥치는 것만 급해서 야단들을 하시는데 뒤의 것부터, 짊어지고 나온 것부터 녹이면서 가다 보면 뒤에 짊어진 것이 무우쪽같이 뭉청뭉청 떨어지는 사람이 있고, 그냥 차츰차츰 떨어지는 사람이 있고, 한꺼번에 몰락 떨어지는 사람도 있습니다.

그러니 여러분이 저한테 오시거나, 총무스님이나 여러 스님네들한테 오셔도 좋습니다. 여기 스님네들 능력 없는 사람 없습니다. "네, 알았습니다." 하면 그대로 알고 가시면 그대로, 그대롭니다. 그런데 이유를 붙이고 하면 그 사람은 아랑곳없이 그 뜻을 모른다 이겁니다. 말 없이 말하는 뜻을 알고, 행 없이 행하는 뜻을 알고, 발 없는 발이 우주의 전체를 다, 가고 옴이 없이 두루 한다는 걸 아시고 손이 없이 손을 가지고 두루 한다는 걸 아셔야 합니다. 이 도리를 모르신다면 '알았다' 는 소리의 그 뜻도 모르실 겁니다, 아마. 그게 무슨 뜻이겠습니까?

저기 무슨 절이라든가, 난 이름을 들으면 잊어버립니다만 딴 절의 어느 신도가 오기만 하면 그럽니다. "스님은 알았다기만 하시는데 집에 가면은 그게 스스로 풀리거든요. 이상해요, 참." 이러거든요. 그것이 내가 잘나서도 아닙니다. 여러분이 그렇게 잘 하시기 때문에 여러분이 하시는 겁니다. 여러분과 나와 둘이 아니기 때문입니다. 그러니 고상하고, 아름답고, 조화롭고, 두루 향내가 나고, 두루 익어서 맛이 나는 이 뜻을 여러분이 모르신다면 그냥 말이 많아집니다.

그리고 우리가 앞으로에 어떠한 고난이 있어도 고난이 있는 것이 공부할 수 있는 과정이라는 생각을 한다면 그 고난 있는 걸 (합장하시면서) '아이구, 감사해라.' 이렇게 나올 겁니다. 감사한 것을 알아야 합니다. 이런 때가 있습니다. "주인공 붙들고 나가니까 너무나 잘 되고 좋습니다." 하다가 "아이구, 요새는 아주 캄캄하고 막혀서 영 안 됩니다." 이럽니다. 그런 분들 여기 많을 겁니다. 그런데 되다가 안 되는 그 자체가 바로 공부입니다. 잘 되기만 하면 그건 공부가 늘어가지 않습니다. 그러니까 안 되는 것도 법이라는 걸 알아야 합니다. 안 되는 것이 있기 때문에 할 양으로 노력을 하고, 안 되는 것도 법인 줄 알아야 '아, 안 되는 것도 여기서 나를 다져서 공부시키느라고 이러는구나!' 하고 감사하게 생각을 할 때에 그건 없어집니다.

그러한 단계가 없으면서도 있듯이, 여러분이 어떤 회의를 느끼지 마시고 그저 홀떡홀떡 넘어가야 됩니다. 이렇게 빠른 세상에 지금 심령학을 하는 사람도 물질로만 나가고 또는 소소한 무슨 잠재의식 가지고 이러고 그러는데, 잠재의식이라는 것은 도라고는 할 수 없습니다. 우리의 잠재의식 속에 우리가 한 것대로 각본대로 감겨 있는 겁니다. 감겨 있는 걸 지금 우리는 송두리째 그냥 녹이는 겁니다. 요리를 해서 우리가 맛을 보는 겁니다, 얼른 쉽게 말해서.

그러니까 요리를 해서 맛을 볼 때에 우리가 '주인공' 하면은 벌써 전체를, 이걸 이렇게 말을 할까요. 그릇을 말입니다. 그릇을 시장에 가서 사왔는데 크고 작은 게 같이 들어있는 한 셋트를 사왔습니다. 그 한 셋트의 그릇은 우주 삼라만상의 전체 셋트라고 봅시다. 그런데 이게 크고 작고 아주 조르라니 한 셋트거든. 그러면 내가 용도대로, 즉 말하자면 많은 걸 담으려면 큰 그릇을 꺼내야 하고, 적은 걸 담으려면 조그마한 그릇을 꺼내야 하고 그러죠. 그와 같은 겁니다. 그러니 '주인공' 하면은 한 셋트이며 전체를 말하는 겁니다. 우리가 생활에서 빼쓰는 거는 각자 용도대로 빼쓰는 겁니다, 그 자리에서.

그래서 한 손에 쥐고 찰나찰나 돌아가면서 씀씀이에 의해서 용도대로 써라 하는 것은 용(用)만 있는 게 아니라, 모두 근본의 축으로 인해서 돌아가는 그 자체를 쥐고서 하나하나 나투면서, 자기가 큰 거든 작은 거든, 즉 우주의 섭리든 몸의 섭리든 몸의 병고든지 업보든지, 좋은 대로 갈 거를 생각하든지 이런 거 저런 것들을 다 놔버린 상태에서, 그대로 자기가 생각하는 건 자기가 얼마나 더 잘 압니까? 그러니까 그대로 되는 겁니다. 그대로 스스로 말입니다.

그러니까 여러분이 '아이구, 이거는 이럭하면 안 되는데 저거는 저럭하면 안 되는데…' 안 되는 게 너무 많고 되는 게 너무 많아서 안 되는 겁니다, 정말. 되는 거 안 되는 걸 다 놓은 사이가 아까 한 셋트라는 얘깁니다. 되는 것도 놓고 안 되는 것도 놔라 하는 거는 그 되는 거 안 되는 거, 죽는 거 사는 거를 거기다 한데 합쳐서 내가 한 셋트로 묶어서 모든 것을 근기(根氣) 있게 축으로 가졌을 때, 그것은 자기 용도대로 다 꺼내서 적으면 적은 대로 크면 큰 대로 빼서 쓸 수가 있다 이 소립니다. 그걸 갖지 않고는, 그걸 계발 안 하고는, 용(用)의 숙달이 되지 않고는 도무지 안 되는 겁니다.

그러니까 내 몸으로 인해서 가정에서나 모든 것을 나 하나가 끌고가는데, 어떤 분이 엊그저께 이러더군요. 제가 병에는 아주 자신합니

다, 이거야. 우리 가정의 병에는 자신합니다. 다른 거는 지금 숙달이 안
돼봐서 모르지마는 병에는 자신합니다 이거거든. 월급을 50만 원 탔는
데 항상 10만 원 15만 원 돈이 나가다가 안 나가니까 일곱 식구가, 상
당히 지금 이익이 돌아옵니다 이거야. 그리고 마음 편안하고 건강하고,
땀을 흘리게 되면 땀을 흘리는 대로 '어휴, 이거 보약 좀 먹었으면.'
그런데 바깥의 보약이 아니죠. 이 안에 말입니다. (가슴을 짚어 보이시
며) 그러니까 일체 만물만생이 다, 우리가 같이 살면서 공생(共生)하
고 있다, 또 공식(共食)하고 있다 하는 거는 우리가 지금도 사장은 직
원들 때문에 벌어먹고 살고 직원은 사장 때문에 벌어먹고 살듯이, 저
런 푸른 풀들도 약 아닌 게 하나도 없습니다. 그런데 우리는 그 물질
을 갖다 먹는 게 아니라 그 액을, 보이지 않는 데 근본적인 액을 갖다
가 서로 같이 해주는 겁니다. 왜? 그 약이 나이기 때문입니다. 그러니
더 좋은 걸 먹을 수 있죠.

　　지리에 관한 건도 아우트라인만 얘기해드렸는데, 말을 할 줄 몰
라서 그랬습니다. 이해해 주십시오. 그렇게 한 셋트를 이렇게 놓고 볼
때에 요것만 아시면은 지리에 관한 것도 연구할 수가 있는 것입니다.
이건 아주 심성과학으로써 심성 지리학이라고 볼 수 있겠죠.

　　예전에 일본 사람들이 그 모든 혈맥을 끊기 위해서 산에 큰 쇠말
뚝을 많이 박았습니다. 그러나 그 후에 나는 이렇게 생각했습니다. 그
걸 빼러 돌아다닐 필요도 없다. 한생각이면 두루 전체를 그냥 몰락 뺄
수가 있다. 또 그게 들어 있어도 몰락 뺄 수 있다는 점은 혈(血)을 끊
지 않을 수도 있다 이거야. 그건 물질이야. 그러기 때문에 그 혈을 끊
을 수가 있겠느냐? 한꺼번에 몰락 뺄 수가 있는 겁니다. 그래서 지금
하나도 없습니다. 쇠말뚝은 박혀있되 쇠말뚝은 없습니다.

　　어느 사람이 이런 예가 있었습니다. "묘지를 쓰고서 식구가 잘못
되고 죽고 이러는 분란이 일어났으니, 묘지를 어디로 이장을 해야 할
텐데 어떡하면 좋겠습니까? 우리가 지금 그냥 지망년(至亡年)을 당해

서 이장할 돈도 없습니다." 이러거든요. 그래서 알겠노라고 했는데, 그 '알겠노라'고 한 뜻이 무엇인지 여러분이 생각해 보십시오. 영령만 들어내면 될 거 아닙니까? 그럼 그 묘지에는 아무것도 없어요. 혼백(魂魄)만 들어내면 되죠? 그래 승천시키면 되죠.

그런 법도 있고 이런 법도 있고, 여러분의 마음에 따라서 이렇게도 하고 저렇게도 합니다. 그러니 자유권이라는 게 얼마나 소중하고 보배입니까? 이렇게 싱그러운 이런 묘법을, 우리가 그대로 한 사람 한 사람 다 지니고 있습니다. 그 산의 혈(血)이라는 것도 모두 우리 몸체의 혈을 타는 것과 같습니다. 유마힐거사가 "중생들이 병이 나으면은 내병이 낫노라."고 말을 했다는데 말입니다. 그러니 내 몸을 이루는 이 몸 안에 중생들이 얼마나 많습니까? 많은데 말입니다. 많은 그 생명들이 한데 합쳤기 때문에 유마힐거사가 나왔단 말입니다. 유마힐거사가 나왔는데 유마힐거사가 '그 중생들이 나아야 내 병이 낫는다.'고 단순하게 조그맣게 생각하면 그렇고요, 이 세상의 모든 내 태초의 모습이 내 뱃속 안에 다 들어 있습니다. 전부 나 아님이 없어. 내 혈을 타고 전부 세포마다 있는 이 자체가, 지리에 관한 것도 거기에서 조금조금 방법만 틀리지 전부 똑같습니다. 혈의 맥이나 서로 통신하는 거나 통하는 거나 전부, 전체 일체를 다 할 수 있는 거는 여러분 한 점의 마음입니다. 한 점의 마음! 한 점의 마음이 우주의 섭리를 한 셋트로 갖다 놓고선 하나하나 닥치는 대로 쓰듯이 그것은 내가 둘이 아님을 알고 찰나찰나 나투는 그 묘법을 우리가 두루 알아야 그렇게 할 수 있다는 겁니다.

그래서 지난번에도 얘기했지만 아무리 반쪽짜리 나라가 됐다 할지라도, 그것도 우연히가 아닙니다. 누구를 원망할 수가 없는 겁니다. 여러분이 잘 해나왔더라면 그렇게 되질 않았습니다. 여러분이 잘 하질 못했기 때문에 그렇게 된 겁니다. 이 마음이 없다면 계발을 못 하고 계발이 없다면 우리가 참 어떠한 것을 가져오겠습니까? 역사나 우리 나라의 형편이나 이런 것을 여러분이, 여기서 공부하는 분들이 될 수 있으면 경제적으로나 통일적으로나 또는 국방적으로나 또는 정치적으로나 공업적으로나 상업적으로나 가정적으로나 전체 국민적으로나 내 몸으로나 전체 할 수 있다는 그 사실을 아셔야 합니다.

바람이 불어와도 그것도 생명이 있는 겁니다. 바람도 생명이 있어요. 눈도 있고 코도 있고, 혀도 있고 다 있단 말입니다. 넬름 집어먹을 수도 있어. 사람도 그냥 넬름 집어먹을 수도 있어. 그런 무서운 생명들이에요. 그런데 그 생명이 나와 둘이 아니라면은, 그 모습과 내 모습이 둘이 아니라면, 그 용(用) 쓰는 거와 나와 둘이 아니라면, 그게 바로 나인데 말이예요. 그래서 자기가 자기 집어먹을 수가 없어, 절대로 그거는. 또 그뿐입니까? 어떤 혹성에서도 그렇습니다. 우리가 지금 몰라서 그렇지, 병고가 전 세계로 퍼지는 것도 그렇고 한쪽에만 퍼지는 것도 그렇고, 모두가 모습 없는 모습들의 생명이 있기 때문입니다.

여러분이 여러분의 몸을 이끌고 가실 수 없다면 가정을 어떻게 끌어갈 수 있으며 어떻게 사회를 끌고가며, 국가를 끌고가며, 통일을 바라보며, 어떻게 세계를 조절할 수 있겠습니까? 세계를 조절 못 한다면은 우주를 어떻게 조절하겠습니까? 이 한 점에, 한 점도 내놓을 수 없는 한 점에, 이 마음에 달렸다는 거를 여러분이 잘 아셔야 됩니다. 너무도 고차원적이라고 하지만 고차원적도 아니고 고차원적 아닌 것도 아닙니다. 이거는 인간의 섭리가 그대로 될 수 있게끔 돼 있기 때문입니다. 새삼스럽게 이런 말을 하는 게 아닙니다.

우리는 금(金)이 돼도 빛을 내서, 금빛으로 하여금 수천 수만 개로 남들한테 전부 배부돼야 되고, 전부 내가 돼야 되는데 금으로 나와 가지고도 산에서 금방 캐놓은 금이란 말입니다. 이 도리를 모르면 그거는 빛이 안 났기 때문에 이자도 붙지 않고, 금이 더 늘지도 않고, 빛도 안 나고, 광도 나질 않아서 그냥그냥 그대로 왔다가 그대로 가는 이치밖에 되질 않아요. 요다음에 또다시 태어난대도 좌천될지 올라갈는지 덜할는지 더할는지 그것도 모르면서 우리는 쓰러져가야 되는 이런 입장입니다.

광맥이라고 하는 것도 내 마음의 광맥, 깊은 속에서 캐내는 이 금덩어리 보배. 본래 있는 건데 내가 왜 발휘를 못해서 캐내질 못하나? 이게 제일 의문이에요. 우리가 어떻게 생각하면 어느 큰스님이 '무(無)'자 화두를 주고 '이뭣고!' 화두를 주시고 이렇게 하신다고 그러시는데 그것도 좋습니다. 그러나 우리가 한 소식을 얻기 전에는 그 화두를 굴릴 수가 없는 겁니다. 여러분이, 모르는 분들이 덮어놓고 화두를 들어서 어쩌시려고요. 이것도 껍데기가 돼서 진짜 실상을, 회전하는 실상을 만들기 위해서 이것도 놔야 되는데, 이것도 공(空)에다 놔야 되는데 공했으니까 공에다 도로 놔야 되는 거죠. 그런데 하물며 그 공한, 말의 뜻을, 뜻을 갖는 게 아니라 말을 가지곤 그냥 붙잡아서야 되겠습니까. 이것도 공했고 그 말씀해주신 것도 공했는데, 둘다 다 공했는데 이 공한 것도 붙을 데가 없는데 그걸 또 붙여가지고서는 십년, 이십년 끈단 말입니다. 이거 될 법한 얘깁니까?

우리는 그대로 여여할 수 있고 묘법을 그대로 갖고 부처 될 가능성을 갖고 있기 때문에, 한생각에 달렸다는 얘깁니다. 한생각에 뛰어넘을 수가 있다는 얘깁니다. 살아오던 습을 녹이기 위해서, 녹이기 위해서 나오는 자리에다 되놔라 이런 소립니다. 여러분이 각본대로 나오는, 팔자 운명대로 나오는, 죄업대로 나오는, 유전성대로 나오는 거기에다가 되놓을 때엔 말 못 하는 사람, 귀로 못 듣는 사람, 뭐 별 사람 다 있지마는 서서히 풀려 돌아가죠. 여러분이 그렇게 진심으로써 할 때에 우리가 진신사리(眞身舍利) 바로 그 결정체에, 사리가 있다는 것은 죽지 않았다는 증거거든, 그게. 결정체마다 있으니까.

또 어디에 지원이 생긴다고 해요. 그래서 지원 생긴다는 데에 가서 도리를 취해주고 와야죠. 그래서 오늘은 이렇게 짤막하게 이만 줄이겠습니다. (합장하심)

나라 사랑과 마음의 도리

87년 6월 21일

오늘 여러분과 또다시, 항상 함께 하면서도 너나로 따로따로 있다가 또 이렇게 한데 한자리를 하고 있군요. 오늘 말씀드릴 것은 지금 분단된 우리가 너무도 요새 물바람이 세어서 위태위태한 것을 볼 때에, 지금 현재에 닥쳐오는 문제를 볼 때에, 엊그저께가 오늘이고 내일이 오늘이라는 것을 항상 강조하고 싶군요. 옛날이 아니라 여러분이 더 잘 아시다시피 신라와 고구려 백제 세 나라가 있었을 당시의 얘길 잠깐 하겠습니다. 나는 역사를 배우지도 않았지마는, 우리가 이렇게 국난에 빠져서 허덕일 때는 생각이 납니다.

신라가 삼국통일 하기 전 얘깁니다마는 원광법사(圓光法師)라는 유명하신 스님이 있었습니다. 아마 여러분은 나보다도 더 상세히 잘 아시리라고 믿습니다. 그러나 대비를 하지 않으면 안되겠어서 이야기하는 겁니다. 그분은 참 도가 높고 공부를 잘 하셔서 그때는 부처님 법이 절대적이고 이름도 유명했습니다. 그러기 때문에 중국에까지 안 퍼진 데가 없었습니다. 그렇게 널리 이름이 퍼졌던 그 분이 그럼 신라에서 무엇을 가르쳤느냐? 한마음 도리를 가르쳤던 겁니다. 부처님의 뜻을 받들어 항상 그것을 거름으로 하여 현재에 자기의 본분을 지키면서 나갈 것을 가르쳤죠. 신라의 그때 상황에 따라서, 그때 사람들의 차원에 따라서, 그 사람들의 용도에 따라서 말씀을 해주셨던 겁니다. 때에 따라서는 화랑들이 찾아오면 찾아오는 대로 그렇게 가르쳤습니다.

다섯 가지 예의를 지키라고 했습니다. 법도를, 계율을 말입니다. 첫째는 충성을 다하는 것을 잊지 말고, 둘째는 효도하는 것을 잊지 말고, 셋째는 싸움을 하러 나갔을 때에 물러서지 말아야 할 것이고, 넷째는 친구들을 사귀되 한마음으로서 둥글게 사귀며 마음을 같이 할 수 있는 둘 아닌 도리를 가르쳤고 다섯째는, 전쟁터에 나가서 상대방을 죽이게 될 경우 살생이 아니라 가려가면서, 한 사람을 죽일 때도 열 사람 백 사람을 살리기 위해서 가려서 죽이라고 했습니다. 그 다섯 가지를 지키라고 했습니다. 짐승을 죽일 때도 여름이나 봄에는 알을 낳으니깐 죽이지 말 것이며, 가려서 죽이라는 얘깁니다. 사람이나 짐승이나 자식을 낳고 사는 부모로서의 마음은 애틋하기 그지없으니 짐승들의 마음이나 사람들의 마음이나 똑같다는 걸 가르쳤습니다.

그렇게 가르치시면서도 역시 한마음이 중요하다는 것을 너무나 간절히 일깨워주셨고, 그때 당시에 모든 왕이든 왕족이든 정치하는 사람들도 다 원광법사의 말씀을 그대로 믿고 따르고 들었답니다. 그렇게 따르고 듣는 반면에 원광법사 스님은 참, 대도를 펴시면서 한마음 도리를 심어주신 거죠.

화랑들이 이어서 이어서 전달을 하면서 수많은 화랑들이 그 정신을 이어받았답니다. 수많은 화랑들이 이어받은 것은 물론 아낙네들도 이어받으며, 왕족들도 이어받으며, 신라뿐만 아니라 옆의 나라들도 전부 그렇게 받아들이다 보니까 삼국통일을 하는 데도 원광법사 스님이 가르쳐주신 뜻이 거기에 베풀어져서 많이 기여했다는 그런 얘깁니다.

마음으로부터 우리가 정신을 활용할 수 있는 그런 능력이 한생각에 우리한테 주어져 있다는 것을 알아야 합니다. 우리에게 지금 들이닥친 문제들, 한마디만 이렇게 하죠. 부처님의 뜻을 받는 불제자들은 항상 겸손하게 숭고하게 호국불교를 염원하면서 게을리하지 않고, 한 생각을 그렇게 호국불교의 정신으로써 사찰마다 부처님의 뜻을 받아서, 나가서 몸뚱이로 돌아치는 게 아니라 항상 앉아서 염원하고 게으르지 않게 정진하는 그것이 바람직하다고 보는 것입니다.

또 한 가지는, 지금 이러한 문제가 닥쳐오는 것이 우리 산 사람들의 행위만 있어서 그런 것도 아니요, 정치하는 사람들이 잘못해서만도 아니죠. 정치를 하는 데 학생들 문제도 국민들 문제도, 벌어지고 있는 게 어디서 왔는가 그런 생각을 안 할 수가 없습니다. 앞에 닥치면 그건 당연히 스스로서 생각나는 겁니다. 내가 왜 오늘 이런 말을 해야 하는지 모르겠습니다. 여러분이 생각하는 거와 같이 나도 똑같이 아마 그런 생각을 했나 봅니다. 그렇게 물결치듯이 바람치듯이 하는 것이 어디서부터 왔는지 우리는 똑바로 알아야 합니다.

신라가 삼국통일을 할 때에 다 흡습을 못 했으면서도 통일을 했던 것, 그것은 바로 원광스님의 그 뜻을 이어받았기 때문에 그렇다고 봅니다. 우리는 그때나 지금이나 둘이 아닌 오늘인 것입니다. 그때의 오늘도 오늘인 것이요, 오늘의 오늘도 오늘인 것입니다. 그러면 당면 문제가 어디서부터 오는가? 내가 어리석어서인지 모르지마는 내가 오늘날에 생각해보니 4·19도 있었고 6·25도 있었고, 또는 생각해보니 삼국통일 할 때 그때의 영령(英靈)들도 지금 산 사람들에게 물결과 바람으로 치는 동시에…. 산 사람들로 하여금 잘못했든지 잘 했든지 어느 누구가 해도 어쩔 수 없는 문제가 당면해 벌어지고 있고, 또는 그렇게 물결치는 것이 어디로부터 왔다는 것을 우리는 역력히 침착하게 알아야 합니다.

사람이 나빠서도 아니죠. 마음에 따라서 육체가 움죽거리듯이 스스로 그러한 문제가 일어난다면, 여러분 마음의 동요를 시키고 학생들의 마음을 동요를 시키고…; 6·25 사변 때도 얼마나 무참히 죽었습니까? 4·19 때도 학생들이 무참히 죽었으며 또는 삼국통일 할 때도 그렇게 무참히 많은 생명을 앗아갔습니다. 그때만 그런 것이 아닙니다. 물론 그것은 요기에 관한 건만 얘기하느라고 그러는 겁니다마는, 우리가 죽고 살고 죽고 살고 하는 것이 진리라고는 하지만 그 마음들이 얼마나 아프고 얼마나 그 잠재의식 속에 입력되었으면 때에 따라서는, 즉 말하자면 쓰레기통의 벌레들이 우르르 한 떼로 나와서 수만 마리가 퍼지듯이 보이지 않는 데서 그만큼, 잠재의식의 영령들이 바람을 일으키고 물결을 일으키고 국난엔 여지없이 문제가, 이러한 문제가 당면하고 말았습니다. 여러분은 보이는 데만 알고 안 보이는 데는 등한시하는 이러한 습관들이 있어서….

옛날에는 왜 그렇게 국사들을 모셨었던가? 나라를 이끌어나가고 국민을 이끌어나가려면 보이지 않는 세계와 보이는 세계와 균등하게 균형을 잡아서 마음을 조절할 줄 알아야 하고, 물결을 막아야 할 줄 알고, 그 물결을 응용할 줄 알아야 합니다. 그때는 이열치열이라는 말이 있듯이 영령들로 어떤 일이 벌어지면 영령들의 군부를 풀어서 해결할 수 있는 그러한 안을 세웠던 겁니다. 그랬는데 오늘날 우리는 보이는 것만 알고 보이지 않는 것은 모르기 때문에, 국방부에 사람이 몇이며 또는 포가 몇이며, 잠수함이 몇이며, 차가 몇이며, 비행기가 몇이며, 속사포가 몇이며, 총이 몇인가만 가지고 논의하기 때문에 균형을 잡지 못한다 이 소립니다.

모든 것이 보이지 않는 데서 보이는 데로 나오는 것, 일체 모든 살아가는 생활이 그대로 심성과학이며 도며 진리라는 뜻입니다. 이 생활을 어떻게 생각하십니까, 모두? 우리가 앞으로 자라나는 애들을 키우면서 그 자라나는 애들이 또 주인이 되면서 일꾼이 되면서, 우리가 이러한 정신을 갖지 않고는 앞으로 더욱 더 힘에 겨운 문제들이 많이 벌어지게 될 거고 그것은 바로 우리가 그러한 도리를 모르기 때문에 일어나는 당연한 문제겠죠. 여러분도 지금 살아 있으면서 이 도리를 모르고 몸이 있을 때에 벗어나지 못한다면 아마 그 잠재의식 속에 들어 있는 대로 팔짝팔짝 뛸 겁니다. 나로서는 이 말 한마디 한마디가 얼마나 근중하고, 얼마나 소중한지 모릅니다. 우주간 법계(宇宙間法界)의 문제도 그렇지마는 우리 앞에 닥쳐오는 문제를, 왜 이렇게 내가 이 자리에서 얘기를 해야 하느냐 하는 것을 여러분은 깊이깊이 생각해야 합니다.

여러분의 한생각에 가정을 이끌어나가며, 내 몸을 이끌어나가며, 사회를 이끌어나가며, 국가도 이끌어나갈 수 있는 그러한 마음의 도리가 필요하기 때문입니다. 정치하는 사람도 지금 균형을 잡아서 물바람이 칠 때는 바로 물바람으로 막아야 하고 불바람이 칠 때는 불바람으로 막아야 하고, 흙바람이 불 때는 흙바람으로 막아야 하는, 그러한 보이지 않는 세계 또는 보이지 않는 세계에서 잘 이끌어나가면 보이는 세계로 잘 이끌어지는 그런 도리를 정치하는 사람일수록에 잘 알아야 합니다. 한 사람이 잘못 끌고가면 온 국민이 다 구덩이에 빠지게 되니까요.

또 한 가지는 여러분이 보이지 않는 세계를 모르기 때문인데, 어떤 사람은 똑똑히는 말은 안 하겠지만 싸움을 안 하고도 손만 닿는 사람이 있다면 '손만 닿게 해라, 그냥 먹겠다.' 이러한 문제도 당면해서 벌어지고 있습니다. 지금 어떠한 잘못된 개념과 어떠한 사람이 잘못한다 나무랄 그런 시대가 못 되는 것 같습니다. 잘 판단하셔야 될 줄 압니다. 앞으로 몇 해가 지나서도 잘못한다면 '너는 잘못하니까, 밟아야지!' 이렇게 할 수 있는 거지만 지금은 그렇지 못한 시대라고 봅니다. 그러한 반면에 똑똑히 말해서 내가 왜 이런 말을 여기서 하며, 여기서 이런 말을 하면서 내 나름대로 귀정을 짓는 그러한 도리가 바로 그 뜻입니다. 사람이 못하면 그 도리를 아는 사람이 해야죠.

이 세상에는 세계적으로 본다 하더라도 여기처럼 이렇게 방치해둔, 아마 요런 조그마한 나라도 없을 겁니다. 딴 데서는 어떠한 문제가 벌어졌을 때 역사적으로 본다 하더라도 그렇게 불지르고 죽이고 돌멩이질 하고 태우고 그렇게 데모하는 거는, 아마 그렇게 과격하게 하는 거는 못 봤을 겁니다. 이것이 그 애들 잘못이 아니라 이건 국난입니다. 이 모두를 우리가 겸해서 말하는 겁니다. 어느 자식이 내 자식 아님이 어디 있겠습니까? 그리고 내 남편 아님이 어디 있으며 정치를 하는 사람도 내 아버지이며 내 오빠며, 내 부모며 바로 내 형제인 것입니다. 똑같습니다. 어디를 나쁘다 어디를 좋다 하겠습니까? 좋다 나쁘다 하고 싸울 때가 따로 있지….

월남에서도 많은 경험을 얻었으리라고 생각합니다마는 우리가 얼마나 집을 잃고 전셋방도 없이 힘들게 살았습니까. 그전에도 얘기를 했지만 셋방으로써 근근득생 하다가 겨우, 지금도 제한을 받지 않는 거는 아닙니다마는 그래도 조금이라도 자유스럽게 움직거릴 수 있으니 얼마나 다행한 일입니까? 지금 배고파서 죽는 사람은 하나도 없습니다. 너무 방치해서, 너무 방탕해서, 너무 이론이 많고 겨워서 말입니다. 우리가 지나온 그것을 왜 생각하느냐? 지금 시대에 앞으로 나아가지만 그래도 반드시 참고적으로 밑거름이 있어야 됩니다.

우리가 어떻게 살아왔느냐? 나는 아무것도 아닙니다. 정치인도 아니요, 여러분과 같이 이렇게 한자릴 하고 있는 한 인간에 지나지 않습니다. 옛날에도 수많은 사람들이 정치하는 데 뒤에서는 뒷받침을 했습니다. 도교로써 도심으로써, 그래서 얘깁니다. 여러분으로 하여금 한생각으로서 합심해서 부처님의 뜻을 따라서 우리가 내 형제, 내 국민과 내 자리를 지킬 수 있는 그 마음을 가질 때에 그것이 바로 자비와 사랑입니다. 그러고 물결치는 것은 능력이 있으면 있는 대로 우리는 한생각에 의해서 어디서 오더라도 어떻게 막아야 한다는 것을 아셔야 하는 것입니다. 그럼 그것은 어떻게 해야 하느냐?

옛날에 이런 얘기가 있습니다. 부처님 법을 한 계단을 내려서 이 보경계(耳報境界)라고, 이름해서 그것도 합니다. 그건 보살행이라고 봅니다. 그럴 때에 보살행은 이 모든 일체가 평등함으로써 주처의 뜻을 모두 한마음으로서 귀결짓는 반면에 아마도…, 예전에 6·25 났을 때에 밀고 들어간 맥아더 장군이나 또는 박 대통령 또는 이승만 대통령 이런 분들도 역시 그때에 일본 사람들하고 싸우느라고 그 군부가 얼마나 치열했는지 결사단이 정해지고 그래서 영령들이 지금도 역력히 살아 있다고 봅니다. 그 의식이 남아 있고. 의식이 남아 또 부산이나 지금 군묘지나 우리가 급할 때는 때에 따라서 그렇게 귀결을 짓고 보이지 않는 데서 물결 칠 때는 보이지 않는 데서 물결을 일으키는, 즉 보이지 않는 군부를 일으키는 그런 이보경계도 있다 합니다. '있다 합니다'가 아니라 있습니다!

여러분이나 나나 지금 배우고 가는 도중에 부처가 된다 법신(法身)이 된다 하기 이전에 행을 그대로 하는 것이 보살의 도리요, 사람의 도리요, 바로 말 한마디 한마디 법의 뜻을 그대로 응용하는 것입니다. 그런데 그걸 떠나서 우리가 '보살의 행을 한다'고 한다면 그 얼마나 어려운가? 내가 생각할 때는 모든 것은 잠재의식 속에서 각본대로 나오기 때문에 그런 문제가 일어나니 바로 그것을 놔야 된다. 밑빠진 두멍에 놔야 된다. 자기를 믿지 못하고 누구를 믿느냐? 만약에 자기 주먹이 마음이라면 자기 주먹을 믿어라 이거야, 자기 주먹을 믿어! 이 손가락이 왜 다섯 개가 됐느냐? 오온(五蘊)이 한주먹에 들어 있어. 십선(十善)이 한마음에 들어 있고 팔정도(八正道)가 바로 사무(四無)·사유(四有), 이 세상 우주의 섭리까지도 전부 한꺼번에 들었거든.

그러니 여러분이 이 공부를 공부라고 하기 이전에 여러분은 저한테 와서 한 가지 한 가지 말씀을 하시고만, 때에 따라서 공부하시는 분들은 얘기하고 인사하고 나가면 되는 겁니다. 왜? 열 가지든 만 가지든 그 속에서 다 해결이 나는 거니까. 듣는 사람도 그냥 듣는 게 아닙니다. 한마음으로서 가고 옴이 없이 가고 오기 때문에 들어만 줘도, 우리는 말을 할 필요가 없어요. 그래야 더 빠르고 그 뜻도 알게 돼요. 여러분이 행을 해나가는 데도 물론 그대로가 법이라고 하고 여여하다고 하지만 첫째, 놔야 된다, 모든 것을. 모든 소유를 놓는다. 둘째는 모든 생활이 참선이며 일체 한군데로 들고 나는 것이 전부 화두며, 바로 참선이다 이겁니다.

우리 일체 중생이 다 지금 그 뜻을 안다면 여여하게, 보이지 않는 데서나 보이는 데서나 균형을 잡아서 스스로 해나가게 돼 있어요. 진짜로 믿어야 하는 거죠. 여러분이 그것을 믿고 나가는 데는 항상 어느 가정이든지 어느 스님네들이든지 누굴 막론해놓고, 괜히 조그마한 거 큰 거 가지고 성내지 않는다, 크고 작은 것을 얕잡아 보지 않는다. 또는 말을 할 때, 성을 내고 와락와락 말을 할 땐 벌써 얼굴상이 달라져. 웃으면서 조용조용히 얘기할 때, 할 말을 다 하면서도 화합이 되고 그것은 싸움이 되지 않아. 우리가 그렇게 살아도 이 모습을 가지고 얼마 살지 못하는 이런 판국에 왜 그렇게 왈가왈부하고 살아야 하는지 그것을 한번 생각해보시면서 말도 하대해서 하지 말고 생각조차도 언제나 그렇게 해나가야 하는 거죠. 보살행이라는 것이 하도 말이 많아서, 그래서 이것을 끄트머리로 '모든 소유를 밑빠진 두멍에 놓는다.' 해야죠.

모든 중생은 고정됨이 없이 평등하여서 그대로 축이며 참선이며 화두다. 일체가 고정됨이 없어서 공덕계율(功德戒律)을, 행을 배운다. 개성은 평등하여서 행함 없이 행하는 까닭은, 사람의 불성은 평등하여 마음과 상이 없는 까닭에 견고한 용맹이 스스로 생긴다. 정진은 평등하여 마음과 행을 스스로 세우지 않는 것이 일상삼매(一相三昧) 행이며, 평등선정(平等禪定)이다. 지혜로운 마음은 평등한 고로 생각하는 바 없이 법주(法住)에 나는 것이며, 말과 정(定)이 두루하여 둘로 보지 않고 모든 신통을 스스로 굴리며, 신통은 세울 바 없이 평등하여 말이 구족하며, 법의 뜻이 두루하며, 법계가 평등하여 끄달리지 않는다.

게으르지 않고 한마음의 법을 내어 중생들을 평등한 심성으로 이끌어 청정한 마음으로 함이 없이 이끌어주며, 함이 없이 이끌어가는 그 사실이 바로 이름해서 삼십이상(三十二相)이 구족하다고 하는 것입니다. 우리 보살계(菩薩戒)를, 보살계율(菩薩戒律)이 아니라 우리가 하루하루를 살아나가는데 우리 생활이 그대로 참선이며 그대로 계율이며, 그대로 함이 없이 하며 보살행으로서 해나갈 수 있는 것이 얼마나 갸륵하고 얼마나 거룩한지….

때에 따라서는 아주 흐뭇하고 좋을 때가 많아서, 흐뭇할 때는 눈물이 하염없이 흐르곤 합니다. 내가 오늘 여러분에게 말할 게 너무 많아서 오히려 말할 게 하나도 없는가 싶습니다. 여러분을 만나면 많은 말을 하려고 그랬는데 말이 하나도 없이 이렇게 돌아가니까 지금 여기 오면서 '이거 보지 않으면 또 말을 못 할 거다.' 하고선 이렇게 왔습니다마는 몇 가지지만은, 몇 가지가 아니라 일체 만법이 다 한생각에 들고 나는 것이니까 그 모두를 여러분이 지혜 있게 잘 생각하신다면, 그 법주(法住)가 그대로 활용하는 것이 그대로 여여하게 바람결과 물결을 그냥 잠재시킬 수가 있는 것입니다.

옛날에도 얘기했듯이 수없이 잠재해 있는 생명들, 모습 없는 생명들이 일어나게 되면은 세계적으로나 우주적으로나 지구적으로나 우리 생명이 위협을 받는 수가 많다고 얘기했습니다. 크나큰 문제들도 있지만 소소한 문제에 의해서도 병이 왜 이렇게 잦아지느냐? 왜 백혈병이 생기고 왜 간암이 생기고 있으며, 정신병 환자가 이렇게 많으며 간질 환자가 이렇게 많으며 이렇게 많은 병들이 도대체 어디서 왔는지, 어디로 가는지도 모르게 닥쳐오는 문제들을 어떻게 해결을 하시겠습니까? 이것들이 보이지 않는 데서부터 오기 때문에 보이지 않는 데와 보이는 데를 균형을 잡아서 해나갈 수 있는 이 마음의 도리를 우리는 배워야 앞으로 자라나는 애들한테도 그 에너지를 넣어줄 수 있는 여건이 된다는 뜻입니다.

우리가 부처님의 경을 보면은 그때 상황의 말, 언어를 썼기 때문에 여러분은 그것을 잘 이해를 못 하세요. 나도 만약에 글로 배우려고 그걸 봤다면 이해를 못 했을는지도 모릅니다. 허지만 우리가 지금 시대에 개발된 이 시점에서 말, 언어나 어구 또는 그 모두를 우리가 뜻을 따라서 그대로 말하며 행을 해나가는 데에 역점을 둔다면 바람이 자지 않을까? 여러분과 더불어 한마음으로써 물바람 치고 비바람 치는 거를 막을 수 있는 것은 아까도 그러한 문제를 얘기했지만, 즉 말하자면 '이열치열이다'라는 것만 아시면 우리는 당면해 있는 문제를 해결할 수 있을 겁니다.

그러고 아까 제일 중요한 거, 때에 따라서는 사람이 똑같은 국민이며 똑같은 동족이며 똑같은 사람이며 똑같은 부처가 될 수 있는 거지마는 보이지 않는 모습의 생명들이 일어날 때는 그 악한 마음의 집에 들게 돼 있습니다. 선한 집의 마음에는 들질 않고 악한 사람들에게, 또 어떨 때는 순수한 사람들에게, 악한 것은 죽이는 걸 악하다고 하지마는 그냥 뛰고 일어나는 건 순수한, 아무 생각도 없는 순수한 사람 앞에 다가온다 이 소립니다. 그러니 뭐가 죄고 뭐가 잘못이고 이게 딱하지 않을 수가 있겠습니까? 누가 잘못하고 누가 잘하고 이걸 따질 수가 없습니다. 모두가 다 내 자식이기 때문에. 여러분 안 그렇습니까? 그러고 내 아버지, 내 형제, 내 가족 이거든요. 누가 잘못되는 걸 좋아하겠습니까?

그런데 둥글게 나갈 때는 나가더라도 법은 법대로 처리를 해야 하는 때가 있다 이 소립니다. 산 위에 물이 가고 물 위에 산이 가는데, 그런 까닭에 산은 산이고 물은 물이다 이겁니다. 여러분 가정에 어떠한 문제가, 만약에 칼을 들고 들어올 때에 그거를 해결할 수 있어야 되지 않겠습니까? 그럼 여러분이 부처님을 믿는다고 해서, 다 놓으랜다고 해서 가만히 있는 것이 놓는 게 아니라 너무 똑똑한 듯하면 어리석고 어리석은 듯하면 똑똑하고, 이러한 문제가 벌어지곤 합니다.

여러분이 편안하게 사시면서도 크나큰 일들을 많이 겪는데 그 사람네들이 못 하면 못 하는 대로, 우리는 한 형제 한 국민 한 집으로서 한 자리에서 부처님의 뜻을 받아서 그대로 행할 수 있는 그런 여건을 가졌어야 될 거라고 믿습니다. 그들이 못 하면 우리라도 해야죠. 그네들이 따로 있고 우리들이 따로 있는 것이 아닙니다. 막상 생각한다면 이것을 '아, 죽으면 죽고, 너도 죽고 나도 죽는다.' 한다면 뭐 다들 맘대로 하겠죠?

하나, 이것이 어디에서부터 오느냐? 아까도 재차 말했지만 이런 거를 강조하고 싶군요. 내가 부처님 법을 설하지 않는다고 생각하면서, '이상하게 오늘은 웬 얘기를 저렇게 하나, 저이가 뭐 정치가나 되나?' 이렇게 생각하시지 말고 우린 한국민으로 다 살림을 해나가는 것이지 내 가정만 살림이 아니요, 또 살림하는 게 정치인 것입니다. 부부지간에 자식지간에 하는 것도 정치를 잘 해야 됩니다. 그러니 부처님 법이, 우리가 보살행을 하고 안 하고를 떠나서, 금새 물건이 오면은 오는 대로 우리가 집어먹을 줄 아는 것이 부처님 법이죠. 먹을 것이 앞에 벌어졌는데도 먹지 못하면 어떡하며, 주지 못하면 어떡하며, 집지 못하면 어떡하며, 보지 못하면 어떻게 하며, 듣지 못하면 어떻게 하며, 두루 내가 스스로 굴릴 줄 알고 나를 세우지 않는 그런 방법을 우리는 알아야 할 것입니다.

여러분이 '저 스님이 하치않은 말을 그냥 해버리는구나!' 이렇게 생각한다면 그건 오산입니다. 손가락을 하나 번쩍 쳐들어서 우주를 들 수 있다면 바로 한생각이 우주인 것이고 또 우주가 한생각이라는 것을 아셔야 합니다. 여러분! 여러분이 한자리에서 만날 때는 절대적인 거와 상대적인 것이 둘이 아니게 돌아가면서, 우리가 떨어지면 상대가 있고 또 너가 있고 나가 있게 됩니다. 몸은 멀리 있어도 생각을 낸다면 바로 그건 둘이 아닌 것입니다. 떨어졌다 붙었다, 떨어졌다 붙었다를 쉬지 않고 하기 때문에, 쉴 사이가 없어서 떨어졌느니 붙었느니 말할 수가 없다 이 소립니다. 그래서 공(空)했다고 하는 것입니다. 그러니 한순간에 붙었다 한순간에 떨어졌을 때에, 한순간에 떨어졌을 때는 너가 있고 나가 있고, 네 괴로움이 있고 내 괴로움이 있고 다 그런 것입니다.

그런 것을 자기 스스로 열 가지든 백 가지든 해나갈 수 있는 그러한 능력을 기름으로써 여러분은 누가 나쁘니 누가 좋으니 이런 것만 따지지 말고. 세상에 어느 누가 그렇게 나쁘게 살고 싶어하고 또 어리석게 살고 싶겠습니까? 나부터라도 어리석고 배우지 못해서 말을 한마디 잘 할래도 몰라서 못 하는 수가 있고, 말 한마디라도 공손하게 또 겸손하게 해줄래도 할 줄 몰라서 그렇게 할 수가 없거든, 몰라서. 그러니 그것을 나무라기 이전에 자기를 한 번 돌아다볼 수 있는 그런 여건을 가지신다면 바로 그것이 남이 아니라 자기인 것입니다.

스님은 만날 했던 말 또 하고 또 하고 그런다고 그러지만, 여러분은 왜 했던 살림살이 그냥 되하고 되하고 그럽니까? 여러분은 만날 되먹고 되싸고, 되싸고 되먹고 만날 쳇바퀴 돌듯 그렇게 하시면서도 내 말하는 거는 만날 한 말 되하고 한 말 되한단 말 하시겠습니까? 진리가 그러한 걸!

그러기 때문에 우리가 보살행을 해서 법도를 안다면은 우린 우주하고도 섭리가 같이 통하기 때문에 어떠한 거든지 둘이 아니라, 둘이 아닌 까닭에 바로 나가 있고 너가 있고, 바로 네가 내가 되고 내가 네가 돼서 해결할 수 있는 것입니다. 이 도리를 알게 되면은 정말이지 우리는 좋은 이 바닥에서, 예전에 삼국통일 했듯이 부처님의 뜻이 이어져서 우린 통일을 할 것입니다. 이건 거짓말이 아닙니다.

여기서 배우는 여러분도 그렇고 또는 은연중에 모든 불자들도 그렇고 다 그것을 받아들여서, 그냥 목숨을 걸고 육신으로 뛰고 온통 나서서 천주교니 기독교니 야단인데 불제자들은 좀 안정하면서 사찰마다 한생각 내서 기원하는 것이 오로지 피를 보지 않는 일이라고 봅니다. 그럴수록 모든 것을 몸으로 뛰는 게 아니라 침착하고 아주 근면하게, 여기서 한 발짝을 떼더라도 태양계를 한 발짝으로 뛰는 것처럼 해야 됩니다. 태양이 딴 것이 아닙니다. 보이지 않는 우리 마음의 그 태양이 저 큰 태양보다도 더 귀중한 것입니다. 그 귀중한 걸 여러분은 모르시겠죠.

여러분! 내 이런 말 한마디 할까요. 과학자들이 태양 얘기를 하든 우주 얘기를 하든 또 내가 이렇게 얘기를 하든, 벌써 이런 게 있죠. 십년 전 일을 방금 검토해가지고 발견을 했는데, 발견을 해가지고 얘기를 했더니 백년이 지났더라는 얘기야. 백년이 지났대는 얘기야, 응. 그러니 여러분한테 가르치는 것은, 숨쉬고 들이쉬고 내쉬는 것만 같이 할 수 있다면 백년 후다 백년 전이다 할 필요가 없어. 백년 후다 백년 전이다 할 것이 없어. 그대로 같이 여여하게 돌아간다 이 소립니다. 여여하게 같이 돌아가는 데는 그 능력이 얼마나 광대무변하며, 법계(法界)가 얼마나 충만한 줄 아십니까? 여러분은 그 태양보다도 위대하며, 당당할 수 있습니다. 뭐라고 말을 잇지 못하겠습니다. 그 당당함을 말입니다. 물결 흐르듯 도도한 건, 그건 말도 못합니다.

절에서는 새벽예불 전에 북도 울리고 범종도 칩니다. 불전사물이라 하여 네 가지를 울리게 돼 있는데 물속, 허공, 땅, 지옥 중생까지 모두 건지기 위해서죠. 예전에 부처님들은 말씀하시기를 "너희들은 이렇게 정성을 지극하게 하면 그대로 그렇게 이어지느니라." 했는데, 우리가 마음쓰는 것은 등한시하고 항상 모습에만 치우치죠. 마음에 그 네 가지를 다 넣고 한생각에 종을 한 번 땅! 칠 때에 사계의 법계(法界)가 그대로 울려야 될 텐데, 여기 치고 저기 치고 따로따로 이거를 일일이 하니까 이것은 한 주먹을 들어서 한 주먹으로 쥘 수가 없어.

때에 따라서 제사 지낼 때도 참, 국난이 심하다든지 또 기우제를 지내거나 이럴 때에 여러분은 네 군데다 다 절을 합니다. 동서남북에다 말입니다. 그 왜 동서남북에다 절을 해? 한군데 서서 두루 그냥 전체 하면은 동서남북 따로따로 하는 것보다도 전부, 오온(五蘊)의 진리가 전부 한데 합쳐져서 칠각(七覺)의 뜻이 투철하고 칠보(七寶)가 가득 차 있을 텐데 어째서 그걸 그렇게 하느냐 이겁니다. 그러니 살기가 얼마나 피곤하겠습니까? 그렇게 피곤한 게 불법이 아니에요. 영원한 생명의 근원이 불법이며, 우리 살아나가며 말하며 이렇게 하는 것이 교(敎)거든. 그런데 왜 불편합니까?

오늘은 시국과 공부하는 것과 짬뽕을 시켜서 이야기를 해서 미안합니다. 여러분이 이해하세요. 난 여러분과 같이 학식으로 배우지 못했어. 그래서 용어나 말 자체나 엉뚱나간 데가 있고 그냥 아무렇게나 막 해버리는 그런 사람이에요. 그러니까 그것을 잘 납득해서 체계 있게 잘 생각하시라고요. 생각하는 분들이 잘 생각해서 하세요. 막 요리를 해서 막 내던지걸랑은 먹고 싶은 것 줏어먹으라고요. (대중 웃음) 그러면 될 거 아닙니까? 먹기 싫으면 내버리고 말입니다. 그렇게 할 수 있는 그런 여건, 모자라는 사람이라고 업신여기지 말고, 모자라는 사람이 말이 없이 행동은 할 수 있어, 행은 할 수 있다고! 그 행조차 평등하기 때문에 행을 할 수 있는 겁니다.

그래서 오늘은 여러분에게 더 할 말이 있는 것은 두었다가 다음에 하더라도 한 달 내내 우리가 살아나가는 데에 아까 짬뽕해서 말씀드린 거, 우리 가정에서나 내 몸을 이끌고가는 거나, 의학적으로나 과학적으로나 생활적으로나 모든 문학, 문화, 지리, 이러한 문제들을 우리가 이열치열로써 해결을 할 수 있는 그런 방대한 여건이 앞에 주어져 있다는 것을 아주 깊이 생각하셔야 합니다. 여러분은 여러분 혼자만 죽는 게 아니에요.

그럼 오늘 법문은 마치겠습니다. 법문이랄 것도 없는데 또 법문이라는 것 좀 봐! 이런, (대중 웃음) 아이 참!

생명들이 모여 하나의 별성을 이루고

87년 7월 19일

전자에는 옛날이 오늘이지만 지금 우리가 사는 현 시점에서는 오늘이 옛날이라고 해야 옳겠군요. 옛날 얘기 한마디 하고 넘어갑시다.

옛날에 어느 도량에 도반으로서 공부하는 사람들이 많이 있었더랍니다. 옛날이야 지금 같지 않고 먹을 게 모자라니까 너무 배가 고파 허덕이는 판이었습니다. 그때 어느 형님이 그저 새알이든 뭐든 줏어다가 산에서 구워도 먹고 하면서 배를 채웠더랍니다. 자기 배를 채우기 위해서 그런 저런 생각은 조금도 없이 알을 줏어다가 몰래 구워먹곤 했는데 그게 훗날 그렇게 될 줄이야 꿈에도 생각지 못했겠죠. 그 알을 줏어먹고 했는데 장마가 들은 어느 때에 옷을 빨다가 그냥 물에 떠내려가서 죽었더랍니다. 그래서 장사를 치루었는데 그 형님이 참 착하고 어질었지만, 그런 도리는 몰랐던지라 너무도 배가 고프니까 구워서 아우들도 주고 이렇게 했더랍니다.

그런데 도반 중에 한 스님이 마음을 깨달아서, 그 깨달은 마음을 지팡이 삼아 숙달을 하고 다시 보임(保任)을 하면서 점검을 해가는, 아주 톡톡하게 공부를 한 분이 있었더랍니다.

어느 때 산을 지나다가 보니까 멧돼지가 떼죽음을 당했더랍니다.

포수들이 한 대여섯이 올라와서 멧돼지 새끼들과 에미를 몽땅 사로잡았는데, 그 에미 멧돼지가 활을 맞고 쓰러지면서 하는 소리가 "언제고 너에게 복수하겠다."고 하더랍니다. 그 소리에 깜짝 놀라서 보니깐 자기 도반 스님이었더랍니다. 그래서 그 스님의 혼백을 이끌고서 좀더 지혜 있고 어질고 착한 그런 집으로다가 인도를 했더랍니다. 인도는 했으나 항상 스님이 그 집을 맴돌았습니다. 그 집에서는 그때부터 손주 며느리한테 태기가 있어 석 달이 됐고 넉 달이 됐고 다섯, 여섯 달이 되니까 배가 불러오더랍니다.

그 손주 며느리가 거의 산달이 다 됐을 즈음 그 스님이 주인을 찾았습니다. 찾아서는 "이번에 낳는 아이는 저를 주십시오." 하고 청했답니다. "왜 그렇습니까?" 하니까 사실 얘기를 했습니다. 이러이러해서 이리로 심었노라고. 맏아드님도 있고 또 딸들도 있고 하시니 셋째번의 이 분은 꼭 저를 주셔야 합니다 하니까 그 부모는 처음에 의아해 하더니 "아들인지 딸인지도 어떻게 알겠느냐?" 하니까 "아들입니다. 딸이든지 아들이든지 이번에 낳걸랑은 저를 주십시오!" 했거든. 그래서 열 달이 차도록 이 스님은 항상 그 집을 돌아서 가곤 했답니다. "형님, 당신께서 아우들을 위해서 먹을 걸 구해 주시고, 당신이 배고프니까 남도 배고픈 줄 알고 선량하게 사셨지만 이렇게 될 줄이야 몰랐습니다. 이것이 다 누구 탓입니까? 우리들의 탓이 아니겠습니까?" 하고 엉엉 울었거든. "형님이 이렇게 우리들을 위해서 혼자 짐을 지시는 동안 우리는 공부 잘 했으니까 형님을 모시고 인제는 제가 받들어야 할 시기가 된 것 같습니다." 하면서 엎드려서 땅을 두드리고 울었거든.

그래 형님이 탄생을 하시자 바깥에서 삼배를 올리고 눈물을 닦으면서 돌아서서 부처님 앞에 이렇게 말을 했더랍니다. "온 누리의 한마음이시여! 당신께서 다지고 다지게 해주시느라고 이렇게 하신 거고, 알을 갖다주신 형님의 그 자비로 우리가 그 알을 먹었으니 같은 공모자가 됐고, 같은 공모자가 된 까닭에 내가 이렇게 그 인연을 또 만났으니 이렇게 묘한 법이 어딨습니까?" 하고 울었거든.

그래서 그 애가 점점 자라서 다섯 살이 되고 여섯 살이 되고 일곱 살이 근 됐을 때 스님이 갔습니다. 낯을 익히기 위해서 세 살 때도 가고, 두 살 때도 가고, 그저 일년에 한 번씩 먹을 거라도 사가지고 갔죠. 가끔이라도 얼굴을 익혀야만이 데려가기가 쉽겠기에 일부러 거기가서 어린애를 만나서 같이 놀고 했더랍니다. 일곱 살이 되던 해 집주인의 허락을 받고 "스님 따라가자!" 하니까 그래도 전자에 살던 모든 것이 잠재의식 속에 있었던지 "그럼, 나 스님 따라 갈 거야!" 하더랍니다. 그래서 데리고 올라와서 가르치고 가르쳐서 서른 살이 좀 남짓했더랍니다. 그때는 제자로서에 아주 완벽하게 가르친 거죠, 알 때까지는. 본인이 형님이었고 자기가 아우였다는 거를 알 때까지는 채찍질을 한 거죠.

사람은 마음이 언제나 한마음으로 돌아가고 유하고 또는, 어떠한 걸 먹더라도, 남의 자식을 먹는다면 그 부모의 아픔이 얼마나 크겠는지, 또 자기들이 그때에 그렇게 했다는 소리가 아니라 지금 현재의 돌아가는 이치로 다 얘길 해주었죠. '인간의 삶의 아픔과 모든 짐승들의 아픔, 자식과 부모 형제들이 다 우리 도량의 형제나 마찬가지로서 이 도리를 알면은 법의 형제나 육의 형제가 둘이 아니니라. 육의 부모도 둘이 아니요, 법의 부모도 둘이 아니니, 우리는 그것을 잘 알아서 행동하는 것이 바로 한마음의 행동이요, 마음공부하는 그 도리니라. 또 마음공부를 하면서 행도 말도 자기가 아만을 빼버리고 독재를 빼버리고 조화를 이루면서 모든 일을 그렇게 해나간다면은 어떠한 새라도, 어떠한 짐승이라도 그 도리를 알아서 짐승 하나를 봐도 새가 날아가는 걸 봐도 풀 한 포기를 봐도 꽃 피는 걸 봐도 공부를 할 수 있느니라.' 이렇게 일러주면서 공부를 시켰답니다.

그러다가 그 제자 스님이 각(覺)을 이루게 됐는데 알고 보니깐, 스승은 자기의 아우며 자기는 형이었더랍니다. 그리고 자기가 전자에 살던 그 습에 의해서 모든 것을 다 알게 되자, 내가 착하긴 했으나 착한 거 하나만 알았지 인연의 도리는 몰랐구나 하는 거를 느꼈더랍니다. 종합해서 꿰들어야 하는 지혜를 가져야 하는데 그렇지 못한 채 하나만 알고 좋고 나쁜 걸 가려서 했고, 배고픈 걸 알았고, 배 안 고픈 걸 알았고, 덮어놓고 먹었던 거를 알았고 또 아우들한테 주어서 이렇게 다시 인연이 된 것도 알았더랍니다. 그때서야 아우는 "형님!" 하고 절을 했더랍니다. 하니까, "예전이 지금이고 지금이 예전이지 어디 따로 있습니까? 아우님이 내 스승이요, 바로 내 생명을 건진 당신이기에 당신의 생명과 내 생명과 둘이 아니요, 그 모습도 둘이 아니요, 법도 둘이 아니니 어찌 역대 부처님과 둘이겠습니까?" 하면서 맞절을 하면서 "다시 은사로 정하겠습니다." 하고 앉혀놓고 절을 삼배를 올렸답니다.

이것은 알이 먼저냐 닭이 먼저냐 하기 이전에 사람이 마음공부를 하지 않으면 모든 걸 분간을 못 할 때가 많습니다. 그러기 때문에 마음공부를 하되 반드시 이거는 생활과학이며, 심성과학이며, 생활이 진리요 법이기 때문에, 사람은 마음으로부터 참나가 있어서 나를 이끌어가는 주장자가 필요한 겁니다. 그러면서 현실을 리드해 나가고 길잡이가 될 수 있는 그런 역량과 지혜가 충분한 겁니다.

그래서 계향(戒香)이 정향(定香)이고, 혜향(慧香)이 정향입니다. 정향이 바로 우리의 중도(中道), 즉 말하자면은 중심(中心)·중용(中用) 이것이 바로 겸한 우리의 정향입니다. 그래서 그 중도를 전부 한데 합쳐서 처음에는 모든 것을 버리고, 다음에는 버림으로써 얻고, 다음에는 얻는다는 생각도 없을 때 한 주먹에 꿰어들 수 있는 그런 중도가 되고 바로 '해탈향(解脫香)'이 되는 거죠. 그래서 내가 벗어나면은 전부 같이 벗어난다는 뜻입니다, 해탈지견향(解脫知見香)! 이것이 우리들이 부처님 앞에 예를 올릴 때 바로 자기 마음을 공부하는 뜻입니다. 자기 마음을, 그 뜻을 알라 해서 그렇게 한 건데 그것은 외면하고 낱낱이 잘못된 건 잘못된 거고 잘된 건 잘된 거고, 인정할 거는 인정하고 인정 안 할 거는 안 하고 이렇게 분별합니다. 우리 살아나가는 데엔 그래야 될지 모르지만 주인공의 뜻이 완벽하지 않는다면 그것은 너무나 각이 집니다. 예를 들어서 모가 난다 이 소립니다.

그래서 이 공부가 필요하고 또, 우리가 그대로 중용으로서 할 수 있는 만법의 근본은 바로 마음의 근본이라는 사실을 아셔야 합니다. 그러기 때문에 내가 지금 말씀해드린 것은 어떠한 걸로 인해서 그런가를 잘 아시라는 뜻에서 얘기하는 겁니다.

때에 따라서는 주인공 참자기를 발견했을 때에, 내가 짐승을 하나 잡는다고 하더라도 그것이 살생이 아니라, 바로 그 무명은 쳐서 내가 되고 그 육은 약이 되는 것입니다. 그런 뜻을 잘 아시고 우리는 마음을 풍부하게 지혜롭게 굴려서 그러한 물리가 터져야 될 거라고 믿습니다.

그것은 그렇고 수많은 생명들이 지금 보금자릴 만들어서 살고 있습니다. 자식을 낳고 아니, 새끼를 낳고, 알을 낳고, 수많은 생명들을 지금 낳고 있습니다. 하지만 한마디 하고 넘어가겠습니다. 모든 물질들이 돌과 돌로 비빌 때에 불이 일어나듯 바람과 흙과 물이 한데 합쳐서 돌아갔을 때 거기에서 온기가 생기고 불이 일어나니까 바로 지수화풍이 한데 합친 겁니다. 합쳐서 나니까 수많은 생명들이 그때에 생겼고 또 성을 이루었습니다. 그럼으로써 조그마한 별들이지만 앞서 그 성을 이루었고 생명들이 생겼기 때문에 수억겁을 거쳐서 인간으로서 이렇게 등장했다고 봅니다.

그래서 부부가, 하늘과 땅이 합쳐지면 모든 일들이 벌어지듯 우리 어머니와 아버지가 합치면은, 거기서 온기가 생기고 불이 일어나면서 거기에서 불길이 일어나는 그 한 방울 한 방울이 바로 생명체가 되는 것입니다. 수억만 마리가 생명체가 돼서 벌어지는 거죠. 그런다면은 거기에서 벌어지는 그 뜻을 파헤치자면, 금(金)은 금대로 모이고 넝마는 넝마대로 모이고 무쇠는 무쇠대로 모이고 끼리끼리 모이는 것입니다. 부모와 자식이 모일 때 자식의 근본 뿌리가 거기에, 그 생명이 같이 할 때 거기에 융합해서 어머니와 아버지의 난자와 정자가 합해 줍니다.

그게 한데 일어나는 것이 정자 난자라고 의학적으로 이름을 부르고 있습니다. 내가 생각할 때는 두 개가 비벼질 때는 반드시 불이 일어나게 되고 그 불방울이 바로 생명이 된다는 사실을 아셔야 됩니다. 생명체가 돼서 나올 때 몸의 모든 것이 하나로 정립을 해서 하나가 형성이 된다면, 그것은 하나의 별성을 이루는 거나 마찬가집니다. 그건 왜? 부모의 육의 모든 생명체가 수천 수만 마리가 됐다 하더라도 줄지 않는 것은 한생각에 한마음이 돼서 이루어졌기 때문입니다. 거기 있는 것이 나온 게 아니라 그 본바탕의 잠재의식을 받아가지고 나오는 겁니다, 그것이. 거기서 생긴 거니까.

그래서 그 모든 것이 하나를 형성시키고, 의학적으로는 물로 돼버린다고 그러지마는, 그 모습이 물로 되면서 심성이 거기에 포함해 줍니다. 잠재해 있던 그 심성이 바로 그리로 포함되어 주기 때문에 육의 부모라고 합니다. 육의 어머니, 육의 아버지라고 합니다. 법의 아버지는 자기 낳기 이전 자기를 말하는 겁니다. 그래서 육의 부모가 이렇게 나를 형성시켰을 때는 삼합이 맞았기 때문에 이 몸이 형성된 거죠? 삼합이 되기 이전에 바로 이것이 합일로, 두 분의 합일로 됐기 때문에 삼합이 되는 겁니다.

그래서 그 생명들이 심성으로서 한 배를 타게 돼 있습니다. 그 몸이 형성되면서 그리로 다 합쳤기 때문에 거기에서 미생물인 나의 생명들이 그 모든 모습들을 해가지고 다시 자라면서 형성된 몸을 이끌어나갈 수 있는 그런 작업을 하고 있습니다. 그전에도 얘기했지만 수많은 작업을 해서 여러분을 이끌어가지고 나가는 것은 여러분이 여러분 혼자가 아니라 그 많은 생명들이 한데 합쳐줬기 때문에 우리가 이렇게 말하고 다니고 생각하고 이런 것입니다.

그러니 딴 데서 찾을 게 아니라 내 주인공이라 한 것이죠. 위로는 자기 낳기 이전, 자기의 자성부처를 참다웁게 발견해야 하고 그리고 지극하게 모시고, 또 아래로는 자기 육신 속에 있는 자기를 보조해 주는 중생들을, 수많은 중생들을 제도하면서 자기 한생각에 중도(中道)로써 중용을 할 수 있고 행을 그대로 할 수 있어야 하지요. 말하자면 모든 것을 꿰는 그 한마음의 주장자가 모든 소임을 하고 있고, 배로 치면 선장이 돼서 내 한생각에 수많은 생명들이 전부 마음을 같이 해준다 이겁니다. 내가 요변덕을 떨면은 모든 게 같이 요변덕을 떨기 때문에, 이거는 몸도 망가지고 살림도 망가지고 방황하게 되고 모든 게 잘못돼 돌아갑니다.

　　그러니까 위공장이나 소장공장이나 간장공장이나 모두 공장장들이 있는데, 그 공장장들이 말을 하는 대로 생각이 일어나게끔 돼 있습니다. 왜? 그것들도 다 살던 습이 있고 잠재의식이 있기 때문입니다. 그러니 나오는 대로 거기다 놔라. '너희가 나를 형성시켰고 너희들이 지금 해가는 거니까 너희들이 알아서 잘 리드해나가야지, 너희들이 형성시킨 몸을 너희들이 생각하는 대로 내가 움죽거릴 뿐이고 소임을 할 뿐이지, 너희들이 다 하고 있지 않느냐.' 하고서, 거기다 되놔야 그것은 공테이프가 된다고 말씀드렸습니다. 그렇지 않고 어느 회사의 회장이나 사장, 공장장이 사원들의 이 말 듣고 삐죽, 저 말 듣고 삐죽 이렇게 해나가면 그 공장은 망하는 겁니다.

　　모든 것이 그렇듯이 종합해서 해나갈 때에 잘못됐으면 잘못됐다고 말로 하기 이전에, 뜻으로서 잘 잡아나갈 수 있는 그러한 지혜가 필요하다고 봅니다. 그래서 모든 것을 거기서 해나가는 거니까 다 거기다 놔라 했던 겁니다. 거기다 놓으면은 거기에서 잘 리드해 나가고 공장장들이 또 사원들을 잘 이끌어가지만 공장장을 믿지 못한다면은 잘 될 수가 없습니다.

　　그런데 때에 따라서 공장장이 리드 못 해나갈 때에는 자기 선장이 한마음으로서 이끌어주면서 내가 그 공장장이 돼 주는 겁니다. 때로는 그럴 때가 있습니다. 어느 때까지는 그렇게 가르쳐서 다시금 잘 하게끔 만드는 것도 바로 선장의 마음입니다. 그러면 내부만 그런 게 아니라 외부도 그렇습니다. 강하면 부러지고 또 너무 눅진눅진해도 아니되고 언제나 중도로써 잘 리드해 나갈 수 있는 역량·지혜·물리 이것이 필요한 겁니다.

그런데 우리가 어머니 아버지의 피와 모든 잠재의식의 습성을 다 같이 가졌기 때문에, 어머니도 닮고 아버지도 닮고 발가락까지도 닮고 성격도 닮고, 업보도 똑같이 거기서 일어난 거니까 어머니의 업보 아버지의 업보, 인과의 유전이나 인과의 업보를 다 같이 소유하고 있다고 봅니다. 그렇다면은 이렇게 소유하고 있는 것을 왜 놓으라고 그러느냐? 모든 거는 근본의 축으로 인해서 돌아가니까 돌아가는 데다 되놓는다면, 어머니의 인과 업보도 없어질 뿐 아니라 아버지의 인과 업보도 없어지고 자기 것도 없어지고 다 몰락 없어지는 그 까닭입니다. 그래야만 우리가 밝게 볼 수가 있고 밝게 행할 수가 있고 밝게 말할 수가 있고 조화를 이룰 수가 있고 자율적인 제도를 할 수가 있으니 바로 이러한 문제가 거기에 붙어 돌아가고 있습니다.

엄마 아빠가 자식들을 보는 거나 자식이 부모를 보는 거나 똑같이 끼리끼리들 모였으니 보는 게 얼마나 역경이겠습니까? 차원에 따라서 말입니다. 많이 지었으면 많이 진 대로 적게 지었으면 적게 진 대로 용도에 따라서 이거를 했으면 이것대로 오고 저거를 했으면 저것대로 오는데 어떻게 감당하시렵니까? 그러기 때문에 모든 것을 놓으라고 했습니다. 부모에게서 받은 유산이라면 내 몸뚱이입니다. 몸뚱이가 형성된 겁니다. 그러면 몸뚱이가 따로 있고, 마음 내는 게 따로 있고, 생명이 따로 있느냐, 아닙니다. 생명이 있기 때문에 마음이 생기게 되고, 마음이 생겼기 때문에 육을 이루었습니다.

그랬으니 우리는 눈이 멀어서 돼지가 그런 짓을 하는지, 새가 그런 짓을 하는지 사람이 그렇게 하는지, 그게 보이질 않아, 캄캄하니까. 이 도리를 모르면 캄캄해. 캄캄해서 사람도 좌천할 수가 있어. 쥐가 노는 데에 들어가서 고만, 쥐부부가 사는 데 쥐인지 뭔지 그것도 모르고 뜻으로만 예감이 오니깐 그냥 들어가거든, 다시 형성하려고. 들어가니깐 쥐로 모습을 가지고 나왔다 이겁니다. 쥐 모습을 가지고 나왔으면 쥐 행동밖에 못 하지, 응! 보세요. 돼지 모습으로 나왔으면 돼지 행동밖엔 못 합니다. 전자에 아무리 사람이었다 할지라도 돼지 형상으로 나왔기 때문에 돼지 노릇을 하고 돼지 대접밖엔 못 받죠.

우리가 그릇이 작으면 작은 대로 작은 것밖에는 담을 수가 없습니다. 크면 큰 대로 담길 것이요, 작으면 작은 대로 담길 것입니다. 감히 이것을 누가 탓하리까? 여자는 여자의 모습을 가졌기 때문에 바로 여자의 행을 하는 것입니다. 남자는 남자대로 남자로 나왔기 때문에 남자의 행을 하는 것입니다. 사람의 모습도 중요합니다. 물론 모습이 첫째는 아니고 마음이 중요하죠. 마음이 중요하고 그 마음으로 인해서 모습을 가지고 나오는데, 바로 자기가 그려가지고 나오는 것이지만 몰라서, 무엇이 그러는지 몰라서 고만 두 부부가 자는 데 들어가기는 하나 차원이 뭔지 그것도 모르고, 자기의 차원이 그렇기 때문에 그 차원대로 들어갈 수밖엔 없어요. 왜? 못 보니까!

그러니 일체가 다 불성은 있으나 살아나오던 습과 인과로 인해서, 잠재의식에 잠겨 있던 습이 모두 캄캄하게 만든다 이겁니다, 모든 것을 다. 그저 이리로도 들어가고 저리로도 들어가고 이렇게 하는 거죠. 사람도 그렇습니다. 개천에서 용 난다고 하는 이런 속담이 있습니다. 어쩌다가 사람이 그냥 그리로 들어갔다. 별 거 아닌 그런 사람, 차원이 높지 않은 사람, 어질고 착하지 않은 사람 앞에도 개천에서 용 나듯 좋은 씨가 거기 떨어질 수도 있습니다. 그러나 그건 드뭅니다. 그래서 모든 육정을 떼고, 육정이라는 것이 바로 엄마 아빠에게서 나온, 내가 받은 모든 육정을 다 떼어라 이겁니다. 떼는 게 아니라, 끊는 게 아니라 녹이라 이거야. 모든 것은 나 아님이 없으니까.

그래서 안으로는 나 아님이 없이 생각하면서 둘로 보지 말고, 바깥으로는 비록 모습으로 너 나가 있더라도 전자의 내 형제였고 내 부모였고 나였는데, 수억겁을 거쳐나오면서 갖은 모습을 다 해가지고 살던 그 나가 어찌 잘못된 모습을 보고서 '너는 아니다' 이렇게 버릴 수가 있겠습니까? 수억겁을 거쳐나오면서 또 자기가 그렇게 해왔고 육의 부모가 그렇게 해왔고, 그래서 끼리끼리들 만났으니, 어떻게 부딪치든 가환이 끓든, 업보가 많든 끼리끼리들 만났기 때문입니다. 이거는 부정 못 합니다.

세상 돌아가는 도리가 바로 팔만대장경이요 진리요 도요 법이요, 이것이 바로 불법이 아니겠습니까? 그러니 책을 달달달달 외워서 학술적으로 이것이 제일이라고 한다 해도 그것도 마음이 있고 생명이 있기 때문에 책을 외운 게 아닐까요? 그것을 부정하고 말로만 괜히 떠든다면 이거는 여간 잘못된 일이 아닙니다. 그것은 한계가 있을 뿐 아니라 길지 못합니다. 마음을 즉각적으로 붙들고 나가면서 느낌이 오고 확연히 알았을 때 바로 공부를 하면서, 자기가 둘이 아니기 때문에 바로 조화를 이루는 것입니다.

그래서 여러분한테 마음부터, 마음부터가 아닙니다. 지금도 우리는 마음을 공부하면서 행을 해나가면서 말을 하면서 해나가고 있지 않습니까? 생각하면 즉시 생각으로 인해서 행이 나오고 말이 나오는데, 어찌 마음공부만 한다고 치우치겠습니까? 삼합이 같이 돌아가면서 사천세계의 모든 것을 간파하고 나갈 수 있는 그런 실천적이고 평화적이고 자연적인 공부를 해 나가야지요. 개인적으로나 국가적으로도 마찬가지죠. 그렇다고 억지로면 안되죠. 이것은 어디까지나 나 아님이 없기 때문에 누구이건 잘못된 것도 들어봐야 하고 잘된 것도 들어봐야 하니까, 그것은 그것대로 없으면 아니 되는 거죠.

그러기 때문에 우리 스님네들이 필요하고 또 여러분이 필요한 것입니다. 또 이런 게 있죠. 여러분이 우리 스님네들하고 똑같이 공부를 해서 똑같이 각(覺)을 이루었다 하더라도 스님 다르고 여러분 다릅니다. 여러분은 각을 이루어서 똑같이 했다고 하지만 모르는 사람들을 위해서 방편으로 삭발염의를 안 했어. 그래서 모르는 사람들이 따르지를 않기 때문에 모습이 필요한 것입니다.

그러니 이런 말씀 드리고 저런 말씀 드린 걸 잘 생각하셔서, 앞으로 공부를 열심히 하면서 뛰면서 생각하시라고 그런 거 아닙니까? 지금 세상에 생각하면서 뛰고, 뛰면서 생각하고 말하고 이러는 것이, 바로 지금 가르친 그대로예요. 여러분의 몸이 화두요, 갖가지로 마음내는 것이 법이니 그 모든 행하는 것이 어디서 나오는가 관(觀)하라. '내가 나를 내놔도 보이지 않고 말해도 모르고 생각해도 모르고 보이지도 않고 내놓을 수도 없는 이것이 도대체 무엇인가? 당신이 있는 줄은 아는데 당신이 도대체 무엇인가?' 하고선 관하라 이겁니다. 관하면서도 그대로 붙잡고 나가는 사람들은 각(覺)을 이루지 않았어도 죽어서도 그러한 모순된 좌천은 되지 않을 겁니다. 그래도 빗장을 쥐었기 때문입니다.

여러분은 항상 병고나 가난이나 업보로 인해서 어떠한 문제가 생겼을 때에 나한테 옵니다. 그러면 나는 그걸 계기로 해서, 각자 여러분의 그것을 계기로 해서 마음 공부를 안 하면 되질 않는다, 이렇게 이렇게 해라 하고 말해 줍니다. 딴사람은 기도를 붙이고 기도를 해라 또는 정성을 들여라 하지만, 여러분이 아시다시피 나는 있는 사람들은 부모를 위해서 천도를 해달라면 해주지만 또 빚을 내다가 하려고 한다는 걸 내가 알았을 때는 절대 하지 말라 그럽니다. 그런 예가 있습니다. 공부하는 동안에 차차 가면서 천도가 될 수도 있는 거다, 먹는 밥을 가지고도 할 수 있다 그러죠.

또 그렇지 않으면 제사를 지낼 때 '어떤 사람이 어떤 사람인지 역대로 내려오면서 뭘 어떻게 하는지를 당신네들은 모르니까 큰 떡 하나, 해놓고선 제사를 지내라.' 이런 적도 있습니다. 그것이 마음을 합하는 것이거든. 모두 한데 합쳐서 돌아가는 한마음으로 꿴 떡이거든. 하도 모르니까 그렇게도 해본 예가 있었습니다. 때에 따라서 가난한 분이 빚겨가면서 하면, 집안이 아주 죽겠으면 내가 죽겠는 겁니다. 여러분이 밥을 굶으면 내가 죽겠는 겁니다. 나는 내가 편하기 위해서 여러분한테 그러는 겁니다. 여러분을 건지는 것도 아니고 여러분을 잘 이끌어가는 것도 아닙니다. 내가 편하려고 그럽니다.

여기 노인분도 와 앉아계시지만 이렇게 오셔서 무어라 하시면은 마음이 그냥…, 내 거짓이 아닙니다. 내가 거짓이 아니어야 거짓이 아닌 것도 우주간 법계에서 알 것이고, 내 이 뱃속에 들은 생명들이 다 알기 때문입니다. 그러니 내 별성이, 지금 조그만 별들이 이 속에서 운행을 하는데 큰 별로다 이렇게 형성시켜 놓은 거니까 나라고 존재를 딱 붙일 수도 없죠. '너는 앞장을 서서 날 이끌어다오.' 하고선 하나 형성시켜서 놓은 건데, 그렇게 마음을 잘못 써서는 안 되죠. 귀도 크게 뚫어놓고, 입도 크게 뚫어놓고, 코도 뚫어놓고, 눈도 크게 왕방울처럼 뚫어놨거든. 그 모습에 대해서는 크게 해놨죠. 이 별을 이렇게 해놓고선 잘 이끌어달라고 한 거거든요. 너 하나가 이끌어지면 나도 전체 이끌어진다. 깨알 하나 심으면 깨알이 수만 개가 나온다 이 소립니다.

지금 말하던 도중에도 조금 돌아갔습니다. 우리가 마음 자체로부터 모든 게 종합돼서 나가니까 이 뜻을 가지고 우리가 나간다면 때에 따라 웃음도 나고 때에 따라서는 '어휴, 저런!' 하고 답답하게 생각도 들 때가 있지만 이게 고정되지 않은 겁니다. 사람이 다르고 생각이 다르고 모두 다르기 때문입니다. 또 때에 따라서는 '어휴, 똑 아버지 같고 동생 같고 꼭 어머니 같고 꼭 나 같고…' 이렇거든요. 내 가정 같고 내 자식 같고 내 형제 같으니까 이것은 부정을 못 해. 이게 천성인지 모르지만 이 도리를 알려면은 하나하나 우리가 따라줘야, 나를 믿으라는 게 아닙니다. 따라줘야 알게 되는 겁니다. 이걸 알아야 말과 뜻과 행이 그대로 나가는 것입니다. 말로 자식들을 가르치는 게 아니라 뜻으로 가르처야 합니다.

때에 따라선 이런 생각이 들 때가 있습니다. 여러분도 잘 생각해 보십시오. 어떤 땐 자식이 바득바득 우기면서 그냥 그럴 때는 아무리 자식이지만 '너 한 번 가봐라. 한 번 네가 골탕을 먹어야 다시 정립을 할 거다.' 하고선 그때는 돈이 조금 들더라도 아예 놔둡니다, 빠득빠득 우기니까. 자식인데 그렇게 안 해줄 수도 없고 그래서 내주는 수가 있습니다. 번연히 그걸 알면서도 내줍니다. 그런데 그것이 제대로 안 됐을 때에 그것이 바로 우리가 가르치는 법입니다. 자식을 사랑하는 부모의 마음입니다. 번연히 알면서도 그것을 내주는 부모의 마음은 누가 밑지고 싶어서 그렇게 내주겠습니까? 자식을 다지고 다져서 자기가 경험을 얻어서 크게 되라고 하는 것이지, 안 그렇겠습니까? 여기 그런 분들도 많으실 거예요, 아마.

그럴 때에 마음이 한마음으로 돌아갈 때, 내 가슴이 뭉클하고 그럴 때 그분들은 다 속에 들은 생명들과 그 마음, 즉 선장의 마음과 내 마음이 한데 돌아가기 때문에 위공장의 기술, 장공장의 기술, 모든 기술들을 가지고 있는 속의 모든 공장장들이 내 공장장하고 똑같거든. 여러분 안 그렇겠습니까? 사람이 생각하는 게 다르기 때문에 공장장들도 전부 사람에 따라서 생각을 해줄 거고, 쥐의 공장장은 쥐가 하는 대로 따라줄 거라 이 소립니다. 모습대로 다 따라주거든. 모습이 그렇게 됐다 하면은 그 생각밖엔 안 나게 해놨습니다. 컵을 요렇게 만들어놨으면 요기 담을 그릇밖에는 안 되는 겁니다.

그러기 때문에 우리가 마음을 잘 가져야 나중에 좌천을 해서 모습을 바꿔가지고 나오지 않습니다. 이 공부를 하면 선지식으로만 태어나느냐? 꼭 그런 것도 아닙니다. 물론 그렇게 가다 보면은 모든 사람들을, 수많은 사람들을 거느리면서 조화를 이루고 또 길잡이가 돼서 나갈 수는 있겠죠. 또 어떠한 회장이 될 수도 있고 어떠한 대통령이 될 수도 있겠죠. 그것이 없어서도 아니 되겠죠. 여러분 보고 지금 그 차원에서 그대로 있으라는 말도 없습니다. 그것도 아닙니다. 잠깐입니다, 요 모습 요 차원 요것도 잠깐입니다. 누가 써붙였나요? 내내 그렇게 하라고 써붙였나요? 요렇게만 살라고 써붙였나요? 고정된 건 하나도 없습니다. 여러분이 아무리 가난하고 그래도 마음의 도리를 알아서 공부하신다면 여러분의 모습을 다시 바꿔가지고 나와서 떵떵 울릴 겁니다, 아마. 그리고 전자의 자기가 몰랐을 때를 생각을 하고 모든 사람들을 리드해 나가면서 잘 먹이면서 또, 인의롭게 다루면서 자비하고 지혜롭게 해나가실 수 있는 그러한 대인이 되실 겁니다. 지금 우리 살아나가면서 나는 이렇게만 살아야 하나 하지만 고정되게 못박듯이 그대로 있는 게 아닙니다.

'틀이 없는데 어찌 면경이 있고, 면경이 없는데 먼지가 앉을 게 어딨느냐?'고 하고 '먼지가 없는데 닦을 게 어딨느냐?'고 했듯이 고정됨이 없기 때문에 여러분은 부처가 될 수도 있다는 겁니다. 그리고 하나가 마음을 깨달으면 전체가 다 돌아가니까 그것이 바로 가만히 있으면 부처요, 생각 냈다 하면 법신이요, 움죽거렸다 하면 화신(化身)인데, 보이지 않는 데도 삼합이 맞아서 돌아가는 이것이 바로, 전체를 다, 저 승세계 이승세계를 한데 합쳐서 꿰든 것을 말하죠. 한마디로 육십이견(六十二見)을 거머쥔 것이죠.

왜 삼십이상(三十二相)이라고 했고, 육십이견(六十二見)이라고 했고, 팔십종호(八十種好)라고 했을까? 한마디로 말해서 나를 깨달아서 삼합이 맞게 종합을 해서 딱 꿰고 간다면은 이것이 바로 삼십이상이 구족한 것이요, 육신이 그러한 것이죠. 애비와 자식이 둘이 아니었을 때에 이 몸도 그러하듯이, 광명과 밝음이 그대로 여여하듯이, 그리고 지금 보이는 상대성과 나와 둘이 아닐 때에, 저승과 이승과도 둘이 아닐 때에, 둘이 아니게 돌아갈 때, 꿰어들어서 육십이견이라고, 이거 하나 꿰어드는 것을 말하는 겁니다. 저승과 이승이 둘이 아닐 때에 바로 산 사람이나 죽은 사람이나 전부 한데 꿰어들어서 네가 내가 될 수 있고 내가 네가 될 수 있고, 그렇게 광대무변하게 나툴 때, 하나가 수만 개가 되고 수만 개가 하나가 되고 이렇게 할 수 있는 그 능력이 풍부해서 나를 세울 게 없을 때, 몽땅 나를 세울 게 없을 때 그것이 사무(四無)·사유(四有) 한데 합쳐서 꿰어들었을 때에, 비로소 팔십종호라고 이름해서 붙이는 게 아닌가 이렇게 생각을 합니다.

말을 하자면, 거기서 붙어 돌아가는 말을 하자면은 길고 길어 끊임없이 이어 돌아가는 말이지마는, 나는 그렇게 끊임없이 이어서 돌아가게끔 말하기 이전에 말로 가르치는 게 아니라, 여러분이 깨달아서 보면은 스스로 그것을 알게 될 거다 이거야, 한마디로 말해서. 한마디면은 그것을 다 알게 될 것이다 이 소립니다. 말로 가르치다 보면 여러분이 말을 익히는 습성이 돼가지고 붙잡고 붙잡고 또 늘어져서 그 그릇에서 헤어나질 못합니다. 말을 할래도 그 그릇에서 헤어나지 못할까봐 말을 못 합니다.

그러니 여러분이 잘 생각하셔서…, 여기에 제가끔들 오시면은 "야, 주인공에 맡겨서 하라니까 왜 이래?" 이렇게 하고 내가 냉정하게 할 때가 있습니다. 그런데 냉정한 말을 했지만 그 속에는 생각이 있습니다. 둘이 아니기 때문입니다. 자기는 있는데 자기가 자기를 몰라. 그럴 때 그것을, 가난하고 괴로운 것을 계기로 삼아서 그것을 가르쳐줄려고 하는 거죠. 내가 훌떡 해버리면 그 사람은 뭘 미끼로 공부를 하겠습니까? 여러분이 항상 자립해서 농사를 지어서 풍족하게 놓고 이거 먹고 싶으면 이거 먹고, 저거 먹고 싶으면 저거 먹고 이렇게 자유스러워야 되지 않겠습니까? 그런데 자유스럽지 않고 그저 한 됫박 한 됫박 얻어다 먹는 형상을 하고 있으니 이건 정말이지 여간 딱한 노릇이 아닙니다.

여기 할아버지가 계시지마는 다녀가신 뒤에 내 가슴에서는 눈물이 철철 흘렀습니다. 왜냐하면은 마음이 그지없이 착하고 남한테 해롭게 안 했고 또 마음 씀씀이가 아량 있고 풍족하시기 때문에 내 마음도 거기에 녹아들은 겁니다. 돈을 줘서요? 천만의 말씀이요. 이 세상에 돈을 가지고 하고 싶은 거 다 한다고 생각하시면 손 들어보십시오. '돈 가지고 다 할 수 있다'라고 말씀하실 수 있다면은 손 들어보시라고요. '대신해 줄 수 없다'는 건데 '대신해 줄 수 있다'라면 손 들어보세요. 홀로 왔다가 모습을 바꿔가지고 홀로 갔다가 홀로 오고 홀로 갔다 합니다. 모습만 바꿀 뿐이지. 그럴 때에 모습을 바꿔가지고 살아나오던 그 모든 생각을 해본다면 모습을 봐도 참 애처롭습니다. '야! 수억겁 광년 전에 내 모습이 바로 너였구나!' 안팎이 다 나였구나 이거야.

내 뱃속에 내 태초가 들었는데 바깥을 보니까 바깥에도 내 태초가 있어, 태초의 모습이. 태초의 마음들이 있고, 태초의 차원이 있고 그러니 여러분의 마음의 차원대로 내가 돼 드릴 수밖에는 없지 않습니까? 그러니까 때에 따라서는 엄청나게 되지도 않는 말 하는 수가 있고, 어떤 때는 엄청나게 되는 말 하는 수가 있고 어떤 때는 엄청나게 '어휴 저건, 어휴 저게…' 이럭하고, '배웠다는 게…' 이럭하고 나갈 수도 있고, '저건 그냥 물에 물 탄 듯이 술에 술 탄 듯이 그렇기만 해!' 이럴 때가 있고, '저 스님은 참 명확해!' 이렇게 할 때가 많습니다.

굼벵이도 생각이 있어서 지붕에서 떨어진다고 했습니다. 생각이 있어서요. 여러분은 굼벵이가 그러니깐 '에이그, 저거 죽을 줄 모르고 떨어져!' 그렇죠. 그러나 굼벵이가 생각이 깊어서 떨어집니다. 아무 발 끝에나 탁 죽는 겁니다. 죽어서 그 몸뚱이를 벗고서 턱! 날아다니다 보니까 얼마나 기쁨이 있었던지 모르겠습니다. 살다 살다 보니까 또 거기에도 고초가 있어. 서로 쫓기고 쫓는 그런 고통이 한두 건이 아냐. 거기서 또 계발하는 겁니다. 계발을 할래서 계발을 하는 게 아니라 살다 보니까 계발이 되는 거지, 보고 듣고 하니깐 말입니다. 이것은 여러분의 산 교훈일 뿐 아니라 산 진리요, 우리가 지금도 그럭하고 있다는 사실을 잊어서는 아니 됩니다.

예전에 가만히 보면, 사람 죽으면은 재를 반드르르하게 해놓고,

쌀도 반드르르하게 해놓고, 짚세기 세 켤레를 갖다 바깥에 걸고 밥을 해놓고 그럽니다. 그거를 보려고 하기 이전에, 사실 그걸 봐서 무얼합니까? 뱀이 됐으면 어쩌고, 사람이 됐으면 어쩌고, 새가 됐으면 어쩌겠습니까? 모르는 처지에서, 네? 그거를 본래 알았더라면 새 될 것도 없고, 돼지 될 것도 없겠죠. 사람도 사람 나름대로 자유껏 가고 싶은 밭에 가려면 가고, 자유인이거든. 전부 자기 아님이 없으니 뭐, 여기 가서 날려고 애쓸 필요도 없고, 저기 가서 날려고 애쓸 필요가 없어요. 보신(報身)들 화신(化身)들이 전부 모시고선 좋은 데로 갖다 바치거든. 자기가 그렇게 하려고 한다, 안 한다를 떠나서 가만히 있어도, 스스로 몰고 가. 악한 데로 몰고 가는 것도 스스로 몰고 가고 선한 데로 몰고 가는 것도 스스로 몰고 가. 높이 앉히는 것도 스스로 몰고 가. 그런데 만약에 공부를 했다 하면 몰려가는 자는 이리로 몰려가나 저리로 몰려가나 하등 상관을 안 해. 자기가 앞으로 어떻게 될까? 그것도 상관 안 해.

오늘 여러분한테, 여러분이 나이고 일체제불이 여러분이라는 걸 가르쳤고 '여러분 자체의 자성신(自性神)을 믿어라!' 하고 가르쳤고, '자성신에서 나오는 거 자성신에다 다시 놔라' 이렇게 가르쳤습니다. 여러분이 마음먹기에 달렸다는 거, 그 사실을 앞으로 느끼면은 행도 말도 해나가는 것이 전부 중용으로써 아주 틀이 있게 잘 해나가시리라고 믿으면서 오늘은 이걸로써 끝마치겠습니다. 감사합니다.

어떻게 살아야 되는가?

87년 8월 16일

우리 마음이 좀 굳어 있으니 우스운 얘기 좀 하고 시작하죠. 그전에 말입니다. 제가 어느 산길로 들어서서 내려다보니깐 조그마한 마을에서 불이 났습니다. 그걸 보는 순간 이런 생각이 났죠.

예전에 말입니다. 한 정승이 지나가는데 거지가 아들을 데리고 있다 하는 소리가, "야! 정승이 얼마나 바쁘겠느냐? 나는 그렇게 바쁘지 않고, 잠도 늦도록 잘 수 있고, 아무 데 가서도 앉을 수 있고, 아무 데 가서도 편안할 수 있으니…, 그러고 또 배가 고파도 가서 달라면 줄 것이고, 그러니 얼마나 편안하냐?" 하니까 아들이 있다 하는 소리가 "그러믄요, 그것이 다 아버님 덕분이죠." 하거든요.

또 거지가 아들을 데리고 휘적휘적 가다보니깐 물난리가 나서 야단들이거든요. 아마 올같이 그렇게 물난리가 많이 났던 모양이죠. "야! 너는 참 행복하구나, 아버지를 잘 둬서." 그러니까 아들이 있다 하는 소리가 "정말, 아버님 덕분입니다. 우리는 집이 없어서 물난리 날 일이 없으니 마음 편안하고, 또 땅값을 내라니 걱정인가? 아무 걱정도 없으니 이 팔자가 상팔자지 뭡니까?" 아, 이러거든요. 그러면서 거지 부인더러 하는 소리가 말입니다. "12월달만 되면 모두 빚들을 주고 받고 하는데 우리는 빚 줄 것도 없고 받을 것도 없으니 얼마나 편안하냐?" 하니까, 부인이 있다 하는 소리가 "참, 당신 덕분에, 당신한테 시집을 잘 왔죠. 당신 덕분에 얼마나 편안합니까?" 하거든요.

그런 생각이 그 불나는 바람에 생각이 문득 났는데 나이가 어린 탓인지 몰라도 그만 얼마나 웃었는지 모릅니다. 왜 웃었겠습니까? '자도 누가 땅값 내라는 사람이 있나. 어쩌면 그렇게 나와 똑같은가' 하는 생각이 들었던 거지요. 팔자가 좋아서, 정말이지 기뻐서 웃었습니다. 그냥 얘기가 아닙니다. 지금보다도 그때가 너무 즐거웠지 않은가 이런 생각도 해봅니다.

요즘은 여러분이나 또 우리 스님네들이 '올라가십시오, 이렇게 하십시오, 저렇게 하십시오, 이리로 가십시오, 저리로 가십시오' 그러거든요, 지금은요. 그러니 그때보다야 자유스럽지 못하죠. 허허허. 그땐 지금처럼 기운이 있어서 막 웃지도 못했지마는 킥킥킥킥 하고 얼마나 웃었는지, 즐거운 웃음이었습니다. 야―, 자도 땅세 내란 말도 없고, 하늘을 지붕 삼았으니 누가 세금 내라는 사람도 없고 집을 치우느라고 걱정할 것도 없고, 태울까봐 걱정할 것도 없고, 집어갈까봐 걱정할 것도 없고, 아무 걱정도 없으니 말입니다.

단 하나, 그전에 생각을 한 거는 그때엔 나이가 어리니깐 말입니다. 지금은 그래도 이렇게 살이 있지만 그때는 혼자 다니기가 안됐으니까 진흙을 얼굴에다 덕지덕지 칠해서 말라 붙은 채 다녔던 거밖에는 없습니다. 이 집을 누가 집어갈까봐 말입니다. 허허허.

참, 그때는 재미있는 얘기가 많이 있습니다마는 재미있는 얘기라고 하기 이전에 지금도 때때로 그 생각을 하면 참 빙그레하고 웃습니다. 올해도 물난리가 난 것을 보니까 그때 그 생각이 나서 빙그레 웃었거든요. 한편으로는 말입니다. 그러면서도 안타까웠습니다. 오늘 낮에도 여러분이 오시면서 '어, 비가 오네!' 그러길래 내가 '여러분이 편리하지 않을 텐데, 비가 오면.' 이런 생각을 했습니다. 다행히도 비가 안 와서 여러분한테 조금 편리한 점이 있을 것 같습니다.

지금 말씀드리려고 하는 것은 우리 인간이 마음으로부터 만 가지 법을 내놓을 수도 있지만, 만 가지 법을 들일 수도 있고, 둘째 내가 만 가지의 모습을 할 수도 있고, 만 가지의 모습을 거둘 수도 있고, 또 셋째 내가 만 가지 사람이 될 수도 있고, 그 만 가지 사람을 내가 혼자…, 이러한 뜻을 우리가 알지 않으면 안되리만큼 지금 시대가 빠르게 치닫고 있습니다.

알고 본다면 우리 나라는 한 시루의 콩나물에 대가리 하나 낀 것밖에는 안 되는 나라, 지구 안에서도 그런데, 대천세계를 한데 합친다면은 그게 먼지 알갱이만이나 할까요. 그렇게 보잘것 없는 먼지 알갱이 같은 것을 가지고 왈가왈부하면서 서로가 옳지 않다고 그 싸움을 하고 화목치 못하고 이런다면은, 우리는 지금 공부한다고 생각할 수도 없습니다.

따지고 보면 지금 상전은 우리 애들입니다. 심부름꾼은 엄마 아빠가 돼야 되고요. 첫째, 참 잘해주어야 하고, 오순도순 말도 곱고 또 융화있게 해야 하고 잘 먹여야 하고, 잘 입혀야 하고, 잘 입히지는 못하나마 잘 먹이진 못하나마 그래도 마음을 거스러지는 말아야 하고, '공부해라, 공부해라' 하기 이전에 인의롭게 잘 대해주고. 그런다면은 따뜻하니깐 나갔다가도 집으로 들어오게 돼 있거든요. 그리고 또, "야! 이 새끼야! 너, 공부하랬더니 만날 놀러만 다녀. 대학은 언제 들어가고, 공부는 언제 하고…," '야, 이 새끼야!' 이러던 버릇이 그냥 남아서 내내 애들을 보면 '이 새끼, 저 새끼!' 이렇게 되고, '야!' 이렇게 되고 부인더러도 '야!' 이렇게 되는데, 이렇게 한다면은 아니 됩니다.

나는 어려서 이런 거를 똑똑히 지켜보았습니다. 다른 거는 몰라도 일본 사람들의 교양이라든가 그 습의 도리를 볼 때, 아내더러도 존대하는 거, 자식한테도 '해라'를 하지 않는 거, 자식들이 보는 데는 절대 싸우지 않는 것만은 참 보고 배울 만합니다. 또 남이 뭐를 주면은 반드시 그 접시에 대신 다른 걸 담아서 주는 거, 이런 거를 볼 때에 아주, '사명대사가 철저하게 버릇을 가르쳐놨구나!' 하는 생각을 했습니다.

내가 오늘 이렇게, 우리가 공부를 하지 않으면 안 된다 하는 말을 하려다가 삐뚜루 가정 얘기로 돌아가버리고 말았습니다만 이제 시작을 해야죠.

사대오온이 다 공(空)해서 소천세계 중천세계 대천세계가 있다 한다면, 바로 우리 이 지구의 문제뿐만 아니라 지금 우리가 보는 대로 혹성들, 은하계, 태양계도 거기대로 문제가 있죠. 그런데 우리가 알지 못하는 태양계도 수억 개가 될 뿐만 아니라 우리가 보지 못하는 혹성들이 이 오온에 가득찬 데다가 예를 들어서, 잘디잔 건 빼고도 큰 것만도 여섯 개나 되고, 그 다음에 아홉 개, 그 다음에 열두 개, 그 다음에 열여덟 개, 그 다음에 이십칠 개, 이렇게나 큰 어마어마한 문제를 가지고 바로 꽁지가 꽁지를 낳고 있습니다. 지금 현재에 그렇단 말이지, 앞으로는 더 있을는지도 모릅니다.

벌써 이런 말 하고 지나가면 벌써 백년이 흘렀다는 둥, 십년이 흘렀다는 둥, 삼년이 흘렀다는 둥 합니다. 그것은 왜 그런가? 요렇게 말하고 돌아서면 벌써 일년이 지납니다. 이것을 우리는 자세히 알아야 됩니다. 똑똑히 따지고 보면 일년 반을 지난다고 봅니다. 이렇게 말을 하고 돌아서면 말입니다. 그렇게 시공이 없이 빠른 그 진리 속에서 우리는 지금 허덕거리고, 이렇게 일일이 걸리고 사는 겁니다.

그런데 거기다가 우리 은하계를 따지고 보면 우리가 지금 은하계의 별성밖에는 되지 않는다, 별 속에 별이 있습니다. 별에서 별을 낳듯이 말입니다. 우리 인간의 혹성이, 혹성 안에 별이, 우리는 혹성이면서도 별입니다. 별이면서도 그 속에 지금 운행을 하고 있는 그 생명체들이 너무도 질서정연하게 동맥 정맥을 오르고 내리는 반면에, 모든 일체 생명들은 자기 부서를 맡아가지고 그렇게 운영을 하고 있습니다. 그와 마찬가지로 은하계도 조금도 틈이 없이 운행을 잘 하고 있고, 혹성이 지구 자체도 그렇고, 모든 것이 운행을 잘하고 있습니다.

그런데 지구가 어디로 돌아가는지 우리는 지금 볼 수가 없습니다. 지금 어디 가서 있는지, 지구가 어디로 돌아서 어떻게 가 있는지도 모르고, 그대로 그날이 그날인 것처럼 살고 있습니다. 예전에도 그런 얘기 했지마는 좀더 상세히 말하자면 그 많은 혹성 중에, 그 많은 별성 중에, 그 많은 태양계 중에, 우리 인간이 마음 자체를 발견한다면은 대우주 대천세계의 섭리를 한꺼번에 파악할 수 있는 것입니다. 한마음 속에, 티끌 속에 있듯이. 마음으로서, '만법' 하면은 대천세계 중천세계 소천세계까지 다 응용할 수 있다는 사실을 여러분이 아셔야 합니다.

여러분이 항상 모르고만 있는 것이 아닙니다. 여러분은 또 알고만 있는 것도 아닙니다. 이런 소릴 하는 것은 왜냐하면은 여러분이 좌천을 할 수도 있기 때문입니다. 차원이 낮아서 눈도 멀고 귀도 띄지 못했다면은 모습을 바꿔서 짐승 속에 들어가서 짐승 모습을 타고날 수도 있으니 하천으로 떨어지는 것이고, 그 모습을 타고 났으니 그 모습의 노릇을 해야 될 거 아닙니까? 엊그저께도 얘기했지만 여자는 여자기 때문에 여자의 행동을 하고, 남자는 남자기 때문에 남자의 행동을 하듯이 돼지로 태어났다면 돼지의 행을 해야 하겠으니까 말입니다. 그래서 좌천보다는 승천이 된다면 마음의 세계로 우리는 등장할 수 있는 거죠.

우리가 부처가 될 수 있는 것은, 마음의 세계에서 그 모두를 보고 듣고, 숙명을 알고, 타심을 알고, 천안을 알고, 천이를 알고, 신족을 알고 법바퀴를 굴려서 이 세상에 공덕이 되도록 할 수 있기 때문입니다. 그러니까 누구나가 보면 볼수록 광명이 비치고 전력 에너지가 다 그 사람의 능력을 또 이끌어주고 할 수 있는 거죠, 모든 것을. 만약에 그런 능력이 없이 말로만 학술적으로만 똑같은 말을 되풀이한다 하더라도 그것은 아닙니다. 말을 하더라도 주인공 자체로서 둘이 아니게끔 해야죠. 그래야만 말을 해도 한 사이 없이 하는 게 됩니다. 여러분이 이렇게 많이 앉아 계셔도 한 사이가 없다 하는 것은 주인공 자체가 다 똑같기 때문입니다. 주인공이 다 똑같아서 한데 합쳐서 지금 이렇게 말을 해도 두드러지게 '내가 말을 했다' 이럴 수가 없습니다. 왜? 여러분하고 다 같은 한마음이기 때문입니다. 그래서 마음이라는 것은 묘법의 불가사의한 신비한 마음이라는 것입니다.

만약에 다른 혹성에서 마음세계로 치닫고 있는 사람들이 있어서 지금 지구의 과학자들이 연구하고 또 발전하고 이러는 것을 지구에서는 어떻게 하고 있나 하고 방문을 해서 모두 돌아보고 가도 여러분 눈에는 보이지 않습니다. 그걸 아셔야 됩니다. 그래서 마음이 계발되지 못하면 아마 다 송두리째 뺏겨도 뺏기는 줄 모르게 뺏길 수도 있다 이 소립니다. 뺏긴다고 해서 죽는 것은 아닙니다만 두뇌가 무질서해질 수밖에 없죠. 여러분이 알고 있고 듣고 있고 보고 있는 그 자체를 그냥 빼가도 여러분은 어디다가 호소 한마디 못 합니다.

우리가 어떠한 기술을 가졌든지 다 빼서 자기들은 마음으로 한 생각에 해결해버리고 맙니다. 그러니까 우리는 지금 몇십 년을 연구해서 비행기를 하나 만드는데 이건 물질과학이지만, 그들은 심성과학이기 때문에 한생각에 비행기를 만들어서 타고 다니다가도 그냥 없애버릴 수가 있죠. 우리가 말을 하다가도 말을 중지하면 말이 끊어지고 없어지듯이, 타고 다니다가도 그냥 내리면 없어져. 그것뿐입니까? 자기가 만 가지 모습으로 낼 수도 있어. 그러니까 한 가지의 실상을 가지고 사는 게 아니에요. 실체를 가지고 살지 않기 때문에 실상이 없고, 실상이 없기 때문에 무법천지같이 자유롭게 살 수 있다 이 말입니다.

그런데 그 반면에 뭐가 있느냐? 해롭게 하려면 한없이 해롭게 하고 이익하게 하려면 한없이 이익하게 할 수 있는, 그러한 무서운 도리다 이런 소립니다. 또 그렇다고 해서 그것이 부처님 자리냐, 그게 아닙니다. 깨우쳐서 그런 건 아닙니다. 이것은 모습으로 탄생하게끔 돼 있지 않기 때문입니다. 왜? 뜨겁고, 춥고 그렇기 때문입니다. 지구처럼 사계절이 온기와 공기 등 모든 게 구비가 되지 않았기 때문에 이 실체가 나오지 못했을 뿐이지 그대로 자기다 이거죠. 그것은 공기도 필요 없고 아무것도 필요 없는 거야. 뜨거워도 뜨거운 게 없고, 차도 찬 게 없고, 공기가 있으나마나니 자기 하고 싶은 대로 하는 거라.

그래서 우리가 서천국(西天國)에, 사천세계에 서천국이 있다 한다면은 '서천국에 아촉불국(阿閦佛國)이 있노라', 또는 '도리천국(忉利天國)에 아촉불국이 있으니' 하는 것은, 나의 마음을 깨우쳐서 내가 미지의 세계 서천국으로 든다는 얘기죠. 그러니 지금 현실의 유(有)의 세계에 회전을 하면서도 내 마음을 밝혔으면 불은 항시 켜져 있으니 아촉불이 아니겠는가? 도리천국에 아촉불국이 있다는 건 부처님 자리를 말할 수 있겠죠. 모두 너와 나와 둘이 아니게끔 될 뿐만 아니라 풀한 포기 버리지 않는, 그 생명과 마음이 같이 하니 바로 도리천이라고 할 수밖엔 없겠죠. 도리천국에 아촉불국이 한자리를 하고 있다! 내가 경전에 있는, 부처님이 전자에 말씀하신 그대로, 이름을 그대로 따지 않더라도 여러분이 이해를 해서 들으시리라고 믿고 이런 말을 합니다.

실체가 나오지 못하는 그러한 것이 있는가 하면 반면에 동물들도, 우리 인간의 마음보다도 더 높은 차원을 가지고 있는 것이 많습니다. 그런데 실체로 나오진 못했어도 여러분을 하나하나 집어삼킬 수 있는 그러한 능력을 가지고 있다. 그것은 자비를 가지고 있는 게 아니라 능력을 가지고 있기 때문에, 사람한테 해로울 일이 너무도 많이 앞으로 닥칠 수도 있다는 사실입니다.

우리 동네만 동네가 아닙니다. 지금 지구로 봐도 작지만, 우리 나라로 봐도 똑 손가락 반쪽만한 것밖에 더 됩니까? 그런데 만약에 우리 마음들이 공부를 해서 잘 된다면 땅을 더 차지할 수도 있고 또 우리들이 세계적으로도 융성하게 되고 참, 조그마한 나라이지만은 보고 배울 게 있다는 소리를 듣고, 또 조그마한 나라지만 사람이 있다고 말을 할 수 있는 그런 칭찬을 받을 수 있는 문제가 있죠.

앞으로 사람이 그렇지 못할 때에, 예를 들어서 산과 들로 배를 타고 다녀야 하고, 물 속으로 수레 마차를 타고 다녀야 할 지경에 도달할는지도 모르죠. 그렇게 된다면은 또 한 축, 우리는 지금 이 땅 속에서 파먹을 걸 다 파먹고, 곶감꼬치처럼 쌓아놓은 거를 다 빼먹고 나면 먹고 살 게 없을 때…, 하기야 뒤집어서 물 속이 만약에 산이 되고 들이 된다면 또 파먹을 게 있겠지만.

여러분이 지금 옛날 얘기처럼 듣지 말고 "과거에는 이렇게 지나 갔으니깐 그만이지, 꿈이나 같애." 이러지 마십시오. 과거도 오늘이고 미래도 오늘인 것입니다. 오늘에 우리가 해놓은 것이 영원한 오늘에 다 가온다면 이 문제를 어떻게 해결을 하시렵니까? 여러분은 몸이나 벗으면은, 늙어서 몸 벗으면은 그만이지 하겠지만 천만의 말씀입니다. 자기는 그 모습을 바꿔서 또 나오니깐 말입니다. 그러니깐 영원히 살아야 하는 거죠. 그러니 늙었다 젊었다 하는 것은, 사람이 늙는 것은 익어가는 걸 말합니다. 사람이 늙어가면서, 젊어서부터 늙어질 때까지 그 경험과 체험과, 그 사람이 삶의 모든 것을 익히고 늙어질 때에, 그것은 바로 벼 이삭이 다 익어서 고개가 숙여지듯이 다 익은 걸 말합니다.

살면서 어떠한 게 불편했고, 어떠한 게 좋고 싫고 이런 생각으로 살다보면은 자기가 모습을 바꿔서 자기가 하고 싶은 것대로 꼭 가지고 나옵니다. 짐승들도, 자기가 어떤 게 부족하면 꼭 다리를 길게 하든지 짧게 하든지 꼭 그렇게 해가지고 나오니깐요. 그런데 한 가지 뭐가 중요하냐 하면은, 지금 얘길 저쪽으로 하다 이쪽으로 왔는데 요거 한마디만 하고요. 사람이 짧게 하고 길게 하고 간에 사람의 씨는 사람을 낳는다. 그런데 그 사람의 씨로 사람을 낳는 것이 얼마 동안 가다가 사람의 모습으로 나올 수가 없는 때가 있어. 또 새가 알을 낳다가 말입니다. 새가 알을 낳고 알이 새가 되고 이렇게 쳇바퀴 돌 듯 하다가 천년 만에 그 새의 모습을 바꾼다. 오백년 만에도 바꿀 수 있고 삼년 만에도 바꿀 수 있다. 이거는 자기 차원대로에 바꿀 수가 있는 것입니다.

그러기 때문에 여러분이 눈이 뜨이고 귀가 뜨이고, 아까 얘기하듯 다섯 가지의 그 눈을 다 떠서 수레바퀴 굴리듯 다 굴릴 수 있어야. 그것이 바로 마음으로부터 골수로 인해서 그것을 굴리기 때문에 그것이 길이요 도요 그것이 바로 자유인이라고 하는 겁니다.

나는 선조들의 흉내는 내지 못합니다. 흉내를 내봤자 그렇고, 나는 그것이 내 성격에 맞지 않기 때문입니다. 그분들은 그분들대로 대덕이셨고, 나는 또 지금 현 시대대로의 방편을 그냥 쓰는 것뿐입니다. 그거를 흉내를 내서 해야만 조사 의례가 되는 것은 아닙니다. 안 되면 어떻고 되면 어떻습니까? 인정을 해주면 어떻고, 안 해주면 어떻습니까? 난 그런 거를 바라고 사는 사람은 아닙니다. 또 눈이 있고 귀가 뜨이고, 그 다섯 가지의 굴림이 갖추어진 분들은 다 아시겠죠, 그렇게 안 해도.

그런데 아까 얘기하다가 마치지 못했습니다마는 그렇게 모습 없는 모습들이 항간에 모습을 해가지고도 나타난 것이 있었습니다. 6·25 때 저는 똑똑히 내 눈으로 지켜봤습니다. 비행기 접시도 봤습니다. 그건 어디서 온 걸까요. 우리 지구 안에서 생기지 않은 건데 어디서 났을까요? 둥글둥글하고 또 이것이 고슴도치처럼 생긴 것도 나타났죠. 눈이 부셔서 볼 수가 없었어요. 그것이 있다가도 사람들이 왁자지껄하거나 그러면은 그냥 없어져. 지금 비행기 뜨는 것처럼 쭉- 가서 이렇게 뜨는 것도 아니야. 또 불이 픽픽 나면서 뜨는 것도 아니야. 이거는 그냥 환하게 눈이 부셔서 그냥 그쪽을 볼 수 없게 하고 없어지는 그런 자체, 그건 어디서 났을까요? 여러분 대답해 보세요. 어디서 났겠습니까? 그런데 여기 과학자들은 그런 거 한 예가 없다고 하지 않습니까?

그러면 어디서든지 지금 모습 없는 모습들이 살고 있고 생명이 있다는 거를 증명할 수도 있지만, 내가 이렇게 말하는 걸 헛되게 생각하실까봐 그런 얘기를 중간에 넣는 겁니다, 사실대로요. 제가 똑똑히 보지 않은 건 말 안 합니다. 그렇기 때문에 그때가 스물세 살 땐데, 참 잠을 못 자고 곰곰히 생각했던 겁니다.

한 손이 말입니다. 손가락이 다섯 개 있다고만 하면 우리 손 이건 아무것도 아니죠. 그런데 손 아닌 손은 이 손가락 하나를 떡 올리면 저 다른 혹성에까지 그 손가락이 가! 가선 이렇게 옭아. 옭을 수도 있어. 그렇기 때문에 부처님 자비라면은 그렇게 해서 옭아와도, 죽여도 살리는 것이고 살리는 것도 죽이는 거지만 아! 이놈의 물체들은, 물체 없는 물체들은 말입니다, 그렇질 않아요. 빼먹어요. 힘을 빼먹는단 말입니다. 그러면 지금 우리 이 지구 안에서 힘을 다 빼먹고, 꺼내먹을 거 다 꺼내먹고, 다 꺼내서 뗄 거 때고 그런다면은 자력과 광력은 어디서 다 나며 또는 우리가 인구는 점점 늘어가는데 어디서 나서 다 먹고 살렵니까, 하는 소립니다. 그러기 때문에 여러분이 이 도리, 부처님 도리의 공부를 안 하시면 안 되는 겁니다.

전자의 대덕 스님네들의 말씀을 응용한다면 예전에 덕산(德山) 스님 얘기를 귀가 아프도록 들으셨으리라고 믿습니다. 왜 내가 이런 말을 하느냐? 설봉(雪峰)스님은 제자로서 공양주를 하셨고, 암두(巖頭)스님은 대중을 이끄는 분이었고 또 덕산스님은 조실로서 계셨는데 아, 사시마지가 지나도 종을 울리지 않는단 말입니다. 종을 울리지 않고 하니 바리때를 들고서…, 내가 생각하는 대로 얘기하겠습니다. 여러분은 앞서 얘기를 다 들으셨을 테니까.

덕산스님은 바리때를 들고서 오온(五蘊)의 법계(法界)를 위로나 아래로나, 일체제불과 중생이 다 같이 공양하고 그릇을 비워가지고 막 돌아서는데 어린아이가 소리를 질렀단 말입니다. 무슨 소릴 질렀느냐 하면은 "늙은이가 종도 안 울리고, 북도 안 치고, 목탁도 안 쳤는데 바리때를 들고 어슬렁거리느냐." 이거거든요. 얼마나 눈이 멀었으면 오고 가는 그 그림자만 보고 말을 했느냐 이겁니다.

그런데 설봉스님은 또 암두스님한테 '저 늙은이가, 그렇게 악을 쓰니깐, 그냥 고개를 푹 수그리고 그냥 자기 자리로 돌아갔다.' 하니까, 빽! 악을 쓰면서 하는 소리가 말입니다. '아, 말후구(末後句)를 몰랐구

나!' 그 늙은이가 말후구를 몰라서 그랬구나! 이랬으니 얼마나…. 이것
은 한쪽에서는 눈이 멀고 한쪽에서는 귀가 뜨이지 않았어. 그 소릴 듣
고 그렇게 하질 말았어야지, 지혜가 있다면. 귀는 띄었으나 귀가 띄지
못했어. 눈은 떴으나 눈이 뜨이지 못했어.

내가 생각하는 것은 역시 그것을 화두삼아서, 사구를 화두로 삼
아서 그렇게 한 것은 방편으로 잘 하셨다고 보는데, 그래도 효자가 그
것을 함정에 빠진 걸 건졌다고 했으니 이거는 대덕을 너무나 자기네들
이 함정에 빠트리고 자기네들이 마음대로 건지고 농락을 했다 이 소립
니다. 얼마나 농락을 했습니까? 가르치는 것도 좋지만.

그래서 말을 하게 돼 있는 거는 예전에 대덕스님들이 말씀하시
기를 "야, 지금 네가 덕산스님이라면 설봉이 그렇게 했을 때에 너는 뭐
라고 대답을 했을 거냐? 요거 한 가지를 일러봐라." 이렇게 했을 게고,
또 한 가지는 "암두스님이 말후구를 몰랐구나 하는 거를 또 한 가지를
일러봐라." 했을 거고, 그게 천칠백 공안(千七百公案)에 다 들어 있다,
이 소리겠죠. 그거는 의당히 다 여러분을 가르치기 위해서 그런 말씀을
하신 거라고 생각을 할 때에 천칠백 공안만 되겠습니까? 모두가 화두
고, 모두가 공안 아닌 게 없는데 말입니다. 천이라는 거는 천지를 말하
고, 칠백이라는 것은 우리 인간들 사는 이 자체를 보고 칠백이라고 했
을 거라고 저는 뜻을 보고 생각합니다. 왜? 예전에도 삼혼칠백(三魂七
魄)이라고 그러죠, 죽었을 때도.

그건 그렇고, 또 "암두스님 들어오라고 해라. 이놈이 그래 이럴
수가 있나!" 내가 생각할 때입니다. 그래도 공부 좀 했다는 놈이, 이렇
게 할 수가 있나 하고 들어오라고 했더니, 들어와서는 귀에다 대고 소
근소근 하니까는, 그냥 끄덕거리고 그만뒀단 말입니다. 그건 또 뭐며,
또 그 이튿날 설법하시는데 예전보다도 더 쩡쩡하게 설법을 하시고선,
"삼년만 있으면은 내가 죽노라." 했다니 그 삼년은 어디에다 둔 말씀이
냐, 이걸 일러라.

이래서 우리가 천칠백 공안 속에 들어있는 이 자체를 다 '말없이 이를 수도 있고, 말을 하고 대답을 할 수도 있고, 말을 하면서도 대답 없이 대답을 할 수도 있는 그 공안의 이치를 알라.' 하는 것을 내놓은 것인데, 아, 그렇게 설법을 하시는데도 또 암두스님은 "야! 우리 스님이 이제는 말후구를 알았구나!" 그러고선 손바닥을 쳤다니 말입니다. 내가 이것이 벌써 서른 안짝에 들은 소립니다마는 참, 이 모두가 생각을 어떻게….

달마대사께서도 육조대사께서도 혜가대사께서도, 어느 스님 쳐놓고 대덕이신 스님들은 면벽 안 하신 분이 없어요. 무슨 면벽을 했다고 해서 꼭 어디 죽치고 앉았는 것만은 아니에요. 오줌 누고, 밥먹고, 똥싸고 허허, 움직거리면서 움직거리지 않고 면벽을 했다 이 소립니다. 그러니 우리 한생각이 무르익어서, 즉 말하자면 여러분이 나무라면 제 나무에서 제 열매가 열려서 그 열매가 무르익는다면, 만 가지 맛이 날 수 있고, 만 가지 열매를 열리게 할 수도 있고 만 가지 맛이 날 수도 있는가 하면 만 가지 맛이 나는 것을 볼 수도 있다. 그러나 만약에 제 나무에서 무르익지 않은 열매라면 한 가지 맛이나 낼지 말지 그렇죠. 한 가지 맛을 내가지곤 아니 돼. 이 천칠백 공안도 한 가지, 두 가지 그것 좀 알아가지고선 대답해 봤자야, 그거는. 응?

정말 뿌리 없는 기둥이 하늘을 받칠 수 있어야 되는 거고, 또 뿌리 없는 기둥을 자루 없는 도끼로 다듬어서 받칠 수 있어야 되지 않는가? 그래야만이 발 없는 발이 두루할 거고, 손 없는 손이 두루할 거고, 말이 많아도 말 한 마디도 아니 하고도 한마음으로 돌아갈 것이고…. 지금 이 시점에서 돌아가는데도 그렇게 무수히, 무시무시하게끔 땅 속이나, 물 속이나, 들이나, 허공이나 도대체 이 실체 없는 생명들이 그렇게 많은데도 우리는 그래도 생명이기 때문에 제재하고 사는 겁니다.

그런데 이 도리를 몰라서 이 집을 비워놓는다면은 누가 들어왔다가 나갔다가 해도 도대체 이거는 가늠을 할 수가 없어서 여러분은 몸을 망가뜨릴 수 있고, 그 속에 들어가서 난리를 치면은 그 속에 들어간 놈이 주인이 돼서, 온통 괜히 신경질나게 하고 말이야. 괜히 차분한 사람을 그냥 신경질나게 하고, 막 그냥 달아나가게 만들고, 그냥 답답하게 해서 나가서 바람 쐬게 만들고…. 이렇게 하는 것도 다 자기 마음이 아니에요, 이게. 자기 집을 비워놓았기 때문에 딴 놈이 들어와서 자꾸 그런 짓을 하는 거니 그걸 알고 절대 그러지 말라 이거야. 속지 말고. 그러나 '주인공! 만 놈이 들어온다 할지라도 한 놈이니까' 하고선 용광로에다 넣는다면 거긴 그냥 한 놈밖에 없어. 그 한 놈도 여러 놈이 들어왔다 나갔다 하기 때문에 한 놈도 한 놈이란 말을 못 하리만큼 돼 있지만 말야.

그러니 내 몸을 건강하게 끌고다니는 것도 거기에 달려 있어. 내가 가난을 면하는 것도 거기에 달려 있고, 화목을 가져오는 것도 거기에 달려 있고, 행복을 가져오는 것도 거기에 달려 있고, 자손들을 잘 두는 것도 거기에 달려 있어.

젊은이들 중 아직 어린애를 낳지 않은 사람들은 이 소릴 잘 듣고 잘 해야 돼. 낳기만 하면 자식인가? 자식이 아니지. 인과 업으로 인해서 원수로 만났다면 질그렁질그렁, 만날 화목치 못하고 이거는 이익은커녕 오히려 손해가 나고 복장을 쳐야 옳으니 말이야. 내가 여러분을 만나면서 한두 건 본 것이 아니에요. 한 집에 그러니까는 불구가 셋씩, 넷씩 되는 집도 있어요. 다섯 식구가 사는데 한 사람만 남겨놓고 불치의 병을 넷이 다 앓고 있어요. 너무 가혹하지 않아요, 이거? 그리고 어떠한 공직에서도 도대체 승진이 되질 않아, 자식이 그러니까. 그러면 이게 뭡니까. 이게 다 어디서 오는 겁니까.

이 공부하는 데는 스님네가 따로 없고 속인이 따로 없고, 여자가 따로 없고 남자가 따로 없고, 부처가 따로 없고 중생이 따로 없어. 여러분이 부처라고 하지만 속에 중생들이 운행을 해줘야 부처가 있지. 자기 부처를 자기가 형성시켰으니 자기는 운행을 해줘야만이 그 부처가 자기와 더불어 같이 벗어날 수 있으니깐 말이야. 같은 배를 타고 지금 운행을 하고 있죠. 여러분 몸 하나하나가 별성일 수도 있고 혹성일 수도 있고 배일 수도 있어. 한시도 몸뚱이는 쉬지 않고, 배는 쉬어 놓고도 자기는 마음대로 돌아다니면서, 밤이면은 기껏 돌아다니다가 다시 저희 집으로 들어와서는 또 움죽거리고.

그러니까 자나깨나 숨을 쉬고 있으니 시공이 없이 일 초도 쉬지 않고 돌아가고 있다 이 소립니다. 우리는 과거로 지나간 걸 배우는 게 아닙니다. 그걸 거름삼아서 내가 깨친다면 부처님의 그 높은 뜻은 내 몸을 갈아서, 정말이지 내 몸을 갈아서 실을 꼬아 짚신을 만들어서 부처님한테 바쳐도 거기에 다 못 미칩니다. 허나 그것을 거름삼아서 내가 만약에 깨우친다면 그 부처님과 진짜 둘이 아니요, 진짜 선배 후배가 아닌 바로 그분이란 말입니다.

그래서 예전에 이런 말이 있죠. 만 가지 골짜기에서 한 강으로 물줄기가 다 흘러드는데, 똥물이든 구정물이든 핏물이든 깨끗한 물이든 다 모여서 여여하게 마다하지 않고 흐르더라. 그런데 거기에서 고기와 용은 그저 들락날락 자유스럽게 놀고 있더라. 그것은 어떠한 연고인가? 한번 일러보시렵니까? 또 한 가지는, 그렇게 들락거리고 자유스런 그 용은 오백 비구를 다 죽이고 그것도 모자라서 석존마저 죽였노라, 이것은 또 무슨 연고냐? 대답해 보실 분 있으면 대답해 보십시오.

예전엔 천칠백 공안이 아니더라도 그런 일이 많았죠. 어느 스님께서 조용히 산등성이의 돌 위에 가서 떠억 앉았으려니까 어느 노승이 지나가시다가 하시는 말씀이 "여보게 자네, 앉을 때가 옳은가, 앉았다 일어날 때가 옳은가?" 하더랍니다. 그러니깐 "앉고 서고 그런 게 어디 따로 있겠습니까?" 하니까 "허허, 그래! 그러면 솥에 넣어서 푹 삶은 자갈은 물렀겠지?" 하거든. '솥에 넣어서 푹 삶은 자갈은 익었겠지.' 도대체 그 말을 듣는 순간 무슨 말인지 알 수가 없더란 말입니다.

그래서 그날부터 경이라는 경은 다 제껴봐도 그런 문구가 없어.

그 스님을 찾으려고, 경을 다 버리고 찾으려고 애써도 이름도 성도 묻지 않은 것도 실책이고, 그 스님을 찾으려고 돌아다니다가, 어느 마을에를 들어섰는데 동짓날이 됐더랍니다. 동지가 됐는데 마당에다 큰 솥을 걸어놓고선 팥죽을 쑤고 있거든. 팥죽을 쑤면서 큰 주걱으로다가 휘휘 젓거든. 그런데 그 팥죽이 벌렁벌렁 끓는 걸 보고서 그때서야 '아이구 이런 것이로구나!' 하고 무릎을 탁 치면서 '스님 찾았습니다, 스님!' 이랬답니다. 그러니 거기서 그 소리를, 그 대답을 못한 스님이나 그 말씀을 하고 간 스님이나 둘이겠습니까? 무슨 까닭에 그걸 보고서 (손바닥으로 법상을 쳐 보이시면서) "아이구, 찾았군!" 했는가 말입니다. 그 팥죽 끓는 걸 보고서 그 솥 안의 돌이 말랑말랑한 걸 알았겠느냐 이 소립니다.

천칠백 공안이라고 하더라도 이 삼천대천세계 어느 것이 화두 아닌 게 없고, 어느 것이 법 아닌 게 없고, 우리 생활 자체가 그대로 공안 아닌 게 없고, 참선 아닌 게 없으니 여러분이 잘 생각하셔야 됩니다. 똑바로 일러줬는데도 불구하고 얼마 가다보니까 단전이다 명상이다 하는 사람도 있는가 하면 딴 데로 나가고 있어, 기껏 가르쳐봐도.

본래 이 세상에 여러분이 "응아" 하고 나왔으면 그게 칼이 될 수도 있는가 하면 화두입니다. 어느 어린애든지 나올 때 "응아" 하고 소리 안 지르고 나오는 애가 없어. 그리고 물주머니에서 안 나오는 애가 없고. 내가 있다는 겁니다, 있다는 거야! 그럼 갈아야지! 그게 화두라. 내가 난 게 화두고, 바로 우리가 이렇게 움죽거리고 생활하는 것이 참선이야. 일분 일초도 끊어지지 않는 참선! 숨 들이쉬고 내쉬고 이러는 게 참선이야, 그냥. 숨 들이쉬고 내쉬는 데서, 그 한 구멍으로 들고 한 구멍에서 나니 두드러지지도 않고 줄지도 않더라.

여러분은 날더러 "스님은 경전에 있는 심오한 뜻은 얘기 안 하고, 왜 이렇게 만날 저런 얘기만 할까?"고 그러시겠지만, 그렇게 말씀하시는 분이 있다면, "솥 안에 넣고 그 솥 안의 자갈은 말랑말랑하게 익었겠지?" 한 거는 뭐며 팥죽을 쑤는 걸 보고선 (법상을 치시며) "아이쿠, 이제는 익었구나!", 돌이 익었다 이거야, 돌이 그랬다는 소리는 무슨 소리냐, 이겁니다.

　　여러분이 몸은 살려놓고 저승에 가서 죽은 사람을 보지 않으면 안 됩니다. 몸을 살려놓고 미지의 저승세계에 가서 죽은 사람을 보고 얘길 하고 죽은 사람들이 사는 도리를 다 알고서야 산 사람을 똑바로 볼 수 있습니다. 그래야 똑바로 행할 수 있고, 똑바로 자비를 베풀어 에너지를 공급할 수가 있는 겁니다. 자기를 자기가 모르고서야 어찌 공급을 할 수가 있으며, 길을 인도할 수 있으며 또는 여러분의 눈을 띄울 수가 있겠습니까? 밥은 내가 대신 먹어줄 수 없지만, 그 밥을 먹게끔 할 수 있는 길잡이로서, 자기가 해먹어 봐야 해먹을 수 있다고 말을 하고, 해먹을 수 있는 물리를 틔어주게끔 해줄 수 있지요. 그렇게 같이 마음을 내줄 수 있는, 하나가 돼줄 수 있는 그러한 에너지, 광력·전력·자력 이런 게 다 동시에 들어가게 됩니다.

　　여기에 오시는 분들은 그냥 얘기만 듣고 가려고 하지 마세요. 얘기만 하려고 그러면 뭐, 만담하는 식이게요. 그건 소용 없는 거라. 어느만큼 얘기하는 사람이 얘기하면서도 함이 없이 하느냐? 그만큼 둘이 아니게 할 수 있겠느냐? 그만큼 자비를 베풀 수 있겠느냐? 그만큼 네 아픔과 둘이 아니게 생각할 수 있겠느냐? 내 몸과 같이 생각할 수 있겠느냐? 이것이 거기 대두되는 것입니다.

　　그러면 오늘은 우스운 얘기 한마디 하고 그만 그치겠습니다. 산 사람 앞에서는 절을 한 번을 하고요, 죽은 사람 앞에는 두 번을 하고 부처님한테는 세 번을, 삼배를 올립니다. 내가 이 소리를 왜 하느냐 하면 물리가 터지고 지혜가 있으면은 반드시 거기에서는 자기란 놈이 일할 때마다 착착 나와서 부(父)와 자(子)가 둘이 아니게 돼. 그러기 때문에 행도 같이 하게 됩니다, 삼위일체로.

　　어느 시골 선비가 대원군한테 찾아갔대요. 찾아갈 때는 꼭 뭐나 할까 하고 간 거는 아니에요. 가서 며칠을 기다려서 뵈었거든요. 그런데 들어가서 절을 하는데 말입니다. 본척만척한단 말입니다. 절을 하는 걸 봐야 될 텐데 본척만척하고 본 둥 만 둥 했거든. 그래서 또 한 번 했지요. 아, 그랬더니 그냥 야단법석이 난 겁니다. "저놈이 산 사람한테 절을 하지 않고 죽은 사람한테 하듯이 절을 두 번씩이나 했다. 저놈 잡아족치라."고 하니까 "어이휴!" 그 시골 선비가 웃으면서 하는 소립니다.

이 소릴 왜 하는 줄 아십니까? 허허허. 좀 늠름하고, 지혜 있고, 좀더 인내가 있고 탄평(坦平)해야 돼요. 아주 복잡다단하면 안 되죠, 느긋하고. "아이, 왜 그렇게 급하십니까? 하도 바쁘시다고 그래서, 내가 한 번 절을 하고 또 재차 절을 한 까닭은 앞서는 들어온 절이고 이건 나갈 절인데, 헤헤헤. 그런데 어찌 그렇게 성미가 급해서 그러십니까? 그렇게 해서 어떻게 그 일을 그렇게 하십니까?"

대원군이 가만히 생각하니 냅다 그냥 (손바닥을 서로 부딪쳐 보이시고) 맞았단 말입니다. 한 방 얻어걸렸단 말이야. "아, 그렇게 급하신 양반이 어떻게 그렇게 나라 일을 하십니까?" 했거든, 시골 선비가.

그러면서 싱그레 웃고선 "안녕히 계십시오." 나가려고 그러는데 대원군이 한 대 얻어맞고는 그냥 가만히 있을 수가 없거든. 하인더러 "저 사람 불러들여라." 불러들였거든, 허허허. "너 이놈! 내가 번연히 다 아는데, 내가 보지 않았을까 하고 한 번 하고 또 한 번 한 거는 분명한데, 네놈이 너무 침착하고 대담한 걸로 봐서 한 번 할 놈이야. 그러니 원으로 가서 자비를 베풀면서 앞으로 군사를 잘 이끌어나갈 수 있는 그러한 훈련대장을 해라." 했답니다. 그래서 절 두 번 하고 참, 글쎄 보지 않았는데도 그만했으면 그대로 그만이지만, 두 번을 했어도 두 번 했다는 걸 그렇게 변명을 했기에 망정이지, 그거 늠름하게 그렇게 대번에 그런 대답 못 합니다, 어렵지 않겠습니까. 호통을 치고 있는데 그 소리가 그렇게 웃으면서 나오니까 여간한 사람 쳐놓고는. 그러니 얼마나 그 지혜가 풍부하고 참 늠름합니까, 아무리 시골 선비라 할지라도.

여러분이 여자든 남자든 하여튼 모습으로 태어난 거는 태어났으니깐 그 모습 그대로 행은 하지마는, 좀더 늠름하게… 아, 마음이야 뭐 여자 남자가 어디 따로 있겠습니까, 모습은 여자 남자가 있을지언정. 그러니 그저 늠름하게 태연하게 아주 마음을 탁 가라앉히고 이 공부를 해야죠, 공부랄 것도 없지만. 아뇨, 공부라고 하기는 오히려 참, 보잘것 없는 이름 같아요.

그러니까 내 마음을 기르는 데 조금도 쉬지 않고, 부처님을 볼 때는 부처님과 둘이 아니요, 형상도 나하고 둘이 아니요, 마음도 나하고 둘이 아니요 라는 것을 믿고 들어가야 합니다. 또 어디를 가서 책을 보더라도 어떤 놈이 이 책을 보는가? "주인공아!" 불러놓고 경을 보되 "네가 보는구나!" 하고선 보라고요. 그래야지 만약에 그것을 보고서는 그냥 이건 이렇고 저건 저렇고, 저승에 가기 전에 그냥 가는 도중에 그런다면 저승엔 못 들어가요. 문이 막혀서 못 들어가요. 그 마음이 막혀서 못 들어간다고요. 오늘은 이걸로써 마치겠습니다.

꺼지지 않는 불기둥

87년 9월 20일

　　오늘 이렇게 또 같이 앉게 됐군요. 바람결처럼, 우린 이어졌다 떨어졌다 하는 구름과 같죠. 여러분한테 한마디 짚고 넘어가야 할 문제가 있습니다. 과제는 어떠한 것인가? 내 몸으로부터 오는 문제, 과제라기보다는 인간이 살아나가는 데 어떠한 역경에 부딪쳐도, 부딪침이 없이 유유히 넘어갈 수 있는 그런 과제라고 봅니다. 그러기 때문에 한마디 짚고 넘어가지 않을 수가 없어서 이렇게 합니다.

　　여러분이 생각할 때에 한마음이라는 것은 체가 없습니다. 그래서 풀 한 포기 버리지 않는 한마음이라는 것은 한 생명과도 같은 한마음입니다. 위로는 한마음을 모시고 아래로는 여러분 몸과 더불어 함께 하는 겁니다. 여러분 몸속에 들은 그 모습들을 보십시오. 여러분은 여러분 육신 속에, 세포 속에 들은 그 생명체들을, 그 모습들을 아실 겁니다. 그리고 바깥에 있는 생명체들 모습들도 아실 겁니다. 그러기에 내 몸속에 있는 중생들과 더불어 같이 있는 내 몸은 그 속에 들은 중생들이 움죽거려줘야만이 움죽거릴 수가 있는 것입니다. 더불어 같이죠. 그러기 때문에 그것은 공평하게 평등하게 시공이 없이 그냥 자동적으로 찰나찰나 움죽거린다는 것을 여러분은 잘 아시겠죠. 이것을 잘, 생각을 해볼 점이 있습니다. 그래야 믿어질 테니까요.

그래서 몸은 자기가 소임을 맡은 대로 움죽거리면서 이 한 몸을 앞장 세웠습니다. 모든 모습들과 마음들이, 위로는 마음들이요 아래로는 그 모습들이 전부 한데 모여서 움죽거려주는 그 역할을 그대로 우리는 한데 합쳐서 활용이라고 합니다. 그러니 여러분이 '그 마음 중심(中心), 중용(中庸), 중도(中道)라는 이름이 있기 이전, 깊은 정(定)에 들어 죽은 내 몸이여! 그대로 나투며 시공이 없이 도는 몸이로다.' 라고 합니다. 그러니 위로는 일체가 되고, 한마음이 되고, 한몸이 되는 것입니다. 그래서 한몸 아님이 없고, 내 아픔 아님이 없고, 내 자리 아님이 없고 이렇게 됩니다. 공식(共食)하고 있고, 공생(共生)하고 있죠. 공용(共用)도 하고 있고요.

멀리 생각을 하지 마세요. 내 육신을 가만히 살펴보세요. 이거는 한 별성이기 이전에 혹성이기도 합니다. 그 혹성 안에, 오대양 육대주가 돌아가는 거와 같이 오장육부가 그러하니깐요. 이것을 가까운 데 두고 모른다면은 우리는 우주의 전체, 무(無)와 유(有)의 세계의 맛을 볼 수가 없습니다. 내가 나를 알지 못한다면 남을 알지 못하고, 내가 나를 이끌어가지 못한다면 남을 이끌어줄 수 없습니다. '나' 가 있기 때문에 세상이 생겼고 상대가 생겼고 가정이 생겼고 나라가 생겼고, 천태만상으로 생긴 것이 바로 나로 인해서 생겼다는 그 사실을 여러분은 잊어서는 아니 됩니다.

어떠한 이름이나 찾고 허공이나 바라보면서 바깥 경계에 끄달리는 것이 불법이 아니며 부처님이 가르쳐주신 뜻이 아닙니다. 돈이 있든 없든, 가난하든 부자든 막론하고 이것은 필수적으로 알아야 합니다. 돈만 많이 가져야 여기 오는 것은 아닙니다. 마음이면 됩니다. 여러분이 마음이 있다는 사실, 그 마음으로 인해서 움죽거린다는 사실, 그리고 맛을 본다는 사실, 이것을 우리가 만족하게 생각하고 감사하게 생각하고 그 은혜를 잊어서는 안 됩니다.

수억겁 광년을 거쳐오면서 우리는 피나는 노력을 하면서 자동적으로 자연적으로 쫓기며 쫓으면서, 밟히며 밟으면서 인간까지 이르렀습니다. 그러니 지금 인간의 모습으로서 이 모습을 벗기 전에 알아야 한다는 것은 필수적이죠. 우리가 진짜 정신 바짝 차려야 할 때입니다. 그것은 그렇게 넘어가고…, 우리가 길고 긴 하나의 음식을 놓고 여러분이 걸릴까봐 한 조각 한 조각 잘라서 먹이는 거와 같으니 그대로 이해하고 들으십시오. 짚고 넘어가는 한 토막의 문제요, 또 한 토막을 얘기한다 하더라도 이것을 말이 아닌 참말로 들어주셨으면 감사하겠습니다.

옛날에 어느 소녀가 있었습니다. 잘 새겨들으십시오. 부모를 모시고 잘 살았는데 어느 날 아버님은 인생이 덧없다 하시고 가셨습니다. 죽었단 말입니다. 어머니는 남아서 딸을 두고 죽을 수 없다고 힘들게 버티며 살아계시다가 어느덧 때가 되니 그 어머니마저 돌아가시고 말았습니다. 소녀는 홀로이 배고픔도 이기지 못하고 추움도 이기지 못해서 닥치는 대로 먹고 닥치는 대로 불을 지폈습니다. 안에서든 바깥에서든 불씨를 꺼뜨리지 않고 지폈습니다. 그러다 보니 어느덧 그 집마저 훨훨 타버렸습니다.

불씨는 그대로 불기둥이 돼서, 천 길이나 되게 불길이 솟았다고 합니다. 그러고 그 둘레는 만 둘레나 되니, 오고 가는 사람이 모두 두루 옷을 벗고 갔다 합니다. 그러니 그 불은 비바람이 쳐도 흔들리지 않으며, 바람이 분들 흔들리겠습니까? 비가 온들 꺼지겠습니까? 추운 겨울에 우박눈이 쏟아진들 얼겠습니까? 그래서 오고 가는 사람들은 거기에서 옷을 가면서 벗고 오면서 벗고, 끊임없이 벗었다는 얘깁니다.

여러분, 애나 어른이나 가정에서도 따뜻한 데를 찾죠. 아늑한 데 찾고, 따뜻한 데 찾고, 추우면 추운 대로 따뜻한 옷을 입고, 또는 더우면 더운 대로 시원한 옷을 입죠. 이것이 그대로 자동적으로 이어지는 진리라고 봅니다. 이 한 토막의 얘기는 여러분이 잘 들으면 아주 공부하는 데 좋은 계기가 되리라고 믿습니다. 그래서 그 소녀가 타버리더니 그렇게 불기둥이 솟았다고 합니다. 불기둥이 솟으니까 오고 가는 사람이 다, 그 빛과 광력과 자력으로 충만하니 어찌 그것이 꺼지며 바람 부니 흔들리며 그것이 얼 수가 있느냐? 항상 봄이라, 오고 가는 사람이 옷을 벗더라고 얘기를 했습니다. 반복해서 이런 말을 드리는 것은 다시 한 번 생각해 볼 수 있는 계기가 되리라고 믿고 이렇게 말을 반복합니다.

옛날에 어느 한 가족이 살아가고 있는데, 옛날에는 양반, 상놈이 있고 구별이 아주 엄했죠. 그 양반집의 종은 아들을 하나 낳고 사는데 그러던 어느 날, 아마 올처럼 비가 억수같이 쏟아졌던 모양입니다. 논물을 보러 나가다가 그만 물에 휩쓸려서 죽었습니다. 그 양반집에서는 그래도 마음들이 착했던지 논 서 마지기를 자식한테 내렸습니다. 그 자식한테 땅 서 마지기를 내리고 종문서를 태워버렸습니다. 그러니 얼마나 고마웠겠습니까. 그러나 신분이 상놈으로서는 이 집 저 집 다니면서 일을 안 해주고는 살 수가 없었죠. 주로 일을 하고 그 집에서 일을 할 게 없어야 딴 집으로 가곤 했습니다.

그러던 어느 날 스님이 오셔서 시주를 하라고 했더랍니다. 그 양반 주인집에. 그런데 그 소리를 들은 종의 자식이 문득 생각나기를 말입니다. 나는 서 마지기의 논을 스님한테 바쳐야겠다는 생각이 들었습니다. 그래서 서 마지기를 시주를 한다고 스님한테 찰떡같이 얘기를 해놓고 어머니한테 가서 말씀을 드렸습니다. 그러니까 어머니는 아무것도 없고 아버지도 안 계시고 땅 서 마지기밖에 없는데 너는 장차 어떡하려느냐고 물었습니다. "어머니, 그런 말씀 마십시오. 언제는 땅을 가지고 나왔습니까? 갈 때 땅을 가지고 가겠습니까? 아버지가 돌아가신 연고로 인해서 땅 서 마지기가 생겼으니 아버지를 위해서 시주를 하고 싶습니다." 이랬습니다. 그러자 어머니가 눈물을 흘리면서 아들에게 '참, 감사하구나!' 하고선 속으로 효도라고 생각을 하면서 응락을 했습니다. 응락을 해서 스님한테 논 서 마지기를 시주를 했는데 그 후 사흘 만에 그만 그 아들은 죽어버렸습니다.

죽고 나니깐 어머니가 대성통곡을 하고 울고 있는데 한편, 어느 정승의 집에서는 꿈을 내리 삼일을 꾸었습니다. 아무 데 사는 아무개가 너희한테로 태어날 테니 그런 줄 알라고 이름까지 주소까지 일러주면서 그러더랍니다. 그래서 하인을 시켜서 조사를 해보니 정말 그 아이가 죽었더랍니다. 하도 어머니가 애걸복걸해서 시신을 삼일을 두었다 합니다. 그래서 꿈에 보인 그 아이가 죽었다는 사실을 알고 돌아가서 그렇게 얘기를 했습니다. 그래서 그 정승은 바로 '김대성'이라는 아들을 두었다 합니다.

여러분이 너무도 잘 아시는 얘기이지마는 한번 되풀이 해보렵니다. 그런데 그 어린애가 나서부터 종소리가 울리면은 울질 않고 종소리가 그치면 울었다 합니다. 그래서 어머니 아버지 그분들은 종을 만들고 절을 짓기로 작정했습니다. 김대성이는 무럭무럭 자라다 보니까 전생 어머니를 모셔다가 이승 어머니와 같이 모시는 게 옳다고 생각을 해서 같이 모셨습니다.

그러니 여러분이 생각해 보십시오. 전생이 눈 깜짝할 때 전생이요, 이승도 눈 깜짝할 때 이승입니다. 눈 깜짝할 때에 고정 관념도 없고 고정 행도 없이 화(化)해서 나투며 돌아가는 것이 바로 우리가 한 발짝 디딜 때에 벌써 전생이 되는 거와 같죠. 우리가 이렇게 바뀌어 돌아가는 이 사실을 안다면 그냥 놓고 가는 것을 아실 겁니다. 이것이 불가사의한 법이요, 진리요, 길이요, 도인 것입니다.

그렇게 길렀는데 김대성이라는 분이, 여러분이 아시다시피 불국사를 세우고 난 뒤에 탑을 이루기 위해서 관(觀)했습니다. 그냥 앉으면 앉는 대로 탑을 세워야 할 텐데 어떤 석공을 구해서 탑을 세우느냐는 문제입니다. 그래서 곰곰이 생각 끝에 관하니까 부처님께서 말씀하시기를 "백제에 가면 아사달이라고 하는 사람이 있느니라. 아사달을 불러다가 탑을 이룬다면은 잘 될 것이니라." 하더랍니다. 그러니 무지공처에 아사달을 찾아 백제로 나선 김대성은 이리저리 다니면서 찾아봐도 찾을 길이 없었습니다. 어느 산골짜기에 들어서서 인제는 찾을 길도 없이 너무나 지쳐서 관하고 앉았으니, 문득 귀에 이런 소리가 들렸습니다. "아사달님, 공양하세요." 하는 소리가 들렸습니다. 그래서 문득 그 소리나는 데를 바라보니 어느 석공이, 그 뭡니까? 정, 망치, 이런 걸 들고서 어슬렁어슬렁 산골짜기에서 나오더랍니다. 그것을 보고 달려가서 아사달이 맞느냐고 하니까 "그렇습니다." 그래서 둘러보니까 참 별거별거 다 만들어 놓았더랍니다, 돌로….

그래서 그에게 사실 얘기를 다 했습니다. 그러나 아사달은 홀로 있는 아내를 두고 몇 해 동안을 가있어야 할 문제가 아주 어려웠습니다. 그래서 못 가겠다고 했습니다. 그런데 부인 아사녀는 이렇게 말을 했습니다. "이러한 일 한 번 맡기가 생전에 어려운데 어찌 마다하십니까? 한 아녀자를 위해서 한 생의 이름을, 그리고 더군다나 부처님의 일인데도 어찌 그것을 거부하십니까?" 한 생에 있을까 말까 한 것을 어찌 마다하시느냐고 그냥 가시라고 했습니다.

그래서 아사달은 가기로 정했습니다. 가서 떡 둘러보니 잘된 탑도 많았습니다. 그러나 잘된 탑을 보니 그것도 백제 사람이 한 탑이었더랍니다. 자기는 결심했습니다. 신라에 탑을 세우되 어떠한 것을 어떻게 해야만이 되나 하고선 가만히 관하고 있었습니다. 관하고 있을 때에 바깥으로는 사섭심(四攝心)의 그림을 그렸고 안으로는 무량심(無量心)의 그림을 그렸답니다. 또 나아가서는 한 불기둥으로서의 석가탑을 세울 그림을 그렸고, 그랬으니 어떠한 생각을 했을까요? 이 구절 때문에 내가 이 얘기를 한 것입니다.

첫째에 무주상 보시심(無住相布施心)을 가져야 한다 하는 생각을 했습니다. 아사달은 너무나 밝고 섬세하고 깨끗했습니다. 그러니 바깥으로 탑이, 모습 모습이 섬세하게 나올 수 있게끔 하는 것은 바로 이 마음의 공덕으로서 섬세하게 될 것이라는 것을 생각하고 그렸던 거죠. 그래서 무슨 물질을 받기보다도 진실한 마음으로써의 그 무주상 보시심을 일으켰고, 두루 화목심을 일으켰고 또 두번째는, 모든 사람들에게 도와주는 마음, 그리고 모든 사람이 너나 할 것 없이 한마음으로 한뜻을 지닌 마음을 가졌단 말입니다. 그리고선 안으로는 무량심(無量心)을 낼 때에 탑 속에서 한마음 한뜻으로써 무량심을 일으킨 것입니다. 너그러운 참마음으로써, 지혜 있는 마음으로써 일체제불과 일체 조상이 둘이 아닌 공경하는 마음을 세웠습니다.

또 둘째로서는 불쌍하고 가난한 사람, 즉 사람뿐이 아니라 사생(四生)을 위하는 마음을 세웠습니다. 가난하고 불쌍한 사생을 구하고자 하는 서원을 세웠다 이겁니다. 그리고 세번째는 크나 작으나 은혜에 감사하는 생각을 일으켰단 얘깁니다. 감사한 마음! 네번째는 모든 욕심을, 삼독의 욕심을 녹이고 두루 같이 나누어줄 줄 아는 마음을 세웠답니다. 이것이 바로 다보탑(多寶塔)을 세운 일이었습니다. 석가탑(釋迦塔)을 세울 때는 욕심을 바로 버리고 녹이고, 욕심을 녹인다면 삼독이 일어날 일도 없으니 그대로 견성성불이요 그대로 여여하리라고 마음을 세운 거죠.

여러분이 이러한 문제들을 볼 때, 참말 우리 마음이 가지각색으로 맛이 나고 가지각색으로 다가오고 가지각색으로 부딪치고 하는데, 그렇게 된 이유를 공부하는 과정으로 돌린다면 하나도 겁날 게 없고 두려움이 없고 물러설 일이 없습니다. 아까 어느 소녀가, 그렇게 닥치는 대로 먹고 닥치는 대로 불씨를 꺼뜨리지 않듯이 말입니다.

그래서 탑을 세우고, 또 세우려고 막 다듬다 보니까 수 해가 걸렸겠죠. 아사녀는 남편이 보고 싶고, 어떻게 됐을까 궁금하고 그러던 차, 병이 들었습니다. 그래서 아사달을 보러 왔더니 문지기가 들여보내 주지는 않고 말하기를 뒤 연못에 가서 보면은 그 물가에 탑 그림자가 올라가는 걸 볼 수 있고, 그 탑이 다 올라가면 아사달하고 만날 수 있으니 그렇게 하라고 했습니다. 그래서 연못에서 그림자가 비칠 것을 갈망하면서 물을 내려다보고 있었던 지가 어언간 오래 되자, 바로 탑이 물에 비치고 아사달이 비치자 고만 아사달을 부르면서 그냥 물로 뛰어들었습니다. 다 끝마치고선 아사달은 아사녀를 보러 막 가려고 하니깐 그 얘기를 했습니다. 그러니깐 아사녀를 부르면서 연못가로 가서, 간단하게 말씀드리겠습니다. 같이 거기에 빠져서 한몸이 됐다 합니다. 그래서 없는 그 한몸은 승천했다는 얘깁니다. 승천이 따로 있는 게 아니라 여러분과 같이 이렇게 그대로 돌아가고 이렇게 걷고 있는 것입니다. 영원히 말입니다.

그리고 나는 오늘 이런 말을 드리고 싶군요. 그저 나오는 대로 한마디 하겠습니다. 우리가 인생이 어디로부터 왔고 어디로부터 가는가? 이것을 한번 청렴하게 생각해 보시라는 뜻이죠.

올 때도 빈 손
갈 때도 빈 손
합친 한손
그대로 두루 쓰는 손
올 때도 빈 발
갈 때도 빈 발
합친 한발 딛고
그대로 두루 걷는 발
올 때도 흙에서 오고
갈 때도 흙으로 가는
합친 한몸
한몸 깊은 가운데에
정(定)에 들어 죽은 몸
들이쉬고 내쉬는 숨결음은

영원할 것입니다.

청산에 흐르는 물은 강을 이루고
강을 이룬 한 방울은
세상을 준다 해도 바꾸지 않을 것입니다.
바꾸지 않는다는 얘깁니다.
음지 양지 없는 나무
만 가지 꽃이 피니
향기 두루 그윽하여
만 가지 열매를 열리게 하니
만 가지 맛이 나니
일체 여러분과 더불어 같이
만물 만생은 그 만 가지 맛을 볼 뿐이로세.

이것이 스스로 나는 샘물과 같은 말입니다. 우리가 공부하는 데에 위로는 한마음이요, 아래로는 모습이 한몸이니 아픔도 한몸! 그래서 유마힐거사는 문수보살이 병문안을 가니까 이렇게 말했습니다. "중생들이 나아야 내가 낫지." 했습니다. 여러분, 간단하게 비유해서 생각해 보십시오. 여러분 오장육부에 세포의 생명들이 나아야, 그 모습들이 건강해야 나의 모습도 건강하겠죠. 내 마음이 건강해야 남의 마음도 건강하게 해줄 수 있고, 내 몸이 건강해야 남의 몸도 건강하게 이끌어줄 수 있는 것입니다. 내 몸을 이끌어가지 못하는 동시에 남의 몸도 이끌어갈 수 없다는 사실을 여러분은 잘 음미해야 되겠습니다.

우리가 지금 '주인공! 주인공!' 왜 주인공이라고 하나? 주(主)는 움죽거리지 않는 것을 뜻한 불(佛)이요, 또는 인(人)은 사람을 말하는 것입니다. 공(空)은 그 사람이 고정 관념도 고정 행도, 고정되게 듣는 것도 고정되게 보는 것도, 고정되게 가고 옴도 없는 것입니다. 그러기 때문에 공했다는 뜻입니다. 공해서 나투면서, 항상 말씀드리지마는 어머니 만날 땐 아들이 되고, 부인을 만날 땐 남편이 되는 것입니다. 자동적으로 그렇게 될 때에 동시에 저기서 소리가 나면 동시에 오관이 그리로 돌아가면서 눈도 속해가고 귀도 속해가듯이 따로따로 이름은 있을지언정 따로따로 있는 것이 아니라 동시에 구르는 것입니다.

그래서 우리는 자동적으로 나투면서, 말과 행과 뜻이 그대로 자동적으로 변하면서, 내가 그렇게 변하려고 해서 변하는 게 아니라 자동적으로 변하면서 말도 "어머니!" 이렇게 되고 "안녕히 주무셨습니까?" 행과 뜻이 그렇게 가고, 금방 어머니를 만나고 나오던 아들은 부인한테는 남편이 됐습니다. "여보!" 하니까 "응! 왜?" 하거든. 이렇게 자동적으로 은은하게, 아주 여여하게, 궁색하지 않게 대답과 행과 뜻이 동시에 같이 하고 있습니다. "아버지!" 그러니까 또 "그래! 너 일찍 왔구나!" 하면서 반가이 맞아줄 수 있는 자연의 도리! 자동적인 그것이 자동기와 같은 자동적인 행이라고 볼 수 있겠습니다. 그런 것이 따로따로 어찌 있겠습니까? 이름이 따로 있습니까?

그럼 아들 이름 따로 있고, 남편 이름 따로 있고, 아버지 이름 따로 있고, 이름은 따로 있을지언정 만남에 의해서 용도에 의해서 이름이 바뀔 뿐입니다. 잘 아시겠죠? 용도에 따라서 바뀌는 그 이름들을 이루종차 그 이름을 부르면서, 고정되게 그냥 여기 놓고 저기 놓고 빌으니, 인간이 미신의 행위를 하기 때문에 죽어도 미신이 있는 거지, 인간이 미신의 노릇을 하지 않는데 어찌 미신이 있겠습니까?

그러하니 여러분이 언제나 중생이기 때문에 성불을 못 한다 견성을 못 한다 이러고 '못 한다, 못 한다' 하기 때문에 못 하는 것입니다. 우리가 지금 자동적으로 그렇게 돌아가는 이치를 볼 때에 천안통이니 천이통이니 숙명통이니 타심통이니 신족통이니 하는 다섯 가지의 문제를 놓고 볼 때, 여러분은 그냥 오신통을 하고 계십니다. 하고 계신데도 불구해놓고 나는 오신통을 못 한다 이거거든, 중생이 돼서. 이렇게 하고 들어간다면 천년 만년이 가도 아마 거기서 벗어날 수는 없을 겁니다.

그러니 그대로 놓고 가고 그대로 없으면서도 당연히 두루 하면서, 나를 세울 게 없으면서도 어머님 만날 때, 아내 만날 때 자식 만날 때 아주 염렴하게 그렇게 만남을 가지고 있으니 오죽이나 다 자동적이며 여여하며 그것을 통털어서 오신통을 굴리는 법이라고 아니 하겠습니까?

그래서 여기서 공부하는 분들은 보는 것만이, 아무리 보이지 않는 데 본다 하더라도 그건 도가 아니니 일심(一心)으로 돌려라. 들리지 않는 데서 듣는다 하더라도 그건 도가 아니니 일심으로 돌려라. 동시에 구르는 것이다. 남의 속을 가고 오는 거, 즉 말하자면 그거를 안다고 하더라도 그것이 도가 아니니 또 놓아라. 일심으로 돌려라. 또 지나온 걸 알고 앞으로 다가올 걸 아는 마음이 생기더라도 그것도 일심으로 돌려라. 남의 속을 빤히 쳐다보고 알더라도 그것을 일심으로 돌려라. 다섯 가지의 문제를 일심으로 돌리면 바로 그게 원통의 무심이 됩니다. 그것이 바로 원통을 벗어나는 무심의 도리라 이겁니다.

무심의 공덕행이라는 것은, 무심의 공덕법행(功德法行)이라는 이 자체는, 내 몸이 항아리라면 항아리에서 벗어나야 이 몸을 자유스럽게 굴리듯이, 항아리 속에 들어 있다면 항아리 속을 벗어나야 항아리를 굴리듯이, 수레를 끌려면은 수레 밖으로 벗어나서 소가 끌어야 수레가 구르듯이. 우리가 이것을 알고 넘어가야 하고, 믿으면 모든 일체를 다 맡겨놓을 수가 있다는 겁니다. 그건 왜? 원통에서 나오는 건 뭐든 원통에 다 도로 맡겨놓으면 용광로와 같아서 만 가지 생산이 나오고 만 가지 생산이 드니 이것은 바로 여여함의 공덕법행이 아니겠습니까?

여러분이 여기 오신 그 마음이 바로 한마음이요, 한몸, 한자리입니다. 한자리 앉아계시지 않습니까? 이것을 실감하시라 이겁니다. 우리가 살아나가는 것이 그대로 심성 천체물리학이며 그대로 길이며 그대로 진리인 것입니다. 우리 살림살이가 그대로 과학인 것입니다. 심성을, 마음을 빼놓고는 어디 뭐가 있겠습니까? 마음을 여러분은 다 가지고 계시죠. 마음으로서의, 악도 거기서 나오고 선도 나오는데 사람이라면 천 가지 만 가지 천차만별로 알고 있는 게 많으니 그 악은 쓰지 않으리라고 봅니다. 마음을 낼 때도, 한생각 낼 때도 남을 이익하게 낼 수 있는 마음, 한마음을 내서 말을 해주더라도 이익한 말, 남에게 뭣을 주더라도 뒤에 받으려고 생각하고 주는 마음이 없이 내가 쓰는 물질로써 생각한다면 둘이 아닌 공덕이 되지 않나 이렇게 봅니다. 이것을 받으려고 하고 이익을 보려고 하니까 싸움이 되고 부딪치고 악하게 나오고, 그 근원이 욕심입니다. 우리가 욕심의 근원을 놓는다면 자연스럽게 습득해 가면서 체험해 가면서 아주 청정한 정(定)에서 샘물이 솟아나와서 두두물물(頭頭物物)이라는 식대로 그대로 사실입니다.

여러분이 질문할 거 없습니까? 우리가 이렇게 한자리 한 것도, 한자리 할 때는 여러분의 몸이나 내 몸이나 두루 같이, 부처님의 뜻이나 일체 조상들의 뜻이나 다 같이 하고 있는 것입니다. 그러니 어느 분 어느 분, 다른 분이 하나도 없습니다. 여러분은 바로 부처님이시며 그 부처님은, 중생들이 돌봐주고 운영을 해야 사시기 때문에 그 중생들을 중생이라고 내려보지 말라고 하는 겁니다. 중생 부처는 둘이 아니다. 한 몸속에 부처, 중생이 있다 이겁니다.

중심, 중용, 중도, 바로 정(定)에 든다면, 정에서 나오는 거 정에다 도로 놓는다면 그 씀씀이가 바로 유유하고 여여하고, 천 가지 만 가지에 부딪치지 않고, 시공이 없고, 윤회에 걸림이 없고 생사에도 걸림이 없습니다. 오늘 죽는다 하더라도 빙그레 웃고 죽기 때문에 죽는 것이 아니고 사는 것도 사는 것이 아닙니다. 사는 것이 없기 때문에 죽는 것이 없다 함은, 아까 얘기했듯이 하늘을 받칠 불기둥이 있고 한 발로 디뎠다면 그것은 그대로 밝기 때문에, 그대로 자력이 있기 때문에, 그대로 빛이 있기 때문에 그대로 여여하며 그대로 삶과 죽음이라는 언어도 붙지 않는 그러한 자리라고 볼 수 있겠습니다.

여러분이 생각할 때는 되나 못 되나 말씀드리는 것 같지만 저는 이 말씀 한마디 한마디 드릴 때마다, 즉 만 골짜기에서 흐르는 더러운 물이나 깨끗한 물이나 한데 모여서 바다로 모이듯이, 그 바다로 모여서 가라앉혀서 유유히 돌듯이 이렇게 하시라는 뜻입니다. 즉 말하자면 한 마디 한 마디가 아마도 한 방울의 피인지도 모릅니다. 여러분이 여지껏 걸어오신 그 피 한 방울이 그렇게 에누리 없다는 사실 말입니다. 아마도 여러분이 갖다주시는 게 한 방울의 피라면 나를 위해서 갖다준 바도 없고, 바로 자길 위해서 갖다준 거기 때문에 나는 받은 새가 없고 자긴 가져갔으니 준 새가 없다 이겁니다. 요렇게 비유해 볼까요? 가게에 뭐를 사러 가면은 내가 물건을 가져왔으니깐 돈을 준 새가 없고 또 물건을 줬으니까 받은 새가 없듯이 우리는 지금 서로서로 공식(共食) 하면서 주고 받으며 사는 것이죠. 이렇게 되풀이하는 이 심정을 여러분은 아셔야 할 것입니다.

불교가 바로 한 손바닥이라면 우리 지금 앉았는 이 자세, 좌선 입선 와선 묵선 이런 것이, 이름이 참선이 아니라 진정한 마음으로써 두루 할 수 있는 물리가 튄 지혜로운 마음입니다. 앉았을 때 이 손가락 네 개를, 손가락 네 개를 깍지를 낍니다. 이것은 무슨 뜻일까요? 보이지 않는 데 한마음의 사무(四無), 보이는 모습, 안 보이는 모습, 유의 법, 사유(四有), 이것을 한데 합친 바로 이것, 두 손가락이 한데 합친 이 엄지(깍지 낀 양 손의 엄지손가락을 서로 붙여 보이시고), 이 뜻을 가만히 새겨보십시오.

우리 살림살이는 우리 손 안에 들었다고 봅니다. 이 손 안에 들었다고 본다면 바로 이 컵 안에, 바로 우주개공(宇宙皆空)이 다 이 한 컵 안에 들었다고 봅니다. 그런가 하면 아까 얘기했듯이 "깊은 청정한 샘물 나는 그 한 방울에, 그 물은 강을 이루었지만 강을 이룬 한 방울은 세상을 줘도 바꿀 수 없다." 이런 말이 있습니다. 그 한 방울에 우주

개공이 다 들어 있으니깐요.

우주개공이 한 방울의 물에 다 들어 있으니 어찌 작다 크다고 말썽을 부리겠습니까? '내가 이만하면 족하지.' 족한 게 어딨습니까? '이만하면 그저 알지.' 아는 게 어딨습니까? '나는 견성했으니까 큰스님이지, 이만하면 됐지.' 이런 것은 전혀 없습니다. 이런 것을 놓으십시오. 그대로 꽃피었을 뿐이고, 그대로 향기 날 뿐이고, 그대로 열매 열렸을 뿐이고, 그대로 무르익었을 뿐이고, 그대로 맛볼 뿐입니다. (한 모금 물을 드신 후) 본 김에 마셨습니다. 그러니 이렇게 만 가지 맛을 볼 뿐입니다.

여러분이 나는 중생이기 때문에 못 한다는 소린 아예 하지 마십시오. 그런 생각조차도 하지 마십시오. 원통에서 나오는 것 원통에다 되놓는다면 스스로 굴러서 스스로 자동적으로 엽렵하게 나투면서 돌아갈 것을, 어머님 만날 때도 자식 만날 때도 그렇게 여여하게 만날 거고 나툴 것을….

괜히 조상의 탓이니 뭐니, 바깥으로 끄달리면서 살아서도 자식을 위해서 헌신했건만, 죽었을 때 겉껍데기로 보고서 자식들이 부모 탓을 하죠. 영 자기 탓으로 돌리지 않는 겁니다. 못된 마음이죠. 세상에 어느 부모가…, 살아서나 죽어서나 영원토록 그 어머니의 마음이 부처님의 마음입니다. 다른 마음이 아닙니다. 부모의 마음은 어디 깨질세라, 부딪힐세라, 죽을세라, 못 먹을세라, 어떻게 굶지 않았나, 몸이나 아프지 않나 걱정해 주시는 아리따운 그 한 방울의 눈물을 어찌 그렇게 소홀히 가볍게 보십니까? 조상의 탓을 하다니 말이 되는 것입니까, 그게? 바로 자기 탓인 것입니다. 자기가 이 세상에 났기 때문에 부딪힘도 오는 것이지, 자기가 나지 않았다면 무슨 부딪침이 있으며 무엇이 만날 게 있으며 무슨 상대가 있겠습니까?

이렇게 좋은 불법을 그렇게 어지럽게 생각하면서 기복으로써 어지럽힌다면 일체제불의 뜻이 그냥 허무하게 어지럽혀질 것입니다. 고

상하고 여여하고 신비하고 당당한 그 법을 그렇게 모르다니! 여러분이 부처인 것이요, 그대로 부처 자리에 한자리 한 것이요, 그대로 그대로 부처님 법을 용(用)하는 것이요, 그대로 한마음으로 돌아가는 것입니다. 그대로 견성성불이지 어디 따로 있는 것이라고 생각하십니까? 이렇게 마음을 두고서 항상 가로 그어놓고 세로 그어놓고 자꾸 걸리는 거예요. 가로 그어놓으면 자기가 거기에 걸려서 빠져나오지 못해서 애를 쓰고, 세로 그어놓으면 세로 그어놓는 대로 빠져가지고 또 일어나질 못해서 애를 쓰고. 여러분은 참 답답합니다.

깨닫고 안 깨닫고 모든 걸 놓고 가세요. '빨리 하겠다, 이게 느리다. 아, 조금 되더니 아주 캄캄하잖아!' 이러거든. '캄캄한 것도 놓으세요.' 왜? 캄캄하고 환한 걸 둘 다 다 놓지 않는다면 여러분이 캄캄하고, 꺼지고 켜지는 거를 두 개를 사용 안 한다면 어떻게 살림하십니까? 여러분 들어가면서 불 켜시죠? 그리고 그 방을 쓰지 않을 때는 불을 다 끄고 나오신단 말입니다. 이런 작용이 없다면 여러분 어떻게 사시겠습니까? 이 작용이 바로 끄달리는 게 아니라 그대로 여여하게 사는 것입니다.

이것을 공부 과정이라고 돌리신다면 끄고 켜고, 깜깜하고 깜깜하지 않고, 이것을 다 두루 놓는다면, 한군데서 나온다면 한군데로 드는 것입니다. 그 한군데로 들어서 또 만 가지가 발산이 되고 만 가지가 한군데로 들고, 만 가지가 나가고 만 가지가 씀씀이로 돌아가면서 또 한군데로 드는 것입니다. 그래서 '빈 손으로 왔다 빈 손으로 가는, 합친 한손. 흙에서 와서 흙으로 가는 합친 한몸. 정(定)에 들어 죽어, 숨을 들이쉬고 내쉬는 그 음이 영원히, 영원하게 그대로 여여하리. 올 때도 빈 발이었고 갈 때도 빈 발, 합친 빈 발, 한발'입니다. 그래서 '한발 딛고 두루 걷는 발'입니다

따로 딴 데서 찾지 마세요. 가까운 데 있으니깐요. 아주 가까운 데요. 이 세상에 제일 큰 새가 어떤 것을 제일 큰 새라고 봅니까? 대답

한번 해 보십시오. 제일 큰 새가 무엇이 큰 새입니까? 네?

대중 먹새, 눈 깜짝할 새. (대중 웃음)

큰스님 하하하. 그래서 눈 깜짝할 새라는 것이 하늘과 땅 새! 위로 두루 본다면 하늘과 땅 새이지만은 우리가 윗눈썹, 아랫눈썹이 깜짝깜짝할 새가 제일 큰 새죠. 하하하. 그래서 우리가 전깃불이 말입니다. 딱 붙으면 여러분하고 이렇게 마주칠 때 한마음으로 모여서 지금처럼 한자리 할 수 있는 겁니다. 그러니 여러분의 마음과 내 마음이 어디 둘이겠습니까? 그래서 여러분하고 또 각자 헤어지면 전깃줄이 딱 끊어졌다 딱 붙었다, 끊어졌다 붙었다 이러니 한 찰나에 깜짝할 사이에 깜짝할 새죠. 그렇게 나툰다 이겁니다. 깜짝할 새야, 아주. 그러니 어디 바늘구멍 하나 들어갈 틈이 없는 깜짝할 새란 말이야, 우리 인생살이가. 이렇게 끝간 데 없으니 '크고 크고 또 커라. 없고 없고 또 없어라. 그대로 그대로 없는 발 그대로 걷고 있네.' 이 얼마나 좋은 법이며 얼마나 간편하고 좋습니까? 어디서 깜짝할 새를 찾습니까?

그래서 깜짝할 새에 있는 것이 부처니라 이거거든. 깜짝할 새에 그대로 부처요, 활용이야. 우리가 숨 들이쉬고 내쉬고 하는 거와 같이 그 음이 바로 두루 하듯이, 눈 깜짝깜짝하고 돌아가는 것 같이 우리 살림살이도 그렇게 돌아가는 거죠. 그러니 영원한 거죠. 안팎 없이 말입니다. 시공이 있다고 보겠습니까? 없다고 보겠습니까? 깜짝깜짝하는 데는 바늘 구멍 하나 틈 사이가 없는 거거든. 그래서 옛날에 어느 분이 돌 부딪치는 소리에…, 예전에는 삼태기라고 그랬죠, 대나무 삼태기! 그걸로다가 쓸어담는데 돌 알갱이가 탁탁 부딪치거든. 부딪치는 소릴 듣고서는 그냥 그 깜짝새를 알았답니다. 깜짝하고 불이 일어나는 그 판국에 그만 우주개공이 한 돌이 부딪치는 사이에 있다는 걸 알고부터 껄껄 웃고 하늘을 쳐다보고, 내려다보고 눈물 한 방울 뚝 떨어뜨렸답니다. 어떻습니까?

제가 이렇게 약장사를 한다고 생각하십니까? 그렇지 않는다면

만 가지 약을 가지고 약장사를 하는데 토막토막 내서 싸놓고선 여러분이 그저 용도대로 갖다 잡수십시오, 하고선 그냥 내놨는데 여러분은 맛이 어떻습디까? 어떠한 것이 맛있다면은 좀 내놔보시죠. 그럼, 여러분하고 오늘은 이걸로써 마치겠습니다. 우리 요다음에는 토론하고 질문도 하도록, 재밌는 한자리를, 영원토록 끊임없는 공생과 공용을 부탁드립니다.

지은 대로 받는다

87년 11월 15일

　　항상 한자리에 같이 하면서도 한 달 동안에 몇 번 못 본 분들도 있고, 처음 오신 분들도 있으실 테고 또 가끔 뵌 분들도 있으리라고 생각합니다. 예전이나 지금이나 사람 사는 거나 미물 사는 거나, 사람들은 차원이 높아서 임신을 해도 하나만 낳고 그러지마는 사람의 차원까지 이르지 못한 미물의 짐승들은 많은 자식들을 낳습니다. 그 원인이 어디에 있는지 우리 인간도 한생각을 잘못해서 어떻게 행동이 돌아가고, 어떠한 인연에 따라서 삶의 고(苦)가 얼마나 많은지 우리 한번 그런 일들을 검토해 볼까요?

　　옛날이나 지금이나 똑같습니다. 벌레의 세계든, 짐승들의 세계든, 인간의 세계든, 또 우주의 모든 섭리든 그 살림살이가 다 똑같다는 걸 아셔야 합니다. 지난번에도 얘기했지만 살림살이가 즉 과학이며 천체 물리학이며 또는 진리며 도며, 불교라고요. 조그마한 데다 신경 쓰지 마세요. 기독교다, 카톨릭교다, 불교다 이런 이름에 끄달리지 마시고, 어느 종교라는 것을 갈라놓고 끄달리지 마세요. 사람은, 아니 사람뿐만 아니라 일체 생명들은 다 생명이 있겠지요. 불성은 다 같이 가지고 있기 때문에 크고 작은 걸 알게 되고 진화되고 창조되겠죠.

오늘은 이런 말을 하고 싶습니다. 지금도 종합해서 본다면 그런 이치가 한두 건이 아닌데 옛날에 어느 한 동네에 만석꾼이 살았더랍니다. 이건 어디까지나 비교인데 진실이라고 믿으셔야 합니다. 거짓이 아니니깐요. 만석꾼이 살았는데, 그 양반은 자기집 노비들을, 종들을 너무도 학대를 했습니다. 동네 일판에서 만석꾼이라면 아마 그 이웃은 다 자기의 노비로서 살고 있다고 봐도 됩니다. 이거 옛날 얘기가 아닙니다. 옛날 얘기로 비유할 뿐입니다. 잘 들으세요.

그래 한 동네가 그렇게 살고 있는데, 노비들을 너무 잔인하게 부렸습니다. 돈만 알고 농사를 짓는다 하더라도 그저 먹는 거라도 넉넉히 주고서 들여놨으면 좋겠는데 그렇지도 못했습니다. 그러니까 항상 배고프게 먹으며, 농사를 지어주는 데 피와 땀이 흐르면서 병들어가고 있었습니다. 그러니 소와 무슨 다름이 있겠습니까? 조금만 잘못해도 "왜 더 들여오지 않느냐?"고 하고 두 부부를 묶어놓곤 때리고 하니 그건 뭐, 돌아가면서 그 고통이 너무도 많았습니다. 그랬는데 어느 날 매를 맞고도 나무를 하러 갔습니다. 그날 나무를 안 해오면 주인한테 또 얻어맞을 테니 고만 나무를 하러갔죠, 아파도.

나무를 한 짐 해서 지고 내려오다가 그 매맞은 다리가 너무 아파서 쉬면서 울고 있었습니다. 그런데 어느 젊은 스님이 다가오더니 "그 왜 그렇게 울고 있소?" 하고 물었습니다. 그렇게 물었더니 그이가 하는 소리가 "참, 무슨 죄를 많이 지고 났던지 이렇게 노비로서 태어나서 그저 걸핏하면 때려서 건강치 못한 몸으로 나무도 못하게 만들었으니 이 노릇을 어떡하면 좋겠습니까?" 하고 젊은 스님한테 말했단 말입니다. 젊은 스님이 하는 소리가 "여보시오, 어차피 한 번 죽을 건데 몸뚱이 태어나서 얼마나 가리까? 이래도 한 세상 저래도 한 세상, 어차피 노비로 태어난 거 그대로 그대로 마음을 안유시키면서 조금만 더 살면 죽을 텐데 뭘 그러시오." 하고 가거든요.

그 소리 들으니까 너무나 더 슬펐습니다. 한 세월을 노비로 태어나서 이렇게 산다는 것이 너무나 슬프고 부모도 불쌍하지마는 자기의 동생들도 불쌍하고 자기도 불쌍했더라는 얘깁니다. 동생이 있어도 이웃에 살면서 또 노비 노릇을 하니 말입니다, 응! 자기 자식을 낳았어도 또 노비 노릇을 해야 하니 이 노릇을 어떡합니까? 지금 같이 먹고 죽을 약이라도 있으면 그냥 몽땅 다 먹고 죽을 텐데 말입니다. 아, 그때야 양잿물밖에 더 있습니까? 그러나 양잿물도 맘대로 못 먹고 죽습니다. 종이기 때문에요. 남의 노비인데 만약에 자살했다면은 그냥 둡니까, 그 가족을.

그래서 더욱더 슬퍼서 울다가 할 수 없이 눈물을 씻고 다시 나뭇짐을 지고 내려왔습니다. 지고서 참 근근이 내려왔는데 그 맞은 독도 있고 하니깐 병이 들어서 시름시름 앓다가 죽었죠. 앓다가 죽어서는 양반집 주인의 손자로 태어나고, 또 그 양반은 죽어서 그 노비의 손자로 태어났더란 말입니다. 아마 누구나가 이렇게 태어나서 같이 산대도 모를 겁니다.

내가 그런 얘기 잘 하죠. 구더기는 자기가 파리가 된 줄 모르고 파리는 구더기였다는 걸 모른다고요. 매미는 또 굼벵이라는 걸 모르고 굼벵이도 매미라는 걸 모르고 말입니다. 이렇게 하고 가니, 정말로 자기 부모가 이 세상에 자기와 연결이 돼서 십대 종손 십일대 종손으로 나올 수도 있는데, 그걸 통히 모르거든요. 당대에 나올 수도 있죠. 그래서 나쁜 것에도 착을 두지 말라는 얘깁니다. 좋은 것도 착을 두지 말고, 이 공부하는 데는. 그렇게 엇갈려서 바뀌었습니다. 사연은 많지만 간단하게 그냥 넘어갑시다.

그렇게 엇갈려서 양반은 종이 되고 종은 양반이 되었죠. 양반이 종 노릇을 할래니까 양반으로 살던 습이 남아서 이상이 많아. 아무리 종놈으로 태어났을지언정 이건 아만이 머리끝까지 있단 얘깁니다. 그러니 종으로 태어난 것도 그렇지만 한술 더 떠서 매를 더 맞게 됐단 말입니다. 그리고 종으로 살던 사람은 또 종의 습이 있어가지고 항상 자기가 높은 줄 몰라. 항상 눈물이 잦고 노비들을 보면 불쌍한 생각이 들어, 남도 모르게 자기도 모르게. 그러나 형님들도 있고 아우들도 있는데 그렇게 되나요? 양반 상놈은 나라에서 정한 법이요, 종이라는 건 때려죽여도 살인도 아니었죠.

종으로 태어난 그 사람은 난 척을 하니까 몰매를 맞고 지내다가 어느 날 그만 헛간에 불이 났단 말입니다. 불이 났는데 그 양반 노비는 소를 끌어내려다가 그만 불에 데었단 말입니다. 소도 데고 자기도 데었는데 그거를 다 끄고 보니까 서너 군데나 데었단 말입니다. 소도 엉덩이가 데어가지곤 그냥 훌렁 까지고 그랬으니 주인집에서는 "소도 돌볼 겸 외양간에서 같이 자거라." 이랬답니다. 그러다 보니까 소하고 서로 둘이 끙끙대고 앓고 또 소는 소대로 송아지들을 두어 마리 낳아가지고선 새끼들도 있는데 에미가 엉덩이가 그렇게 데었으니 그냥 앉기만 해도 아프거든요. 또 지푸라기가 닿으면 "음매" 하고 소릴 지르면서 울어요.

그렇게 지낸 지 며칠 후에 어느 스님이 한 분 오셨어요. 스님이 오셨는데 시주를 하래니까 그 양반의 집에서는 쌀 한 됫박 갖다가 부으면서, 우린 만석꾼인데 만오천 석이 되게 해달라고 스님한테 빌었습니다. 그런데 그 스님이 돌아서다가 외양간을 보시고는 그리로 들어오셨습니다. 그러니깐 그 전생 양반 노비는 말입니다. 이생에서는 종이죠. 종이 하는 소리가 "무슨 팔자가 이래서 종의 몸으로 태어나게 되었는지 나는 나를 낳은 우리 부모도 죽이고 싶도록 원망스럽고, 자기 주인 양반도 어느 때든지 그냥 불에 태워 죽이고 싶다."고 그러거든요. 전생에 양반이었을 때 성질이 그대로 남아서 말입니다. 전자의 각본대로 나오니까.

아, 그렇게 성질을 피우니까 "허허!" 웃으면서 스님이 하는 소립니다. "내가 여기 들어온 것은 자네 때문에 들어온 것만은 아닐세. 저소로 인해서 들어왔네. 소의 얘기는 이렇다네. 저 묘향산 상원사에 어느 행자로 들어와서 살던 스님일세. 그러나 수좌(首座)가 돼가지고 부처님 앞에 놓는 돈만 그저 긁어가고 여자를 좋아했어. 여자를 좋아했기 때문에 몰래 산을 내려가서 어린애를 낳아놓고 살지도 못하고는 그냥 또 올라오고 올라오고 했기 때문에, 원한을 사고 욕심을 버리지 못하고 승려의 본분을 지키지 못해서 소가 됐다네." 그러거든요.

"그래, 저것 보게. 송아지를 낳아놓고도 엉덩이가 아파서 저렇게 앉지도 못하면서 꾸부정하게 젖을 먹이고 있는 걸 좀 보게. 얼마나 고통인가? 그래도 인제 울면서 뉘우치기 때문에 내가 한 일주일만 있으면 데려가려네." 하거든요. 또 "자네는, 이 소의 인연으로 인해서, 소를 이렇게 극진히, 자기의 아픔과 같이 잘 거두기 때문에 자네도 인연 따라서 앞으로 법도를 닦아서 나라에 크게 이바지하기를 바라네." 했거든요.

그러고 간 지 삼일 만에 그만 그 사람도 죽고 소도 죽었더랍니다. 그러니깐 양반의 집에서는 야단이 났죠. 하지만 어떡합니까? 소도 죽고 그 종도 죽고. 더 기막힌 건 그 일이 있고 일주일이 지나자 송아지 두 마리조차 다 죽었더랍니다. 그런데 그 이웃의 어느 집이 참, 가난한 집이지마는 남의 노비는 아니었습니다. 그런 집으로 인도를 해서 형제로 태어났습니다. 형제로 태어나서 그 스님의 불씨가 그래도 인연이 있어서인지 다시금 스님네 노릇을 하면서 도를 닦았답니다.

그러니 도를 닦을 때에 어떻게 닦았겠습니까? 산중에서 도를 닦을 때는 새 한 마리 빼놓지 않고 곡경을 당하게 한, 잠재의식 속에 있었던 것이 스스로 마음 속에서 나와, 이제는 그러한 일이 없으리라고 다짐하고 중 노릇을 잘 해서 앞으로 모든 생명을 건지고자 하는 원이 뚜렷하게 섰단 말입니다. 그러니깐 여자를 봐도 나무토막 같애, 그렇게 한 번 겪어서. 그 얘길 다 들었기 때문에 여간해서는 생명을 죽이지 않으려고 짚세기에다가 떡 하니 새끼 오락지를 매되 방울을 달고, 어디든지 산길을 걸을 때는 반드시 휘휘 젓고선 다녔단 말입니다. 팔자 걸음으로 슬슬 떼면서, 생명을 죽이지 않기 위해서 벌레를 죽이지 않기 위해서! 그러면서 벌레 하나하나도 내버리지 않았습니다. 자기 친구를 만들었습니다. 날아다니는 새도 자기 친구를 만들었고, 모두 친구를 만들었습니다. 그렇게 친구를 만들었다는 뜻을 한번 얘기해 볼까요?

여러분! 여러분 몸 하나하나에, 즉 말하자면 화생(化生)이라든가, 태생(胎生)이라든가 또는 습생(濕生)이라든가 난생(卵生)이라든가 이러한 사생(四生)이 다 들어 있단 말입니다. 사생이 다 들어 있다는 그 묘한 법을 어떻게 일러드리나? 하는 생각에 이런 말을 지금 합니다. 그 사생의 인연은 어떻게 지어진 인연일까? 자기가 수없이 겪어 나오면서 살아나가던 습으로 인해서 알로 낳고 태로 낳고 습한 데서 낳고 또는 화(化)해서 낳고 하는 그 인연들을 자기가 몽땅 가지고 나오는 겁니다. 그러나 그뿐이 아닙니다.

악한 것을 내가 먹었다, 악한 것을 하나 살생을 해서 먹었다 합시다. 벌 하나라도 벌도 여러 가지지만 독이 들은 벌이라고 할 때는 벌 하나 먹어서, 내가 주장자가 완벽하게 서지 않은 빈 집이라면 독 있는 벌 하나를, 생선 하나를 잘못 먹어도 그 생선 속에 들은 사생이 다 내 인연이 된단 말입니다. 알아 들으시겠습니까? 독이 들은 물체를 하나를 먹으면 그 물체 속에 사생이 우리와 같이 들어 있기 때문에, 그 악의 씨는 악의 씨를 낳고 선의 씨는 선의 씨를 낳는 겁니다. 그러기 때문에 악한 종류의 습을 가진 것을 먹게 되면은 악한 마음을 가지고 있기 때문에 이 사생이, 전부 수십억 마리에 관한 건이 전부 악으로 이루어지고, 악으로 낳게 되고, 악으로 행동을 하게 되고, 끝간 데 없이 그렇게 굴러갑니다. 그러다가 어떠한 인연을 만나면은 그 악이 없어질 수 있겠죠.

그래서 모든 사람들이 사생을 다 가지고 있어서 남의 악한 종류를, 독을 먹는다면 그 모두가 독의 물이 든단 얘깁니다. 모두가 흡수가 되는 거야. 기능이 마비가 되고 무슨 독한 약을 먹으면 그렇듯이, 내가 악한 것을 먹으면은 그 악한 피가 흘러서 내 피가 오염이 되니 그 생명들이 전부 마음 씀씀이를 악하게 쓴다 이겁니다.

그러나 그뿐인가요? 한 사람에게만 해당되고 만다면 별 문제가 아니죠. 한생각으로 사생의 모든 모습을 바꿔가지고 모습 모습이 다 다른 수십억 마리의, 모습도 다르지만 마음도 다 다른 그것이 한꺼번에 지금 오장육부에 다 있으니 그게 오염이 된다면 얼마나 숫자가 많겠습니까? 그러면 모습도 모습이려니와 마음이라는 건 체가 없어서 오염된 악의 씨는 마음 하나에 의해서 수천 수만으로 금새 늘어갈 수가 있는 씨가 나옵니다. 그러니 오염된 그 씨는 사람을 비롯한 모든 것을 해치는 겁니다.

모습으로 나오는 것만 많이 나오는 게 아닙니다. 안 보이는 데서 즉 영령(英靈)의 씨가, 악한 씨가 보이지 않는 데 수없이 피를 타고 돌면서 또는 전파를 타고 돌면서 나가서는 어디에고 다 퍼집니다. 사람이 숨 들이쉬고 내쉬는 데도 나고 듭니다. 이 여러 가지 문제를 어떻게 다 말로 하리까? 시급한 문제는 우리 마음으로서 어떻게 한생각을 잘해서 아까 얘기한 거와 마찬가지로 하다못해 애벌레 하나 버리지 않고, 풀 한 포기 돌멩이 하나 버리지 않고 친구로 만드느냐 이겁니다. 체가 없는 마음은 체가 없는 마음을, 의식적으로 식(識)이 식을 먹고 식에게 식이 먹힙니다.

그러면은 식과 생명, 영원한 나의 주인공은 여러 가지가 아니라 한 의식에 이렇게, 여러 가지 마음 나는 그 의식 자체가 바로 한 의식이란 얘깁니다. '한 의식 속에 수천 수만 가지가 나고 드니 그것을 조절해서 전부 그 자리에 놔라.' 이 소리를 항상 하고 있죠? 그러면 때에 따라서 모든 친구들이 내 몸속에 들은 친구와 더불어 같이 둘이 아니게, 외부적으로도 내부적으로도 둘이 아니란 말입니다.

그러니 삼천대천세계의 모든 물질들이 내 아님이 없을 것이요, 마음들이 내 아님이 없을 것이요, 아픔이 내 아님이 없을 것입니다. 만약에 모든 게 동시에 어떠한 일을 한다면, 나라에 무슨 큰 문제가 나도 이걸 들어야만 나라가 융성하고 또 편안하고, 또 어떠한 문제가 있어서 팽창될 때 나쁘게 될 때는 좋게 조절을 하고 좋을 때는 또 좋은 대로 평등하게, 즉 말하자면 위로 너무 솟아오르는 건 탁 쳐서 내리고 또 너무 내려가는 건 위로 올리면서, 평등하게 두면서 나라에 이바지할 수 있는 겁니다. 굳이 그런 공헌을 세우려고 하는 게 아니라 인간의 도리를 다함이죠. 그러니 그런 사람들은 대통령 자리도 싫다 하고 이 세상을 다 준다 해도 아마 마다할 겁니다.

아무튼 그렇기 때문에, 그러한 것을 가지고 있을 때엔 때에 따라 어떤 일이 벌어져도 모든 일체 만물이 다 내 친구라면 어떠한 분야의 어떠한 용도에서는 두루두루 쓸 수 있습니다. 내가 항상 그러죠? 자가 발전소에서 전력이 나오는데 용도대로, 회사는 회사 대로, 집안은 집안 대로, 또 공중에서 쓰는 건 공중에서 자기 마음대로 지금 쓰고 있다고요. 그와 마찬가지로 용도대로 즉 말하자면 발전소는 자연스럽게 자동적으로 굴러가면서 자동적으로 에너지가 나가서 용도대로 일을 처리합니다.

그러니까 여러분의 한 몸뚱이가 한 몸뚱이가 아닙니다. 상구보리(上求菩提) 하화중생(下化衆生) 했듯이, 하화중생하면 상구보리, 상구보리하면 하화중생이듯이. 내 몸속에 지금 수십억 마리의 중생이 들어 있기 때문에 하화중생이라고 하기도 하는 겁니다. 몸뚱이 하나로 비유해서 세상에 탁 나왔을 때는 그 많은 중생들이 나를 바라보고 있는 겁니다. 그걸 생각해서라도 선장님들은 배를 잘 가지고 다니셔야 됩니다. 모든 배 밑에는 수레바퀴가 달려서 지금 팔방으로 고정됨이 없이 행을 하고 있습니다. 그러니 몸뚱이가 배고, 발은 배 밑의 바퀴라고 해도 돼요. 그러니 평발이지.

여러분은 '나 아닌 나'가 그렇게 많은 숫자의 모습을 가지고 있으면서도 '모습 없는 나'가 그렇게 많아서 나고 든다는 걸 잘 아셔야 됩니다. 왜냐하면은 바깥에 모습 없는, 바로 타인의 모습 없는 세균이 나한테 들어온다 하더라도, 이게 나한테 들어오면 그냥 하나가 돼버려야 탄로가 나지 않는데 하나가 되지 않고 둘이 돼버린다 말입니다. 너도 주인이고 나도 주인이고 이렇게 되면 문제는 심각해집니다. 이 몸뚱이를 건강하게 끌고다닐 수가 없습니다. 뱃속에 타인이 하나 들어왔으니깐요. 그러니 뱃속에서는 싸움이 벌어지게 되죠.

그러니까 싸움이 벌어지지 않도록 하기 위해서 여러분한테 꼭 주인공에서 나오는 건 주인공에다 맡겨놓으면은 주인공에서 어떤 세균이든지 영계성이든지 유전성이든지 어떠한 문제가 다가오더라도 다 해결을 한다고 하는 겁니다. 보이지 않는 데서는 보이지 않게 해결을 하고, 보이는 데선 보이는 대로 해결을 합니다. 그러니 얼마나 질서정연하고 역력하고 묘하고 광대무변합니까? 내 몸이 지금 어떻게 지내고 있는지 그거부터 알아야 의학적으로도 그렇고 해결할 수 없는 문제라 할지라도 다 해결할 수 있습니다.

여러분은 아주 광대무변한 법을 가지고 있고 또, 광대무변한 뜻을 가지고 있기 때문에 현대 의학으로도 할 수 없는 일들을 여러분 자체가 할 수 있다는 사실을 아셔야 합니다. 목에 탈이 생겨서 말이 잘 안 나온다면 목을 자기가 스스로 수술을 하고 또 간이나 심장도 그렇고, 자동적으로 자기네들이 할 수 있는 능력을 다 가지고 있다는 사실을 아셔야 합니다. 또 보이지 않는 자기 자체는 타인도, 그 타인도 주인공은 둘이 아니라서 내 전화통과 그 전화통과 벨이 같이 울리기 때문에 '내가 저 사람을 꼭 안다, 저 사람은 참 안됐는데 내가 저 사람을 건져야지.' 하는 생각만 하면은 언젠가는 건져질 수 있다는 걸 아셔야 합니다.

한 사람을 망하게 하려면 뭐, 한순간입니다. 이 도리가 그렇게 무서운 도립니다. 여러분이 욕심 착, 이런 걸로 벌어지게 해서 남을 망하게 할 수 있는 그런 요소가 많습니다. 여러분이 욕심이나 착이나 남을 망하게 하는 그러한 마음을 가졌다면 어디서든지 샘이 나올 듯하다가도 한울에서 열쇠를 맡기지 않습니다. 한울이라면 한마음 말입니다. 개별적인 마음을 가지고 있는 사람 앞에는 한마음의 열쇠가 주어지지 않습니다. 한마음이 돼야 한마음의 열쇠가 나옵니다.

만약에 한마음이 되지도 못한 사람이 열쇠를 받았다면 그 재주를 이용해서 '에이! 너 맛 좀 봐라!' 대번에 이러한 마음이 나오니, 자동적으로 자신이 더 잘 알고 있는데 어떻게 자신이 자신에게 열쇠를 맡깁니까? 자신이 애비고 지금 현재 자신이 아들이라면 어떻게 그런 아들한테 열쇠를 맡기겠습니까? 아들이 아버지하고 둘이 아닐 때에 비로소 열쇠는 받는 법입니다. 그러기 때문에 한마디 한생각에 그러한 기운이 깃들어져 있는 사람은 '너 맛 좀 봐라!' 하고 망하게 만들면 아주 즉석에서 부서질 수도 있습니다.

그러기 때문에 기는 놈이 있으면 나는 놈이 있다는 얘깁니다. 고런 버릇을 가지고 있는 사람은 어느 때인가 또 걸립니다. 나는 놈한테 걸려요. 그래가지고 톡톡히 당하죠. 그러듯이 여러분은 그러한 데서 마음 하나하나를 낼 때 남을 해롭게 하지 않는다는 것, 그리고 나를 깨우쳐 보지 않는다면은 내 몸과 둘이 아님을 몰라요. 또 내 자리, 네 자리가 둘이 아니라는 걸 모르고, 내 아픔, 네 아픔이 둘이 아니라는 걸 모르고, 니 애비, 내 애비가 둘이 아니라는 걸 모르고, 니 자식, 내 자식이 둘이 아니라는 걸 모릅니다. 그러기 때문에 그런 일을 저지르는 겁니다.

참 간절하게 자식이 없어서 우는 부모가 있고 부모가 없어서 우는 자식이 있습니다. 사람만 그런 게 아닙니다. 저런 벌레들도 짐승들도, 저런 섬 같은 데 한번 마음의 눈으로 스르르 좀 봐보십시오. 생각해 보십시오, 연구해 보십시오, 좀 여유있게. 쫓기고 쫓고, 피를 내고 울고, 즐거워하고 괴로워하고 하는 것을 보십시오. 쫓기고 쫓다가 먹히고, 부모는 자식이 없어져서 울고, 자식은 부모가 없어져서 우는 그 꼴을 둥글리면서 보십시오. 짐승들만 그런 게 아니라, 벌레들만 그런 게 아니라, 개미들만 그런 게 아니라, 벌들만 그런 게 아니라, 헤아릴 수 없는 그 모든 생명들의 모습들이 모두 그렇습니다.

　　여러분! 그런 것을 한번 생각해 보신다면 어떠한 생각이 드십니까? 아까 얘기한 거와 마찬가지로 이 집에 태어났다가 저 집에 태어나고 저 모습으로 태어났다 이 모습으로 태어나고 합니다. 이렇게 둥글리면서 끝간 데 없이, 종점이 따로 없고 시발점이 따로 없이 돌아가면서 자기 마음 씀씀이에 의해서, 생활에 의해서, 행동에 의해서, 욕심에 의해서, 자기가 모습을 자꾸자꾸 바꿔가지고 이 세상에 태어난다고 한다면 그 모두가, 애벌레든 짐승이든 할머니든 할아버지든 애든 어른이든, 남의 집의 아버지든 남의 집의 할아버지든 남의 집의 자식이든, 어찌 내 자식이 아니며 내 부모가 아니며 어찌 그것이 내 생명이 아니며 내 모습이 아니겠습니까?

　　한번 이런 점을 마음 깊이 생각해 보셨는지요. 예전에 나도 이런 예가 있었습니다. 비가 오나 눈이 오나 한 3년 동안을, 거리로 다니는 애들을 쫓아다니면서 포장마차에 들어가서 국수를 서로 사먹으면서 한 3년 그렇게 쫓아다녀 봤습니다. 낮에는 여러분하고 있으면서 저녁 나절이 되면은 그 사람네들을 한번 검토해 본 예가 있었습니다. 그런데 못 얻어오고 훔쳐가지고 오지 않으면은 막 피가 나도록 매를 맞고 양냥이 뼈가 어그러지도록 매맞는 애를 봤습니다. 그 추운데 말입니다. 그러니까는 얼마나 가지고 들어가면 되나 하고 어느 계단에 쪼그리고 앉아서 손을 혹혹 불면서 깡통을 옆에 놓고 돈을 세는 걸 봤습니다. 돈을 세어서 얼마는 다른 데 넣고서 고거 몇백 원 남는 것을 입이라도 축이려고 주머니에다 넣는 걸 봤습니다.

　　여러분, 어떻습니까? 그 새끼들이 남의 새끼입니까? 언제 내 새끼가 되는지, 언제 내 부모가 되는지 모릅니다. 어느 누가 내가 아니겠으며 어느 아픔인들 내 아픔 아닌 게 어딨겠습니까? 그런 걸 볼 때 나는 개 하나만 본 게 아니라 전체 벌레까지도 보면서 너무나 슬퍼서 울었습니다. 아마도 자기가 춥고 배고파 보지 않았다면 여러분은 배고픈 줄도 모르고 추운 줄도 모를 겁니다.

어떤 사람은 죽어서 또는 잘못을 저지르고 죽어서 딴 모습으로 가면은 시궁창도 돼지우리도 좋은 집으로 보인다 이런 겁니다. 욕심이 꽉 찼으니 볏짚단도 금으로 보일 수밖에. 볏짚단도 금으로 보이고, 누렇게 마른 풀들도 금으로 방석을 해놓은 건 줄 알아! 그러니 좋아서 그리로 들어가면 짐승이 되는 겁니다. 욕심이 많은 고로 눈이 어둡고, 그릇된 행을 저질러서요. 똑바른 밝은 눈을 갖는다면, 한마음의 청눈을 갖는다면 여러분은 조금도 잘못됨이 없을 겁니다. 진짜 자유인인 것입니다. 오늘 살아 있는 이 몸을 가지고 만약에 진짜 사람이 못 된다면 요 다음 또 쳇바퀴 돌듯 어떠한 모습을 가지든 또 다시 돌아가야죠? 그러니 몇 바퀴나 돌아왔을까요? 재밌는 얘기 하나 또 해 드릴까요? 잘 생각하세요.

두 가지 여건이 있습니다. 어떤 사람은 고기 한 점을 주니까, 그 고기 한 점을 보고서 고기로 보았습니다. 한마음을 모르기 때문에 고기가 고기로 보이는 겁니다. 어떤 사람은 고기 한 점을 주니까, 고기로 보는 게 아니라 사생(四生)의 그릇으로 보았습니다. 아시겠습니까? 사생의 그릇, 즉 소 한 마리로 보았다 이 소립니다. 소 한 마리로 보이니까, 그 고기 한 점이 소 한 마리면은 사생으로부터 모든 생명체들이 그렇게 많은 숫자가 있다는 점을 생각할 때 생각 하나에 수십억이 된다는 사실을 아셔야 합니다, 고기 한 점이. 그래서 그 고기 한 점을 딱 보는 순간에 소로 몇 바퀴나 돌았는지 그것을 알 수 있는 것입니다. 소로만 몇 바퀴 돈 게 아닙니다. 짐승으로 얼마나 돌았으며, 얼마나 쫓고 쫓기고 먹혀왔으며, 이렇게 돌아왔는가 하는 걸 한 눈에, 한 찰나에 알고 있기 때문에 그것을 탁 입에다, 보는 순간 벌써 자기는 요리를 해치워 버렸습니다. 그러니까 소 한 마리를 탁 해치워버린 겁니다.

그렇게 소 한 마리를 잡아먹고 치워버렸으나 자기가 됐더랍니다. 넣어도 두드러지지 않죠. 소 한 마리를 넣어도 두드러지지 않았죠? 이

걸 깨닫지 못하고 이론적으로만 알아선 안 됩니다. 소 한 마리를 다 먹고 보니까 자기가 돼버려. 자기가 됐으니깐 두드러지지도 않았지? 자기가 또 거기서 소 한 마리를 꺼내니깐, 소를 꺼내도 소가 아니라 이제는 사람을 꺼내는 겁니다. 사람 속으로 들어가서 사람이 됐으니까 사람으로 생산을 해야 될 거 아닙니까. 소를 넣었는데 사람으로 생산이 돼서 나왔습니다. 사람을 꺼냈어도 소의 사생이 들은 그릇이나 사람의 그릇이나 똑같이 그 사생은 마찬가지나, 차원은 사람이라고 하는 거하고 짐승이라는 거하고는 달라. 소라 하면은 새끼를 두 마리도 낳고 세 마리도 낳고 그럴 수 있지만 사람은 드물어! 자식을 하나밖에 안 낳아 90% 100% 다. 그렇지만 그런 습성이 있기 때문에 쌍둥이로 낳는 사람도 있긴 있지.

내가 나라는 습성, 각각! 한마음에 모든 것이 돌아간다는 이치를 모르고 각각 나라는 존재가 있기 때문에 여러 가지 숫자를 많이 낳죠? 알도 많이 낳고 새끼들도 많이 낳고, 이런 거는 벌써 내 마음 속에 흐르는 피의 그 생명들이 내가 나라고 하고 싸우면서 서로 나오거든. 서로 나와! 양보심이 없어! 양보심이 없으니깐 그냥 나올 수밖에. 다섯도 좋고 넷도 좋고 열도 좋아. 그러나 인간이라 하면 양보성이야. '당신에게 모든 걸 다 주리다.' 하는 양보성이 있어. 그래서 불성이라 할지라도, 다 같은 생명이라 할지라도 독특한 생명이다 이거야. 고등생명이다 이거야. 고등동물이다 이거지, 생명은 다 마찬가지지만 차원이 말이야.

내가 어디로 끌고 가는지 모르겠네, 말을. 사방팔방으로 길이 있어서 이리로도 들어갔다가 저리로도 들어갔다가 이러거든, 그냥. 그러니 하하하, 양해하시고 깊이 잘 들어주세요. 그 뜻만 알면 되니깐요. 나는 이 골목 저 골목 기웃기웃거리면서 얘길 하더라도 듣는 여러분이 잘 들으셔야 합니다. 골목골목이 따로따로 있는 것이 아니라 한 전력에 바로 전부 가설이 돼 있으니깐요. 그걸 법망이라고 한답니다. 이 공중의 법망 말입니다. 그러니 내가 무슨 말을 하든 잘 들으세요. 어느 골목을 들어갔었는지 모르겠네요. 하하하.

그래서 생명 자체가 그렇게 묘한 것입니다. 그러기 때문에 여러분의 마음을, 한생각을 잘못하느냐 잘하느냐에 의해서 수억겁 광년을 거쳐오면서 잠재의식 속에, 카셋트에 얽히고설킨 게 그냥 몰락 벗어지는 겁니다. 벗어지느냐, 더 지지하게 짊어지고 다니느냐 하는 문제가 있습니다. 뭐이 그렇게 원통해서 놓지 못하십니까? 우리가 뭐가 원통합니까? 이 몸뗑이가 공(空)해서 한 찰나에 살다가 한 찰나에 구름이 흩어지듯 흩어지는 몸뚱이, 내일 죽으면 어떻고 오늘 죽으면 어떻습니까? 나라는 욕심 때문에 모든 일들이 벌어지고 있습니다, 나라는 욕심 때문에. 나라는 욕심이 없다면 싱그러움게 사실 수 있을 텐데, 한 찰나찰나 사람이 넓게 볼 수 있고, 넓게 들을 수 있고, 넓게 일할 수 있고 지혜의 샘물은 골목골목에서, 그 샘물이 말입니다. 솟아 흐르듯이 좋은데 말입니다, 싱싱하고 좋은데. 이걸 모르시고선 자꾸 몸 하나에 끄달리니 전체에 끄달릴 수밖에요.

지금 여러분이 사는 겁니까? 여러분 몸속에 수만 생명이 들어 있으면서 오르락내리락, 피를 통해서 오르락내리락하고 있고 살 속에도 오르락내리락하고 돌고 있기 때문에 여러분이 이렇게 움죽거리고 있는 사실을 여러분은 아시나요? 그런데 어떻게 내가 제일이라고 할까요? 그 중생들이 다 받쳐줘서 내가 이렇게, 부처가 떡, 눈 코가 의젓하게 달리고, 손발이 턱 있어서 평발을 해가지곤 턱 딛고 다니면서, 그래 내가 제일이라고 하시겠어요? 누가 지금 그렇게 딛고 다니게 해드리는데 상구보리라고만 하시겠습니까? 하화중생은 모르고요?

내 몸뚱이가 있기 때문에 부처가 있는 거고 부처가 있기 때문에 내 몸뚱이가 있는 겁니다. 내가 사는 거 이것이, 내가 태어난 태초고, 나로 태어난 이 몸뚱이가 있기 때문에 이게 화두지 남한테 '무(無)'자 화두를 받는다, '이뭣고?' 화두를 받는다 해서 실과를 익게 할 수 있을까요? 남한테서 따온 실과는 무르익지 못합니다. 딴 나무에서 따온 실과이기 때문에, 제 나무에서 익지 못한 실과이기 때문에, 이것은 시고 떫고 그렇습니다. 그리고 그냥 썩습니다. 내 나무에서, 잘났든 못났든 내 나무에서 실과가 무르익어야 만 가지 맛이 납니다. 만 가지 요리를 할 수가 있고요. 그러니 얼마나 좋은 법입니까. 그 도리를 아신다면 부처님께서 말씀하신 대로 아뇩다라삼먁삼보리 무의 법을 그대로 쓰시고, 유의 법이 둘이 아니게끔 쓰시는 까닭에 이름해서 보살이라고 하고 이름해서 법신(法身)이라고 하고, 이름해서 부처라고 한 것입니다.

내가 지난번에 미국에 갔었습니다. 여러분한테 얘기도 차분하게 못 했지만, 앵커리지에 처음에 가서 보니까 사는 게 너무도 급급하고 여유가 없었습니다. 부부지간에도 하루종일 나갔다가 아침에 퇴근을 하고, 부부가 다 밥벌이를 하니까. 아무리 바쁜 사람이라 할지라도 아침에 나갔으면 저녁에 들어와서 같이 오순도순 애들하고 밥도 먹고 그래야 사는 맛이 있지 않습니까? 이거는 애들 따로 남편 따로 아내 따로.

그러니 내가 보기는 여유가 없어 보였습니다. "당신네들은 이력하고도 살고 싶소? 아니, 산다고 하오? 바쁘다는 생각이 안 들고 편안하오?" 하니까. "편안치는 못합니다." 그래서, "그래도 부부지간에 애들하고 이렇게 하는데 참, 이것도 살맛나는 살림인가?" 내가 이러니까. "여기서는 이렇게 살아야만 하니 어떡합니까? 내가 아침에 밤일을 하러 나오면 남편은 낮에 나가니 일 주일에 두 번 만나기 어렵답니다." 이런 사람도 있고, 어떤 사람은 또 때에 따라서는 그렇게 하다가도 낮에 같이 일을 나갈 수도 있고 밤에 또 같이 나갈 수도 있고 이렇답니다. 그러니 참, 나는 그렇게 좋은 줄 모르겠더라고요, 촌놈이 돼서 그런지.

애들도 그냥 한국 말을 하는데 반말을 해요, 아예 반말이에요. 그걸 어떻게 말을 해야 돼죠? 외국말이 반말이라고 그래야 되나 한국말이 반말이라고 그래야 되나? (대중 웃음) 그저 모두 반말이에요. 모두 한국말을 하면서도 반말을 해요. 외국 사람이라면 그건 그렇다고 보지만 아, 이건 한국 사람이 한국말을 하는데 그렇게 반말을 하니 그게 되겠어요? 그래서 한국 사람이라면 지조가 있어야 한다고 그랬습니다. 한국 사람이라면 한국 본위를 따라서 지조가 있어야지 그렇게 지조가 없어서 쓰겠느냐고 그랬습니다. 그게 왜 지조가 없느냐고 합디다. 그래서 아니, 늙은이를 봐도 '이랬어 저랬어' 하고 애를 봐도 '이랬어 저랬어' 하니, 이게 있을 수가 있느냐 이거야. 이런 지조가 없는 사람이 어딨느냐고 그랬습니다. 한국 사람 중에 이런 지조 없는 사람 난 못 봤다고 그랬죠. 그랬더니 그게 습관이 돼서 그렇답니다. 그러니까 그걸 하나하나 고쳐나가려면 스님이 오래 계셔주셔야 될 겁니다, 이러는 거라. (대중 웃음) 아니, 스님이 그걸 일일이 쫓아다니면서 말을 가르칩니까?

그랬는데 거기서 세미나가 열렸습니다. 아, 그런데 미국 사람이 거짓말 보태서요, 100명입니다. 그럼 50명이죠? 하하하. (대중 웃음) 그렇게 왔는데 거기서는 깜짝 놀랐습니다. 세상에 외국 사람이 몇 명도 어려울 텐데 한 50명이 왔다고 합디다. 모두 합해서 그저 한 60명, 70명 되는데 말이에요. 그런데 통역해 줄 사람이 있어야지요. 영어는 잘 하는데 말입니다. 불교 용어를 모르니까 내 말을 받아서 통역해줄 사람이 없습니다. 더군다나 또 쉽게 말을 하는데도 그래요, 글쎄. 어려웁게나 뭐 말합니까, 어디? 내가 본래 그렇게 거드름피우는 한문을 모르기 때문에 더군다나 아주 쉽죠. 아, 그랬는데 통역을 해주지 못하게 되니까 어떡합니까? 그래서 옆의 사람한테 나는 그냥 한국 사람만 듣게 할 테니 너는 책을 읽고 종이에 써가지고 영어로 해라, 그랬죠. 아, 그럭할 수밖에 없죠. 어떡합니까?

그래서 잠깐 하고 나왔는데 이 외국 사람들이, 나는 키가 작고 외국 사람들은 크지 않습니까? 이걸 어떡합니까, 또. (대중 웃음) 아, 나오는데 보니까 그 사람들 어깨에도 차지 않는 겁니다. (대중 웃음) 하하하. 한편으로는 생각하니 참 기가 막힌 일이지마는 그래도 조그마한 고추가 매운, 톡 쏘는 기운이 있으니 너 맛좀 봐라 그랬죠. 그랬더니 아니나 달라요? 아, 키스를 하려고 덤비지 않습니까. 하하하. 아, 이 머리가 빡빡 깎였으니까 키스하기 얼마나 좋습니까? (대중 웃음) 머리가 있으니 걱정입니까? 그냥 내려다보고 키스하면 됐지. 하하하. 참, 우스운 일이 많죠? 허허허. 그래서 이 머리는 피하고 미국 여자들 하고는 여기 이마에다가 했죠, 할 수 없이 여기다가. 그러니까 한편으로는 속에서 웃음이 나고 한편으로는 참, 종류라는 게 어떻게 이렇게 여러 가지로 돼 있을까 하는 생각을 했습니다. 그러고도 뭐 키 큰 사람 부럽지도 않았지만 그 사람네들도 키 작은 거 부럽지 않았을 겁니다. (대중 웃음) 역시 피차에 마찬가지니까요.

이제 그러고 나와서 음식점에 갔습니다. 아, 그런데 음식점에 데리고 간 한국 사람더러 하는 소리가, 그 사람은 우리보다 키가 컸습니다. 그랬는데 뭐라 그러냐 하면 음식점 주인이 미국 사람인데 당신 조카들이냐고 그러거든요. (대중 웃음) 아, 이거 또 낭패 아닙니까? 거기는 머리를 깎은 사람이 없으니까. 승려라는 것도 모르는 그런 처지에서 볼 땐 그럴 수밖에요. 아, 조카들이 한국에서 왔느냐고, 코리아에서 왔느냐고 그러거든요. 그러니까 그이가 또, 그 뭐라고 말을 합니까? 스님네들을 모르니까요. 듣고선 우리를 안내하던 그 사람이 우스워 죽겠다고 해요. 우리는 그 소리를 못 알아듣고 말입니다. "뭐라 그래?" 그러니까 그런 소리를 하는 겁니다. 아, 그러니, 허허허, 얼마나 우습습니까. '야, 머리를 깎고 조그맣고 그러니까 조카들인 줄 알았구나!' 하하하.

그럭하고 한 가지 또 우스운 게 뭐냐 하면은, '혜월'이라는 이름을 지어준 미국 닥터 '웨이버'라고 하는 사람이 있었습니다. 그런데 그 사람한테 아침에는 6시부터 6시 반까지 좌선을 한다고 그랬습니다. 그러니까 정각 6시면 오는 거예요. 그런데 앉아서 좌선을 하다가 뒤를 돌아다보고 싶어 돌아다보니까 글쎄, 앉았는 사람들이 다리를 쪽 뻗고 어깨를 이렇게 올리고서는 앉았습니다. 그 긴 다리를 쪽 뻗고요. (대중 웃음) 아휴 참, 그 꼴이라니 그거 참 볼 만하더군요.

그렇지만 몸뚱이는 그렇게 뻗었다 할지라도 뻗은 사이가 없고,

마음이 아리따웁고 그렇게 알려고 애를 써주는 그 마음씨가 고왔단 말입니다. 그래서 쳐다보고선 싱긋이 웃고는 이렇게 고개를 돌리면서 참, 좋았습니다. 왜 기뻤느냐? 비록 다리가 아파서 구부릴 수가 없어서 뻗었으나 마음으로서는 내가 꼭 저 법을 배워야겠다는 그 일념이 있었기 때문이죠.

그래서 차를 갖다주는데 찻잔을 이렇게 보면서 먹고선 (양 손으로 몸을 위에서 아래로 쓸어내려 보이시면서) 이렇게 해가지고선 뒤를 이렇게 손을 (오른손으로 똥을 누듯이 보이시고) 이렇게 해가지고 이렇게 해버렸더니, 먹고 싸는 걸 (오른손 주먹으로 입을 짚어 보이신 후, 똥을 누듯이 보이시고) 말하는 건 줄 알았어요. (대중 웃음) 하하하. 그래 먹고 싸는 걸 알았으니 그쯤 알렸으면 됐지 않았습니까? 하하하. "인간은 먹고 싸는 거다. 하하하. (대중 웃음) 인간만 그런 게 아니라 일체 만물, 일체가 다 먹고 싸는 거다. 그러니 여기다가 많이 두지 말아라. 이렇게 싸버려라." 이랬거든요. 그랬더니, 그것이 아주 좋다는 겁니다. "하!(양 손으로 가슴을 짚어 보이시며)" 이러면서 아주 스님네들이 좋다고 이러면서, "하!(양 손으로 몸을 위에서 아래로 쓸어 내려 보이시며)" 이러면서 이러면서, 이러면서(오른손으로 똥을 싸듯이 보이시며), 하하하. 그리고 그 큰 몸에 과일을 아침 여섯 시면은 꼭 서너 개씩 담아서 들고 옵니다, 꽃도 들고 오고.

내년에는 한국에 나온다고 합니다. 그러니 미국 사람들이 몇이나, 대여섯 사람 올는지 몰라도 나온다고 그러니까 나오라고 그랬지 어떡합니까? 오지 말라고 그럴 수가 있나요? "한국 구경 했느냐?"고 그러니까, 거기 있는 사람 통역을 들이대서, "한국 구경 했냐?"니까 "나는 한국 구경 한 번도 못 했다."고 그래요. 이 자리에 나서 이 자리에 그냥 있다는 거예요. 그래서 그랬어요. "당신네들보다 우리가 낫다."고 그랬어요. 나는 그래도 여기 왔지 않느냐 이거야. 하하하. 그러니깐 그렇다고요, 우스워 죽겠다고. 그리고 거기 설산을 구경시켜 주는데, 우리 저

앞산 보여주는 것밖에 안돼요. 그것도 좋다고요, 아이구, 넓기는 하지만 그것도 좋다고 구경을 시키는 거예요. 차를 타고 올라가면서 보니까. 그런데도 그 사람은 그냥 환희심이 나서 구경시키는 게 좋아서. 그래서 '이 다음에 한국에 오면 너 설악산 한 번 구경해 봐라. 네가 놀라서 자빠질 거다.' 속으로 이러고 했죠. (대중 웃음)

그리고 거기서 샌프란시스코로 와서 있는데 어느 스님이 초청을 해서 그 절에 가서 설법을 하게 됐습니다. 그런데 그 스님께서, 스님이시니까는 공안을 가지고 공부하시는 것 같애요. 그래서 이런 얘기를 했습니다. 또 거기 주장자가 기다란 게 있습디다. 법상이 이렇게 얕은데, 거기 안 올라간다고 그러니까 굳이 큰스님이 거기 올라가셔야 된다고 올라가라고 그러는 겁니다. 크지를 않아서 다행이지마는, 적으니깐 다행이죠. 책상같은 데 올라가기에는. 하하하. (대중 웃음) 그래 덩그머니 홀랑 올라 앉아서 하하하, 그 기다란, 나보다 더 큰 주장자를 가지고 한 번 (오른손 주먹으로 내리쳐 보이시며) 내리쳤죠. 하하하. 치곤 이렇게 말했습니다.

"어느 도량에서 스님들이 사는데, 예전에는 농사를 짓고 살았습니다" "그래서요?" 그러거든요. 그래서 "그래서 그 동네 사람이 항상 소를 가져가 논을 갈아줬는데 아, 몸이 아파서 논을 갈지 못한다고 통지가 왔으니, 너 소를 가지고 와서 우리가 쟁기를 메고 논을 갈아야겠다." 하고 주지스님이 했답니다. 그러니까 "네, 그래서요?" 그러거든. 그래서 그랬죠. "그래서 제자를 한 명 보냈더니만 아, 제자가 가서 영 소를 가져오지 않지 않습니까?" "그래서요?" 그래 나중에 빈손으로 왔기에 물었더니 "오다가 하도 배가 고파 동네 사람을 모아놓고선, 네 기둥을 박고 네 다리를 매가지고선 홀딱 다 구워 먹었습니다." 하는 게 아닙니까.

구워 먹고서는 절에 어슬렁어슬렁 왔으니까. "그래서요?" 구워 먹고 오니까는, 소는 안 가져오고 여태 뭐하고 있다가 이제 오느냐고 그러는 바람에, 올 때 하도 배가 고파서 동네 사람 모아놓고 다 먹었다고 그랬거든요. 그러니까 '어떻게 구워 먹었느냐?' 그래서 풀 갖다가 모아놓고선 구워 먹었다고 했거든요. 그러면서 네 기둥을 박고 네 발을 매고선 거기다가 나무를 쌓고선 구워 먹었다고 하거든요. 그러니까는 한 사형이 있다 하는 소리가 '아이구, 이제는 큰일났다.'고…. 응? 그래, "동네에서 소 구워 먹었다고 소문이 나면 고을에서 그냥 발칵 소문이 나면 이거 큰 문제가 생긴다고 그냥 막 팔딱팔딱 뛰었습니다." 그러니까 "그래서요?" "그래서 뛰니까, 또 사형이 하나 있다 하는 소리가 '아, 좀 이르면 어떤가?' 하거든요. 그런데 또 한 스님이 있다 하는 소리가 '아, 그럼 좀 더디면 어떤가?' 그러거든요. 그러니 만약에 여러분이 그 자리에 계신 스님이라면 뭐라고 말씀을 해야 하겠습니다." 하니까, 그렇게 대답을 못한 그 분이 그냥 아무 소리가, 그냥 고개를 숙여 보이시며 아무 소리가 없는 겁니다.

　그런데 만약에 여기 여러분 중에서 거기의, 그 도량의 스님이시라면 뭐라고 말씀을 하시겠습니까. 그 소 구워먹은 거 말입니다. 그런데 스님은 또, 구워먹었다는 놈은 누구고 좀 이르면 어떠냐고 했고, 좀 더디면 어떠냐고 했으니 그건 무슨 까닭이냔 말입니다. 그 무슨 까닭일까요? 여러분이 만약에 그 자리에 계셨더라면 뭐라고 했을까요? 즉 말하자면은 은사 스님으로 거기 계셨더라면 뭐라고 칭찬을 해주셨을까요, 야단을 쳤을까요? 어떠한 말을 했을까, 어떠한 대답을 했을까 어떻게 받아들였을까? 그게 무슨 연고입니까?

　질문하실 거 없습니까? 그럼 오늘은 이만 마칠까요?

들이고 내는 일체 만법의 생산처

88년 2월 21일

여러분을 작년에 만나뵙고 새해를 맞이해서 올해 이렇게 또 만나뵙게 됐습니다. 우리가 사람 사람이 있기 때문에 질서가 있고, 또는 작년이라는 말을 해놨고, 올해라는 말을 해놨습니다. 만약에 그런 말이 없다면 질서가 문란하겠죠. 인간으로 이 세상에 태어났다면 질서와 교양, 교육, 충성, 효도, 의례의식이나 모든 천(天)·지(地)·인(人) 삼재(三才)의 그 질서적인 자연의 법칙, 이러한 문제들을 새삼스럽게 말하기 이전에 여러분이 더욱 잘 아시리라고 믿습니다. 그러기 때문에 저 화엄 세계를 저렇게 (뒤편의 목탱화를 가리키시며) 해놓은 것은 천·지·인 그 삼재의 상세계·중세계·하세계를, 세상 살아나가는 도리를 그대로 묘사한 겁니다.

그러니까 여러분의 마음 속에 주인공이라는 그 자체. 영화를 봐도 주인공 죽는 법은 없죠. 그거 실감하셨습니까? 이렇게 구르든 저렇게 구르든 주인공 죽는 법은 없어. 죽었어도 또 되살아나. 그게 무슨 원리인가? 주인공이 없다면 마땅히 이 세상이 돌아가질 않아. 또 살림살이에서도 자기의 마음이 없으면 육체가 돌아가질 않아. 주인공 죽는 법은 없어. 아무리 똑똑하지 않고 제 아무리 뛰어나다 하더라도, 처음에는 뛰어나는 것 같지만 나중에는 결국 주인공이 살지 그 외의 사람들은 다 죽어, 영화를 봐도. 여러분이 아마 실감하시리라고 믿어요.

그와 같이 여러분은 여러분의 각자 주인공을 진실히 믿습니까? (잠시 말씀을 멈추시고) 믿습니까?

대중 예.

큰스님 그 믿는 마음은 '주인공, 이런 걸 해주십시오, 저런 걸 해주십시오.' 이런 게 아닙니다. 진짜로 믿는 마음에서 일차적으로는, 한 말을 되한다고 그러시지 말고 잘 들으세요. 일차적으로 내가 믿는다, 진짜로 믿는다면 죽고 사는 것을 거기에다가 다 놔버릴 수 있는 겁니다. 그럼 악과 선 일체 모든 돌아가는 것을 다 놓을 수가 있는 것입니다. 그렇게 놓을 수가 있다면, 바로 놓고 난 뒤에 양면을 돌아가면서 다 놓을 때에 비로소 무엇이 거기서 생산이 되느냐? 생각 내는 마음입니다. 믿고 놓아서 생산할 수 있는 마음! 이 마음이라는 게 천 리를 갈 수도 있고, 한 찰나에 저승에 갈 수도 있고, 미래에 갈 수도 있고, 과거로 갈 수도 있는 거거든. 여기 앉아서 집도 갈 수 있고, 부산도 갈 수 있고 말입니다.

여러분의 마음이 우주와 더불어 이 세상에 광대무변하게 있다는 거를 여러분이 잘 아시기 때문에 그 근본이, 바로 우주의 근본이 마음입니다. 알기 때문입니다. 여러분이 이 세상에 나오지 않았다면 그 근본을 알 수가 없어. 또 이 세상을 알 수가 없기 때문에 근본을 알 수가 없어. 근본입니다! 내놓을 수도 없고 쥘 수도 없고 볼 수도 없는 그 근본자리에서 광대무변하게 돌아가는 이치를 알고 있기 때문에 아는 겁니다.

그래서 아는 까닭에 여러분은 "아이구, 이렇게 놓고 가는데도 안 됩니다." 그러거든요. 그래서 항상 말하기를 '안 되는 것도 놔라.' 하는 겁니다. 그러면 "안 되는 것도 놓는다면은 우리 어떻게 살고요?" 이렇게 말씀하는 분들도 있습니다마는 진짜로 믿는다면 다 거기에 진짜로 믿고 놓고, 마음을 잘 낸다면 일이 잘 돌아가게 돼 있어요. 마음을 잘 내! 꿈을 꾸고도 자기가 언짢게 생각을 하고 '아이구, 꿈 잘못 꿨구나, 이거 언짢은 꿈이로구나.' 하고 생각을 한다면 반드시 언짢게 재앙이 옵니다.

또 조상에게도 너무 집착을 하지 마세요. 왜냐하면은 조상들에게도 그 자리가 있지 않습니까? 예를 들어 여러 형제가 있다면 형에게도 자식이 있고 나한테도 자식이 있고 동생한테도 자식이 있겠죠. 형에게 자식이 있으면 형의 제사는 그 자식에게 밀어던져라 이겁니다. 그래서 그 자식이 마음으로 '내가 부모님이 아니었더라면 어떻게 이 세상에 났나, 참 감사하구나.' 하고서 그 날을 맞이해서 심중 깊이 생각할 수 있는 날이 제삿날입니다. 그런데 이거는 덮어놓고 착을 붙일 거나 안 붙일 거나 다 붙여 돌아가서는 집안의 가환을 불러일으킨단 말입니다.

여러분은 생각 내는 걸 그냥 우습게 보고 하루 살면서 그냥그냥 쉽게 생각 낸다고 그러지마는 보이지 않는 그 자체에서는, 생각 한 번 내는 데 보이지 않는 물질 없는 물체들이 얼마나 아우성을 치는지 아십니까? 여러분은 그 도리를, 그렇게 마음 한 번 내는 게 귀중하다는 거를 아셔야 합니다. 그래서 마음을 내는 그 생산처가 천차만별로 돌아가면서 만약에 있다면, 이것이 돌아가게 해줄 수 있는 그 능력의 심봉은 그냥 거기에 심봉으로 있지 않습니까? 그건 움죽거리지 않죠, 비교한다면. 생산처에 자동적으로 번호 없는 번호가 매겨져 있다면 넝마전은 넝마, 무쇠전은 무쇠, 관세음보살, 지장보살, 전부 부처님의 말씀 그대로 그냥 줄줄이 줄줄이 붙어서 돌아갑니다. 그러면 그 심봉에다가 생각하는 걸 좋게 생각해서 놓는다면 자동적으로 자연의 법칙으로 인해서 스스로 돌아가서 내한테 생산이 돼서 나옵니다. 그렇게 자세히 가르쳐드려도 모르신다면 이건 큰일이죠. 자기가 자기를 믿고 생산을 해내는 데 마음을 잘 써야 합니다.

마음을 잘 쓰는 것은 어떠한 것인가? 여러분이 조금만 남이 억울

한 소리를 해도 억울하다고 생각을 하고, 내 탓으로 돌리질 않고 남을 원망하게 되고, 착을 두게 되고, 욕심을 두게 되는 건 내가 생각 한 번 잘못한 까닭입니다. 내 앞에 닥치는 거 닥치는 것대로 갖게 되면 갖게 되는 거고, 가진 것 내버릴 필요도 없고 끌어당길 필요도 없습니다. 여러분 보고 욕심부리지 말랬다고 재산을 다 버리라는 게 아닙니다. 마음의 착을 두지 말라는 얘깁니다.

여러분은 관리인이에요. 잘 쓸 수 있는 관리인입니다. 마음을 잘 쓰느냐, 못 쓰느냐에 달려 있어요. 또 생각을 잘 하느냐, 못 하느냐에 달려 있어요. 생각을 잘 하면은 말도 잘 하게 되고 행도 잘 하게 되지마는, 생각을 잘못하게 되면 행과 말이 잘못 나갑니다. 우리가 번연히 알면서도 지키지 못하는 건 알면서 받고, 몰라서 지키지 못하고 행을 저지르는 것은 모르고 받습니다. 그래서 모르고 받는 일은 여러분이 이렇게 말하죠. '나는 억울하다. 나쁜 일도 하지 않았는데 무슨 업보가 많아서 이러느냐?' 이런 말들을 하십니다. 어저께 없는 오늘은 없죠. 그럼으로써 내가 하지 않은 게 어디 내 앞에 붙겠습니까?

그러기 때문에 마음이라는 생산처! 이것을 어떻게 여러분 앞에 말로 해줄 수가 없기 때문에…, 여러분이 그렇게 하면 만 가지 생산을 할 수 있다, 닥치는 대로 생각을 잘 해서 놓는다면 스스로 아주 훌륭하게 만 가지 생산을 한다는 뜻입니다. 이 법칙에 의해서, 자연법에 의해서 아주 출중합니다. 깨닫지 못하면 "독 안에 들어도 못 면한다." 하는 속담의 말이 있듯이, 여러분이 깨달으면 독 안도 없고, 나올 것도 없고, 들어갈 것도 없다는 얘깁니다. 그러기 때문에 그것을 벗어나게 하기 위해서 이렇게 어느 날, 어느 날 할 것 없이 매일 이렇게 하고 있는 것입니다. 우리가 다 말입니다. 부처님께서도 삼천년 전에 그렇게 했고 단군 할아버지도 그렇게 했고 그때그때 시대에 따라서 가르쳤던 겁니다.

오늘날에 우리가 주인공을 타파 못 한다면, 자기 내공을 타파 못 한다면은 과거심(過去心)·현재심(現在心)·미래심(未來心)의 삼세심

(三世心) 내공을 타파 못 합니다. 삼세심의 내공을 타파 못 한다면 사공법을 몰라. 사공법을 모른다면 원심력을 기르지 못해서 원통자활을 못 해. 이것이 바로 자기한테 부(父)가 있고, 자기한테 스승이 있고, 자기한테 부처가 있고, 자기한테 법신(法身)이 있는 것을, 그것을 모르고 바깥에서 콩싹이 바깥에서 콩씨 찾듯이 그렇게 찾는다면은 그거는 여러분이 백년을 가도 안 되고 천년을 가도 안 됩니다.

그러니 여러분은 진짜로 믿는다면 걱정할 게 하나도 없다는 얘깁니다. 왜 걱정하게 만드느냐는 얘깁니다. 자식이 죽든지 살든지 가든지 오든지 우리는 또 교육을 받음으로써 좋고 그른 거는 다 알고 있습니다, 어린애라도. 그러기 때문에 뿌리에다가 습기와 모든 에너지를 넣어줄 수 있는 그런 어머니, 아버지가 되시라는 얘깁니다. 그러면 주인공은 다 평등해. 그러기 때문에 모든 것을 거기에다 놔라, 둘이 아니니까 주인공에 전해진다면 바로 자기가 아들이 되기 때문에 아들이 생각을 내면 애비가 돼버리고, 둘이 아닌데 그게 어디로 가겠습니까? 애비가 생각했던 마음 그대로 자식이 전달받는 거죠. 그러기 때문에 무질서하게 굴지 않는다는 얘깁니다.

아버지 어머니가 이 세상 살아나오면서 경험을 쌓은 것을 토대로 해서 여러분한테 "너희는 아직 나이가 어려서 모르는구나." 할 때 에너지로 인해서 그냥 넣어주란 얘깁니다. 주인공에 맡겨놔, 잘 끌고다니라고. 그런다면은 어떠한 일이 있어도 내밀어서 그렇게 가게끔 한다면 여러분한테 걱정이 뭐 있겠습니까? 잘 되고자 생각을 짓는다든지 '이렇게 하면 잘 된다더라.' 하는 것도 거기다 놓으세요. 사람이 한 번 죽지 두 번 죽습니까. 일찍 가나 늦게 가나 마찬가지야. 죽고 사는 거는, 한울에 매어 있어.

각본대로 이렇게, 깨우치지 못한 중생들은 여기에(뒤편의 목탱화를 가리키시며) 중세계도 해놨고 하세계도 해놨지만, 각본대로 여러분이 한 것만치 받아서 지금 나온 거거든. 그러니 그 한 것만치 악과 선

속에서 그냥 허덕이지 말고 그 속에서 활짝 벗어나란 얘깁니다. 벗어날 수 있는 길은 모든 것을 믿고 놓고 모르고 아는 거를 다 감사하게 놓고 '거기서밖엔 할 수 없지.' 하고 놓고, 그러고 난 뒤 생각을 잘 하시란 얘깁니다. '언짢다.' 라고 마음에서 나오는 그 생각을 절대로 언짢다라고 생각하지 마세요. 언짢을 게 없습니다. 어저께도 오늘이고, 오늘도 내일이고, 내일도 오늘입니다. 그러니 자연적으로, 자연법칙에 의해서 자동적으로 만 가지 생산처가 있다면 여러분이 만 가지 생각을 하는 거나 마찬가집니다. 만 가지 생각을 하기 때문에 생산이 돌아갑니다. 이걸 이해해서 잘 생각하시기 바랍니다.

어저께도 과거지마는 과거로 한 번 돌아가서 볼 때에, 체가 있는 몸뚱이는 과거로 돌아가지 못합니다. 마음입니다! 또 미래로 돌아간다 하는 것도 역시 마음입니다. 우리가 듣고 본다 하는 것은 초보적인 문제인데도 그거를 몰라서 과거를 묻고 현재를 묻습니다, 여러분이. 또 미래를 묻습니다. 예전에 여기에다 법당을 지을 때에 그런 말을 했죠. 어느 스님께서 "여기에다가 지으면은 궁색함을 면할 수 없어서 여기가 좋질 않은데…" 했습니다. 그러나 전 이렇게 얘기했습니다. "우리들은 좋고 좋지 않고 따지지 않고 밀고 나갈 수 있는 힘을 기르는 거 아닙니까? 전 잘 되는 거 바라지도 않고 못 되는 거 바라지도 않습니다. 만약에 부처님이 계시다면 이 자리가 좋을 거고, 부처님이 안 계시다면 안 좋겠죠, 뭐." (대중 웃음) 그렇게 얘기했죠.

그러고 나서 이런 말을 했습니다. 대충 아는 사람은 알 것입니다, 그때 얘기를 했기 때문에. "여기가 고속도로가 나고, 수원이 앞으로는 큰 도시가 되고, 또 여기도 집들이 많이 들어서고 좋게 된다."고 말을 했습니다. 이렇게 말을 하는 것을 누가 들으면 아는 소리도 잘 한다고 하겠죠. 그래서 마음대로 말 못하는 것은 모르는 분들에게 그런 말을 하면, 나쁘게 돌아가기 때문입니다. 여러분이 그런 것만 배우면은 건방 져지고 내가 보고 있는데, 내가 알고 있는데, 듣고 있는데 하고 말을 한다 이겁니다. 그렇게 보고 듣는 것은 문제가 안 됩니다.

진짜 자기가 작용을 할 수 있는, 자기가 나빠진 부분을 좋게 할 수 있고 좋아진 걸 더 좋게 할 수 있는 그런 능력이 필요한 거지, 보고 듣고 그러는 게 문제가 아닙니다. 내가 왜 그렇게 말을 하느냐 하면은, 만약에 그랬다면 미래를 본 거 아닙니까? 미래가 아닐까요? 과거로 한 번 돌아가서, 50년 전 과거로 돌아가서 이 안양을 보십시오. 그때 50년 전에 있었다 생각하고 한번 미래로 돌아서 지금을 보십시오.

미래를 가지고 얘기할 때 여러분 앞에 그러한 말을 하면, 그럼 왜 부처님 법에는 그런 말을 하지 않느냐? 하겠죠. 자유권이 있기 때문에, 부처님은 깨달아서 자유권이 있기 때문입니다. 산을 얕게도 해놓고 높게도 해놓을 수 있으니까 높다는 말을 할 수 없고 얕다는 말을 할 수 없는 것입니다. 그래서 미래가 어떻고, 과거가 어떻고 라고 말 안 합니다. 여러분 그 의미를 잘 생각하셔야 됩니다. 자유권을 쥐고 있는 사람이 높게도 해놓을 수 있고 얕게도 해놓을 수 있는데, '저기는 몇 해 전에 이렇게 왔고 저기는 몇 해 있으면 높고' 라고 얘기 하겠습니까?

그러니 조금도 의심 마시고 믿고 자기 주인공 자체의 근본자리에다 맡기세요. 우주의 근본도 인간의 마음의 근본이요, 태양의 근본도 마음의 근본이요, 세상의 근본도 마음의 근본이라. 이 마음을 타파할 때에 삼세의 공한 마음이 탁 터지게 되는 거예요. 그러니 과거도 알고 미래도 알고, 미래도 보고 과거도 볼 수 있는 것입니다.

그렇게 놓고 가고 할 수 있는 능력이 있기 때문에 여러분은 그때 가서 아! 자연적으로 스스로서 마음의 능력이, 샘물이 나오게끔 돼 있습니다. 그러한 노력이 아니라면은 어떻게 여러분이, 지금 여러분이 공부를 해서 어느 회사에 들어가는데 공부하려는 노력을 안 했다면 어떻게 회사에 가셨겠습니까? 노력이 있지 않고는 내 내공의 타파를 못 하며, 삼심 내공의 타파를 못 합니다. 이 세상 사공법을 모릅니다. 오심력을 기르지 못합니다. 즉 원심력 말입니다. 원통력을 스스로 활용하지 못 합니다. 그럼으로써 우린 뛰어넘을 수가 없어.

여러분이 생각해서 '이것이 옳다, 저것이 옳다, 이건 취하면 안된다' 하는 걸 이미 알고 있다 이겁니다. 여러분이 고등동물인 인간으로 태어났다면 의례의식이나 모든 절차 계율 같은 거는 이미 아시리라고 믿고 넘어가자 이겁니다. 그런 거는 으례히 할 줄 알아야지 우리가 세상에 있는 거는 얼마든지 배울 수 있는 것 아닙니까? 그런 걸 배울 수 있는 여건도 내가 있기 때문에 배울 수 있는 겁니다. 그래서 부처님 법과 인간의 법이 따로 있는 게 아닙니다. 짐승들을 보세요. 천차만별의 짐승들을 말입니다.

그러면 옛날 얘기 삼아, 지금 얘기도 됩니다마는 얘기 한마디 할까요? 어느 큰 황새가 날다가 깃을 다쳐서 떨어졌어요. 그래서 깃을 질질 끌면서 돌 틈으로 들어갔답니다. 돌 틈으로 들어가서 한쪽 구석으로 자꾸 들어가니까, 큰 구렁이가 있다가 하는 소리가 "당신, 이렇게 만날 줄 몰랐소." 하는 겁니다. "아니, 누구십니까?" 하니까 사실 얘길 하는 겁니다. "나는 당신 남편이었고, 당신은 내 아내였는데 내가 불미스럽게 돈을 훔쳐다 주었고 당신은 그 돈을 썼기 때문에 당신도 사람의 탈을 잃고 이렇게 황새가 됐으니 참 미안하다."고 하는 겁니다. 그러면서 하는 소리가 "사람으로 화현을 하려면 소로 태어나야 사람이 될 수 있소." 하면서 구렁이가 얘길 했습니다. 당신은 사람으로 지금이라도 태어날 수 있지만 나는 남의 것을 훔쳐오고 남을 죽였으니 아픔을 주고 모질게 했던 걸 책임지고 다 해결해야만이 인간으로 태어날 수 있는데 나는 며칠 안 남았다고 하는 겁니다, 소로 갈 날이.

그러면서 얘기했습니다. 지금 저 아래 돌 틈 굴에 박쥐란 놈들이 우굴우굴합니다. 박쥐란 놈들이 우굴우굴한데 거기 박쥐 소굴로 들어갔다 이겁니다. 그런데 그때는 박쥐 소굴인지 모르고, 그 영혼은 박쥐의 암컷, 수컷 사랑하는 데로 들어갔단 말입니다. 그러니 박쥐가 될 수밖에. 수만 마리가 우굴우굴 있으면서 어미가 새끼를 낳고 그 새끼가 또 새끼를 낳고 말입니다.

그런 연후에 죽은 뒤에 다시 그 돌 틈 속에 큰 구렁이 부부가 사랑하는 데로 그만 들어갔으니 자기가 구렁이가 됐다 이겁니다. 그래서 구렁이 어머니가 자기더러 하는 소리가 "나는 어차피 이렇게 돼서 이굴 안에서 살고 있지만 너를 배고서부터 그 뜻을 알았으니 너는 앞으로 자라면서 조금도 남의 생명을 빼앗지 말고 풀뿌리로써 연명하고, 습기로써 연명해라." 하고 가르쳐 주면서 또 말하기를 "절대로 그렇게 하지 말고 오백년을 여기서 견뎌야 소로 환토할 수 있느니라. 소로 환토를 해가지고도 남의 것 훔친 거 일하면서 다 갚아야 된다. 그래야 인간 모습으로 다시 나올 수 있다."라는 얘기를 그 구렁이 어머니가 구렁이 자식한테 했단 말입니다.

그래서 자기는 그때까지 그렇게 지키고 있노라고 얘기를 황새에게 했어요. 황새가 그 소릴 주욱 듣더니만 그 소릴 듣는 순간에 생각이 난 겁니다, 자기 과거 생각. 그래 "나도 같이 먹었으니 같이 갑시다." 하는 거야. 그래서 둘이는 참, 그 외양간으로 가서 영령은 허물을 벗고 외양간의 부부 속으로 즉 말하자면은 소 암컷 수컷이 서로 사랑하는 거기에 그만 들어갔어요. 그래서 형제로 태어났단 말이야, 둘이. 그리고는 죽는지 사는지도 모를 만큼 열심히 소로서의 일을 하면서 닦아 나갔던 거야. 그 소는 알기 때문에 그렇게 닦고 자기 어머니의 말씀을 진짜로 믿고 닦아서 다음 생엔 사람이 돼서 부처님의 제자로서 착하게 세상을 살면서 벗어났다는 얘기가 있습니다.

그러듯이 거듭거듭 거쳐오면서 우리 인간 되기가 얼마나 어렵겠습니까? 생각을 해보십시오. 인간에게 접근 안 하면은 태어날 수가 없어요. 금방 뭐가 되고 금방 뭐가 되는 게 아닙니다. 박쥐였을 땐 현재고 구렁이였을 때는 미래죠? 그런데 구렁이가 또 과거가 되고 소가 현재가 되고요. 또 소가 과거가 되고 사람으로 태어났다면 그게 현실이겠죠. 한 찰나입니다. 몸을 바꿔 태어나게 하는 거는 한 찰나야. 그러니

이 도리를 모른다면은 몹시 어렵기 때문에 그 모든 것을, 천만 가지 나오는 모든 것이 전자의 과거로부터 미래로 오는 것을, 생각나는 모든 것을 다 놓고 생각을 좋게 해라 이겁니다. 만 가지 생각을 좋게 하면 만 가지로 좋게 생산돼 나온다. 이것이 옛날 애기만이 아니라 지금도 그렇게 하고 있습니다.

그전에도 애기한 적이 있는데 어느 스님이 이렇게 물었죠. "모르는 어린애들은 업보가 있습니까, 없습니까?" 하고요. "어린애가 세 살 네 살인데 어떻게 업보가 있겠습니까?" 그러는 겁니다. 그런데 그런 말을 했어요. 모르고 짓는 거는 모르고 받게 마련이고, 알고 짓는 거는 알고 받게 마련이고, 콩 심은 데 콩 나고 팥 심은 데 팥 나지, 끼리끼리 모이니까. 지금 현 세상을 잘 보시면 아시듯이, 무쇠전에 무쇠가 모이고, 아니 쌀전에 가보면 죄 알겠군요. 팥은 팥대로 콩은 콩대로 쌀은 쌀대로 났죠. 그렇듯이 인간의 마음 씀씀이에 의해서 잘 쓰면 잘 쓰는 대로 잘 쓰는 사람끼리 모이고, 못 쓰면 못 쓰는 대로 그런 사람끼리 모여.

그런데 마음을 잘 쓰고 못 쓰는 건 무슨 영향을 받느냐? 아까도 애기했지만 마음을 잘못 쓰면 행도 잘못 나가고 말도 잘못 나가. 신경질을 부리고 말이야. 안 되고 걸리니까 신경질을 부릴 수밖에. 조건이 걸리지 않는데 왜 신경질이 납니까? 만사가 신경질을 낼 일이 하나도 없는데, 자연의 법칙에 의해서 질서대로 그냥 순응해서 무난히 흐르고 있는데. 그 법칙을 따라서 닥쳐 오는 대로 놓고, 닥치는 대로 순응할 수 있는 그런 사람이라면 걸릴 게 뭐 있겠습니까? 부자로 만들어놓고 죽은들, 가난한 집안을 두고 죽은들, 그런 걸 염두에 두지 말라 이겁니다. 엽전 한 푼 가지고 있어도, 내 몸뚱이를 이렇게 지니고 있어도, 내 몸뚱이 끌고갈 수도 없고 엽전 한푼 끌고갈 수도 없고, 또 자식들이 근 중하다 하지만 자식들이나 부부지간에도 같이 갈 수 없습니다. 여러분 각자가 알아야 자식도 가족도 조상도 다 서로 가고 옴이 없이 에너지를 서로 나누어서 공생(共生)할 수가 있고 공용(共用)할 수가 있는 것입니다.

여러분은 보지 않고 듣지 않는 거는 무심하고 그게 아니라고 우기고, 안 된다고 우기고 그렇습니다. 부처님 법이 따로 없다는 그 뜻은, 모든 것에 구애받지 말고 정상적으로 우리가 배우고 그러는데 그것을 어디서 하는가? 한자리에서 한다는 얘깁니다. 그러니 한자리에 모든 것을 놓고 마음을 잘 쓴다면은 그게 뭔 걱정이 있습니까? 응? 무쇠도 녹을 겁니다, 아마. 스스로 봄이 와서 스스로 물은 녹아서 청청하고, 아니 날은 밝아서 휘영청하니 꽃은 피고 얼마나 좋습니까? 열매 열리고.

모든 생명들은 자기가 지은 대로 소임을 맡아서 살고들 있습니다. 우리가 땅을 딛고 다니는 이 땅도, 흙도 살아 있다는 얘깁니다. 그런데 그렇게 은혜를 받으면서도 고마운 줄을 몰라서는 안 되죠. 그러니 모든 걸 깔볼 필요가 없고 깔봐서도 안 되고 자만심을 가져도 안 되고 건방져도 안 되고, 겸손하고 마음은 꿋꿋하게 주인공을 세우면서도 거죽으로나 행으로나 말로나 어디로든 겸손하고 건방지지 말아야 한다는 얘깁니다.

이래야만이 모든 만물만생을 통솔할 수 있는 그런 대인이 될 수 있으며 하나도 버리지 말아야, 하나도 버리지 않는 까닭에 하나도 없으므로 모든 걸 통솔할 수 있지 않겠습니까? 하나 떼놓으면 무얼 통솔할 수가 있습니까? 여러분이 급해서 한마음을 낼 때는 만 명도 내가 될 수가 있는 겁니다. 내 마음의 뜻을 알고서 그대로 행할 수 있는 만 명, 한 명의 한생각에 만 명이 될 수도 있고, 십만 명이 될 수도 있고, 오십만 명이 될 수도 있고, 오천만 명이 될 수도 있고, 이 세상 다 내 마음이 될 수 있고 같이 돌아가기 때문에 급한 일에도 걱정이 없다 이겁니다.

여러분에게 이런 얘기를 하는 것은 부처님이 가르쳐준 뜻이지 개별적인 어떠한 얘기가 아니라는 겁니다. 그렇게 듣지 마십시오. 이 세상에 인간으로 나왔으면 배고플 땐 그냥 집어먹어야지, 절차를 따져서 누구, 누구, 누구 이럭하다보면은 다 없어지니, 닥치는 대로 자기가 먹을 수 있는 그런 능력을 기르시라고 해서 이렇게 하는 겁니다.

내가 경(經)이나 뭐를 보지 말고 의례의식을 지키지 말고 계율(戒律)을 지키지 말라는 게 아닙니다. 자기 분수에 맞게, 그래서 이런 말도 했죠. 시주할 돈이 없는데 빚을 내다가 할 필요는 없다 이겁니다. 그게 자기 분수를 지키는 겁니다. 자기 분수를 지켜야 돼. 모든 일이든지 좋은 일이든지 나쁜 일이든지 분수를 지켜서 해라 이겁니다. 세상법에 의해서 모든 이치가 그렇습니다.

마음은 쓰지 않고 그저 '이거 이럭하면 된다더라.' 하고 남의 말 생각하듯 남의 말을 듣듯 하지 말고, 들어서 약이 될 것도 놓고 들어서 약이 안 될 것도 다 놔. 그러면 저절로 자동적으로 체질이 돼서 나쁜 거는 흘러나가고 좋은 거는 거기서 생산이 돼서 나와. 금을 캐면 금만 일렁일렁해서 나오고 흙은 다 밑으로 빠져서 물로 들어가 다 소화를 시키듯이, 우리 밥 먹으면 대변으로 소화가 되듯이, 그리고 영양분은 다 몸으로 오장육부에서 인체로 돌아가듯이. 이것이 부처님이 가르쳐 주신 진리입니다.

그때에 부처님을 따르는 사람이 없었다면 후세 오백년 후나 천년 후나 부처님을 찾는 분이 어디 있겠습니까? 얼른 한마디로 말해서. 지금 세상 돌아가는 것이 부처님 법이기 때문에 그대로 지금 배우는 이때나, 부처님이 계신 때나, 오백년 후나, 삼천년 후나 마찬가집니다. 부처님의 뜻을 한 번 읽고 그것을 그대로 행할 수 있는 사람은 그대로 보살이죠.

모든 것을 우리가 생각하면서 말하고 행하고 이럴 때에 여러분은, 어떤 때는 "나는 꿈을 이렇게 꿨는데…" 그것도 공부거든, 생시도 꿈이요, 꿈도 꿈이야. 꿈도 생시고 생시도 꿈이야. 이걸 까뒤집어서 보여드릴 수도 없고 말입니다. 미래에 가서 보면은 미래에 가본 대로 한 찰나입니다, 그게. 그렇게 되게 해놓고선 그거를 자기가 해놓고 자기가 보고 '아, 이렇게 돼야겠군.' 그렇게 하는 겁니다, 부처님 법에는. 그러나 중생들은 미래에 가보면 그 세계에서 그렇게 보고 있죠, 한 찰나예요. 꿈과 같은 거죠. 이 마음이 왔다갔다 하는 거기 때문에 보고 듣는 건 초보적인 문제예요.

여러분이 어디서 왔고, 지금 어디로 걷고 있나를 잘 알면서도 말 못 하는 거죠. 또 그것을 여러분 앞에 가르쳐주려니까, 생각을 잘 하라 이겁니다. 과거의 모든 업을 녹여버리는 것도 현재의 생각이고, 미래를 가져오는 것도 현재의 생각이다. 네가 지금 사는 거 보면은 과거에 어떻게 했다는 걸 알고 있고, 지금 어떻게 하는 걸 보고 있으면 미래에 어떻게 올 거라는 걸 알 수 있을 거다는 얘깁니다. 어떻습니까? 지금 어떻게 살고 있는지 가만히 볼 때 과거로부터 온 것이 아니겠습니까? 또 지금 어떻게 하고 있는지를 볼 때에 미래는 틀림없이 알게 됩니다. 하고 있는 걸 볼 때 잘 하든 못 하든 말입니다, 올 겁니다. 그러니 살아서는 살아서 대로의 과거 미래가 있고, 죽으면 죽는 대로의 과거 미래가 있습니다, 현실이 있고.

그래서 그것을 타파하기 위해서 여러분한테 주인공을 꼭 믿어라! 진짜로 믿는다면 '당신, 나 이런 것 좀 해주시오.' 이러지 않아도 내가 잘못되고 잘된 거는 너무 잘 알기 때문에, 주인공이 더 잘 알고 있기 때문에 뭐 부탁할 것도 없고, '당신밖엔 못 하겠군.' 혼잣말이야, 뜻으로 말하는 거지.

병도 마음으로부터 일어나고 가난도 마음으로부터 오는 거야. 괴로움도 마음으로부터 일어나고 지옥도 마음으로부터 일어나. 지옥이 따로 있는 게 아닙니다. 거듭 거쳐오면서 수만 가지의 날짐승이나 들짐승이나, 또는 물에서 사는 짐승들이나 저 땅 속에서 사는 애벌레들이나, 딱정벌레, 무당벌레 이런 것들이 다 주고 먹고, 주고 먹고 이렇게 합니다. 자연계의 질서란 너무도 팽팽하게 질서정연합니다. 여러분도 독 안에 들어도 못 면하게 질서정연하게 자기가 한 대로 받고 있지 않습니까? 누구한테다 전장(傳掌)할 길이 없어요, 서로가. 그러니깐 자기한테서 만들었으니 자기한테서 그것을 녹이고, 자기한테서 해결을 해야 되는 거예요.

만약에 콩씨가 콩싹으로 됐는데, 그 콩씨를 찾아가지고 보이는 물질적인 콩씨가 아닌 콩씨가 된다면, 그 콩씨 하나에서 보이지 않는 콩씨의 마음이 우주 전체를 구르고도 남아. 이렇게 광대무변한 것이 여러분의 마음입니다. 오늘부터 마음을 대견스럽고 지혜롭게 잘 쓰십시오. 부모가 몸뚱이의 부모만 되지 말고, 뿌리의 부모도 돼서 그 뿌리 있기 이전을 발견함으로써 부처님의 뜻과, 하다못해 무당벌레도 내 말을 듣게끔 해야 됩니다. 내 말을 듣는 게 아니라 그와 둘이 아닐 때 무당벌레를 쓸 수도, 급할 때는 무당벌레도 쓸 수 있는 거예요. 왜냐하면 진딧물을 다 먹기 때문이죠. 그럼 진딧물을 죽여서 되겠냐? 둥글지 않지 않느냐. 진딧물은 무당벌레와 둘이 아니게 만들면 되고, 또 무당벌레와 나와 둘이 아닌 까닭에 같이 돌아가기 때문에 또한 죽이고 살리고가 없단 얘깁니다. 우리는 한마음 한뜻으로 한 행을 하기 때문에 서로가 공용(共用)하고 공식(共食)하는 거죠.

여러분에게 그 뜻을 알게 하기 위해서, 또 스님네들이 가르치고 경전에도 있고 그렇지마는, 현실에서 말씀해드리는 것이 경전에도 같이 돌아가고 있습니다. 또 한마디 하고 넘어가겠습니다. 이 주인공을 타파 못 하면은 경을 보되 자꾸 글씨를 보고 이론으로 따져. 그러니 저승에 가긴 틀렸죠. 허허.

그래서 모든 것을 보되, 내공을 타파해야만이 나중에 경을 봐도 그게 거름이 된다는 얘깁니다, 전부. 보더라도 그 자리에서 보는 거지. 그 자리에는 한 자리 하나만 있는 게 아니라 수만 개의 생산처가 생각나는 대로 돌아간다는 얘깁니다. 그러니 제발 진실로 믿고, 가정의 괴로움을 덜고, 내 마음의 괴로움을 덜고, 자식들의 업보나 괴로움을 덜어서 좀 편안하게 해줄 수 있는 능력을 기르는 여건이 되기를 바랍니다. 질문하세요.

질문자1(남) 감사합니다. 제가 이 앞전에 겪었던 일을 큰스님께 말씀드리겠습니다. 저는 열심히 일을 하고 있는데 눈에서 눈물이 저도 모르게 흘렀어요. 그런데 저도 모르게 지장보살을 세 번 염했는데 하도 가슴이 답답해서 친척집에 전화를 거니까 그 친척이 돌아가셨답니다. 그후로도 그런 일이 수차례 일어났습니다. 그런 거는 어떻게 마음을 가지면 되겠습니까? 좋은 법문 부탁드립니다.

큰스님 그 마음을 가지나마나 그분의 육체는 없어지고 사대(四大)로 흩어지겠죠? 그리고 처사가 마음으로 그렇게 착하게 생각을 하고 있으니까, 처사 마음하고 그 마음이 결부가 돼서 그것이 녹아버리는 거야. 둘이 아니게 녹아버리는 까닭에 눈물이 흐르는 거거든. 그것이 봄이 오는 격이나 마찬가지예요. 추운 겨울이 지나고 봄이 온다. 추운 겨울이 지나면 봄이 오고 여름이 오면 그냥 그냥 녹아. 고드름이 녹아서 물 떨어지듯이, 눈물이 그렇게 녹아서 떨어지는 겁니다. 그러니 그분은 그대로 천도라.

여러분은 주저하면 주저하는 대로 한 발도 떼어놓지 못해. 주저하지 마세요. 그리고 그 대신에 부탁할 것은, 겸손하세요! 알면 안다고 건방지지 말고. 아는 사람은 극히 드물어요. 드문 드문 발을 떼어봐요. 아는 사람은 남들이 안다고 법석을 해도 모르는 척하고 옆에서 구경만 하는 그런 태도, 겸손함을 가집니다. 정히 내 앞에 닥쳤을 때, 말 한마디 해줄 수는 있지만 말 한마디로 떨어져서도 아니 됩니다. 그건 자연 법칙에 의해서 법에 접촉이 돼야 돼. 즉 말과 뜻과 행이 그대로 그 사람한테 에너지가 되어 가야 돼. 말로만 가서 안 되고, 에너지와 말이 같이 가야 돼. 이것이 "네가 말 한마디 하더라도 법에 접촉이 돼서 땅에 떨어지지 않게 해라."는 부처님 말씀이 있을 거라고 믿습니다. 말을 한마디 누구한테 해줄 때 말 한마디가 법이 돼야 돼.

어떤 때는 여러분이 찾아와서 꼭 말로 대답을 해달라고 합니다. 대답을 해줘서 되는 게 아닙니다. 난 듣기만 하면 됩니다. 건방져서 그런 게 아닙니다. 여러분이 하고 싶은 말이 있으면 하시고 가면, 용건만 얘기하시고 자기한테 믿고 놓고, 믿으신다면은 그게 백발백중이지마는, 여러분은 말 뜻도 모르고 대답만 해달라고 애를 쓰니 그거는…, 그러니 여러분에게 달려 있지 않겠습니까? 여러분의 마음 씀씀이에 달려 있어요. '아이구, 병원에서도 내버린 건데 이거 할 수 없어. 절에서 무얼 해? 그런데 남의 소릴 들으니깐 뭐 그냥 정성들이고 그러면 된다는데…' 이렇게 그냥 흐지부지해 버리고 마는 게 아니라, 사람이 죽든 살든 난 당신을 믿는다. 너무 늦어서 죽더라도 영혼을 건질 수 있는 그런 마음 태세를 갖는다면은 죽든 살든 뭐 결판이 나지 않겠느냔 말이에요.

거기에 관한 얘기만이 아니라 모든 일체가 다 그래요. 어떠한 일이든지 용건을 얘기하고선 "마음 좀 내주십시오." 아니, 마음 내달라고 하지도 말고 "도와주십시오." (합장하시며) 하고 얘기하고 가면 그뿐이지 날더러 무슨 대답을 하랍니까? 저 부처님께서 대답하는 소리 들으셨습니까? 여러분이 말하고 여러분이 생각해서 대답했지. 해가 그냥 비춰줬지, 그래 해더러 지금 우리 방이 추워서 죽겠으니 햇빛 좀 이 방으로 들여보내서 뜨뜻하게 해달라고 이러고 대답해 달라고 그러면 대답해 주겠습니까, 저 해가?

그래서 꿈을 꾸고도 그렇고, 스스로서 눈물이 나는 것도 그렇고, 스스로서 생각나는 것도 그렇고, 좋게만 생각을 하세요. 얼토당토 않죠? 꿈은 얼토당토 않게 꿨는데 얼토당토 않게 좋게 생각을 해버렸단 말이야. 그렇게 됐다 이거야. 그러니까 이거는 어디다가 규정이 돼서 대놓은 게 없어요. 내가 생각해서 거기다 붙이면 돼. 아시겠습니까?

어떤 사람이 꿈을 이렇게 꿨대요. 아, 그냥 큰 거미줄에 얽힌 암흑 속에서 자기 아들이 둘둘 말려서 송두리째 들어가더라는 거야. 암흑 속으로, 꿈에. 그러니까 이 노인네가 어떻게 생각을 했느냐 하면, "부처님이 계신데 암흑이 어딨고 밝음이 어딨나? 아이구, 승진하겠구나." 그 랬는데 아들이 승진을 했대요. (대중 웃음) 하하하. 그러니 그게 얼마 나 기쁜 일입니까? 한생각 그렇게 내주는 게 나도 고맙고, 그쪽도 고맙 고 얼마나 좋습니까? 응?

세상의 모든 일은 생각하기에 달렸다, 이성계처럼. 이성계가 다섯 가지의 꿈을 꿨는데 그걸 누가 못 쓰게 인도를 했다면 임금도 못 되고 아무것도 못 됐을 거예요. 무학대사가 그만큼 휙 돌려서 얘길해 줬기 때문에 임금이 되고 길잡이가 될 수 있었죠. 여러분, 모든 거는 생각에 달렸다는 걸 아셔야 됩니다. 생각을 깊이 하고, 아주 기쁘게 생각을 하 고, 사실은 기쁜 것도 없고 절망할 것도 없어요. 그냥 싱긋이 웃고 그저 묵묵히 걸어가는 자세로써 우리는 항상 즐겁게 봄이 온 듯이 삽시다.

나는 가고 싶으면 가고 가기 싫으면 안 가고 이럴 뿐이지, 가기 싫은 것도 억지로 하라는 소리는 안 해요. 여러분이 그걸 아세요. 어떤 때는 뭘 할려다가도 세태로 보면은 꼭 이게 될 거 같은데 마음에서는 그게 석연치 않아. 마음에서 석연치 않은 건 하지 마세요! 아무리 바깥 으로 돌아볼 때 이익이 있을 만한 것 같애도 안에서 석연치 않으면 하 지 마세요. 안에서 자신이 있을 때 탁 쥐어야 문제가 안 되지, 남들은 그냥 잘 된다고 하지만 안에서는 석연치 않거든. 그럴 때 잡으면 망하 기 일보 직전이에요. 여러분 사는 데 고초가 좀 덜어질까 해서 이런 말 도 하고 저런 말도 하는 겁니다.

참, 여러분이 그 도리를 아신다면 내 마음 속을 잘 아시리라고 믿습니다. 때로는 나 아닌 내가 눈물을 흘리며 아파하고 그렇게도 뼈저 리게 깊은 사연들이 많아서, 눈물 속에 피가 섞여서, 여러분과 같이 흘 리는 그 눈물은 기가 막힙니다. 내가 말로만 이런다면 벼락을 맞게요? 허허. 정말입니다! (합장하시며) 간절히 여러분한테 말씀 한마디 해드 릴 때 내가 어떤 때는 이렇게만 얘기합니다. "알았소." "알았소." 이러 고선 돌아설 때, 그 알았다고 하는 말 한마디를 꼭 말로 '알았소' 하고 대답을 해야 되느냐? 이거 참, 중 노릇 하는데 그렇게 어려운 문제가 있습니다. 입이 써서 입맛을 쩍쩍 다시면서, 쓰면서도 싱긋이 웃으면서, 눈에서는 눈물이 흘를 때가 많습니다.

여러분은 그 대신에 근심하지 마시고, 죽을 때 죽고 살 때 살더라도 탁 놓을 수 있는, 믿고 놓을 수 있는 그 마음만 가지신다면 훨훨 날 겁니다. 아마. 걱정이 하나도 없어요. 무슨 걱정이 그렇게 많습니까? 바람결같이 이 세상에 왔다가 바람결같이 가는 세상에. 가지고 갈 것도 아니고 짊어질 것도 아니니 무겁게 짊어지지 마세요. 가볍게 아주 탁탁 털어놓으세요. 마음에 무겁게 짊어지면 몸도 아주 무겁고 아프고 모든 절차가 전부, 인간이 살맛이 안 납니다. 탁탁 털어 놓으십시오. 주인공에 놓으라고 일러 드렸는데도, 맡겨놓고 사시라고 간곡히 일러 드렸는데도 그걸 놓지 못하고 무겁게 짊어지고 다니신다면 어쩔 수 없는 거지, 낸들 어떡합니까? 허허허.

한생각 잘해서 놓아라

88년 4월 17일

여러분과 더불어 천년 만에 이렇게 같은 자리에 또 앉았군요. 그 말이 틀립니까? 그럼 오백년 만에 만났다고 할까요. 그럼 어떡할까요? 일초 만에 만났다고 그럴까요. 어저께, 오늘 만났다고 그럴까요? 이런 말 한 마디 한 마디는 우리의 살림살이에서 너무도 심사숙고해야 할 문제라고 생각합니다. 생활에도 만법의 기준이 있다는 그 점을 우리는 잊지 않으면서, 찰나찰나 세울 게 없는 걸 주인공이라고 했으니 그대로 청정함이라고 해도 될 겁니다. 주인공이라고 하기에 청정함이 있고 청정함이 있기에 주인공이란 말이 있습니다. 주인공이라는 것은 고정됨이 없이 찰나찰나 진화돼서 돌아갈 수 있는, 끄달리지 않고 돌아갈 수 있는 그런 것이면서 또 내놓을 수 없는 것입니다.

오늘도 이렇게 밝았으니 저 태양빛이 지금 들어옵니다. 여러분은 어저께 밤도 알고 있고, 오늘 태양빛이 쪼여서 날이 밝은 것도 알고 있습니다. 또 오늘은 아주 구름 한 점 없이 태양이 저렇게 뜨겁게 비추는구나 하는 것도 잘 알고 있습니다. 그걸 알고 있으면서도 모른다고 하겠습니까? 혀를 놀려서 뻔드르르하게 하는 말은 소용 없습니다.

우리는 일면 생각하고 뛰면서, 뛰면서 생각하면서 집어먹고, 집어

먹으면서 뛰고 이러는 세대입니다. 예전이나 지금이나 뜻은 다 마찬가지겠지만 시대가 시대이니만큼 물질로써의 과학도 문화도 모든 게 발전이 돼서 우리 머리는 그때와 지금이 다릅니다. 그러니 오늘 요 대낮에 잠시 잠깐 빛이 비추는 걸 여러분이 아시죠. 어저께 밤에 또 주무셨죠. 매사 다 건건이 아시면서도 모른다고 하시겠습니까? 그 아시고 계신 그 자체가 자성(自性)입니다. 그래도 모르신다고 하시겠습니까? 불성이 어딨느냐고 내놔보라고 막 이러겠습니까?

이 점에 뒷받침이 될 얘기가 있습니다. 예전에 오조 홍인선사가 육조스님이 행자일 때 삼경(三更)에 들라고 해서 금강경을 설하시니 그 끄트머리에 대답한 육조스님의 말이 있습니다, 네 가지 종류. 여러분이 나보다도 아마 더 잘 아시리라고 믿습니다. 그런데 거기에는 뜻이 있습니다. 말이 아니라 뜻이 있습니다. "자성이 본래 청정함을 어찌 알았으리까?" 하는 말의 뜻이 어디에 있겠습니까? 본래! "자성은 본래 생멸(生滅)이 없는 것을 어찌 알았으리까?" 그 본래가 참 중요합니다. "자성이 스스로 갖추어가지고 있는 줄 어찌 알았으리까?" "자성은 움직거림이 없이 만법을 들이고 내는 줄 어찌 알았으리까?" 이겁니다.

아마 내가 틀렸는지도 모르죠. 그러나 뜻은 똑같습니다. 예전에 들은 얘깁니다마는 그걸 듣고서 참, 여러분도 모두 감지하리라고 믿습니다. 그런데 여지껏 들어서 알고 있으면서도, 자기가 알고 있으면서도 그 알고 있는 자성이 누군 줄을 모르신다면 어떡하겠습니까? 본래 스스로 갖추어가지고 있는데 말입니다. 그리고 들이고 내는데 말입니다. 손색이 없고 여여하단 말입니다.

여러분이 모든 걸 다 알고 있죠. 잘못되고 잘된 걸 다 놔라 이랬습니다. '잘못되고 잘되고, 좋고 나쁜 걸 아는 거는 다 놔라.' 잘못되는 것도 나오고 잘되는 것도 나오고, 잘 하는 것도 나오고 못 하는 것도 나오고, 높은 것도 나오고 얕은 것도 나오고, 일체 평등하게 거기에서 그르고 옳은 게 다 거기서 나오니, 나오면은 바로 나오는 대로 제깍 자기가 알고 있단 말입니다, 또.

나오는 것도 알고 들이는 것도 알고 있단 말입니다, 자성이. 그 자성(自性)의 원력이라는 것은 이 세상을 다 싼다 해도 두루 할 수 있는 그런 광대무변한 자리다 이겁니다, 자성 자리가. 일체제불이 같이 하고 있고, 일체제불이 있는 자리에는 일체 중생이 다 같이 하고 있다 이 소립니다. 이 말을 20년, 30년 이렇게 되풀이하게 만들어야 합니까? 되풀이를 하되 그 되풀이하는 말이 끝이 없군요. 그 뜻을 아시란 말입니다, 뜻!

본래 청정하다. 자성은 본래 청정한 걸 알고 있는 거죠. 청정한 걸 알고 있는 그 자체를 뒷받침하기 위해서 여러분한테 고정됨이 없이, 청정한 거는 깨끗한 게 청정한 게 아니라 구정물 더러운 물 고름물 핏물 다 한데 합치는 것이 청정이다 이렇게 말했습니다. 또 고정됨이 없이 한 찰나에 나투면서, 즉 윤회라고 해도 되죠. 반복하면서 제자리 걸음 하면서 그저 찰나찰나 바꾸어 돌아간다. 이 사람 만났다, 저 사람 만났다 고정됨이 없어. 만남도 고정됨이 없고, 보는 것도 듣는 것도, 먹는 것도 하는 것도, 가고 오는 것도 이 육체를 가지고 지금 살고 가는 것도, 고정된 게 하나도 없으니 그게 청정이라 한다. 그걸 거름 삼아서 내가 있는 것을 가지고 청정이라고 한다. 알고 있는 그 자체가 자성이다, 밝다, 지혜로워야 된다, 그 밝음을 깨닫는다. 이런 말을 나뿐만 아니라 수차에 거듭거듭 선조께서들 말씀하셨습니다. 사대 성인도 말을 했고요.

지금, 등이 (천장의 등을 가리키시며) 여기 있습니다. 등이 있는데 등대 자체가, 예전에 선조들께서도 많이 말씀을 하셨습니다. 이 등대라고. 지금은 등잔이 아니라 전구가 있어서 불이 들어오죠. 이런 것도 바로 저 등대를 내놓을 자리가 있어야 내놓죠, 그죠? 그래서 이 몸뚱이는 등대와 비유했고, 마음은 등불에 비유했고, 또 믿음은 심지를 비유했고…. 즉 말하자면 계행(戒行)은 기름으로 비유했고. 여러분 나보다 더 잘 아시죠. 지혜는 밝음을 말했습니다. 그렇게 등대가 없었더라면 등잔을 어찌 매달아 놓느냐? 그러면 이 등대 자체, 몸뚱이가 화두인 것입니다, 화두! 그대로 전구도 저렇게 걸어 놓아지고 그 속에 선도 있고 밝음도 있고 전력도 있고. 기름을 계행이라고 했으니 전력을 말한 거죠, 지금으로 비유한다면.

그런데 애기를 하면은 말만 듣지 마시고, 다섯 가지고 네 가지고 한데 합쳐서 공존하고 있다 이겁니다, 공존하고 있어. 따로따로 이름은 있으되 공존하고 있다. 눈과 귀가 따로따로 있고, 이름도 따로따로 있으나, 눈 간 데 귀가 가고 귀 간 데 눈이 속해 가더라. 또 무슨 시각이니 청각이니 감각이니 촉각이니 하는 말들도 말일 뿐이지 같이 혼합해서 동시에 돌아가고 있습니다. 우리가 척 보면 척 돌아가, 벌써. 안 그렇습니까? 여러분. 남이 우는 걸 보면, '아, 슬프구나.' 이렇게 척 돌아가니까, 시각이다 감각이다 할 것도 없이 그냥 돌아가. 그 말은 벌써 뒤돌아가버려. 생각하고 난 뒤에 말은 돌아가니 그 말이 무슨 필요 있느냐 말이야, 응. 그래서 또 말을 하자하면은 시각을 통해 거쳐서, 감각을 통해 거쳐서, 청각을 통해 거쳐서, 촉각을 통해 거쳐서 두각을 통해서 심장으로 깊이 들어서 불성으로 규합이 돼서 타파가 된다, 돌아간다, 회전이 된다, 발끝까지 회전이 된다 이런 말들을 할 수 있죠. 그것도 옳은 말입니다.

허나 우리 지금 공부하는 것은 우는 걸 봤으면 '아이구, 저거 왜 울까.' 하다가 벌써 주위의 환경을 보면 슬퍼서 우는지, 기가 막혀서 우는지, 또 반가와서 우는지가 척 들어온단 말입니다, 벌써. 그렇게 척 들어와 알고 있는데 구태여 그 말이 무슨 필요하냐 이겁니다. 그러니 이런 공부를 하는 겁니다, 지금. 말을 하기 이전, 우리가 알고 있는 자체의 자성, 그 자성은 묘각이라고 할까요? 아주 묘해서 여러분이 그대로 지금, 내가 항상 하는 말이 그거죠. 마음을 좋게 가져라. 생각을 좋게 해라. 꿈을 꿔서 언짢더라도 좋게 생각하고 놓으면은 그대로 회전이 돼서 보이지 않는 50%에서 보이는 50%로 나온다. 그대로 믿고 그렇게 해라 하는 것이 말하기 이전입니다.

옛날 조선왕조 때 일입니다마는, 나도 들은 얘기입니다. 일본 사람들이 쳐들어 올 때 명나라를 친다고 속이고 우리 조선을 쳤죠. 여러분은 나보다도 더 잘 아시리라고 믿습니다. 내가 이런 얘기 하는 것은 한 줄거리가 있기 때문에 하는 겁니다, 한 줄거리.

그런데 동래 부산을 다 점령을 하고 싸움 싸우는 것 같지도 않게 그냥 싸우다가 승군이고 의병이고 다 나서서 해도 제대로 훈련을 받지 못했고 일본은 그때에 이미 서구 문명을 받아들여서 총도 있지만 그런데 우리는 칼이나 활로 싸우니 그거 가지곤 도저히 당해낼 수가 없었죠. 지금 생각을 해도요. 당해낼 수가 없는 거죠. 훈련을 아무리 잘 받았어도 그럴 텐데, 흐지부지하고 배우질 않았으니까 말입니다. 훈련도 제대로 받지 못했기 때문에 그러한 불상사가 일어나는 것도 그렇지만, 그때 당시에는 무슨 동이니 서니 하고 갈라서서 싸움들을 하고 그랬다고 말을 합니다.

그렇게 하다가 보니깐 훈련도 유야무야해서 다 뺏기고요, 왜구는 그냥 북으로 북으로 쳐들어갔죠. 쳐들어가면서 이쪽 저쪽으로 흩어져 가기는 했지만 그 왜군들을 몇천 명씩 끌고 그렇게 가던 도중에 안동 제비원이라는 데가 있는데, 여러분도 다들 아시는 얘기하는 겁니다. 모르는 얘기하는 게 아닙니다. 여지껏 한 게 아는 얘기 한 겁니다. 허허허. 그런데 그 아는 속에서 구슬을 얻지 못해서 걱정이죠. 그래서 거기를 가던 중 말이 앞발을 떼어놓지 못하고 뒷발이 떨어지질 않으니까 야단법석이 났어요. 한두 마리가 아니니까 말입니다. 대장이 앞장서서 가다보니까 말입니다. 왜적 장군이 가다보니까 아, 그 혼란이거든요. 그래서 어디서 조선 사람들이 도술을 부린다고 해서 그냥 곳곳마다 흩어져서 찾았습니다. 찾으니까 아주 낡은 절이 하나 있었습니다.

그래서 들어가보니깐 아주 멍청한 스님 하나가 말입니다. 남들은 싸움을 하고 그냥 난리가 나서 야단인데 이 스님은 목탁만 뚜덕뚜덕 치고 앉았거든요. 허허허. 그러니까 왜적 장군이 그냥 신발 신은 채 터 픽터픽 들어가서 뒷 등허리를 탁 잡았단 말입니다. 그러니까 이렇게 돌 아다보고 싱그레 웃는 겁니다. "왜 이러느냐?" 하고. 그러니까 "아, 이 거 겁도 없네. 왜 그러느냐가 뭐야." 하니까 "난 이 목탁자루밖에는 몰 라." 이러거든. 목탁자루밖에는 모른다 이거야. "내가 어떻게 아느냐? 바깥에서 싸우든 말든 목탁자루밖에는 모른다." 이러거든요.

그래서 "끌어내라." 하니까 마당으로 끌어냈더랍니다. 끌어내서 "너희들이 도술을 부려서 이렇지, 그렇지 않으면 말이 왜 못 가느냐? 나 못 가게 하면 그냥 내버려두지 않는다. 나를 막을 수는 없다." 이러니까, 싱긋이 웃으면서 그 스님이 싱긋이 웃으면서 그 목탁자루를 들고 "이것 보시오!" 하는 겁니다. "이것 보시오. 당신네들이 무고한 백성들을 자꾸 죽이고 살생을 하니까 부처님께서 당신이 살생하지 못하게 하느라고 그 렇게 만드신 게 아니겠소?" 하고 했단 말이야.

그러니까 또 그 장군 멍청이들은 뭐라고 그러냐 하면 "아, 부처님 새끼 어디 갔어." 허허허. (대중 웃음) "부처님이라는 거는 몽조리 잡아 죽여라." 이렇게 나왔단 말이야. 부처님을 모조리 잡아죽여라, 또 잡아 들여라, 이랬는데 부하들이 나가서 아무리 뒤지고 뒤져도 부처님 찾을 길이 없어요. 그런데 난데없이 어느 수풀 속에 돌부처가 하나 있는 걸 보고, 찾지 못하다가 돌부처 하나를 보니 얼마나 그 신기하겠어요. "부 처, 부처 여기 있다."고 그냥 뭐 악을 쓰고 달려오니까 "그러냐, 고놈 모 가지를 잘라가지고 가서 보여주어야겠다. 끌고오너라." 이랬거든.

그래서 그 스님 덜미를 붙들어서 끌고 갔단 말입니다. 그래 이 스님은 싱긋이 웃으면서 덜미를 잡혀서 갔다. 왜적 장군은 살기가 등등 하고, 그 요술 부리는 부처를 잡았으니 이제는 아주 희희낙락한 거예 요. 아 그래, 칼을 번쩍 들고 목을 뎅그렁 치면서 그 스님을 돌아다 본 겁니다. 돌아다 보면서 하는 말이 "야, 이래도 내 앞길을 막아? 막는 놈이 어딨어." 하면서 뎅그렁 모가지를 잘랐는데, 돌아다보자 그 목에서 피가 그냥 철철 나면서 어떻게 피가 뿌려졌던지 자기 머리, 얼굴, 목 할 것 없이 그냥 피투성이란 말입니다. 그러나 그뿐이어야 말이지요. 여길 봐도 부처의 머리가 디굴디굴 구르고 저길 봐도 부처의 머리이니 이것이 눈이 환장을 했죠, 즉 말하자면. 허허허. 그러니 그것을, 그 요리 를 누가 했을까요? 이겁니다. 이게 수수께끼죠. 그 요리를 누가 했을 까? 그 스님이 그랬을까? 스님이 들고 있던 그 목탁자루가 그랬을까? 그랬는데 말입니다. 그 스님이 아닌 그 스님이 바로 부처였어요. 한순 간에 마음, 그 자성은 움죽거리지 않으면서도 만법을 낼 수 있는 능력 은 충만했단 말입니다. 한 찰나에 말입니다. 그러니 어찌 돌부처와 그 스님이 둘이겠습니까 이겁니다. 힌트는 여기까지밖에 못 해요. 허허허.

그러니 우리가 참말 이 공부를, 공부랄 것도 없지만 나는 이렇게 생각합니다. 때로는 내가 떳떳하다고 생각을 할 때는 언제나 나 자신 부족함이 자꾸 느껴집니다. 또 자유스럽다 하고 껄껄껄껄 웃고 나서는 언제나 또 부족합니다. 그런 느낌이 자꾸 듭니다. 오늘도 말하고 싶지 않았다 이겁니다. '야, 참 이렇게 자유스럽고 떳떳하고 훌륭하고 참 좋 은 법인데 왜 내가 자꾸 부족함을 느낄까? 아! 그러면 떳떳하고 자유 스럽고 그렇게 좋은 법에 의해서 내가 어떡하면 전달을, 또 어떡하면 길잡이를 잘 할 수 있을까?' 하는 생각을 하다가 나중엔 부족함으로 그 냥 느껴지고는 탈락이 됩니다. 이거는 도대체 버선목이니 뒤집어 보일 수도 없고 도대체 어떻게 할 수가 없습니다.

그래서 내 말은 단 한마디라면 '당신이 알고 있지 않습니까?' 이 겁니다. 당신네들이 모두 찰나찰나 화해서 돌아간다는 그 자체를 알고 있지 않습니까? 그걸 알고 있기 때문에 생멸도 없다는 걸 알고 있지 않습니까? 그걸 알기 때문에 만법을 스스로 갖춰가지고 있다는 것도 알고 있지 않습니까? 그리고 스스로 움죽거리지 않으면서도 내고 들이 고 자유자재하고 있지 않습니까? 그 자유자재하고 있는 그 자체를 알고 있느냐는 겁니다. 알고 있지 않습니까? 볕이 나고 지금 낮이라는 것도 알고 있지 않습니까?

우리 인간만 이렇게 생존경쟁에 허덕이면서 사는 게 아니고…, 고(苦)를 고라고 생각한다면 고에서 벗어날 수 없습니다. 고(苦)·집(集)·멸(滅)·도(道) 사제법(四諦法)에 첫마디에 고가 있죠? 고·집·멸·도 이렇게요. 그런데 고에서만 벗어날 수 있다면 그냥 사제법이 몰락 타파가 됩니다. 여러분이 생각하시기에 달려 있습니다. 고라는 거는 없다. 왜?

여러분이 인간 되기 어려운 것도 막론하고 인간으로 왔으니 얼마나 감사한데 고라고 생각하겠습니까? 네? 인간 되기가 얼마나 어려웠는데, 미생물에서부터 수억겁을 거쳐 나오면서 모습을 바꿔가면서 진화돼서 이렇게 인간까지 왔는데 말입니다. 인간으로 나왔지만 진짜 인간이 되기 위해서 타파하려고 수억겁을 거쳐나오면서 그 습덩어리를 그냥 몰락 놔버리라는데, 놔버리게 하기 위해서 자기 부(父)는 자기 자(子)를 망치로다 모가 난 거를 자꾸 두드리면서 길 없는 길을 걷고 있는데 손 없는 손으로 다듬어가면서 걷고 있는데 그게 고라고요? 그게 고라고 생각한다면은 고에서 벗어날 수 없습니다. 인간 된 것을 감사하게 생각하세요. 인간 된 것만 해도 감사하고, 우리가 인간이 됐기 때문에 그대로 정법을 수행하면서 마음을 닦아가면서 계발하면서 이렇게 살 수 있다는 거를 감사하게 생각해야지 왜 고라고 생각합니까?

밥을 한 끼니 두 끼니 좀 굶으면 어때요, 글쎄. 아니, 새털 같은 날에 쉬지 않고 만날 먹어야 합니까? 쉬지 않고 입고 쉬지 않고 살고 있는데, 구태여 무슨, 헐벗으니까 가난하니까 먹지 못하니까, 내 자식 네 자식 내 부모 네 부모 할 것 없이 온통 거기에 매달려가지고는 쩔쩔쩔쩔매는 거예요. 언제 적의 자식이고 언제 적의 부모입니까? 우리가 한나절 만났다가 헤어지면 그만이고 한나절 깨어나면은 그뿐인 것을. 아침에 잎이 피었다가 저녁 나절에 잎이 지면은 낙엽이 져서 땅에 떨어진 걸 여러분이 모두 밟고 다니면서도….

　　그런데 허무하다고 합니까? 허무한 게 아니라 바로 가랑잎이 지고 다시 꽃이 피었다 지면은 열매가 맺게 되죠. 이성계가 꿈을 꾸고 생각했듯이 말입니다. 야, 추운 겨울에 꽃이 피었다가 그냥 사르르르 지고 눈이 오니까 나쁘게 생각을 했었죠. 그런데 무학대사가 꿈 해몽을 해주는데 얼마나 잘 해줬습니까? "야! 꽃이 다 떨어지니 열매가 맺겠구나!" 하고 말입니다. 그러니 생각하기 달렸지 않습니까? 무한정이에요. 마음이라는 거는 무한정이라 생각하는 것도 무한정이죠. 동서남북 벽이 없어요. 지구도 벽이 없어요. 그래서 지수화풍의 근원으로 말미암아 우리가 자력과 전력과 광력이 충만해서 서로 당기고 당기는 힘으로 우리가 이렇게 매달려 있는 것도 되고 걸어다니는 것도 된다 이겁니다.

　　과학적 아닌 게 어딨습니까? 하나하나 묘한 도리가, 마음이라는 자체가 벌써 벽을 탁 치면 봇장이 울리게 돼 있어. 돈 좀 꾸러 갔더니 요리 핑계 대고 조리 핑계 대고 말하는 거 보니까 벌써 안 주려고 하는 거야. 요거 벌써 알아. 하하하. 그거 아는 놈이 바로 자성의 원력(願力)이란 말입니다, 응! 이 세상에 물질로써 콤퓨타를 만들어놓고 탐지기를 만들어놓고 아무리 그랬다 하더라도 자연적이고 자동적인 콤퓨타와 자동적인 탐지기, 망원경, 천체 무전통신기가 나한테 주어져 있어, 본래 주어져 있다는 사실을 아신다면 그 원력이 얼마입니까?

　　내가 여러분한테 말씀 안 드려도 여러분은 나보다 더 잘 아시리라 믿고 말합니다. 난 항상 부족하게 생각을 하는데 여러분은 글쎄 다른 건 다 잘 알고 똑똑하고 학식이 풍부한데, 꼭 고거는 그냥 자기가 번연히 알면서도 속는단 말입니다, 참 이상해. 그거 속는 거 보면 이상해요. 너무도 잘 생기고 이 세상 현 시점에서 둘째 가라면 섧다고 하는 분들이 꼭 끄트머리에 가서는 그거 때문에 그냥 막히고 막히고 그런단 말입니다. 막히지 마세요. 이성계가 꿈꾼 거를 무학대사가 딱 뒤집어서 말해줬듯이 말입니다. 허수아비 모가지가 문전에 대롱대롱 매달려서 있는 꿈을 꾸었습니다. "그래? 허허! 만백성들이 쳐다보고 우러러볼 꿈이로구나." 요렇게. 어떻습니까? 얼마나 좋아요. 생각이 좋으니깐 그냥 생각대로 걸림이 없이 막 간 거예요. 좀 고통은 있었지만 말입니다. 허허허. 그런 고통도 없이 인군을 해먹을 수 있겠습니까? 그래 팔자에 없는 인군을 하게 된 것도 바로 그 점이란 말입니다. 무학대사의 마음과 활랑 뒤집어주는 걸 받은 그 근기, 그것이 작품이 된 거죠.

그러니 여러분도 무슨 가난하다 안 된다 울고 짜고 그러지 말고 울 힘이 있으면 생각을 잘 하는 힘을 내라 이겁니다. 알고 있는 고놈이 일체 만법을 활용할 수 있는 해결사. 해결사란 놈이 고놈이니까 모든 걸 용광로에다 넣듯이 자동적으로 넣어, 자동적인 기계가 스스로에게 스스로 주어져 있으니까 거기다 다 맡겨 놓는다. 그까짓 것 뭐 죽어도 그 솥에 있을 거고 살아도 그 솥에 있을 거니까. 허허허. 안 그럽니까? 팥죽이 아무리 끓어도 그 솥에 있는 거지 팥물이 어디 갑니까? 그러니 그저 죽어도 그 속에 들어갈 거고, 살아도 그 속에 모두 있을 거니까 거기다 다 놓으시고 한생각 좋게 해서 딱 쳐들어 놓으면은 그냥 자동적으로 돌아가서 생산이 돼서 자동적으로 현실로 나와요. 우리가 헌 쇠를 넣으면은 새 물건으로 생산이 돼서 나오면서 다시 용도대로 종류별로 이름을 지어가지고 다시 나오듯이….

보이지 않는 50%의 행적을 여러분이 모르기 때문에 그걸 믿지 않는 것입니다. 그런데 여러분이 있고서야 그 행적이 있는 거지, 여러분이 없는데 무슨 우주가 있고 상대가 있겠습니까? 부처가 어딨습니까? 나라는 부처가 있기 때문에 부처가 있는 겁니다. 나 빼놓곤 아무것도 없어요. 허공에다 왜 빕니까? 그러고 이름에다 왜 빕니까? 아니 골 비었습니까, 빌게? 내 이거 주제넘은 소리 같지만요, 주제넘은 소리가 아닙니다. 자기 자성을 그렇게 전부 갖춰가지고 있고 알고 있고 원력자, 해결사를 내한테 두고도 왜 딴 이름을 쳐다보면서 침을 껠껠 흘리고 거기서 얻어먹으려고 그러냐 이겁니다. 그럴 수는 없잖아요. 남 낳을 때 낳고 남 생길 때 생겼고 다 그런데 왜요?

내가 이거 욕먹을 소린지 모르겠습니다마는 우리 욕하기 이전에, 책을 여러분이 많이 보시죠? 내가 글씨를 보고 글씨는 나를 보고, 아주 그냥 짝짝꿍이가 돼선 서로 죽겠느니 살겠느니 요렇게 짝짝꿍이가 되는 거예요. 그런데 그 짝짝꿍이가 될 수 있는 그 글이, 그 말이 말입니다. 어디서 나왔느냐는 얘깁니다. 어디서 나왔어요. 그거 효도를 못 하는 여러분과 같애요. 자기가 어디서 나왔겠습니까? 부모 없이. 그 책도 그래요. 글자가 어디서 나왔겠느냐 이겁니다.

그래서 예전에 그 참, 선지식들께서 동당이니 서당이니 해놓고 삼년이든 사년이든 주장자를 쥘 때까지는 경을 보지 말라고 그랬습니다. 경만 달달달달 외우다 보면 까불게 돼 있습니다. 나라는 그 존재를 그냥 딱 세워놓고 까불게 돼 있으니 그걸 어떡합니까? 가로막혀서 명경알이 청정하게 보이겠습니까? 그러니 내가 잘났다고 내세울 게 없다 하는 것이 부처다. 내가 잘났다고 세울 게 없는 것이 부처지, 부처라고 세우는 건 부처가 아니다 이겁니다.

여러분, 잘 보시지 않아요? (등 뒤의 부처님을 가리키시며) 부처라고 세우는 건 부처가 아니고 부처라고 세울 게 없는 게 부처입니다. 그러니 삼천대천세계에 꽉 찬 거야, 부처가. 육조스님이 한 물건도 없다고 했듯이 그걸 한번 확 뒤집어 보세요. 봄동산에 얼음이 녹아서 흘러내리는 물소리와 같죠. 봄동산에 꽃이 펴서 향기롭게 두루 하는 그런 향기로운 냄새와 같고요, 안 그럴까요? 어떻습니까, 우리 부처님. 아주 준수하시고 참 멋지죠? 멋진 부처님이라고 세워놓은 건 부처가 아니기 때문에 여러분이 저기에 융합이 돼야 부처예요. 여러분이 융합되지 않고 불상만 동그마니 있으면 부처가 아니예요. 그러나 여러분과 같이 있기 때문에 부처님입니다.

그래서 저 몸은 내 몸이요 저 마음은 내 마음이니, 둘이 아닌 거죠. 저 생명은 나와 둘이 아니니 어찌…. 그래서 내 아픔도 둘이 아니요 내 자리도 둘이 아니요, 모두가 둘이 아닌 까닭에 부처님의 그 뜻은, 자성은 컴컴하다 밝다 이런 게 소용이 없어, 자성이란 건. 그렇게 밝아요. 여러분이 밤중에 눈을 감고 한번 앉아보세요. 부산 갔다 오셨으면 부산에 갔었던 곳을 다 보시고 계실 거예요. 그거 아는 놈이 자성이다 이거야. 그러니 믿으세요. 믿고 생각을 좋게 해서 맡겨놓으세요. 그저 그냥 안 된다. '아휴, 이거 또 안 될 꿈을 꿨어. 아이고, 이거 말이야. 가서 슬슬 둘러보니깐 도저히 인간으로서는 안 되겠어.' 하고 탈망을 하는 거야. 아주 그냥 가긍하게 말입니다. 이거 이래서야 어디 부처님이라고 하겠습니까? 여러분 다 부처님인데 말입니다. 그래서 '자성본래불(自性本來佛)!'이라고 했습니다. 어저께도 말을 했듯이 여러분 본래불 아닙니까?

그러니 새털 같은 날에 끝간 데 없이 우리가 윤회에 끄달리지 않고 갈 수 있는 길은, 길 없는 길을 걸을 줄 알아야 하고, 발 없는 발로 디딜 줄 알아야 하고, 손 없는 손으로써 만 가지 칠보를 다룰 줄 알아야 하고 그래야 윤회에 끄달리지 않고 여러분한테 이익이 됩니다. 그런데 어떻게 해야 그렇게 할 수 있을까? 그러니까 자성을 믿어라 이겁니다. 그 자성을 찾으려고만 애를 쓰지 말고 믿어 좀, 응! 찾기는 어디서 찾습니까? 자기한테 자리하고 그냥 그냥 있는데. 좀 믿어 봐라 이거야, 불 심지처럼 물러서지 말고. 믿는다면 거기다가 놓을 수도 있다 이거예요. 믿는다면, 내가 죽든지 살든지 이 몸뚱이가 가루가 되는 한이 있더라도 '너 소용돌이 속에 내가 가루를 만들어서 그냥 버리겠다.' 이런 패기가 아주 필요한 거죠. 그렇게 되면 오히려, 죽으면 살아요. 죽고 사는 게 없는데 왜 살 수가 없습니까?

여러분에게 항상 이익이 가게 하려니까, 모르는 사람은 모르는 사람대로 "스님, 이것 좀 도와주세요." 그러면 내가 이렇게 이렇게 말을 해도 또 재차 "도와주세요!" (대중 웃음) 그러거든요. 그러면 어떤 생각이 드느냐 하면은 '어휴- 나무때기 시집을 보내느니 내가 참!' (대중 웃음) 이런 생각이 들 때가 있습니다. 그건 어쩔 수가 없는 거죠. 그래서 "아휴, 그래요 그래. 응, 그래. 그럼!" 그렇게 대답을 하거든요. 그 대답 자체가 얼마나 의의가 있고 얼마나 정당하냐? 얼마나 진심으로써의 그 아픔을 둘이 아니게 생각하고 한순간에 대답을 했느냐 이겁니다.

그러니까 대답도 마음대로 못 하는 거죠. 대답을 함부로 할 수가 없어요. 그런데 하물며 말을 어떻게 함부로 하겠습니까? 대답을 함부로 못 하는데. 아, 제가 안 하고 하고, 잘못하고 잘하고, 거짓말이고 아니고를 더 잘 알고 있는 자성이 있는데 어떻게 거짓말을 합니까? 생각해 보세요, 글쎄. 어떻게 거짓말을 합니까? 천부당만부당한 일이지. 내 자성이 알면 우주 법계에서 다 알고 있는데. 그러니 거짓말을 할 수가 없는 겁니다.

진실한 마음으로써 우리가 진실하게 믿고 '자성불(自性佛)이란 바로 고정됨이 없기 때문에 주인공이라고 그랬구나.' 하는 것을 믿으세요, 좀. 믿고 모든 것을 거기다 맡겨놓고 생각을 좋게 해라. 안 된다 하더라도 안 되는 게 어딨나? '안 되게 한 것도 거기서 한 거고 되게 하는 것도 거기서 한 건데 이번에는 되게 하겠지.' 되게 하는 것도 안 되게 하는 것도 거기서 하는 거니깐 자기가 되고 싶어 하는 건 더 잘 알고 있지 않습니까, 응? 되게 해달라지 않아도. 그러니 더 잘 알고 있는 놈이, 자기가 지금 되고 싶어 하는 거를 자성이 알고 있기 때문에 보이는 대로 다시 돌아서 회전이 돼서 나온다 이겁니다.

그러니 '되게 해주시오.' 이럴 필요도 없지, 알고 있으니까. 말로는 '난 그렇지 않아.' 이러면서도 속으로는 '아이, 고것 좀 가졌으면….' 이러거든요. 허허허. '난 그렇지 않아.' 하면서도 '고거 잘생겼는데.' 요러거든요. 그것이 바로 자성이 알고 있는 겁니다. 그래서 알고 있는 고놈이 있기 때문에, 내가 갖고 싶어 하는 것을 자성이 알고 있죠. 그러니 '믿지 못하지' 하지 마시고 믿고 모든 것을 좋게 생각해서, 아까 이성계 얘기했듯이 죽을 꿈을 꿨다 하는 생각이 들더라도, 어허, 죽는 것

사는 것이 따로 없는데 어찌 죽을 게 있노! 아, 좋은 일 생기겠구먼, 승진하겠구먼, 용도에 따라서 딱 생각을 해버리는 거야. 그냥 밀어던져.

내가 이런 말 하는 건 여러분의 아픔과 내 아픔이 둘이 아닌 것을 알기 때문에 이런 말도 하는 겁니다. 내가 생각할 때는 마음 하나 돌리면은 모든 것이 그냥, 이 몸뚱이 속의 모든 것이 회전을 해줄 텐데도…. 또 옆으로 나가네요, 내 마음이. 말이 말입니다. 의학 쪽으로 나가. 그러니까 알고 있는 그 자성을 믿고 놓을 수 있고 생각을 잘해서 놓을 수 있다면, 회전이 돼서 50% 안 보이는 데서 50% 보이는 데로 나온다면 우리는 사람답고 흥겨웁게 삶의 보람을 느끼면서 살 수 있을 것이다라는 얘기입니다.

또 몸을 건강하게 가지고 살아야 하겠다 하는 거는 누구나가 다 보편적으로 그렇게 생각합니다. 누구든지 자기 속의 중생이 튼튼하고 중생이 잘 먹어야 내가 잘 다니고 건강하다는 점을 생각해 보셨습니까? 중생이 어떤 게 중생입니까? 자기 몸뚱이는 중생의 두목입니다. 그 두목이 있기 때문에 그 안에 중생들이 많이 있는 거죠. 그런데 그 중생들이 따로 있는 게 아니라 바로 자기 속에 있는 중생이에요. 그러니까 부처와 중생이 같이 있죠. 그래서 한생각을 잘 해서 아프게 했다면 네가 조립해서 네가 만든 거니까, 아프게 된 것이고, 잘못된 것이고, 어디가 다친 거고, 그런 것도 네가 그렇한 거니까 다시 낫게 할 수 있는 능력이 본래 주어져 있다는 걸 믿으신다면 뼛속이 썩어들어가는 증세의 병이라도 낫게 할 수 있는 겁니다.

여러분이 남의 손에만, 의학적으로 배운 것에만 의존하지 마시고 거기에 50%를 의존했다면 아니 되고, 40% 정도만 의존하시고 60%는 바로 그 자리에 다 맡겨서 놓으십시오. 보이는 데에, 몸으로서의, 물질로서의, 학술적으로 다루는 거는 한 40%만 믿으세요. 왜냐? 60%의 믿음이 있기 때문에 100% 믿을 수 있다는 점은, 자성을 믿기에 그 자성도 둘이 아닌 까닭에 바로 그 손이 내 손이 되지요. 그렇게 된다면 마음도 둘이 아니게 되고 손도 둘이 아니게 되고 그러니까 100%가 되지요. 그래서 금방 추스르고 나을 수가 있는 겁니다. 그래서 이래도 법, 저래도 법. 어디 하나 끄달릴 데가 하나도 없어요. 뭐 어디가 막혔어야 끄달리죠. 막힌 게 하나도 없는데 왜 끄달립니까?

그리곤 여러분이 또 한 가지 짚고 넘어가야 할 일이 있는 것 같습니다. 어떤 분들은 공부를 한다면서 뭐라고 그러느냐 하면 '요런 병을 내가 가지고 왔으니까 이 병으로 인해서 공부를 해보겠다.'는 그런 의욕을 가진 분들이 있다고 봅니다. 또 안 되는 걸 가지고 안 되는 게 있기 때문에 공부할 수 있다곤 붙들어요. 붙들지 마세요. 그건 한 찰나에 그냥 넘기세요. 통과 통과하고요, 넘기세요. 본래 이 세상 평등 진리는 그냥 통과 통과 통과하고 넘어가는 겁니다, 본래. 여러분이 그냥 놓고 돌아가는 겁니다, 본래.

그러니 병이 바로 내 공부할 수 있는 요인이다. 이걸로 인해서 내가 공부하지 않나 하고 붙들고 있으면 그 병이 길어서 고통을 받죠? 왜 고(苦)를 만들어서 받습니까? 그러니 통과, 통과하고서 닥치는 것에, 스스로 오는 것에 의해서 모든 걸 놓지 않으면 안 돼요. 전자에는 우정 의정을 냈는데 스스로 의정이 나야지, 우정 의정을 내면 그게 됩니까? 어쩌다가 스스로 의정이 나는 거 '이건 또 뭘까?' 하고 가만히 앉아서 생각해 볼 수 있는, 명상해 볼 수 있는 일이 있는 거지. 아니, 그러다가 정 못하면 또 통과지 뭐. 자성 주인공에 그냥 통과야. 그런데 그게 어느 땐가에는 또 나오죠.

그런데 이런 것도 거기에 또 딸린 말입니다. 아주 묘하게 돌아가죠. 모두 방생한다고 고기를 물에서 잡아다가 또 거기다 넣어주는데 그건 놀부짓이에요. 예전에는 비가 오면 미꾸라지, 자라, 이런 거 많이 떨어졌습니다. 그런데 지금은 많지를 않아요. 그래서 그냥 통에다가 줏어 담아서 물에다가 갖다가 넣어줬어요. 우리도 많이 그랬습니다. 그게 방생이에요. 아니 도대체 물에 있는 잘 노는 놈을 잡아다가는 놓아준다고 고생을 진탕시키니, 일본 사람들이 우리나라 사람들을 붙잡아다가 석탄 캐는 데로 넣었다가 8·15 해방 되니까 다 내놓았는데 그때 삼분지 이는 죽었을 겁니다. 꼭 그 식이야. 내 그 생각을 하고 껄껄 웃을 때가 많아요.

길에 가다가 물이 없어서 고기가 질떡질떡하고 또 자라가 물 없는 데로 나와서 헤맬 때, 그때에 그걸 들어서 물에 넣어주는 것이 그게 참다운 방생이며, 또 사람이 가난하고 남편도 없이 또, 남자는 아내가 없이 애들을 데리고 고생하는 그런 사람들을 위해서 또는 눈이 없는 사람들을 위해서 하다못해 뭐라도, 가서 위로라도 해줄 수 있는 그 마음이 방생 아니냐 이겁니다. 우리들이 그래야만 되겠습니까? 사람이 돼가지고 어쩌면 그렇게 어리석습니까? 난 그런 짓을 돈 주고 하래도 안 해!

그러니까 여러분이 방생을 하더라도 참다운 방생을 해야 합니다. 또 마음으로 방생하는 게 있죠? 마음으로 공덕을 쌓는다 이런 거요. 동네에서 가난한 사람을 본다, 소가 도살장에 간다 또 가난한 사람이 병을 앓는다 이럴 때도 한생각 아무 조건 없이 방생을 해야 하는 거죠. 그 사람이 여기 절에 와서 주인공을 믿어야 되지, 이 공부를 해야 되지 하는 거를 떠나서 방생을 하세요. 고집 세우고 안 오겠다는 거 우정 그렇게 애를 쓰지 말고, 남편이라도 안 오겠다는 거 굳이 오라고 그러면 부러지지. 그러니까 좋게, 언제나 이익하게, 딸이 돼야 할 땐 딸이 되고, 동생이 돼야 할 땐 동생이 되고, 아내가 돼야 할 땐 아내가 되고, 아주 끝간 데 없이 친구로서 사랑을 느끼고 또 사랑할 수 있는 그 마음, 말, 행 자체를 부드럽게 가져야 해요. 따뜻한 데로 고이게 돼 있거든요. 그래서 추우면 자꾸 나가죠, 따뜻한 데를 찾아서. 그래서 따뜻하게 해놓으면 자꾸 들어오죠. 밖은 추우니까 그러니까 사랑을 하고 사랑을 주고받는 것도 여러분의 마음에 달렸습니다.

그러니 우리가 첨보해서 이익을 도모하고 삶의 보람을 느끼기 위해서 여러분은 자기 자성을 진실히 믿고 거기에다 모든 걸 놓는 공부를, 맡겨놓는 공부를 해야 합니다. 또 좋게 생각을 하고 아주 좋게 생각을 해서 놓고, 언짢게 생각이 돼도 놓고 미웁게 생각이 돼도 놓고 미웁게 말하지 마시고요. 오늘은 이걸로써 마치겠습니다.

나는 어디로부터 와서 어디로 가는가?

88년 7월 17일

여러분을 뵌 지도 아마 서너 달 된 것 같습니다. 이번에 미국에 갔다 온 것은 여러분도 아시다시피 거기 새 지원을 여는 문제 때문에 다녀온 것입니다. 우리가 똥을 누고 밑을 깨끗하게 씻을 줄 아는 사람들에 한해서만 아니라도 깨끗하게 씻을 수 있는 회향이 중대하기 때문에 지원 자리를 아주 샀습니다. 사서 법적인 서류나 세금, 허가 등 그런 절차를 전부 해결하기 위해서 두 달 동안을 꼬박이 붙들려 있었습니다. 거기는 가까운 데라는 것이 한 시간을 달려야 하고 좀 먼데다 하면은 서너 너덧 시간을 돌아쳐야 일들을 보게끔 돼 있습니다. 그래서 여러분을 아마 서너 달 못 뵌 것 같습니다. 그런 얘기는 얘기일 뿐이고, 사람은 어디까지나 이 세상에 나올 때에 내가 어디서 어떻게 왔는지 알아야 공부하기가 쉽다는 것을 말씀드리고 싶습니다. 공부라기보다도 인생관에 대해서 말입니다.

지난번에도 말씀드렸듯이 우리는 지수화풍을 근원으로 해서, 또는 우리 미생물로 하여금, 그 인연에 따라서, 인과로 인해서, 정자와 난자의 뜻을 받아서 살과 몸과 피와 뼈를 빌려서 인간이 된 것입니다. 인간이 되는데 있어서 그거는 여러분이 더 잘 아시리라고 믿습니다. 그러나 사람이 이런 고통 속에서, 고통이라고 하기보다 인간 되기가 얼마나 어려웠는지를 알면 인간이 돼가지고도 고통스럽다고 해서는 아니 됩니다. 우리 앞에 다가오는 것이 왜 그렇게 각본대로 나오는가? 인간은 왜 돈 가지고도 할 수 없는 어쩔 수 없는 일이 있는가? 왜 우리 마음대로 살 수 없고, 왜 마음대로 되질 않는가? 이런 것을 한번 생각해 보십시오. 여러분이 했던 말 되한다고 섭섭하게 생각할는진 모르지만 진리가 그러합니다.

우리가 인연에 따라서, 인과로 인해서 몸을 받았다면 엄마 아빠라는 인연도 여러분 차원에 따라, 여러분과 똑같은 차원으로 인해서 모인 것입니다. 그런데 그뿐이 아닙니다. 우리 몸속에 들은 중생들도 수십억 마리가 여러분의 인연에 따라서, 인과로 인해서 여러분 몸속에 작은 별들처럼 회전을 하고 있는 것입니다.

그런데 그 작은 생명들이 회전을 해주기 때문에 이 몸뚱이가 움죽거리는가 하면, 회전을 하는 그 생명들이 있기 때문에 이 집이 필요한 것입니다. 그러면 이 집이 누구의 집이냐? 바로 그 생명들의 집이죠. 그런데 그 생명들이 한데 모여서 마음을 내고, 마음을 내기 이전이 있는가 하면, 마음을 내며 회전을 하는 삼합이 바로 공(空)해서 돌아가기 때문에 그 마음들이 천차만별로 여러분의 머리를 때리고 나옵니다.

그전에 부처님이 이런 말씀을 하셨죠. "팔만사천 번뇌가 들락거린다."라고요. 여러분이 한생각을 제대로 못하면 악의 인연으로 하여금 바로 팔만사천 번뇌가 털구멍을 통해서 들락거리고, 여러분의 한생각이 그 지혜로운 마음으로 이루어져 자유스럽고 여여하다면 바로 그 털구멍을 통해서 팔만사천의 부처가 들락날락한단 말입니다. 여러분의 그 마음이 얼마나 귀중한지 또 자유스러운지 여러분은 모르실 겁니다. 그러기 때문에 아시라고 하는 겁니다.

우리가 이 몸뚱이 속에 어째서 그렇게 많은 생명들이 모여서 회전을 하고 있는지, 또는 역력하게 우리 마음으로부터 머리로, 두뇌로부터 사대(四大)로 각각 알려주는 통신! 그 통신도 눈이 있고 귀가 있고, 마음내는 게 있고 감각 촉각 시각 이런 여러 가지가 다 갖추어져 있기 때문에 다 알게 되는 겁니다. 왜 그런가? 우리는 다 같이 미생물에서부터 모습을 바꿔가면서 진화돼서 이렇게 인간까지 오게 된 것이라고 봅니다. 그렇다면 그 쫓고 쫓기고, 부모를 잃고 울고, 자식을 잃고 울고, 서로 울며불며 다지고 쫓기며 인간까지 됐으니 감사하게 생각해야죠.

그런데 수억겁의 생을 거쳐오면서 살아나오던 습의 인과가 바로 여러분의 몸뚱이 속에 인연을 따라서 모두 들어 있으니 고(苦)가 있다고 '나는 피해야겠다.' 이럴 생각은 아예 마세요. 왜? 그런 사람들은 참 어리석습니다. 그 몸뚱이 속에 들어 있는 것이 어디로 피해서 갑니까? 여러분이 가는 데마다 인연에 따라서, 만약에 악조건의 인연이라면 그 악의 무리의 생각이 떠올라서 그대로 악조건으로 길을 갈 것이고, 선의 조건이 삼분의 이가 된다면 바로 선의 조건으로 여러분의 두뇌를 통해서 갈 것입니다.

그러니 천차만별 인연의 소치가 바로 여러분이 지금 살아나가는 데에 각본대로 솔솔 다가오는 것입니다. 그렇다면 지금 각본대로 짊어지고 나온 이 몸뚱이가 인연의 소치라면 어떻게 해야만이 그것을 벗어날 수가 있는가? 그전에도 얘기했지만 수많은 인연의 소치는 자동적인 콤퓨터와 같습니다. 여러분이 살고 생각하고 행한 그 자체가 각본대로 바로 자동적인 콤퓨타에 감겨서 현실에 자꾸자꾸 나오는 것이죠. 그리고 지금 행동하고 가는 것은 미래에 나올 것이고요.

그런데 우리가 지금 공부하는 것은 '과거는 지나갔으니 없고, 미래도 오지 않았으니 없고, 현실도 공해서 없다.' 이렇게 항상 말을 하고 있습니다. 그것은 여러분 몸속에 수없는 자연인으로서 갖가지로 저지른 그 인연의 소치가 지금 생동력을 가지고 있다는 얘깁니다. 그러면 그 마음들이 바로 여러분이 마음 쓴 대로 인연에 따라서 나한테 온 것이니까 그 마음밖에 더 나오겠습니까? 그러니 '모든 것을 다 녹여라,

거기에 끄달리지 말아라.' 이러는 겁니다. 여러분이 거기에 끄달린다면 그 인과 속에서는 벗어날 길이 없습니다. 여러분 몸뚱이 속에 다 가지각색으로 각본대로, 자기 한 대로, 저지른 대로, 그 의식대로 감추어진 것이 그대로 그냥 나온단 말입니다.

그러니 생각해보세요. 바른쪽 발은 이만하고 (양 팔을 벌려 보이시며) 왼발은 요만하다면 어떻게 걸음을 걷고 다니시렵니까? 우리가 똑같으니까 이렇게 걸어 다니지 않습니까? 그런데 지금 여러분은 한쪽 다리는 길고 한쪽 다리는 아주 짧은 그런 형국이요, 눈도 한쪽 눈은 뜨고 한쪽 눈은 감긴 모습이란 말입니다. 그리고 귀도 한쪽 귀만 있지 다른 한쪽 귀는 없으니 여러분이 얼마나 살기가 고통스럽겠습니까?

그래서 모든 것은, 선과 악이 모조리 내 몸 안에 들어 있어서 그 안에서 나오는 것이니까, 나온 데다가 되놓으면, 맡겨놓으면 바로 그것은 카세트에 앞서 감긴 것이 다 지워지고 현재에 넣는 것만 나오는 것과 같습니다. 그러나 연방 고정된 관념이 없고 고정된 행이 없고 생각도 고정된 게 없으니, 생각나는 대로 거기 놓게 되면 담겼다 없어졌다 담겼다 없어졌다 하니 항상 그릇은 비게 된다는 것입니다.

이렇게 간곡히 말씀을 드려도 이해가 안 가실지 모르겠지만, 이해가 가야만이 기계를 돌려도 그렇고, 맷돌질을 해도 그렇고, 의정을 내도 그렇고 헛 돌아가지 않을 겁니다. 우리가 사는 것도 방편입니다. 모든 게 '공했다' 이런 말을 하지마는 우리는 실지다, 실지가 아니다 이걸 떠나서 우리 사는 자체는 그대로 실지입니다.

파리더러 물어보세요. 네 뱃속에 뭐가 들었느냐고요. 그러면 아마도 파리는 자기 뱃속에 구더기가 들었다는 걸 모를 겁니다. 그러나 우리는 구더기가 들은 걸 역력히 알고 있습니다. 그럼 파리가 못 보는 거나 우리가 지금 우리 뱃속에 무엇을 넣고 있는지, 우리가 인연 따라 인과를 받아서 여기까지 뱃속에다 무얼 넣고 왔는지 그것도 모르는 거나 똑같은 거 아닙니까? 그러기 때문에 우리는 반드시 이 도리를 알아야만 합니다. 인간으로 태어났으면 이 몸이 나온 것이 화두요, 이 몸이 나왔기 때문에 우주가 있는 것을 알고, 부처가 있는 것을 알고, 잘 된 걸 알고 못 된 걸 알고 있습니다. 그래서 이렇게 부처 될 가능성이 100% 있는 고차원적인 인간으로 태어난 겁니다.

그런데 파리가 그것을 알고 '내 뱃속에 구더기가 들었소.' 한다면 그 파리는 자기가 과거에 구더기였기 때문에 자기 뱃속에 구더기가 들어 있다는 것을 알게 됐다 이겁니다. 우리 인간도 마찬가지로 전자에 미생물로부터 나왔기 때문에 미생물이 바로 내 몸속에 세포를 통해서 회전을 하고 있지 않습니까? 한번 생각해 보세요. 또 이차적으로 더 묘한 것은 자기가 저지른 소치로 인해 천차만별로 인연 따라 내 몸속에 들어서 인과로서 솔솔 나오니 살아나가는 데 앞길을 막는 것도 그렇고, 병고가 있는 것도 그렇고, 우환이 있는 것도 그렇고, 안 되는 것도 그렇고 잘 되는 것도 그렇고, 똑똑한 것도 그렇고 똑똑하지 않은 것도 그렇고, 바로 그 마음들로 인해서 갖가지로 여러분을 괴롭히고 있는 것입니다. 또 즐겁게 해주는 것도 거기고요.

그러기 때문에 우리가 그것은 바깥으로 공부해서는 벗어날래야 벗어날 수가 없으니, 거기서 나오는 거 거기다 되놓으라고 하는 겁니다. 그러니 그것은 누가 대신 해줄 수가 없습니다. 지난번에도 말씀을 드렸지만 대신 죽어줄 수도 없거니와 대신 자줄 수도 없고, 대신 아파줄 수도 없고, 대신 먹어줄 수도 없고, 대신 똥 눠줄 수도 없습니다. 대신 해드릴 수 없는 문제가 다섯 가지나 되죠. 여러분한테 어떻게 해야만이 똑똑히 가르쳐 드릴는지 그것이 참 의문입니다. 아는 것은 내 소견이지 여러분 소견도 아니고, 여러분이 각자 안다 모른다 하는 그 점도, 여러분의 소견이지 내 소견이 아니지 않습니까. 그러기 때문에 이 자체의 문제, 이것이 어디서 오느냐는 문제입니다, 어디서 오느냐. 인간으로 와서는 인간 자체에도 끄달리지 말고 벗어나야 한다는 문제입니다.

여러분 몸속에 회전하고 돌아다니는, 지금 합일적으로 돌아다니면서 소임을 맡아가지고 몸체에 있는 생명체들이 투표를 한다면, 그래서 만약에 악의 쪽에서 삼분의 이가 나왔고 선의 쪽에서 삼분의 일이 나왔다면 전부 악조건으로 따라가는 겁니다. 선의 쪽에서 삼분의 이라면 또 선의 쪽으로 많이 따르죠. 그러니 우리 마음이 선이고 악이고 간에 몽땅 벗어날 수가 있는 그 마음을 가지려면 거기에서 나오는 모든 것을 거기에다 놓을 수밖에 없는 것입니다.

그리고 한마음의 선장으로 뽑혀나온 여러분 각자가 첫째, 진짜로 믿으면서 물러서지 말아야 하고 감사할 줄 알아야 합니다. 지난번에도 얘기했죠, 고(苦)·집(集)·멸(滅)·도(道) 사제법(四諦法) 말입니다. 우리가 인간으로 태어난 것만 해도 감사하게 생각할 수 있다면 고가 어딨습니까? 만약에 내가 몽땅 공한 거를 알고, 뱃속에 들은 생명들도 다 공해서 찰나찰나 돌아가고, 이 세상도 찰나찰나 돌아가고, 우리 지금 24시간 살아나가는 것도 찰나찰나 돌아가고 변화되고 돌아가는 걸 아신다면은 고는 없는 것입니다. 찰나찰나 변하는데 어떤 거 될 때 나라고 할 수 있겠습니까? 그렇게 될 때 부처는 없는 것입니다.

부처가 왜 없다고 하는 줄 아십니까? 여러분 마음 속에 같이 너무 가깝게 계시기 때문에 부처는 없다고 하는 것입니다. 그리고 '사랑이 없다.'라고 말합니다. 남들은 '사랑하라, 사랑하라.' 하는데 왜 사랑이 없다고 하는가? 사랑하기 이전에 바로 내 아픔이요, 내 몸이요, 내 자리요, 바로 나이기 때문에 사랑한다 안 한다 라는 언어가 붙을 필요가 없죠. 그러기 때문에 그대로 여여하게 자비심이라. 여러분은 이 법당에 와서 부처님을 보고 절을 하실 때 어떠한 생각으로 절을 하시는가요? 부처님 형상과 내 형상이 둘이 아니요, 부처님 마음과 내 마음이 둘이 아니요, 부처님 생명과 내 생명이 둘이 아닙니다. 지금 내가 들고 있는 이 컵도 바로 컵이라는 이름을 가지고 이 세상에 출현한 겁니다. 저 부처님도 (등 뒤의 부처님을 가리키시며) 이 세상에 부처님이라고 이름을 가지고 출현한 것입니다.

여러분이 바로 그 생각으로서의 마음이 없다면 저 부처님을 모실 수도 없죠. 부처님은 너무 가깝게 계시기 때문에 법당에 들어와도 둘이 아니요, 변소에 가도 둘이 아니요, 어딜 가든 자기가 있기 때문에 그 자리에 계신 겁니다. 우리가 부처님을 그렇게 가깝게 두고 있으며, 위 속눈썹 아래 속눈썹이 한 찰나에 깜짝거리듯이 부처와 중생은 둘이 아니게 그렇게 같이 회전하고 있다는 사실을 여러분은 아셔야 될 겁니다. 부처님도 삼천년 전의 부처님만 계시다고 생각지 마시고 삼천년 전만 아니라 몇천 년 전, 몇만 년 전에도 부처님은 계셨고, 지금도 부처님은 계시고, 미래에도 부처님은 영원히 끝간 데 없이 계실 겁니다. 여러분이 이렇게 살아 있는 한, 생명이 살아 있는 한, 또 생명이 이렇게 푸르르게 생동력 있게 움죽거리는 한, 아마도 그 뜻은 떠나지 않을 겁니다. 말세니 말세가 아니니 운운하지만 그것을 떠나서 우린 영원히 물 흐르듯이, 발 없는 발로 손 없는 손으로 어디 안 닿는 데가 없고 아니 딛는 데가 없이, 내 몸 아닌 게 없이 이렇게 하고 계신 겁니다.

여러분은 항상 '저이는 만날 한 말 되하고 한 말 되해.' 이러겠지마는 이 뜻을 이론적으로 아는 게 문제가 아니라 아는 것을, 백 가지 천 가지 아는 거보다 한 가지 실천하고 실험하고 체험하는 것이 더 중요하다는 문제입니다.

우리의 생명은 바로 줄 없는 줄, 이 우주간 법계의 법망에 의해서 저 샛별도, 또 저 은하계의 별성도, 저 북두칠성의 인연도, 우리 사성의 별들도, 사생(四生)의 뜻도, 사천 세계의 모든 문제들도 우리 마음과 연관성이 있어서 항상 같이 돌아간다는 걸 알아야 하는 겁니다. 그러니 여러분 마음 속으로 생각했던 거 남이 모른다고 해서 모를 리 없으니, '남 모르게끔 행동해야지.' 이런 생각일랑 아예 하지 마세요. 왜냐하면 자기가 한생각을 했다면 벌써 우주간 법계로 아니 퍼지는 데가 없기 때문에 모두 알고 있다 이겁니다. 그러기 때문에 생각을 한 것에 걸리지 마시고 모든 생각이 나온 데가 어딘가? 이것만 아신다면 참 다양하게도 천차만별로 인과를 지어서 이 몸을 받고 나와 고생을 하고 고에서 허덕이는 것에서 벗어나게 될 것입니다.

한두 건이 아닙니다. 외부의 모든 것을 보세요. 우리가 지수화풍의 고향인가 하면 지수화풍이 나이고, 내가 바로 지수화풍의 고향인가 하면, 집인가 하면은 집이 바로 이 세상의 바다와 같고, 이 세상 전체가 지수화풍 빼놓고는 그릇이 될 수가 없으니 흙과 물은 어머니와 같고 바람과 태양은 아버지와 같은 존재죠. 그러기 때문에 우리는 그 뜻이 없이는 한시도 못 살죠. 하다못해 모르는 무정물도 저 나무들도 공기를 흡수해서 간직해 뒀다가 인간에게 보급하고 인간은 또 그 나무들한테 영양을 보급하고 우리가 알지 못하는 사이에 이렇게 서로서로가 살고 있습니다. 상부상조하면서 말입니다.

그런데 이렇게 좋은 것만 내 몸속에서 갖다주는 것이 아닙니다. 여러분이 어떤 때는 '아이구, 병이 들었어. 내가 죄를 짓지 않았는데 어떻게 이렇게 모진 병이 들었을까? 내가 죄를 안 지었는데 왜 이렇게 가난이 오고 괴로움이 올까?' 하시는데 가지각색으로 오는 그 고통, 외로움, 고독이 어디에서 오는 건지 잘 아셔야 할 겁니다. 수많은 생을 거듭거듭 모습을 바꿔가면서 진화돼서 여기까지 왔으니 얼마나 많은 경험을 했고, 얼마나 아는 게 많겠습니까? 그 모든 체험을 한 장본인이 바로 참 여러분일 겁니다. 그러니 딴 데서 보배를 찾지 말고 내 집 속에 고귀한 보배가 있음을 알아야 합니다. 그것을 발견하고 찾는 게 아닙니다. 본래부터 있는 것인데 뭘 찾을 게 있습니까, 본래 있는 것을 말입니다.

그러니 여러분이 천차만별로 지은 인과로 인해 겪는 화탕지옥이나 무슨 지옥이나 또 업보나 병고 액난, 이런 모든 것들이 자기가 인연 지은 대로 뱃속에 다 들어있으면서 자꾸 충동질을 하는 겁니다. 거기서 나오는 겁니다. 원수 갚으러 나왔지, 원수 갚으려고 인연이 됐지 그게 만나지 않았으면 인연이 안 되지. 아, 저쪽에서 따귀를 안 맞았으면 인연이 안 됐고, 따귀를 안 때렸으면 인연도 안 됐죠. 따귀를 한 번 맞고서도 '아! 이것이 나의 수행이요, 또는 성숙하게 만드는 과정이구나.' 하고 감사하게 생각을 하고 그냥 놨으면 또 인연이 안 될 건데. 때리러 가서 또 때리고 또 맞고, 때리고 맞고 하니까 그것이 때리는 것뿐만 아닙니다. 그렇게 하니깐 그것이 또 인연이 되고 또 뭉치고 또 만나고 하다 보니까 한치도 속임 없이 여러분 몸뚱이에 같이 지금 있습니다.

옛날 얘기 하나 할까요. 어느 절에서 스님이 사셨는데 아마 시주 돈을 받아서 그걸 항아리에다 모았던 모양입니다. 그런데 지금이나 그때나 모두 마음들에 욕심이라는 건 있었던지 하여튼 시주돈을 모아두고 절을 짓지 못했습니다. 어쩌면 다른 걸 뭘 하려고 그랬던지, 그때에 나도 여러분도 다 있었다고 봅니다마는 지금도 있고 미래에도 있을 겁니다. 그런데 절을 짓지도 못하고 그 돈에 욕심을 부렸기 때문에 그만 그 절의 큰 구렁이가 돼서 나왔죠.

구렁이가 된다 이러는 거는, 자기가 눈이 어두우니까 그 식만 가지고 확실하게 보지 못하니까 구렁이가 사는 소굴에 들어가도 큰 기와집으로 보일 거고, 까치집에 들어가도 기와집으로 보일 거고, 돼지 우리 속에 들어가도 큰 기와집으로 보일 거다 이겁니다. 눈이 어둡고 귀가 뜨이지 못하고 의식만 가지고 살아나갈 테니까. 즉 말하자면 짐승도 남녀가 있고 사람도 남녀가 있듯이 아, 거기로 들어가면 그냥 그 몸을 받아가지고 나올 수밖에 없거든.

그래서 구렁이가 돼서 있는데 아, 그 구렁이 비늘 속이나 세포 속이나 뱃속이나, 전부 그 시주자들의 인연들이 거기 모여서, 자기는 구렁이로 집을 지었지만 집 지은 그 속에 그냥 오물오물해 가지고는 아주 그냥 고통스러워 죽겠거든요. 그 고통을 몇 년 받다가 보니까 탁 그 생각이 났단 말입니다. '아하! 내가 이렇게 해가지고는 안 되겠다. 지나가는 길목을 지키고 있다가 스님네를 만나면은 내가 이 하소연을 해서 벗어나야겠다.' 하는 생각이 들었더랍니다.

그래서 길가에 지키고 있으려니까 정말 어떤 도승이 오셨는데 보니까 큰 구렁이가 바로 그 절의 주지였거든요. "주지, 왜 여기 이렇게, 집도 참 희한하게 짓고 있구료." 하니까 "나는 이러이러 해가지고서 지금 이렇게 집을 짓고 있노라."고 "이 집을 벗어야 할 텐데 스님께서만이 이 집을 벗겨주실 수 있노라."고 그러면서 "지금 저 산에 묻힌 항아리 속에 돈이 있으니 그걸 꺼내서 동네에다, 모든 어려운 사람들한테 나누어줄 뿐만 아니라 절을 다시 짓고, 이 돈으로 좋은 일을 해주시오. 그러면 나는 이 몸을 벗으리다." 했거든요. 그렇게 해놓고선 다시 "그렇게 해주신다면 삼 일이면 제가 이 몸을 벗고 갈 테니 이 흉한 옷을 거두어서 태워주십시오." 이러고선 간곡히 청하거든요. 그래서 가서 파보니까 돈이 나와요. 그래 그걸 가지고 참, 절을 짓고 마을의 어려운 사람을 다 살리면서 논밭도 사주고 해서 그분 대신 그렇게 해드렸답니다.

그래서 그분은 그 모습을 벗고 다시 인연을 만나서, 그 스님의 인연을 만나서 사람이 돼가지고 다시 도를 닦아서 참, 여러분의 그 아픔을 전부 자기 아픔과 같이 생각하면서 한 부처님이 되셨더랍니다. 그래서 나중에는 그분이 "한 부처도 없노라."고 했다니 얼마나 귀중한 분입니까? 세상에는 한 분도 없다고 했다는 그 얘기는, 한 분도 없어서가 아니라 아까 얘기한 거와 마찬가지로 여러분하고 둘이 아닌 까닭에, 아주 가깝게 둘이 아닌 까닭에 한 분마저도 없느니라 하는 말입니다. 만약에 여러분 속에 그 부처가 들어가서 여러분이 됐다면, 한 분 한 분 속에 다 들어갈 수 있다면 어떤 분 속에 들어갔을 때 나라고 하겠습니까? 그러기 때문에 부처는 없다느니 또는 '나'라는 존재, 하나라는 존재가 없다느니 이런 말씀들을 하신 겁니다. 그것을 잘 생각해 보십시오.

우리가 지금 우리 몸뚱이 속에 수많은 인과를 얻어서 인연에 따라서, 인연의 소치로, 자기의 각본대로, 연예인들이 각본대로 연기를 하듯이 그저 속에 들은 대로, 자기가 한 대로, 거기서 나오는 대로 지금 하고 계시지 않습니까? 그런데 누구 탓입니까. 그건 누구의 탓도 아니고 누구를 원망할 것도 아니고 모든 게 자기 탓입니다. 남이 나를 못살게 굴어서 죽였다 할지라도 자기 탓입니다. 그것은 오히려 감사하게 생각해야 할 겁니다. 왜? 오히려 그 사람을 수고를 시켰으니까 말입니다. 내 마음 속에, 내 속에 내가 저질러놓은 그 자체로써 나를 다지기 위한 내 주인공 참부처님 자성신이, 나를 다지기 위해서 둥글게 쳐주시는 그런 성숙해 가는 과정으로 인도하시는 길이라면 그 사람을 수고만 시켰으니 얼마나 감사합니까?

내 앞에 닥쳐오는 그 모두를, 내가 죽어가고 아프고, 병신이 돼가고 가난한 일이 닥친다 하더라도 모든 것은 감사하게 생각해야 할 줄 압니다. 감사하고, 당신은 공했으니까 그저 죽어야 사는 것을 아셔야 합니다. 죽지 않으면 살 길이 없습니다. 왜 죽어야 하느냐? 나는 이런 얘기를 가끔 했죠. 지금도 그런 얘기를 하고 싶습니다. 예전에 '너는 죽어야 나를 볼 수 있느니라. 나를 보는 게 아니라 너를 봤기 때문에 나를 볼 수가 있는 거지, 너로 하여 나를 보는 거지 너가 없다면 나를 볼 수 없느니라.' '네가 없다면, 네 자체의 주장자가 없다면, 나를 똑똑히 볼 수가 없고, 네가 주장자가 있다면은 내 주장자, 네 주장자가 따로 없느니라.' 그런 얘기를 한 것 같습니다. 여러분의 길잡이는, 진짜 길잡이는 여러분 마음 속에 있는 것입니다.

그러니 어떻게 해야만이 여러분한테 고(苦)라는, 업보라는 그 누명을 벗겨줄 수 있는가? 여러분이 곧이 듣고 자꾸 흔들리고 속고 이러지 마시고, 내가 가고 싶으면 그냥 갈 것이고 어떠한 자갈밭이라도, 어떠한 가시밭이라도, 어떠한 낭떠러지라도 서슴없이 떼어놓을 수 있는 그러한 마음이라야 됩니다. 그건 왜냐하면은 내가 이 세상에 나올 때 나로 인해서 모든 걸 알았기 때문이죠. 내 몸속에 있는 인연에 따라서 모두 회전을 하고 있는데 그것이 악의 조건이든 선의 조건이든, 인연에 따라서 내 앞에 온 것이니까 나는 바로 배의 선장이다. 그럼 내 한생각에 이 모든 마음들은 따를 것이다. 그러면 한마음이다 이거야.

그러고도 그게 고정된 관념으로 생각을 안 하기 때문에, 모든 생각에 의해서 찰나찰나 돌아가니, 이것은 그 선장 하나마저도 없는 마음, 거기에서 모든 게 가지각색으로 나올 때 여러분은 지금 고정됨이 없이 살아가고 있습니다. 저기서 걸어올 때 뒷발자취가 없듯이, 저 신발 아무렇게나 벗어서 팽개치고 여기 와서 앉으셨듯이, 우리는 금방 사랑하다가도 사랑을 팽개치고 일 보러 가듯이, 일을 하다 금방 팽개치고 또 사랑하듯이, 자식을 만나고 부모를 만나고, 그렇게 순간순간 만나고 보고 듣고 말하고, 이렇게 옮겨놓고 저렇게 옮겨놓고, 시발점도 종점도 없이 간다 온다도 없이 이렇게 여여하게 그냥 흐르고 있는 겁니다.

죽는다 산다, 생사에도 끄달리지 마세요. 그것은 없는 것입니다, 왜냐? 이건 들은 얘기입니다마는 "어머니가 돌아가셨으니 천도 좀 시켜주시오." 하니까, "허, 본래 살아온 게 없다면 죽을 것도 없거니와…" 하고선 그냥 갔다는 얘기가 있어요. 그러니 천도해 달라고 한 사람이 얼마나 무색하겠습니까마는 그거는 그 즉시에 요리가 된 것이고 그 즉시에 천도가 된 것입니다. 여러분은 보이는 물질 본위만 알지 보이지 않는 50%의 그 영향력은 모르고 사시기 때문에 자유권을 얻지 못하시는 겁니다.

여러분은 행여라도 누가 이리로 가면 나쁘니 이사를 가지 마라, 부적을 가져라, 또 무슨 고사를 지내라, 뭐 크게 차려놓고 제사 지내라 이러는 것에 속지 마세요. 여러분이 그런 데 속는다면 여러분은 한시도 벗어날 길이 없을 겁니다. 내가 가고 싶으면 갈 것이요, 하고 싶으면 하는 겁니다. 이사 가는 날도 내가 '이날 갔으면 좋겠다.' 했으면 그게 법입니다. 부처님의 법이에요. 내가 집을 짓고 싶다 할 때에 거기 지으면 그냥 부처님의 법이니 내가 어디 걸렸다 안 걸렸다 이런 것을 논의하지 마세요, 왜냐구요? 고귀한 보배 속에서 바로 자기 마음이 나오는

데 찰나찰나 생각 나오는 그 자체가 바로 법음이 아닐까요?

영원한 생명은 가만히 있으면 부처고, 생각을 냈다 하면 법신(法身)이요, 몸을 움죽거렸다 하면 화신(化身)인데 모든 부처가, 일체제불과 중생이 다 여러분 한마음 속에 들었거늘 여러분은 만날 그저 부처님 앞에 갖다놓고, 부처님 한 분만이 아니라 또 수많은 부처님한테다가 갖다놓고 빌어야만이 자식과 남편과 부모가 잘되는 줄 아는 그러한 소치는 여러분이 정말 그 법을 모르고 죄를 덮어쓰는 일입니다. 덮어씌어주지도 말아야 하고 덮어쓰지도 말아야 합니다.

우리 인간은 가랑잎과 같은 몸뚱이를 가지고 있기 때문에 가을에 낙엽이 진다고 해서 죽는다고 애석하게 생각할 필요가 없습니다. 아까도 천도시킬 때 그런 말 한 것처럼 우린 영원히 살아 있기 때문이죠. 지난번에도 얘기했지만 항상 불이 들어와서 밝아 있다면 불이 꺼졌다 켜졌다 이런 언어도 붙지 않고 항상 영원한 것입니다. 우리는 죽는다 산다도 없습니다. 나무 이파리로 친다면 나무 이파리가 낙엽이 져서 떨어졌다고 해서 나무가 죽었다고 할 수 있겠습니까? 나무가 흙이 가려서 자기 뿌리를 못 보듯이 사람도 천차만별의 속임수에 빠져서 벗어나지 못하기 때문에 참자기를 못 보는 거나 마찬가지입니다. 인간의 뿌리 말입니다.

혹 어떤 분은 '왜 저 스님은 경에 있는 말씀을 똑똑히 안 해주시나? 강설을 왜 안 해주시나?' 이러지마는 내가 경을 보지 말라는 게 아닙니다. 여러분이 내면세계의 참자기를 알고 경을 본다면 저절로 글과 백지를 둘이 아니게 거머쥐고 볼 수 있다는 뜻입니다. 그게 틀리다는 것도 아닙니다. 보지 말라는 것도 아니죠. 그러나 여러분이 이 세상에 살고 책 보고, 염불하고, 고통에서 벗어나려는 모든 것이 다 어디서 나오느냐 이겁니다. 어디서 나오는 것만 안다면 '바로 너한테서 나오는 거니까 네가 알아서 해라. 네가 형성시킨 거니까 네가 알아서 해. 네가 병을 준 거니까 네가 알아서 해.' 이렇게 하고 자기 내면에 맡길 것입니다. 그러면 자기 주인공은 칠성도 되고 지장도 되고 관세음도 되고 또 지신도 되고 용신도 되고 신장도 되고 독성도 되고 산신도 되고, 용도에 따라서 찰나찰나 나투시면서 삼십이응신(三十二應身)으로서 여러분에게 응(應)할 것입니다.

여러분과 보살이 따로 있는 게 아니니 둘로 보지 마세요. 기도한 다는 그런 언어도 붙이지 마세요. 관(觀)하는 겁니다. '거기서 나온 거지 딴 데서 나온 것이 아니다.' 만약에 모든 걸 이렇게만 놓고 가실 수 있다면 바로 여러분이 항복을 받고 여러분이 항복을 할 것입니다. 둘이 아니게 말입니다. 그래서 부(父)와 자(子)가 둘이 아닐 때 비로소 거기에서는 자기 속에 길잡이가 생기고, 일을 할 때는 자가 되고 일을 안할 때는 부가 되고, 아주 다양하게 자유스럽게 살 수 있는 여러분이 되실 것입니다. 그리고 이 지구뿐만 아니라, 이 지구 안의 사생뿐만 아니라, 우주 대천세계, 삼천대천세계의 그 생명이 염원하는 마음들을 다 한마음으로 요리할 수 있는 대보살이 될 수 있으며 대부처가 될 수 있을 것입니다. 이름이 부처가 아닙니다.

나는 여러분처럼 똑똑하지도 못합니다. 또 교리적으로 선후를 잘 가려서 얘기를 해드리지 못하고 순서도 없이 얘기를 합니다. 그냥 이렇게 나오는 대로 하는 겁니다마는 똑똑한 여러분이 잘 생각해서 '아, 이런 거는 이런 말이고, 이런 건 이런 뜻이고, 저런 건 저런 뜻이다.'라고 새겨들으세요. 이렇게 나는 진심으로써 내가 못 하는 건 못 하는 것대로지 '뭐 더 잘하겠다 잘못하겠다.' 이런 생각도 없습니다. 내 힘대로 그냥 말 나오는 대로 여러분 보는 순간 그냥 그렇게 하는 거지 어떡합니까? 내가 만약에 '여러분한테 잘 보이고 잘 해드려야겠다.' 이렇게 생각을 하고 항상 걱정을 한다면 난 편안하게 못 살 겁니다, 아마. 허허. 그러니까 여러분이 잘 이해하셔서 뜻을 가지시리라 믿으면서 간단하게 옛날 얘기 또 한 번 하죠. 그리고 끝을 마치겠습니다.

옛날에 석존께서 가르치실 당시에 힌두교도 같이 퍼져나갔다고 보고 있습니다. 그런데 힌두교의 한 성직자가, 양의 네 발목을 묶어가지곤 공양을 한다고 그걸 짊어지고 먼 길을 갔습니다. 가는 도중에 어느 스님이 탁 나타나더니 하는 소리가 "아, 진짜 공양을 하려면은 그렇게 무거운데 짊어지고 갈 게 아니라 여기서 구워 잡숫고 가시죠." 하거든. 그리곤 "쯧쯧" 하면서 그냥 가거든요. "그런데 왜 무겁게 그 돼지 새끼를 짊어지고 다니십니까?" 하면서 그냥 "쯧쯧" 하고 가거든. 분명히 양을 지금 짊어지고 가는데 돼지 새끼라고 했다 이겁니다. 그러니 얼마나 분통이 터지겠습니까? 창피하지도 않느냐는 소리를 하면서 말입니다.

그래서 속이 상해서 얼굴을 울그락불그락하고 땀은 뻘뻘 나고 죽겠죠, 뭐. 화가 독같이 일어나서는 또 짊어지고 씩씩거리고 가는데 아, 또 어느 스님을 만났지 않습니까? 그런데 그 스님도 "아니, 성직자로서 창피하지도 않느냐."고, "왜 이렇게 무거운 개 새끼를 짊어지고 다니느냐."고, "요 아래 내려가면은 마을이 있는데 내려가서 같이 구워 먹고 가자."고, "아, 구워 먹고 가면은 무겁지도 않고 편리할 거를 왜 개 새끼를 그렇게 짊어지고 다니느냐."고, "창피하지도 않느냐."고 아, 이러곤 또 홀쩍 간단 말입니다.

얼마나 분한지 그냥 울그락불그락하다가 속이 상해서 '내가 홀린 건지 그 사람네들이 미쳤는지, 이런 미친 놈들 눈이 빠졌지, 내가 양을 짊어지고 가는데 개 새끼, 돼지 새끼하니 저놈들이 얼마나 미쳤는가.' 하고선 그냥 화가 나선 땀을 뻘뻘 흘리고 가는데 이번엔 또 어느 스님이 앞을 가로막더니 주장자 지팡이로 탁 치면서 하는 소리가 "아, 이거 코끼리 새끼를 왜 이렇게 무겁게 짊어지고 다니나? 응. 아, 자네 퉁소가 있다면 그 코끼리를 타고 다니면 좋으련만…" 하고선 지팡이로 그냥 턱 치고 가거든. 가만히 생각하니까 범상한 일이 아니야.

어떤 사람은 개 새끼로 보고, 어떤 사람은 돼지 새끼로 보고, 어떤 사람은 코끼리로 보는데, 또 퉁소가 있었으면 코끼리를 타고 가지 왜 무겁게 짊어지고 가느냐는 이 소리에 고만 머리가 아찔한 겁니다. 아찔해서 그거를 그냥 내려놓고선 네 발목을 끌러서는 그냥 팽개치고 선, "어-, 이제 알았다!" 그러면서 껄껄 웃고 "어-, 그렇구나!" 하고선 "허허" 하고선 땀을 쭈욱 씻고서는 "어, 목마르니깐 저 아래 마을에 가서 물 좀 먹어야지." 하고선 가더랍니다.

그러니 우리가 말 하나하나 하는 게 방편이지마는 그것은 여러분의 머리를, 바로 마음으로부터 머리를 쳐주는 것입니다. 이것이 모두 부처님의 감사한 뜻이죠. 부처님은 일체 만물만생을 보고 뜻을 이루셨고, 사생뿐만 아니라 일체 만법이, 일체 만생 전체가 다 부처님을 보고 배우고 있는 겁니다. 배워서만 될 일은 아니지만 생각을 잘 음미해서 연구를 해보시라 이겁니다.

그냥 듣고, 그냥 훌쩍 가고 훌쩍 오고, 그저 우리 남편 자식 위해서 기복으로만 가지 마세요. 만약 자식이 공부를 안 해서 어려우실 때도 말로 자식을 나무라지 말고 내 주인공에다 대고 관하면 내 인연 소치에 따라서, 거기서 잘 요리가 돼서 에너지가 자식에게까지 전해지면서, 자식이 잘 해나갑니다. 여러분도 항상 그렇게 하고 계시니까 어떤 거든지 우리가 다 바꾸어서 나갈 수 있다는 걸 잘 아시리라 믿습니다. 그러니 정말 얼마나 감사하고, 나도 얼마나 감사한지 모르겠습니다. 여기 여러분은 참 정말이지 부처가 거반 다 되신 것 같습니다.

그러니 그저 (합장하신 채) '부처가 됐다.' 이런 생각도 마시고, '나는 이렇게 잘 한다.' 이런 생각도 마시고, 여기에서 머무르지 마십시오. 끝이 없는 겁니다. 머무르지 마십시오. '이만하면 되지, 생활을 이만하면 해가지.' 하는 그런 머무름을 가져서는 아니 됩니다. 우리가 그런 한계를 둔다면 그 한계적인 그릇에서 영 벗어날 수가 없습니다. 지난번에도 얘기했듯이 오신통이 따로 있는 게 아니라 신통하게도 지금 여러분이 오신통을 하고 사시는 겁니다. 신통력을 가지고 신통하게 해나가시는 분도 신통하고, 또 신통하게 해나간다고 보는 사람도 신통하고 그러니 두 신통은 바로 신통이라는 말 자체도 너무 가까워서 없는 것이죠. 오늘 여러 말을 해서 지루한 것 같습니다.

그럼, 감사합니다.

물러서지 않는 믿음

88년 9월 18일

일체가 한마음 한뜻으로서 천(天)·지(地)·인(人)이 다 공용(共用), 공체(共體)하면서 우리는 혼연일체하고 있습니다. 그러나 이 색상(色相)이라는 것은 너 나가 있으니 오래도록 못 만났습니다. 이렇게 오래간만에 여러분과 같이 한자리를 하지만 우리 색상이 허무하다고 생각하지 마시고, 이 색상이 실체라는 것을 또는 실질적으로 이 색상이 있기 때문에 공부할 수 있다는 사실, 그러면서도 공부할 수 있다는 그 사실을 망각하고 인간의 모습은 허무하다고 버리면서까지 이 도리를 알려고 애를 쓴다면은 그거는 극히 오산일 것입니다. 수많은 스님네들과 더불어, 인도로 중국으로 또 중국에서 인도로 법을 구하러 다니면서, 또는 좌선을 하면서 얼마나 모습을 망가뜨리고, 그 모습을 망가뜨림으로써 세세생생에 윤회가 되면서 얼마만큼 돌았는지 여러분은 잘 모르시겠지마는 전 너무 실감하고 있습니다.

시대가 바뀜으로써 옛날에 명주를 말입니다, 지금은 실크라고 한다면 어찌 그것이 틀리다고 하겠습니까? 이것은 발전을 한 것입니다. 이름을 바꿨다고 해서 그것이 명주가 아니라는 말은 못 하시겠죠! 우리는 시대가 바뀌는 대로 방편도 바꿔서 개발해 나가는 것이 부처님의 뜻이요, 부처님의 법이요, 부처님의 활용이신 것입니다. 부처님의 법이 따로 있는 게 아니라 우리들이 있기 때문에 태초가 있고, 불법이 있고 부처님이 있는 것이지, 만약에 우리가 없다면 태초가 어딨으며 우주가 어딨으며, 실감할 수 있는 실체가 어디 있으며 상대가 어딨으며 세상이 어딨겠습니까? 여러분은 여러분의 자신을 알아야 하며 그 자신의 본능에 의해서 우주의 본체는 어디 있는가? 바로 천(天)·지(地)·인(人)이 근본이라면 그 천·지·인의 근본은 어디에 있는가? 인간의 마음에 있습니다. 마음이 근본입니다.

그러니까 여러분이 왔다갔다 하면서 부처님 앞에 가야만이 부처님이 계신 줄 아는 그런 마음은 여간 어리석지 않습니다. 옛날에는 부처님이 가르치실 때에 '관세음보살'이니 '지장보살'이니 이렇게 가르쳤는데 그것은 이 손가락을 쳐들고 가르키는 손가락에 지나지 않습니다. '관세음보살'하는 것을 지금 여러분이 잘 생각해 보십시오. 여러분이 지금 생활을 하면서 똑바로 관(觀)해보고, 세상을 바로 보고 바로 행하라, 그것이 즉 보살이니라 하고 일러준 것입니다. 그런데 거기에 맹종하고 있습니다. 이름에 매달리고 있다 이겁니다. 상대성 즉 말하자면 그 이름, 물컵의 이름을 듣고서 "컵이여, 목마르니 물 좀 먹게 해주시오." 아무리 빌어도 내가 목마른데 목을 축일 수는 없는 것입니다.

이름이라는 것은 인간이 질서 또는 계율, 법칙을 지키는데 있어서 이름이 아니라면 모두가 서로 상부상조할 수 없으니까 지어놓은 것입니다. 이름을 불러야 할 때는 이름을 부르지만은 물을 떠먹는 것은 이름이 없습니다. 물을 떠먹는데 "컵아, 나 너한테 물 떠먹는다." 이러고 부릅니까? 컵을 그냥 들어서 목마르면 물 따라 마시는 것입니다. 지금 컵의 이름을 배우는 게 아닙니다. 여러분이 이 세상에 수없이 흘러내려오면서 경을 안 본 사람 없습니다. 불자다 하면 경을 안 본 사람이 없고 세상을 살았다 하면 세상 이치를 모르는 사람이 없습니다. 교양이나, 또는 법칙이나 이 세상 살아나가는 도리를 너무도 잘 압니다. 효도도 할 줄 알고, 충성도 할 줄 알고, 나쁜 것도 알고, 좋은 것도 알고, 이렇게 첨단을 넘어갈 수 있는 고등동물의 인간 자체가 만약에 컵의 이름만 가지고 매달린다면 물은 누가 줍니까?

여러분한테 이거 한 번 질문할까요? 어느 스님께서 이렇게 말씀을 하십디다. 그때 나는 그게 뭐 말라빠져 죽은 건가 하고 생각했더랬지만 이 손가락으로 컵을 가리키는데 컵만 보지 말고 내가 목마르면 물 떠먹을 수 있게끔 가르치기 위해서 아마 그렇게 말씀하셨을 겁니다. "애야, 공양을 들여오면 군말을 하지 마라, 짜면은 물 타먹고 싱거우면 간장을 넣어 먹어라." 그게 그냥 보편적인 말 아닙니까? 그런데 뜻이 말입니다. 그 후에 뜻을 보니 이것은 우주 이 세상 모두가 사생(四生)이 돌아가면서 살아나가는 법칙의 긍정적인 말입디다. 긍정적인 법입니다. 만약에 "애, 짜다. 물 가져오너라." 이랬다면 벌써 삼백년이 흐르고 말아요. 이거 한마디라면 우리 생활하는 데에 얼마만큼 지침이 될지 모릅니다. 또 이게 "싱겁다, 간장 가져오너라." 이런다면은 벌써 이거는 삼천년이 흐르고 만다 이 소립니다. 들어와도 삼십 방망이 나가도 삼십 방망이 한 소리가 바로 그 말의 뜻이라고 봅니다.

그러면 간은 누가 타 먹느냐? 누가 간을 맞춰서 먹을까요? 짠 것도 아니고 싱거운 것도 아니라면 그것은 다 놔라 이랬습니다. 짠 것도 놓고 싱거운 것도 놔라, 놓으란다고 불교가 그냥 맹종하고 부처님 앞에 그저 타신을 믿으면서, 나 아닌 대상을 놓고 믿으면서 극진히 정성을 들인다 한다면 그건 자기를, 자신을 모르면서 맹종하는 것입니다. 그건 노예입니다. 이 세상의 노예입니다. 자기 자신이 간을 타서 맞게 먹을 수 있어야 그것이 참사람이요, 그것이 바로 스스로서 계율이 따로 없고 스스로서 질서도 없고 스스로서 법칙도 없다 하는 거죠. 그렇게 없기 때문에 철두철명한 것입니다. 철두철명하기 때문에 진리는 고정됨이 없다 이겁니다. 이런 말이 있죠.

사람이 삿갓을 쓰고 죽장을 짚고 땅을 디뎠으니
바리때 하나면 족한 것을.
허허! 무엇을 더 바라랴.

허허! 하고 하늘 쳐다보니 청정하고
내려다보니 땅은 잔잔하더라.
산천초목은 우거져서 무성하나
물은, 바닷물은 잔잔하게 흐르더라.

그러나 쳐다보고 울고 내려다보고 웃는
그런 맛은 어디로 가고
사생(四生)의 눈물은 바다를 메우고
바다를 메우는
그 한 방울의 눈물은 어디 있는고?

여러분 가만히 생각해보십시오. 우린 사람이기 때문에 사람만 생명이 있고 사는 법칙이 있는 줄 아시는 분은 없겠죠. 사생(四生)이라는 그 자체가 천차만별로 돼 있지마는 좀더 시야를 넓혀서 사람만 죽이지 않아야 살생이 아니라는 법은 없습니다. 우리 인간만 쫓기고 쫓는 게 아니라 사생이 모두 쫓고 쫓기면서 그렇게 지금 돌아가고 있습니다. 그러니 어찌 나만이 생명이 있고, 나만이 살고, 나만이 친척이 있고, 나만이 형제가 있고 자식이 있겠습니까? 아마도 여러분이 내면세계의 그 마음을 찾아서…, 찾는 것은 아닙니다. 본래 있기 때문에 발견하라는 거죠.

이름해서 만약에 우리가 삼세심(三世心)이라 하면은 일심(一心)이요, 일심이 드는 데는 이름으로써의 방편을 말하자면 '삼중천(三重天)'에 이른다. 왜 그렇게 말을 할 수 있겠느냐? 과거에 살던 그 이치가 꼬리를 물고 현실에 물려 있고, 현실에 사는 꼬리가 바로 미래에 얽혀 있으니 어찌 삼중천이라 안 하겠습니까? 그래서 '삼세심이 일심인 줄 알면 그 일심이 어디에 있는고?' 이것을 말하는 것입니다. 아까 간장 얘기한 거나 똑같이 만약에 이것이 틀린가 옳은가? 이렇게 생각한다면 그 삼중천을 뛰어넘을 수 없어서, 하나가 어디로 간 건지도 모를 겁니다, 아마. 하나가 무엇인지 말입니다. 그래서 삼중천이라 이름한다면, 방편으로서 사왕천(四王天)이다 합니다. 사왕천이 따로 있는 게 아니라 바로 삼중천에 연결이 돼 있는 것입니다. 그래서 사람은 사왕천이 바로 일심으로서의 원심력을 얻는다면 이 사방을 다 지배하고 들이고 낼 수 있는 능력을 가지고 있다 이런 문제입니다. 그래서 옛날에 선조들이 우스갯소리로 "너, 개구리탕만 할 줄 알았지, 용탕은 할 줄 모르는구나." 이런 말들을 했죠.

그런데 지금은 시대가 바뀌어서, 아까 실크 얘기도 했지만 불법을 믿는 사람들은, 불교국이다 이런다면은 항상 그게 자비라나요, 칼을 가지고 들어와도 가만히 있는 것이 자비라나요. 그게 아닙니다. 또 칼을 가지고 들어왔으니까 나도 칼을 가지고 대결을 해야 한다 그것도 아닙니다. 아까 얘기했죠? "삿갓 쓰고 주장자 짚고 땅을 디뎠고 바리때 하나면 족한 것을." 했죠. 그걸 뜻으로 보십시오. 만약에 구지스님이 손가락을 하나 들었다면 손가락을 보지 마시고, 그 뜻을 말한다면은 머리로 하늘을 받치고, 주장자는 기둥이 되고, 땅을 디딘 평발은 주춧돌이 돼서 바리때를 들이고 낼 수 있으니 그것이 바로 법륜(法輪)을, 사무사유(四無四有)의 법륜을 그냥 굴리면서, 체계 없으면서도 질서정연하게 체계가 있고 스스로서 법칙이 있고 한 것을, 그대로 자유스럽게 여러분이 중용을 할 수 있다! 그 능력을 가질 수 있다 이런 얘깁니다.

진정한 자비가 어떤 건지도 모르면서 여러분 중에는 불법이란 무조건 자비하기 때문에 내가 그냥 아무렇게나 말을 해도 된다, 이렇게 생각을 하고 계신 분들이 많을 거예요.

그러나 만약에 지금 세상의 법칙에 의해서도, 지난번에도 그렇게 얘기했지만은 끼리끼리 자기가 죄진 대로 감옥에 넣었습니다. 모든 세상 돌아가는 것도 끼리끼리 돌아갑니다. 상점에 놓여 있는 것도 끼리끼리 놓여 있듯이, 인간의 마음도 그렇게 천차만별로 차원에 따라서 알맞게 자기 환경에 따라서 집어먹는 것입니다. 그리고 활용을 하는 것입니다. 우리의 공부는 모두가 부처님이 가르친 것을 질서정연하게 스스로의 법칙을 그대로 활용하라는 거지, 너는 그대로 고립돼서 무(無) 공(空)에 빠지라는 게 아니에요.

그래서 이름 붙여서 사왕천(四王天)이라 한다면 무명천(無明天)도 있고, 무명천이 있다 하면은 생사천(生死天)이 있다. 그 생사천은 누가 다루나? 만법천(萬法天)이 다룬다. 만법천은 누가 다루나? 여래천(如來天)이나 도솔천(兜率天)이나 도리천(忉利天)에서 다룬다, 모두를. 우리가 옥황상제를 무엇으로 비유할 수가 있을까? 대법원장으로 비유할 수 있습니다.

이 모두가 여러분이 공부하시는 데에 따라서 너무나 철두철명합니다. 스스로 말입니다. 그래서 사람을 죽여도 자비요, 살려도 자비다. 사람뿐만 아니라 사생(四生)에 의해서 말입니다. 그런데 거기 만법천에서 생사천으로 지배를 하고 있는 사실은 뭐냐? 여러분 과거에 살던 그 자체가 지금 현실에 살고 계십니다. 과거에 살 때에 사신 대로, 차원대로, 그릇대로 이 세상에 출현하신 겁니다. 그래서 그릇대로 출현하신 거라면 바로 우리가 옷을 벗을 때도 생사천에서 벗게 하고 또 내보낼 때도 생사천에서 내보낸다 이겁니다. 자기 차원대로 말입니다. 금이면 금대로 만나게 하고 은이면 은대로 만나게 하고, 까마귀면 까마귀대로 만나게 하고 말입니다. 또 오무간지옥에 갇힐 거라면 아주 무명천에다 가두고 말입니다.

무명천이라는 것은 무엇을 뜻하느냐? 너무나 마음에 복수심이나 욕심에 가득 찬 사람이 무슨 일을 저지를까봐 가둬두는, 영혼을 가둬두는 감옥입니다. 세상을 살아나가면서 잘 보세요. 감옥이 있죠? 만약에 우리가 어떠한 잘못을 저지르지 않는다면 감옥이 왜 생겼겠습니까! 천차만별로 그렇게 일을 저지르기 때문에 감옥이 생긴 거죠. 현실에 있기 때문에 바로 무(無)의 세계도 있는 것입니다. 그래서 거기에서 지배하는 것은, 만법천에서 내보내면 생사천에서 가려서 내보낼 때에 오무간지옥으로도 보내고, 칼산지옥으로도 보내고, 무명천으로도 보내고, 또화탕지옥으로도 보내고 여러 군데로 분리해서 다 보내는 것입니다. 묘한 것은 여러분이 잘 생각해보십시오. 지옥이 따로 없으니 현실에서 잘 관조하라고 했습니다. 천차만별로 사생이 지금 살고 있습니다.

어느 스님이 길을 가는데 까마귀 한 마리가 지저거리고 있더랍니다. 무슨 소리를 하나 그러고 들어보니까, "스님, 스님! 제가 까마귀에서 벗어나지 못한 지가 지금 오백년이 됐습니다." 한 번 까마귀로모습을 받으니 거기에서 벗어날 길은 참으로 어렵습니다. 그러니 "스님이 제 모습을 한 점이라도 잡숴주신다면 저는…," 이 까마귀 모습을벗겨주십시오, 이거거든요. "너는 까만 짓을 잘 해서 어떻게 희게 만들수 있겠느냐?" 하니까 "비록 거죽은 까마나 속살은 하얗습니다." 이러거든.

여러분도 참 거죽으로는 못생기고 못났고 보잘것 없는 사람이라할지라도 속마음이 아름다웁고 착하고 슬기롭고 지혜롭고, 내면적으로언제나 자기를, 자신을 믿고 만법을 행해 나갈 수 있는 그런 분이라면은 아마 거죽은 비록 그럴지언정 속은 하얄 겁니다. 백옥 같을 겁니다. 그래서 그 스님은 즉시에 까마귀 모습을 벗겨줬더랍니다. 여러분은 이런 얘길 하면 옛날 얘기처럼 들으시는데 옛날 얘기가 아닙니다. 지금도여전히 옛날이나 미래나 그렇게 꼬리가 꼬리를 물고 연결돼서 돌아갈것입니다.

내가 항상 공(空)했다, 공했다! 그러는데, 이 세상에 난 게 주인이라면 자기가 가지고 있으니까 자성신이…, 그 행동 하나하나 하고 마음 찰나찰나 바꿔지면서 돌아가는 것이 공하지 않았습니까? 누가 질서를 가르쳐서 질서를 지킵니까? 사생 그 자체, 까마귀 얘기한 것도 잘 생각해 보세요. 우리가 어려운 인연을 만나서 서로 고생을 하고 이러는 것도 당연하지마는 고(苦)를 누가 갖다준 게 아닙니다. 알로 낳는 거, 태로 낳는 거, 화(化)해서 낳는 거, 질척한 데서 낳는 그 사생이 어떻게 해서 사생으로 빠지나? 인간이 까마귀가 될 수 있고, 부모가 죽어서 까마귀가 될 수도 있습니다.

이런 얘기가 있죠. 사람이 어느 날 한 마디를 잘못 해서 백 마디를 잘못 하게 되고, 만 마디, 천 마디를 잘못 하게 돼서 독사지옥에 떨어졌더니, 독사의 모습을 가지고 나오니 아무리 내가 사람이라고 부르짖어봐도 누가 독사라고 그러지 사람이라고 대해주지 않더라 이겁니다. 그래서 귀먹고 눈뜨지 못한 사람들은 까치 소굴에 들어가서 까치 새끼로 태어날 수도 있으니 그런 일이 얼마나 많습니까? 말을 잘못하면 새 종류로 아마 태어나겠죠.

마음을 독하게 써서 독사지옥으로 떨어지고 이러는 것이 독사지옥으로 떨어지면 그대로 있는 게 아니라 이 세상에 나서 그렇게 고를 당하고 그렇게 쫓기면서 쫓으면서 땅꾼한테 붙들려 다닙니다. 이거 한 가지 말을 했다고 그래서 고것만 생각하지 마세요. 일체가 다 그렇습니다. 그래서 태어났더니 아, 몇 달 만에 다 큰단 말입니다. 사람은 어른이 될려면 십년, 이십년 삼십년 이렇게 가지만 아, 그거는 단번에 어른이 되거든. 금방 크면 금방 모가지 졸려서 죽고, 걸렸다 하면 죽고 몇 번이나 죽음을 당합니까? 죽고 또 죽고, 죽고 또 죽고, 죽고 또 죽고. 그러니 얼마나 그것은 독사보다도 더 무서운 지옥이 아니겠습니까?

여러분 닭 사다 잡수시죠? 여러분이 닭이나 생선이나 꿩이나 무슨 돼지를 보세요. 돼지만 하더라도 돼지의 모습을 가지고 나왔기 때문에 사람들한테 일년 이태 삼년만 산다 해도 몇 번 죽음을 당할까요. 커서도 당하고, 작아서도 당하고, 근수만 나간다면 당하는 겁니다. 그러면 그게 그대로 있느냐? 돼지에서 또, 또 출현을 하게 되죠. 그거 벗어날 수 없죠. 아주 힘들어요. 왜냐하면 자꾸 그 습을 익히기 때문에요.

그래서 여러분한테 그 모든 양면을 다 봐라 하는 겁니다. 사람이 공부를 하는 데는 시공을 초월했기 때문에 부처도 뛰어넘어야 할 것인데도 불구하고 채식을 해야만 공부를 한다 이러거든요. 물론 공부할 때는 채식 아니라 채식도 없죠. 먹으려고만 생각한다면은, 죽지 않고 먹으려고만 생각한다면 공부를 못 하니까, 물론 육식보다도 아무거나 먹고 그냥 공부하게 되죠. 하지만 경우에 따라서 그 사생의 어떠한 것들은, 돼지나 소들은 사람들도 되니깐요. 짐승이다, 사람이다 할 수도 없어요. 어떻게 빨리빨리 돌아가는지, 한 찰나찰나 돌아가거든. 사람이라도 사람으로만 있는 게 아니고 돼지도 돼지로만 있는 게 아니니깐요.

그래서 그 사생(四生) 가운데 한 점의 고기를, 이런 공부하는 사람한테 한 점을 공양하기가 천년 만에 한 번 하기가 어렵다 이겁니다. 그 뜻을, 그 도리를 아시겠습니까? 예전에 경허스님이 돼지 다리를 뜯고선 술을 한 병들이를 자셨다고 했습니다. 모르는 사람은 그걸 흉을 볼 텐데, 그분은 돼지 한 마리, 하면 돼지 속의 돼지의 생명들이 얼마나 많겠습니까? 그건 인연에 따라서 만남입니다. 지난번에도 얘기했지만 이게 두서없는 얘기 같지마는 진리는 순서 없는 게 진리니깐요. 허허허. 아니, 글쎄 돼지 속에도 생명들이 인연에 따라서 드는 겁니다. 이거 잘 들어보셔야 돼요.

여러분도 왜 내가 잘못하지 않았는데 고(苦)가 있나? 왜 잘못하지 않았는데 이러한 고가 닥치나, 이런 액이 닥치나 이러시죠? 독 안에 들어도 못 면할 이런 인연들이 있습니다. 그 왜? 부부가 만나서 임신을 할 때에는 반드시 그것은 수십억 마리의 생명이 한데 합쳐집니다. 그건 왜 합쳐지느냐? 악의 인연도 만나고 선의 인연도 만나고 그래서 그 인연들 따라서 모습모습을 바꿔가면서 같이 인연이 된 겁니다. 좋은 인연으로만 인연이 된 게 아닙니다. 그래서 인연 따라서 그렇게 모두가 한

데 합쳐졌는데 그대로 놔줄 수가 있나요? 그래가지고선 서로 내가 제일 대장이 된다, 대표인이 된다 하고선 싸우다 싸우다 하나가 대표가 된다면, 여자가 되든 남자가 되든 하나가 대표가 된다면, 인과로서 만난 인연들이 악의 인연, 유전의 인연, 또는 업보의 인연, 그 인연들이 모두 한데 합치면서 그 모습은 다 없어집니다. '흥! 너 가는데 내가 못 가?' 하고 붙어 돌아가는 거죠.

붙어 돌아가기 때문에 사람이 하나 나온단 말입니다. 그 사람 모습이 생겨서 자라는 대로 그것도 커가고 있죠. 점점 모습이 갖춰지죠. 세포의 모든 생명들이 주둔하고 있는 거죠. 그래서 어떤 때는 선의 인연을 만난 게 차례가 돌아오면 참 흥미롭고 좋은 때가 있고, 거기에서 악의 인연을 만나고 유전의 인연을 만나고 업보의 인연을 만나고 병고의 인연을 만났으면 고만 병이 들고 말죠. 그러한 요소요소가 돌아가면서 생긴다 이겁니다. 그러기 때문에, 그걸 알기 때문에 너무 참! 하늘을 쳐다보고 웃었는가 하면 땅을 내려다보고 울어야 하는 이런 피맺힌 사연들을 어찌, 차라리 몰랐으면 모르되 어찌 눈물이 흐르지 않겠습니까?

그래서 모두 공(空)해서 찰나찰나 돌아가는 거니까 그냥 놔라. 이게 공해서 돌아가니까 거기다 놔라 이랬습니다. 그런데 여러분은 놓으라면 놓는 것이 도대체 무엇이냐 이겁니다. 놓는 게 뭐냐! 왜 어떤 스님은 방하착(放下着)을 하라 그러고, 어떤 스님은 놓으라 그러느냐? 이것은 첫째 진실히 자기 자성(自性), 자체 불성을 믿어야 하고 둘째는 물러서지 않아야 하고 셋째는 그대로 믿고 활용을 하고 밀고 넘어가야 된다는 뜻입니다. 가만히 있으라는 게 아닙니다.

여러분은 무전통신기도 눌러야 통신이 되죠? 불을 켜려해도 스위치를 올려야 켜지지요? 가설이 돼서 불이 켜질 수 있는 건데도 자비하기 때문에 가만히 있으라는 게 아닙니다. 불을 켤 때는 켜고 끌 때는 끄고, 자유 아니겠느냐! 만약에 그러한 마음으로 '자비하니까, 부처님은 자비하기 때문에 스위치를 올릴 것도 없고 내릴 것도 없다.' 이런다면은 여러분의 몸은 어떡하고 여러분의 가정은 어떡하며 세상 돌아가는 거를 어떻게 똑바로 관(觀)해 봅니까? 똑바로 관해 보지 못하기 때문에 우리 국내에도 그렇고, 세계를 똑바로 보지 못해서 우리 국내를 살릴 수도 없고 발전시킬 수도 없는 것입니다.

스님네 역시 머리만 깎고 목탁이나 치고 경(經)이나 읽어서 그렇게 살라는 게 아닙니다. 들어가나 나가나 한 번 관해서 세상 돌아가는 걸 잘 봐서 '이건 이렇게 돼야 되겠구나.' 하고선 점을 딱 찍고 넘어간다면 그건 그대로 통과야, 그대로야. 그대로, 실천이 옮겨지는 법칙이야. 그런데 내 몸 하나 처단 못 하고 내 가정 하나 처단 못 한대서야 어찌 귀중한, 아주 이 세상에 이름 없는 이름의 법칙을 어떻게 부처님 법이라고 하겠습니까? 참으로 이 부처님 법은 너무도 신비하고 좋은 것입니다. 그래서 여러분이 그 마음은 체가 없어서 뛰어넘으려면 시공도 없는 것이 찰나찰나 돌아가니 공(空)해서 돌아가는 이 자체를 색(色)이 공(空)이요, 공이 색이니 그 자체를 뛰어넘어라 한 겁니다.

나는 이렇게 생각합니다. 옛날에도 나라에 이러한 도리를 증득한 분이 있다면은 그 나라를 치질 못했습니다. 왜냐하면은 모습으로 서로 싸워서 이기고 지는 것은 고사하고 그런 데를 치면은 나라가 망합니다. 그거를 아는 자는 치지 못했습니다. 이런 일도 가끔 있었죠. 공부하는 인간이 살다 살다가 어떻게 참, 독사지옥으로 떨어져서 큰 뱀이 돼가지고 공부를 하는데 사람을 해치지 않고 일편단심 공부를 했더랍니다. 공부를 하는 도중에 얼마 안 남았는데 아, 군인들이 주둔을 해가지고 거길 그냥 싹 모두 깨트려버리고 쳐버리고 그러다 보니까 몸뚱이가 동강동강이 났죠. 즉 그로 인해 그 동네가 망했다는 얘깁니다. 그 동네가 산산조각이 난 것은, 자손들이 전부 미치고 병들고, 다 흩어지고 죽고 그러니까 그냥 망한 거죠. 그만큼 이거는 미신적이라고 할 수도 없고, 미신이 아니라고 할 수도 없는 것이 바로 우리가 모르면 당하고 알면 대처를 한다는 뜻입니다.

아까도 얘기했듯이 우리가 공부한다고, 좌선만 참선이라 생각하고 앉았으면 만법을 활용할 수 있고, 만법을 활용할 수 있으면서도 실상적으로 생활이 참선이고 그대로 생활이 삼매(三昧)라는 것을 모르게 됩니다. 육신은 망가지죠. 약탕관을 들고 다녀야죠. 몸이 망가지면은 마음도 약해지죠. 여러분이 더 잘 아실 겁니다. 그런데 믿음이 진실하다면…, 우스운 얘기 하나 할까요? 어떤 분이 와서 "저는 암인데요, 꼭 살려주십시오. 집이라도 팔아서 시주를 할 테니 살려주십시오." 내 가슴은 철렁했죠. 왜냐하면 애들은 여럿이고 오두막집이라도 팔면은 저거저…, 저렇게 모르나 이런 답답한 느낌을 어떤 때는 많이 느낍니다. 그 사람이 그나마 있는 오두막집을 팔아서 고생을 한다면 내 마음은 좋겠느냐 이겁니다.

그러니 자기가 과거생으로서부터 받은 업보라면 그건 독 안에 들어도 못 면해! 그러나 사는 길이 있긴 있죠. 진실히 믿고, 어려워도 진실히 믿고 거기다가 "죽든 살든 네 탓이다." 하고선 딱 놓으면 죽는 것이 죽는 것이 아니거든요. 그게 사는 길이라고요. 그런데 난 그럭해선 요구를 안 해요, 항상 그런 말을 하지만. 또 어떤 사람은 돈이 있으면서도 돈은 쥐고 있어야 된다. 암이니까, 그거 죽을 거니까 아무 때 죽어도 죽을 거니까 돈은 있어야 자식들하고 산다고 하면서 돈은 꼭 쥡니다.

그런데 이런 게 한 가지 있습니다. 돈이 없는 자는 변호사가 무료로 대변을 해줄 수도 있고, 판사나 검사가 참작해서 해주지만 돈이 많으면서도 돈을 내놓지 않고 할 수는 없는 겁니다. 그렇게 해서 돈을 내고 보석으로 나오는 사람도 있고, 또 서류를 해서 근거가 아니라면 상신을 할 수가 없죠. 뭘로 어떻게 근거를 잡아서 법정에 들어가겠습니까? 그렇지 않아요? 안 그럴까요? 그래서 여러 가집니다. 부처님 법에는 시주하는 거다 안 하는 거다, 또는 꼭 해야 한다 안 해야 한다 이런 게 없습니다. 여러분에 따라서, 그것도 자유겠죠.

나는 설법한답시고, 어떻게 된 건지 그저 하고 싶은 대로 그냥 모르는 대로 이렇게 하고 있습니다. 이것을 체계 있게 경을 봐서 하려고 한다면은 벌써 그 묘법은 다 없어지고 여러분에게 이익이 하나도 가질 않아요. 그러니 내가 그 짓을 왜 합니까? 일구월심 여러분의 아픔이 내 아픔이고, 내 아픔에 의해서 그 피 한 방울이고 그런데 내가 왜 그런 짓을 합니까? 또 여러분이 저 사람은 체계 있게 못 하니까 나 안 간다 해도 할 수 없다 이거야. 안 와도 할 수 없고 와도 할 수 없고, 진실히 믿어도 할 수 없고 안 믿어도 할 수 없는 거죠.

그전에도 그랬죠. 신도분들이 내가 미약하고 모른다고 생각하시면 한 명도 안 오셔도 좋다고요, 그래도 이 세상에는 꽉 찼다고요, 허공에도 많다는 말을 한 예가 있습니다. 여러분이 갖다 주지 않았다고 굶거나 여러분이 갖다 줬다고 잘 먹거나 그러지도 않는다 이겁니다. 기껏해야 하루 온종일 먹어야 한 공기 반이나 한 공기면 하루 종일 먹을 걸, 보리밥 꽁뎅이. 아, 우리 스님네들더러 물어보세요. 김치하고 먹으면 그만인데, 내가 왜? 잘 먹겠다, 덜 먹겠다, 더 먹겠다 이런 게 어딨습니까? 외려 부작연(不綽然)해! 외려 부담이 간다고요. 여러분이 좋은 걸 사다 주면 오히려 부담이 가. 어이구, 자식들하고 자기네나 먹지 뭣 때문에 이걸 가져오나 이러고. 솔직한 심정이에요. 나는 지금까지도 스님이 돼서 여러분한테 절을 받는다 이런 것도 없고, 내가 스님이니까 으레 여러분한테 보시를 받아야 하고 여러분한테 음식을 받아야 하고 잘 먹고 잘 지내야겠다 이런 생각조차도 해본 예가 없어요. 이 세상 천지와 더불어 사생(四生)이 전부 내 마음과 몸과 그 아픔을 같이 하고 참, 혼연일체가 돼서 상부상조하는데 어찌 남의 일이며 내 아픔이 아니겠습니까?

여러분 이렇게 한 번 생각해 보셨어요? 여러분 속으로 난 자식이 금방 죽는 거하고, 남의 자식이 금방 죽는 거하고 둘을 놓고 본다면 어떤 것이 귀중하겠습니까? 대답해 보실래요? 그거를 냉철하게 알고 본다면 본래 산 게 없기 때문에, 본래 죽을 게 없기 때문에, 무슨 그게 죽었다 해서 맘이 아프고 저게 죽었다 해서 맘이 아프고, 맘이 안 아프고 이런 것도 없습니다. 이것을 입에 붙은 밥풀같이 그냥 이렇게 얘기한다면 이거는 가식이죠. 진실입니다. 그러되 우리가 혼연일체가 돼서 마음은 같이 돌아가고 하는 도리를 배우지마는 몸은 각각 있으니 어디까지나 사람이 사랑하면서 또는 화목하면서 조화를 이루고 가정이 다 화목하게 지낸다면 얼마나 복이 들어오며 얼마나 공덕을 이루겠습니까? 그렇게 할 줄 안다면 한 나라를 지킬 수도 있고, 세계를 관해서 볼 수도 있고, 우주를 탐험할 수도 있고, 여러분의 마음 하나가 여러분의 분신(分身)을 수만 개를 만들 수도 있고, 들이고 낼 수도 있는 것입니다.

이렇게 실천할 수 있는 여건을 여러분 앞에 자꾸 전달을 해도 여러분이 실천 한 번 해보지 못하는 것은 믿지 못하기 때문이요, 그것을 한 번도 실험을 해보지 못했기 때문입니다. 만약에 칼싸움을, 무술을 잘 하던 사람은, 칼로 항상 맞아보기도 하고 때려보기도 한 사람은 강도가 들어와도 눈도 안 깜짝거리겠죠. 그런데 그런 것을 한 번도 당해보지도 않은 사람은 칼을 들고 들어오면 부르르르 떱니다. 안 그럴까요? 그러니까 여러분은 즉 말하자면 번연히 이것이 떡그릇이라는 걸 알면서도 한번 떡그릇에 엎드려져 보는 것도 그것도 참 좋은 경험이라고 생각합니다.

그래서 주인공 자리를 스스로서 믿고 물러서지 않는 사람에 한해서는 이런 게 있습니다. 소설이나 영화를 제작할 때 주인공을 딱 찍어놓죠. 찍어놓으면 그 주인공은 영화가 다 끝나도록, 소설을 다 보도록 죽을 둥 살 둥 하면서도 죽지 않습니다. 그렇죠? 여러분이 찍어놨기 때문입니다. 그렇게 가게끔 해놨기 때문입니다. 그런데 자유스럽게 주인공으로서 딱 모든 걸 관해 봐서 나에 관한 건이라든가, 자식에 관한 건이라든가, 국가에 관한 건이라든가, 이 세상을 관해서 보려면 세계를 똑바로 봐야 하고 또 보이지 않는 데 우주적으로도 다른 혹성의 세계를 관찰해야죠.

그렇게 관찰하지 못한다 하더라도 차츰차츰 우리가 이 세상 돌아가는 걸 잘 봐서 딱 찍어놓는다면 그대로 법이에요. 그런데 내 몸도 그렇고 죽느냐 사느냐도 자기 마음대로지 구태여 그것을, 그러니까 소설의 주인공으로 하나 점찍어 놓으면 되듯이, 영화 속에서 다 죽어도 그 주인공 하나만은 살 수 있도록 찍어놓는다면 여러분이 왜 걱정 근심을 합니까? 내가 왜 이런 얘기를 하느냐 하면 이거는 극치적인 삶에 의해서 부처님의 법이며 도리인 것입니다.

우리는 전자에 명주옷만 입고 무명옷 입었다고 해서 전자의 명주와 똑같아야 하고 전자의 명주를 입어야 하고 이런 것은 없는 것입니다. 우린 발전을 하려면 즉 명주도 지금 실크로 만들어서, 실크만 만들어서도 아니 됩니다. 고상하게 색채를 다 내서 또 꽃을 만들어서 다 조화를 이루어서 딱 상점에 내놔야 잘 팔리겠죠. 이름은 바꾸어졌으나 그 근본은 똑같습니다. 이렇게 나가야 할 텐데 지금 가르치는 것이 명주, 무명 고대로 그냥 가르치고 있으니 실크가 벌써 나왔는데 명주 가르치니 어떻게 합니까? 이거 오죽이나 답답하겠습니까?

지금 세계적으로 볼 때 우리 부처님 법을 오히려 미국 사람들이 더 숭상하고 있는 판국인데 우리 국내에서 부처님 법을 삼백년, 오륙백년 뒤떨어지게끔 해서 쓰겠습니까? 앞장서도 지금 서럽다고 할 판국에 그래 뒤떨어져서, 한 오륙백년 뒤떨어져 가지고서는 그때에 가서 "아이구, 부처님 저를 살려주십시오, 저의 병을 낫게 해주십시오, 우리 자식 잘 되게 해주십시오." 이렇게 기복으로써 비는 것만 해가지고 되겠습니까? 또 스님네들도 그냥 경을 가르쳐주는 강원(講院)만 해서는 아니 됩니다, 지금 시대에.

우리 스님네들도 앞으로는 명주, 그 한마디로 표현을 했습니다만 근본은 똑같으니 실크로 만들어 보자. 실크로 나왔으니 실크라는 이름이 바로 명주라는 걸, 양면을 가르쳐줘야 된다 이겁니다. 실크에는 세상 돌아가는 대로 지금 모든 국민이 원하고 찾는 대로 꽃 모양을 놔서 세상에 내놔야 한다 이겁니다. 이렇게 표현을 했는데 여러분이 그것을 잘 생각하십시오.

여러분, 나는 무슨 계획하고 하는 말이 없기 때문에 여러분이 정말 이 공부를, 공부 아닌 공부를 하시려면은 아까도 얘기했지마는 본래 스스로서 청정하고, 스스로서 체계가 서 있고, 계율이 정해져 있기 때문에 계율도 없고 질서도 없고 청정함도 없는 게 진리라는 걸 아셔야 합니다. 그렇게 된다면 어떻게 되는가? 부처라는 이름도 부수고 넘어가야 될 판국이죠. 이 커피잔이 만약에 부처의 이름이라면 커피잔을 부수고 들어간다 하는 건 뭘 뜻하느냐? 내가 이 커피잔에 물 들은 걸 갖다가 마셔버리면은 그냥 나하고 둘이 아니니까 이 커피잔의 이름을 말할 거는 없죠. 둘로 나누어 버리는 게 아니라 이것은 항상 나요, 바로 내가 급하면은 커피잔을 들고 물도 떠 먹을 수 있고 커피도 먹을 수 있으니까 말입니다. 그러니까 이것도 뛰어넘어야 된다는 얘기죠. 이걸로 비유했지만 잘들 새겨들으세요.

옛날에도 이런 예가 있죠. 어떤 사람이 아침 일찍이 일을 하려고 나가보니까 아, 새들이 모여서 지저귀고 있거든요. 이 소리도 많이 들으셨으리라고 믿습니다마는 중국 어디에서 그랬대요. 들은 얘기이기도 하고 보기도 한 얘깁니다. 현실도 그렇습니다. 나도 그런 걸 많이 경험하고 있으니깐요.

까마귀는 무(無)의 세계의 영령들의 소식을 전해주고, 까치는 지금 현실에 사는 사람들의 소식을 전해준다는 유래가 있습니다. 그런데 까마귀가 전해주는 거는 "아이구! 또 까마귀가 울어댔으니 무슨 일이 벌어질까 두렵다."고 그랬거든요. 그게 아닙니다. 당신네 집에 오늘 저녁에 강도가 들어서 죽을 테니까 피하라고 피하라고 막 가르쳐줘도 사람들이 못 알아듣는 겁니다. 못 알아듣고는, 강도를 당해서 사람이 죽었단 말입니다. "아이구, 그 까마귀가 와서 짖더니 이렇게 흉한 일이 생겼다." 이겁니다. 왜 까마귀 탓을 합니까? 일러줘도 못 알아듣는 자기 탓을 하지. 그리고 까치는 좋은 소식을 전해준다고 그랬는데 좋은 소식뿐이 아닙니다. 일가친척 사기꾼이 오는데 까치가 까악까악 짖었다 이거야. 일가친척이 왔다 이겁니다. 그런데 도둑질 아닌 도둑질을 해간다 이겁니다. 그거는 또 좋은 소식입니까? 그러니 모든 이치가 다 그렇다는 얘깁니다.

그래서 아까 얘기하던 거 마저 해야죠. 아침에 일찍 나가서 그렇게 하고 있으려니까 아, 새들이 모여서 막 재잘대고 그러거든요. 잘 들어보니까 지금 어느 나라의 그 창고에 금이 있는데 도둑질을 해내갈 텐데 이 국고가 비면은 큰일날 텐데 야단이라고 아, 이러면서 지지고 볶거든요. 그 사람이 가만히 들으니까 이거 큰 야단이 났거든요. 자기가 얘기해 봤던들 믿어주지도 않을 거고, 이거 큰일났다고 하면서 단숨에 쫓아갔습니다.

쫓아갔는데 아, 들어가질 못하게 하지 않습니까? 들어가겠다고 해도 못 들어가게 하니까 얘기를 했습니다. "오늘 밤에 조심하십시오. 이 국고가 빌 테니까 철저히 지키라고 하십시오." 이랬더니 "이 미친놈 보라고, 이 미친놈! 이놈아, 이 미친놈아! 네가 와서 그러는 걸 내가 가서 얘기하면 나도 미친놈으로 모가지 달아나가." 그러니까 나 말 못 한다 이거죠. 그런데 그날 저녁이 지나니까 정말 도둑을 맞았거든. 국고의 금덩어리가 그냥 다 나가버리고 말았죠. 그거를 나라에서 찾느라고 온통 뒤집고 야단들을 했는데 그때의 그 생각이 문득 났단 말입니다. 그 사람이 와서 그렇게 일러준 게.

그러니깐 장군한테 이제 얘기를 했단 말입니다. 얘길 하니까 장군이 뭘 생각했느냐 하면은, 그거를 찾을 생각은 안 하고 그놈이 그렇게 잘 들으니 내가 저걸 이용을 해서 새가 뭐라고 그러는가? 어디 뭐가 있는가? 이런 걸 알아서 내가 좀더 나라에 이름도 올릴 겸, 돈도 벌

겸 해서 그 사람을 찾았어요. 아, 찾아서는 떡- "너, 아침마다 나가서 새소리를 들어라. 뭐라고 그러나?" 그렇게 시켜서 가서 들어보니까는 "애, 고놈 나쁜 놈인데 얼마 안 있으면 모가지가 달아나갈 거다." 그러거든요. 허허허. 아, 새들이 그러고 하니 그 얘기를 할 수가 있어야죠. 그럭했다 하면은 큰일날 테니까. 쭈물쭈물하니깐 그냥 막 때리는 겁니다. 그래서 그 노릇도 못 하겠다고 해서 몹쓸 고생을 하고 자기 부모까지 다 잃고 관가에 끌려가서 자기 가족도 몹시 매를 맞고 그래서 스스로서 그냥 목숨을 끊고 말았다는 그런 얘기도 있습니다.

그래서 한 번 말을 잘못 한다거나…, 물론 꼭 해야 될 말을 하는 것은 값있는 일이지만 말입니다. 말이란 건 잘 가려서 해야 됩니다. 또 이런 얘기가 있죠. 어느 집에 키우는 돼지들이 말을 하기를 "아, 저 집이는 소를 팔아왔는데 그 소 판 돈을 지금 가지고 있어. 저렇게 돈이 있는데도 가난한 척하고 있잖아?" 하고선 말을 하거든요. 돼지들이 꿀꿀꿀꿀 해도요, 그 가정 일들을 다 알거든요. 돼지밥을 갖다주는데 꿀꿀꿀꿀 하곤 돼지가 돼지물을 먹으면서 아, 서로 고개를 이러면서 하거든요. 소를 팔아왔는데도 우리 밥은 물만 준다 이거죠, 물만 준다. 하하하. (대중 웃음) 그래서 그 소릴 들은 사람이 하도 우스워서 껄껄대고 웃다가 옆사람이 "넌 미친 놈처럼 왜 웃니?" 그러니까 무의식 중에 그 소리가 나온 겁니다, 무의식 중에. "아, 글쎄 돼지들이 말이야, 밥을 먹으면서 이 집이 소 판 돈이 있는데도 먹을 걸 이렇게 안 주고 그냥 뜨물에다가 만날 술지게미만 줘가지고선 우리들을 취하게 만들고 못살게 만든다."고 이러더라고 껄껄대고 웃었단 말입니다. 그 말 한마디, 불쑥 나간 그 말 한마디 때문에 가족을 다 잃었다는 얘깁니다.

그러니 여러분이 잘 생각해 보세요. 우리 지금 현실에도 저 까마귀나 까치처럼 사생의 말 못 하는 것들도 그 뜻을 모두 듣고 알고 있다는 겁니다. 그래서 옛날에도 참, 오백 나한을 만든 자체도, 소로 변장을 하고 나와서 그렇게 도를 닦고 있다가 다시금 보살로서 등장을 했다는 그런 얘기가 있습니다. 예전에는 마적떼들 오백 명을 부처님 앞에 귀의하게 만들어놓고 그랬다는 얘기를 여러분은 다 잘 아시니까 그만 얘기하겠습니다.

공부하는 여러분은 제가 쓸모 있는 말이든 쓸모 없는 말이든, 쓸모 없는 말이라고 생각지 마시고 하치않은 말이라도 좀더 믿으신다면 이 '컵'이라는 질서 있는 이름을 말을 안 하더라도 여러분이 목마르면 물 마실 수 있는 그런 능력은 기를 수 있는 인연이 될 겁니다. 그럼, 오늘 이걸로써 마치겠습니다.

업보를 녹이는 방법

88년 10월 16일

여러분과 더불어 또 만났군요. 항시 같이 돌아가는 이치를 여러분은 잘 아시리라고 믿습니다. 여러분이 여러분 자체를 아신다면은 역대 조사들과 더불어 나도 거기 함께 하고 있다는 것을 아실 것입니다. 지난번에 제가 무슨 말을 했는지, 하고 나가다가 이런 생각을 했습니다. 조금 더 자세히 얘길 해드렸더라면 하는 그런 아쉬움이 있었습니다. 그거 한 가지만 남지 무슨 소릴 했는지는 모르겠습니다.

우리가 생사도 둘이 아니다 하는 뜻을 몸으로써 실감하고 체험해봐야 된다는 걸 아실 것입니다. 그것은 왜냐하면 우리 생활이 과학일 수도 있고 우리 한생각, 낳기 이전 본성이 그대로 에너지라고도 볼 수 있습니다. 그리고 질량은 우리가 많은 마음을 내고 고정됨이 없이 행을 하는 그러한 쪽으로 비유해도 됩니다.

그런데 생사는 둘이 아니다. 물론 그렇죠. 영원한 생명의 본성과 마음내는 자체가 어떻게 둘이겠습니까? 영원한 생명이 있기 때문에 마음을 낼 수 있고, 고정되지 않게 수많은 마음을 낼 수가 있다는 얘깁니다. 그렇게 둘이 아닌 까닭에 우린 몸도 있고 몸을 움죽거리기도 하고 상대성 원리도 돌아가고 이렇게 무진한 법이 우리들 살아나가는 데에 주어지고 있습니다.

　그런데 헤아릴 수 없는 업보와 더불어 지옥고를 면하지 못하고 가는 사람들뿐만 아니라 사생(四生)이 다 그렇다고 봅니다. 인간으로부터, 수없이 날아다니는 짐승으로부터 모든 걸 따져보십시오. 사생을 헤아릴 수 있겠나, 벌레로부터. 지난번에도 그런 얘길 했지만, 업보를 면하는 길은 어떠한 것이라야 면할 수 있을까. 그리고 업식으로 인해서 업보가 되고 업보로 인해서 인과가 되고 인과로 인해서 이렇게 뭉쳐진 몸뚱이를 가지고서…. 저녁에 한 삼십 분 동안씩이라도 이 몸뚱이가 뭉쳐진 것을 가만히 생각해 보십시오. 딴 데를 볼 게 하나도 없어요. 첫째 공부를 하려면 그것부터 알아야 된다는 얘깁니다. 지난번에 한 얘기를 반복하지마는 조금 더 핵심적으로 말씀을 드릴께요.

　여러분이 몸 안을 가만히 볼 때에 항상 말씀을 드려서 아시고 계시겠죠, 중생이 수십억 마리라고…. 그런데 그 중생들이 말입니다. 나는 모두가 부처 아닌 게 없다고 하지만 그 부처 속에는 중생들이 수없이 있다는 얘깁니다. 그 중생들은 용도에 따라서 모두가 업이 된 것입니다. 업식으로 말미암아, 인과로 말미암아 인연에 따라서 우리가 이렇게 모인 거거든. 예를 들어서 내가 남에게 못할 일을 했다 이런다면은 그 업으로 인해서 만난 인연이 되고 또 때에 따라서는 내가 짐승을 때려 죽였다 하면 그 업으로 만난 인연이 되고 할 테니까요. 그러니 헤아릴 수 없이 그 고(苦)가 뭉쳐진 덩어리인 셈이죠. 선이고 악이고, 잘했든 못했든 우리가 살면서 지은 게 얼마나 많겠습니까?

　그래서 지금 살아나가는 이때만 생각해선 안 된다는 겁니다. 우린 사생을 거쳐서, 백지장 하나 사이를 넘어서 진화된 거를 한번 생각해 본다면은, 그렇게 모습을 바꿔가면서 수십억 광년을 거쳤다고 해도 과언이 아닐 것입니다. 그 업식을 통해서 인과가 되고 인과를 통해서 인연이 돼가지고 우리가 이렇게 인간까지 뭉쳐서 됐다는 그 사실을 말입니다.

그러면 헤아릴 수 없이 그렇게 오면서 벌레로 살다가 업을 짓던 것, 또 짐승으로 살다가 업을 짓던 것, 날아다니는 새로 살다가 업을 짓던 것, 인간으로 살면서 또 업을 짓던 것. 이렇게 지었던 모든 것이 한 생각에 나오는 게 모두가 업보에 의해서죠. 지옥고(地獄苦)도 천차만별의 지옥고가 있다 합니다. 그것은 생각해 보면 아시듯이 우리 세상살이 살아나가는 데에도 지옥고가 천차만별로 있습니다. 지난번에도 얘기했죠. 땅 속에서 사는 벌레들은 흑암지옥이라고 불리운다고. 독사지옥도 그 중의 하나죠. 이러한 한 가지만 얘기하면 헤아릴 수 없는 그 지옥고를 생각하세요. 천차만별로 말입니다. 그것이 바로 지옥고라고 하는 겁니다.

그러면은 우리가 한번 주인공(主人空)을 생각해 봅시다. 이 몸속에 있는 헤아릴 수 없는 그 중생들이 제가끔 너 나가 있는 데서 너 나 없는 데로 들어서, 즉 무심도(無心道)를 깨우쳐서 다시금 너 나가 있는 데로 다시 나오는 것이 우리가 지금 공부하는 겁니다. 천차만별로 되어 있는 이 업보의 구덩이에서 용도에 따라 자기가 업 지은 대로 자꾸자꾸 나오는 겁니다.

우리가 지금 잘산다 못산다, 질병을 앓는다 가환이 온다 이러는 것도 거기서 나오는 것이니 남에게 무꾸리나 해서 그걸 제거시키려고는 아예 하지 마세요. 어리석으니까 말입니다. 내가 태어나기 이전부터 인연으로 말미암아 뭉쳐진 건데, 지금 현실에 솔솔 그것이 한 찰나에 나오고 있는 거에 속지 말라 이겁니다, 모두가. 속지 않고 진짜로 믿고 놓을 수 있다면, 하나하나 용도에 따라서 나오는 대로 거기에다가 맡겨놓으십시오 이겁니다. 그럼 뭐가 어떻게 되느냐? 맡겨놓는 대로 그것은 화해서 즉 말하자면 생산이 되는 겁니다. 나와서 보살로 화하는 겁니다.

만약에 아픈 것을 놓고 병이 나았다 했다면, 놓는다면은 그것이 약사(藥師)가 돼버려요. 서로 때리고 치고 받고 이래서 업보를 받은 게 악으로다가 돌아왔는데도. 그러니까 중생들이 자꾸 돌려서 내 마음을 충동질 시키고 어려웁게 만들고 또 우환이 끼게 만들고, 때리고 주고 받게 만들고, 꼬리가 꼬리를 물고 가는데 그것을 놓는다면은 바로 약사로 화한다는 얘깁니다. 하나 화했으면은 다음에 또 나오는 걸 거기다 놓으면은 또 화한단 말입니다.

이렇게 해서 수없는 나날을 보임(保任)하면은 바로 전체가 다 보살로서 화합니다. 보살로 화하면 그것이 광이 나서 삼십이상(三十二相)이 구족(具足)하다고 하는 겁니다. 이 색깔 이 빛이. 예를 들어서 몸뚱이 물질 자체가 모두 금광으로서의 자력이나 광력이나 전력이 충만해서 같이 돌아가니까 어디 가서 섰어도 남한테 해롭게 안 하고 그 빛을 비춘다 이겁니다. 또 안으로는 삼십이응신(三十二應身)으로서 그 수많은 사람들이 다 와서 말을 안 하고 가도, 정직하고 진실하다면 그 집을 벌써 왕래하고 계시다 이겁니다.

수십억 마리의 그 중생들이 다 화해서 보살로서의 활용을 한다면 이 우주에 차고도 남고, 아니 계신 데가 없이 찰나의 살림살이를 얼마나 잘 하겠습니까? 여러분, 잘 생각하세요. 한 번 놓는데 지옥고(地獄苦)가 무너진다고 했습니다. 한 번 생각해서 놓는데 지옥고가 찰나찰나에 무너지니 그 수없는 지옥고는 다 무너지게 돼 있습니다. 그래서 그 지옥고가 무너짐으로써 나의 밝은 본성이 나타나는 겁니다.

육조단경(六祖壇經)에도 그랬듯이, 여러분이 잘 생각해야 합니다. 이 마음은 체가 없으니 여러분 앉아서 부산을 한번 갔다 와보세요. 한 찰나의 살림이 아닌가. 그런데 만약에 물이 있어서 못 건너간다, 배가 있어야 한다, 또 뱃사공이 있어야 한다 이런 것은 비유를 해놓으신 것뿐이죠. 여러분이 한번 자심(自心)을 연구해 보세요. 지금이라도 집을 갔다 오시라면은 금방 한 찰나가 아니겠습니까? 그런데 집을 갔다 오시라고 했는데 강이 끼었다고 칩시다. 그러나 마음이 강이 끼었다고 못 갔다 오시겠습니까? 마음은 그렇지 않죠?

그래서 옛날에 육조스님도 말씀하셨듯이, 저 스님 이름 또 잊어버렸네요. 신수대사(神秀大師)가 말씀하신 거를 되받아서 "틀이 없는데 명경이 어딨으며, 명경이 없는데 먼지 앉을 데가 어디 있느냐."고 말을 했듯이, 우리 마음 자체는 한생각 잘 하면 이 세상을 다 주름잡을 수 있고, 한생각 잘못하면 구덩이에 빠져서 허덕인다 이겁니다. 우리 한생각에, 마음을 깨우쳐서 정신세계로써 정신통일을 하고 정신통일로써 이 세계를 우리 한생각에 넘어설 수 있다면 여러분은 대인에 가깝고 자유인에 가깝고 부처입니다.

부처라는 것은 부처가 없는 것이 부처기 때문에 항상 보살로서의 활용을 할 수 있고 가만히 있으면 부처요, 한생각을 했다 하면 법신 (法身)이요, 활용을 했다 하면 화신(化身)입니다. 이것이 다 보살의 중용이라고 할 수 있겠습니다. 그렇다고 우리는 빼놓고 부처님, 보살이 따로 있다고 보지 마시고 우리들 생활 속에서 그러한 연구를 하신다면은 어떠한 사업을 하든지, 가정을 이끌어 나가시는 분들이라도 그것은 끊임없이 걸리지 않고 순조롭게 화합을 이루면서 허망함을 느끼지 않으면서 삶을 살 수 있는 것입니다.

그래서 업보를 녹이는 방법이 놓는 방법이다, 맡겨놓는 방법이다, 나를 발견하는 방법도 놓는 방법이다, 그러니 첫째 놓고 나를 발견하라! 나부터 발견하지 못한다면은 모두 상대를 모른다. 상대를 모른다면 바로 한 치도 움죽거릴 수 없다. 무의 법에서 모두 유의 법으로 나오고, 유의 법에서 무의 법으로 드니 이것은 한생각 무심(無心)이다 라고 얘기하는 겁니다.

이 도리를 알게 하기 위해서 항상 되풀이하는 것을 탓하지 마세요. 되풀이하는 말 자체를 새겨봐서 그 말 자체가 없어지도록 여러분은 아셔야 할 겁니다. 나는 이렇게 생각합니다. 말을 좋게 해서 여러분의 귀만 즐겁게 한다면 잘못이다 하는 것을 느낍니다. 여러분이 마음으로 스스로서 절감하고 감응이 돼서 여러분 마음에서 스스로 한생각을 낼 때에 그것이 법이 됩니다. 여러분이 체험하고 차츰차츰 삶의 보람을 느끼면서 또는 허망함을 느끼지 않는 법이 거기에서 나오는 거지 다른 게 없습니다.

어떤 사람은 "우리가 업보를 지니고 나왔으면은 팔자 운명을 어떻게 할 수 없지 않습니까?" 하는데 그거는 모르는 소리, 모르면 그렇다 이겁니다. 바깥으로 끄달리면 더 업보를 지을 뿐, 그것을 무마시킬 수는 없고 녹일 수는 없는 겁니다. 그러기 때문에 하나하나 들어오는 대로 바깥에서 오는 경계도, 안에서 일어나는 경계도 모든 것을 거기에 다 놓는다면은 모든 업보가 무너지는 거죠. 지옥고(地獄苦)가, 천차만별로 돼 있는 지옥고가 무너지게 되자 고르고 골라서 씨를 뿌린 밭에다 물을 주면 싹이 모락모락 나오듯, 내 마음의 근본이 바로 모락모락 나오게 되죠. 그럼으로써 지혜가 생기고 남을 원망하지 않게 되고 묵묵히 걸어가게 되고, 한 발을 떼어놓을 때에 무겁게 떼어놓게 되고, 말한 마디 할 때 한 번 굴려서 무겁고 지혜 있게 말을 하게 되고…, 그러기 때문에 그 말 한 마디가 법이 되는 것입니다.

나를 이렇게도 말하는 분들이 많죠. "저 스님은 이거는 이렇고 저거는 저렇다고 똑 떨어지게 말하지 않고, 항상 이것도 아니고 저것도 아니게 얼버무려 놓는 사람이야." 이렇게 말할 수도 있죠. 그러나 딴사람들이나 여러분은 모르겠지만 내가 여러분이 나쁜 짓을 했다고 해서 나쁘다고 한 번만 말을 해놓고 한 번 생각했다면 그 사람은 좋아질 수가 없습니다. 그러기 때문에 '좋다'도 아니 하고, '나쁘다'고도 아니 하고, 강도도 강도가 아니라고 하지도 않고 강도라고 하지도 않습니다.

이런 공부를 하고 있는 사람이 어찌 마음으로 '저건 강도다.' 그러고 생각을 하겠습니까? 그리고 말을 하겠습니까? 이건 '선자'고 이건 '악자'다, 이렇게 어떻게 말을 합니까? 그러면은 그분은 몸을 벗어도 그 차원에서 벗어나지 못해서 요다음에 또 그렇게 곡경(曲境)을 당할 테니 그것을 왜 그렇게 해야만 합니까?

말 한 마디 해서 법으로 딱 떨어질 땐 그게 무서운 말인데 어떻게 이건 옳고 이건 그르다고 하겠습니까? 여러분 가만히 생각해 보세요. 나쁜 일을 했다가도 좋은 사람이 될 수 있고, 좋은 사람일지언정 때로는 나쁘게 돌아갈 수 있다는 그 사실을 여러분은 잘 파악하고 계시겠죠. 장차 좋은 것도 아니고, 장차 나쁜 것도 아니다 이겁니다. 한 찰나입니다. 나쁜 짓을 했다 하더라도 그 사람이 항상 나쁜 짓만 하는 게 아닙니다. 금방 어떠한 지경에 도달해 '나는 이렇게 해서 안 되겠다.' 하고 돌아섭니다. 그렇게 돌아설 사람을 '이 사람은 나쁘다.' 그러고 꼭 찍어놔야 옳겠습니까? 이건 그럴 수가 없죠. 법을 다루는 사람으로서, 길잡이로서, 여러분한테 부처님의 참뜻, 이 좋은 법을 전달하는 사람으로서 어떻게 그렇게 말 한 마디 할 수 있느냐? 여러분은 못 믿겠지만 정말 법이라는 것은 그렇게 무섭습니다.

이 손이 손이 아닙니다, 손 아닌 손이 손이지. 손가락 하나 가지고도 하늘을 받칠 수가 있다는 그 사실! 하늘을 뚫을 수가 있다는 사실! 백지장 하나를, 산을 넘어가는 게 무서운 게 아니라 백지장 하나 넘어서기가 어렵다는 얘깁니다. 산을 넘어가는 거야 넘어갈 수가 있지만 백지장 하나 넘어서기가 그렇게 어려운 것이니, 여러분이 그것을 다 놓고 그 백지장 하나 사이를 넘어선다면 여러분은 정말 대인으로서 남북 통일도 가져올 것이고, 세계를 융화시켜서…, 지금 그렇게 되고 있죠.

몇 년 전에 내가 이걸 강조했습니다. 우리가 가난한 모든 것을 면하려면…, 그러면 나쁜 건 왜 있습니까, 좋은 것만 있지. 그것은 우리의 손가락이 길고 짧듯이 이것이 아무 쓸모없는 것 같아도, 쓸모없는 따라지가 붙었어도 이거는 붙어야만이 손이 됩니다. 그와 마찬가지로 어디에서 반란이 일어나면 한쪽에선 승리가 되고, 승리가 되면서 어떠한 조화를 이루고 또 발전이 되는 문제가 있습니다.

그래서 가끔 이런 말을 합니다. 왜 스님이 잘 아신다면 이거를 이럭하지 않도록 일러주시지, 왜 일러주질 않아가지고 우리가 이렇게 잘못 되게 하십니까? 그러거든요. 잘못 돼서 돈을 뭉청 잃었다 이겁니다. 그래서 그런 말을 했습니다. 여러분이 한 번 남한테 속았든지, 남과 동업을 했든지, 무엇을 했든지 자기가 한 번 경험하는 반면에 자기는 평생 아니라 영원토록 남한테 속지 않을 겁니다, 이겁니다. 내가 말해서 만약에 속지 않았다 할지라도 그건 실감이 안 나는 겁니다.

또 속는 것도 그렇지만 일하는 것도 그렇습니다. 어떠한 거를 잘못해서 망가졌습니다. 그랬는데 이게 몇천 불이라고 그럽시다, 그럼. 그것이 몇천 불 짜린데 망가졌다 할지라도 그것은 한 번 경험에 몇천 불이 아니라 몇만 불을 얻을 수가 있다는 사실입니다. 그것뿐만이 아닙니다. 일체 만법을 다룰 수 있는 그런 능력을 얻는다 이겁니다. 그러니 이론으로 또는 경(經)을 보고 글 강의하듯이 선생님이 가르치는 대로 배워서 이것을 남의 말 하듯이 하면 그게 무슨 실감이 납니까?

석존이 여기 계셨어도 석존을 마시고 들어가야 돼. 부숴서 마시고 들어가야 돼. 그건 무슨 소리냐? 여러분이 그렇게 믿고 놓고, 모든 걸 보임(保任)을 하고 또 그 보임한 데서 다시금 내놓고, 만법을 내고 들이고, 움죽거리지 않으면서 그렇게 할 수 있다면 바로 부처님은 자기 안에 아니, 부처님만 계신 게 아니지, 일체가 들어 계신 거죠. 그렇게 딴 데 계신 게 아니기 때문에 바닷물을 삼켰느니 또 바닷물을 삼켰다가 뱉어놨느니 또는 한마음에 들었느니 주인공에 들었느니 다 부쉈느니 이런 소리를 하는 겁니다.

부순 게 부순 게 아니라, 둘이 아닌 까닭에 마음과 마음이 둘이 한데 붙었으면 이게 둘입니까 어디? 영과 영이 어떻게 둘입니까? 응? 여기 계신 분들 마음을 한데 종합해서 다 줏어모아도 없습니다. 여러분 여기서 누가 방귀 뀌었다 해도 그 방귀는 없습니다. 여러분 수십 분이 다 방귀를 뀌었다 해도 그 방귀라는 이름만 남지, 그냥 온데간데가 없습니다. 그와 같습니다.

그런데 내 마음이 따로 있습니까? 그러나 모두 마음의 차원이 있기 때문에 바깥으로 끄달리고 사는 그런 사람들은 그저 차원이 낮다고 이름 지을 수 있죠. 모든 것을 놓고 침착하게 에너지와 질량이 둘이 아님으로써 우린 천차만별로 돼 있는 이 법을 그대로 응용할 수 있는 그런 능력을, 원심력을 가졌기 때문에 그냥 빙긋이 웃고 한 발 떼어놔도 온 법계가 다 울린다는 얘기죠.

이 말 자체를 자꾸 되풀이하는 것은 내가 "저분은 참 설법을 잘하셔." 이 소릴 들으려고 하는 게 아니라, 여러분을 위해서 하는 거기 때문에 이렇습니다. 그러니까 마다하지 마세요. 열 번을 되풀이한다 할지라도 여러분은 열 번만 먹는 게 아니라 아침 점심 저녁 되풀이하고 계신대도 마다 안 합디다. 한 끼니만 걸러도 그냥 배가 고프다고 딴 때보다 막 퍼넣는 거죠, 반찬이 조금 소홀해도요. 그러나 배가 부를 때는 반찬이 잘 놓였어도 뜨적뜨적 천천히 먹는 시늉해요. 이렇게 우리는 차이점이 나는 겁니다. 항상 밥과 김치를 먹어야 살듯이, 항상 했던 소리를 또 하는 것은 여러분이 불성을 가지고 있고, 항상 듣고 내기 때문에 그 얘기를 해서 납득이 되면은 자기 스스로서 나의 속도 알 것이요, 부처님 속도 알게 될 것입니다. 왜? 숙명통(宿命通)을 알고 있으니까.

어떤 분이 와서 "스님! 부모가 불쌍해서 천도를 시키려고 그랬는데 가난해서 돈을 모으다 보니깐 일년 육 개월이 걸렸습니다." 하면서 "일년 육 개월이 걸려도 돈이 모아지질 않아서 이렇게 그냥 왔습니다." 하고 눈물이 나는 걸 참으니까 눈물만 흐르고 침을 자꾸 삼키면서 말을 못 했습니다. 잇질 못했습니다. 그럴 때 내가 그런 말을 했죠. "이거 봐. 없으면 없는 대로 천도하지, 왜 그렇게 걱정 근심을 해. 그게 고(苦)야, 바로. 당신이 모른다면 내가 천도시켜 줄까?" 그러니까 "예!" 그러면서 그래요. "내가 천도시켜 준다고 말 한마디 해서 믿어줄까?" 그러니까 믿는다는 겁니다. "그러면 천도한 줄 알고 가!" 그랬어.

여러분 이거를 가만히 침착하게 생각해 보십시오, 삼십이응신으로서의 여러분 마음이 있다면, 진실한 마음이 있다면 다 오고 감이 없이 응(應)해드릴 겁니다. 또 본래 여러분 불성은 움죽거리지 않으면서도 만법을 들이고 내는 그 능력이 있는 사실을 발견하는 겁니다. 여러분이 놓지 않는다면 그 지옥고도 무너뜨릴 수 없거니와 그 업보로 인해서 천만 가지 다가오는 것에 끄달릴 것입니다. 그러면 "스님이 그건 천도시켜 줬죠?" 이러실 테죠. 그게 아닙니다. 그 사람이 그렇게 진실하고 절실하게 왔기 때문에 그건 단번에 천도가 되는 겁니다. 잘 생각해 보십시오. 단번에 놓는다면은 지옥고가 단번에 무너진다는 거.

항상 이렇게 하고 나가는 데에서 여러분이 느낄 때에 "부지깽이 하나라도 늘어가면 늘어갔지 줄지는 않어." 이 소리는 무식한 말이지만 여러분이 잘 생각해 보십시오. 내가 얘기하기 이전에 여러분이 여기 다니면서, 이 공부를 하시면서 집안이 늘어가면 늘어갔지 줄어가지는 않는다는 사실을 더 잘 아시리라고 믿습니다. 또 재산을 위해서 사느냐? 그게 아닙니다. 자기가 그 업보를 하나하나 놓기 때문입니다. 그 업보가 없어지기 때문에, 지옥고(地獄苦)가 무너지기 때문에, 하나하나 무너져 들어가기 때문에 바로 살림살이가 내 몸으로부터, 가정으로부터 나아지는 거죠. 스스로 말입니다.

그러니 이 공부를 안 하면 안 된다는 사실! 지옥고를 무너뜨릴 수 없고, 내 업보를 없앨 수 없고…. 여러분 항상 얘기 들어서 아시겠죠? 용광로에다 놓으면 다시 생산돼서 쇠가 나오고 그 쇠가 생산돼서 나오면 다시 이름을 받고 다른 물건이 돼서 나온다고요. 그러면 여러분은 그 몸 하나에서 하나하나 분기가 치밀어도 별거 별거 다 놓는다면 바로 그게 용광로에다 넣는 거와 같습니다. 그래서 다시 생산돼서 나오듯이 그 하나하나 업보로 뭉쳐진 중생이 보살로 화해서 여러분을 돕게 되고 조상, 친척, 자식들도 다 돕게 됩니다.

이 좋은 법을 만약에 모르고 기복으로만 왔다갔다 하면서 우리 소꿉장난하는 것처럼, 아니 놀러다니는 것처럼 어떠한 대상을 놓고 빌거나 부적을 가지고 다니거나 이래서는 절대로 안 됩니다. 그건 왜? 부적이라는 건 어느 때 어느 도인 선사께서 길을 지나다 보니까 어느 마을이 전부 불치병을 앓고 있어, 전부 죽어나가. 그래서 할 수 없이 자기의 무심(無心)에서 그대로 손가락 하나를 콱 물어서 부적을 써줬어. 부적을 써선 그 마을 들어가는 나무에다가 터억 붙여놓으니까, 그 불치병들이 다 나아서 그 동네가 맑은 동네가 되고 그 동네 한 해의 농사도 잘 지어지고 병고도 없이 우환도 없이 잘살게 됐더랍니다. 그래 그때부터 부적 부적 하는데 지금은 부적이 아니야. 부적이 아닌 스님의 법력이 그 동네를 살린 거지, 부적이 살린 거라고 생각해선 안 돼요.

만약에 손가락이 저 불을 가리켰을 때 손가락을 보면 안 돼, 저 불을 봐야지. 그렇지 않습니까? 그래 부적 하나가 이 손가락이라면 이건 아무 쓸데 없는 거야. 돈을 오만 원씩 삼만 원씩 몇천 원씩 주고 부적을 사가지곤 벼개 속에 넣고, 요에 넣고, 자기 몸뚱이에 지니고 다니고, 아니 피땀 흘려서 벌어서 그렇게 무식한 일을 왜 합니까? 어리석은 일을 왜 해요? 그런 거 끼고 다녔다고 당하지 않은 사람이 있습니까?

나는 이날까지 부처님 도량에, 도량 아닌 것이 없지만 입산해 가지고도 한 번도 이런 공부를 하려고 했던 것이 아닙니다. 너무 아버지가 완고하고 너무 못살게 하니까 말입니다. 앉아서 걸레만 이렇게 집어도 "왜 기느냐." 그러곤 등허리를 쳤습니다. 이러니 배겨날 수가 있어야죠. 그러니까 벌써 저기서 소리만 나도 달아나가서 숨어야 하고 이러한 지경에 이르렀단 말입니다. 그러니까 '아이구, 그냥 차라리 저 아버지를 아버지라고 그러느니보다 내 속에 있는 아버지를 아버지라고 그래야지.' 그리곤 속으로만 '아버지'라고, 이 큰 내면세계도 모르고 그렇게 했던 겁니다. 그랬는데 아버지는 아들을 찾고 아들은 아버지를 찾은 셈이죠. 그래서 상봉시에 너무나 기뻐서 한번 그때의 상황을 얘기해도 좋지만 끄트머릴 하나 더 붙이겠습니다. 시 한 수 읊어볼까요?

하늘 보고 땅을 치니

불꽃 기둥 하늘 받쳐 도는구나.
도리천 일체 생을
사자의 불꽃 끝은 예리하게 뚫어 끼워
죽은 세상 산 세상을 넘나들며
찰나의 살림살이 떳떳하도다.

어떻습니까? 이 시 한 수 읊은 것이…, 지금 그때 생각을 하고 이렇게 한 것입니다.

예전에 또 이렇게도 해봤습니다. 남은 그림도 잘 그리는데, 나는 학식이 없어서 글씨도 쓸 수가 없었습니다. 커다란 숯을 하나 들었습니다. 숯을 들고 땅에다가 놓고는 한 시간이 돼도 좋고 반 시간이 돼도 좋습니다. 네가 있다면 네가 해라 이겁니다. 손이 하는 게 아니고 이건 글자를 알아서 하는 게 아니니 '너 있으면 네가 해라.' 이렇게 했습니다. 한 시간이 돼도 안 했습니다. 이것은 '네가 어떡하나.' 그 집념을 보는 거야. 거기서 난 물러서지 않았습니다.

강을 보고 앉았어도, 물을 보고 앉았어도, 하루 온종일 앉았어도 거기에서 내가 무엇을 얻지 못하면 난 일어나지 않았습니다. 절대로 말입니다. '죽어야 너를 본다.'고 했는데 내가 죽는 게 대단합니까? 여러분이 이 세상에 났으면은 한 발 한 발 죽어가는데 먼저 죽고 나중 죽고 그것밖에 더 있겠습니까? 그렇다면 지금은 생사가 둘이 아닌 걸 알기 때문에 본래 살질 않기 때문에 죽는 것도 없다는 사실을 여러분은 깨우칠 겁니다. 그러다 보니까 손이 돌아가는데 말입니다. 비호같이 돌아가는 거 있죠. 여러분은 그거 느껴보지 못했을 겁니다, 아마도. 하하하.

그래서 지금 시 읊은 이것을 그때에 그렇게 해봤는데 한 번 두 번만 해보면 더 안 합니다. 왜? 그것은 써먹으려고 그러는 게 아니니까. 이 모두가 여러분에게 전달하는 방법이 틀렸다면은 틀린 대로, 안 된다는 이런 마음이 있걸랑 안 된 것도 거기서 나오는 거니까 그 안 된다는 마음조차도 '네가 마음내는 거 아니냐.' 이겁니다. 그거조차 놓을 수 있다면 나를 탓하지 않을 겁니다.

그러니 하루 종일 일을 했어도 아침과 저녁이 공간이 져서 내가 '주인공'이라는 생각을 못 했다 할지라도 아침, 저녁이 맞붙어 있습니다. 둘이 아닙니다, 초월하면. 둘이 아니에요. 한 찰나입니다. 그러기 때문에 초월된 이 세상에서는 이렇게 24시간 중에 공간이 지는 게 없어요, 찰나지. 그러니 아침에 생각했는데 저녁까지 잊어버리고 있었다는 생각은 아예 놓으세요. 그때 생각했으면 그때 생각한 대로, 생각을 못 했으면 못 한 대로. '아이구, 내가 자꾸 졸려서 앉아서 공부를 못 하니 이건 공부 다했군.' 이러한 따위의 생각은 놓으세요. 자고 싶으면 자는 것도 참선이기 때문입니다.

생각에 걸리질 마세요. 수면이 오더라도 그놈이 하는 거지 딴 것이 아니니까. 일을 하고 싶어도 그놈이 하는 거고, 서는 것도 그놈이 하는 거고, 앉는 것도 그놈이 하는 거야. 만남도 그놈이 하는 거야. 그런데 왜 걸립니까? 자기는 나침반을 놓고 이것이 누(累)가 되게 하지 않는 건가? 집안에 언짢은 일이 아닌가? 자식들한테 내가 이렇게 해서 잘못되질 않나? 요것만 자꾸, 이 운전대만 잘 돌리면 그 차는 올바로 갈 것입니다. 그리고 이익을 가져올 수 있고요.

여러분이 저녁마다 모두 조용하게 삼십 분 동안이라도, 단 이십 분 동안이라도 모든 것을 주인공에 한데 모아서 딱 놓고선 한 번 둥글려 보세요. 잡념도 이 속에 다 들어가 있죠. 지난번에도 얘기했지만 한 번 둥굴려서 내면에 딱 놓으면은 잡념이고 뭐고 다 없어. 자식이고 조상이고 부처고, 중생이고 벌레고 지수화풍이고 뭐고 다. 지수화풍 속에 다 흠뻑 들어가 둥굴려졌으니까 잡념 부릴 게 없죠.

그걸 무겁게 놓고, 너밖에는 모르는데, 수없이 진화돼서 온 과정도 앞으로 갈 것도 너밖에는 모르는데 내가 너를 보지 않고 어떡하겠느냐 하고선 그냥 사무치게 관(觀)해 보시라고요. 그렇게 수차에 그런 사무침이 없이 백지장 하나를 넘어서겠습니까? 여러분은 백지장을 우습게 생각하지만 백지장 넘기가 어렵지, 다른 거 넘는 건 쉽습니다. 그러니 여러분은 길을 갈 때도 무겁게 발을 떼어놓고, 믿음을 무겁게 두면은 항상 묵직하게, 발을 떼어놔도 묵직하게 떼어집니다. 말을 해도 묵직하게 떼어놔지고.

한마디만 더하고 끝내죠. 지루하신지 모르겠습니다. 옛날에 그런 얘기했죠. 어느 도승이 계신데, 마적떼들이 "야! 도승이라는데 도대체 내가 볼 때는 껍데기로 봐서는 도승 같지 않아. 그래 네가 도승이라면 어디 내 칼이 안 들어가겠느냐? 네 가슴에는 철판을 대서 안 들어가겠느냐?" 하고선 오는 길을 지키고 있었습니다. 그랬는데, 아니 자기 죽을 줄 모르고 자꾸 앞으로 다가오거든요. 그래서 딱 다가오니까 '저 죽을 줄 모르고 오는구나!' 하면서 '도인은 무슨 놈의 도인이냐!'고 하면서 칼을 들고 "네 가슴에 이 칼이 안 들어가겠느냐? 진짜로 도인이라면 내놔 봐라." 그렇게 했습니다. 칼로 찔러버리겠다고.

"네 가슴을 찔러서 네 가슴 속에 뭐이 들었나 내가 보겠다." 이랬습니다. 그랬더니 껄껄! 웃으시면서 하는 소리가 "아주 추운 동절에 고목을 잘라봤던들 거기서 꽃이 나오더냐?" 그리곤 물었습니다, 꽃이 나오더냐고. "고목만 잘라질 뿐 꽃은 나오지 않느니라." 그랬습니다. 그러니까 거기에서 그만 "스스로서 네 마음에 봄이 온다면 꽃이 필 수도 있지!" 했습니다. 그러니까 칼을 던지고 정말 그 사람의 마음에 봄이 와서 마음에서 향기가 나고 따르던 모든 사람이 전부 그 스님의 제자가 됐다는 얘기도 있습니다.

그렇듯이 내 집에 강도가 들어왔다 할지라도 그렇고 도둑이 들어왔다 하더라도 이런 공부를 안 하는 사람은 "도둑이야!" 하고 "강도야!" 이럴 것입니다. 그러나 이 공부하는 사람들은 침착하게 거기 맡겨놓으면 스스로서 몸뚱이의 모든 게 보살로 화하니까 오고 감이 없이 그쪽에 가서 그 사람이 되어서 그 사람 마음은 봄이 돼서 그 칼로 사람을 찌르지 못한다는 이치가 있습니다.

그러니 한 찰나에 그 사람 마음에 봄이 오게 할 수 있는 그런 능력을 여러분이 가질 수 있다. 이건 한마디로 이렇게 표현하는 거지만 그거 한 가지뿐만 아니라, 어떤 분은 돈을 받으러 갔는데 돈이 있는데도 안 줍니다 이겁니다. "모든 건 놓고 살아, 착하게. 악담하지 말고 그 사람이 잘 돼야, 그 사람의 마음이 돌아서야 당신 돈 줄 거 아니야? 그러니 항상 착한 마음으로써 다 놓게 되면 스스로 돈을 갖다주게 돼 있어." 그랬습니다. 착하게 놓으니까 스스로서 그 사람이 돈을 갖다주더랍니다, 정말. 그랬다는 셈으로 우리는 무술도 고수가 되려면 그렇고, 태권도도 마음을 놓지 않고 모든 잡념을 버리지 않고는 못 해요. 여러분 아시겠죠? 자유인이 되시라고요.

업보를 다 녹이는 방법을 오늘 이렇게 여러분 앞에 얘기했습니다. 업보 없어지는 방법은 바로 그겁니다, 지옥고를 무너뜨리는 거. 감사합니다.